新生児マススクリーニング対象疾患等
診療ガイドライン
2019

編集 日本先天代謝異常学会

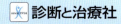

序　文

　先天代謝異常症は遺伝性の希少疾患であり，またその症状は非特異的であり，一般臨床現場ではその診断は困難です．一方，フェニルケトン尿症においては早期に食事療法で治療を行うことにより知能障害を防げることが実証されました．これらの臨床的背景から新生児マススクリーニングの有用性が認められ，海外において新生児マススクリーニングが開始されました．

　わが国では1977年10月から全国レベルで先天代謝異常症5疾患（フェニルケトン尿症・メープルシロップ尿症・ホモシスチン尿症・ガラクトース血症・ヒスチジン血症〈その後対象外に〉）に対する新生児マススクリーニングが開始されました．その結果，新生児マススクリーニングにより毎年，約50名の先天代謝異常症4疾患の患者さんが診断・治療されていました．ところが2014年に全国都道府県・政令指定都市においてタンデムマスによる新生児マススクリーニングが開始され，対象疾患が6疾患から19疾患に拡大された結果，診断される先天代謝異常症の患者さんは毎年，約200名に増加しました．

　前述したように先天代謝異常症は希少疾患のため，その診断・治療は専門的知識が要求されます．一方で新生児マススクリーニング体制の変化により患者数が増加し，一般臨床医もその知識が必要とされるようになりました．このような背景のもと日本先天代謝異常学会は『新生児マススクリーニング対象疾患等診療ガイドライン2015』を2015年11月に発行しました．その基本構成は疾患概要・代謝経路・疫学・診断の基準・新生児マススクリーニングで疑われた場合の対応・確定診断・診断確定後の治療・フォローアップ指針・成人期の課題で構成されていました．今回の2019年版ではこれらに鑑別診断（診断のためのフローチャート）を加えました．さらに高チロシン血症1型，高メチオニン血症，リジン尿性蛋白不耐症，門脈体循環シャントを新しい疾患として加え，ウィルソン病を削除しました．また，用語の説明や知っておいたほうが良い最新情報などをミニコラムとして随所に配置しました．これらの改訂により2019年版は2015年版に比べてページ数は100ページ以上増加し，また内容も充実しています．是非，本書を臨床現場で活用していただき新生児マススクリーニングで陽性になった患者さんの診断・治療に役立てていただければ幸いです．

　最後になりましたが本書を作成するにあたり，ご尽力いただきました執筆者の先生方，多大なご尽力をいただきました日本先天代謝異常学会診断基準・診療ガイドライン委員会委員長の大竹明先生，副委員長の中村公俊先生，深尾敏幸先生に感謝申し上げます．

2019年6月

日本先天代謝異常学会　理事長

井田博幸

新生児マススクリーニング対象疾患等診療ガイドライン 2019 の発刊に際して

　日本先天代謝異常学会から本診療ガイドライン 2015 が出版され，先天代謝異常症を診療する多くの医療関係者に利用されている．ガイドラインの作成・改定を研究目的の一つとして掲げている研究班として感謝すると同時に大きな喜びでもある．ガイドライン発行に至る経緯は，本ガイドライン 2015 の中に詳しく記載されているが，2015 年 1 月に難病法が施行され，いくつかの先天代謝異常症が指定難病に指定されたことが大きくかかわっている．平成 26～27 年度厚生労働科学研究費補助金難治性疾患克服研究事業「新しい先天代謝異常症スクリーニング時代に適応した治療ガイドラインの作成および生涯にわたる診療体制の確立に向けた調査研究」（研究代表者　遠藤文夫）において，ガイドライン作成の基礎となる調査と研究を行い，指定難病で用いられている診断基準が作成された．さらに当時の日本先天代謝異常学会診断基準・診療ガイドライン委員会　深尾敏幸委員長のもとで，その内容を新生児マススクリーニング，診断，治療に拡大し，診療ガイドラインを完成させた．これらを編集し，井田博幸理事長のもとで，日本先天代謝異常学会編となる「新生児マススクリーニング対象疾患等診療ガイドライン 2015」として，2015 年 11 月 20 日に発行することができた．

　それから 4 年が経ち，先天代謝異常症の中にはさらに指定難病に追加されるものもあり，また，遺伝子解析をはじめとした新たな診断や，新規の承認薬を使用した治療などが行われるようになった．これらの新しい情報をエビデンスやエキスパートオピニオンに基づいて記載し，先天代謝異常症の日常診療に資するものとして作成したのが，「新生児マススクリーニング対象疾患等診療ガイドライン 2019」である．本ガイドラインは，ガイドライン 2015 の改訂にとどまらず，臨床症状やマススクリーニング結果から診断へ至るまでの鑑別診断フローチャート，成人期の診療の課題，そしてエキスパートならではの診療の tips ともいえるミニコラムなど，新しい要素を多く取り入れた内容となった．

　本研究班では，診療ガイドラインの作成，移行期医療や成人期の課題の研究，患者登録と患者会の支援，マススクリーニングと治療用ミルク制度の課題整備などを研究の柱としている．本ガイドラインは，診療に資するガイドラインの枠をこえて，移行期医療や成人期の診療に関する情報，マススクリーニングによって発見された患者へのよりよい診療の提供，治療用ミルクの適応や治療目標なども記載している．これらの情報を広く活用していただくことで，正確な診断に基づいた患者登録制度や患者会の支援につながると考えている．先天代謝異常症の多くの疾患の中では，指定難病とされている疾患はわずかであり，成人期の診療，支援が必要と考えられる疾患は少なくない．また，疾患特異的な治療薬は少なく，根治に至る治療が可能な疾患は限られている．診断基準と診療ガイドラインの整備を進めることで，先天代謝異常症への理解がさらに進み，小児

科医師，成人診療科医師，その他の医療従事者の皆様や，行政で難病を担当されている専門職の皆様に役立てていただければ幸いである．

　本ガイドライン 2019 によって先天代謝異常症の患者の皆様がよりよい診療を受けられ，より長く健やかな生活を送ることができるよう，心から希望いたします．

2019 年 6 月

厚生労働科学研究費補助金難治性疾患等政策研究事業「先天代謝異常症の生涯にわたる診療支援を目指したガイドラインの作成・改訂および診療体制の整備に向けた調査研究」（中村班）研究代表者
熊本大学大学院生命科学研究部小児科学講座　教授

中村公俊

新生児マススクリーニング対象疾患等診療ガイドライン 2019

──────── 日本先天代謝異常学会診断基準・診療ガイドライン委員会 ────────

委員長

大竹　　明　　埼玉医科大学小児科

副委員長

中村　公俊　　熊本大学大学院生命科学研究部小児科学講座
深尾　敏幸　　岐阜大学医学部小児科

──────── 「新生児マススクリーニング対象疾患等診療ガイドライン 2019」 ────────
作成に携わった委員（50音順）

石毛　美夏　　日本大学医学部小児科
市野井那津子　東北大学大学院医学系研究科小児病態学
伊藤　哲哉　　藤田医科大学医学部小児科
城戸　　淳　　熊本大学医学部小児科
窪田　　満　　国立成育医療研究センター総合診療部
小林　弘典　　島根大学医学部小児科
小林　正久　　東京慈恵会医科大学小児科
坂本　　修　　東北大学大学院医学系研究科小児病態学分野
坂本理恵子　　熊本大学病院総合周産期母子医療センター
笹井　英雄　　岐阜大学医学部小児科
但馬　　剛　　国立成育医療研究センター研究所マススクリーニング研究室
田中　藤樹　　国立病院機構北海道医療センター小児科
長尾　雅悦　　国立病院機構北海道医療センター小児科
中島　葉子　　藤田医科大学医学部小児科
中村　公俊　　熊本大学大学院生命科学研究部小児科学講座
沼倉　周彦　　山形大学医学部小児科
野口　篤子　　秋田大学医学部小児科
長谷川有紀　　島根大学医学部小児科／松江赤十字病院小児科
畑　　郁江　　福井県立病院小児科
濱崎　考史　　大阪市立大学医学部小児科
深尾　敏幸　　岐阜大学医学部小児科
福田冬季子　　浜松医科大学小児科
伏見　拓矢　　千葉県こども病院代謝科
坊　　亮輔　　神戸大学医学部小児科
松永　綾子　　千葉県こども病院代謝科
松本　志郎　　熊本大学生命科学研究部小児科学講座
三渕　　浩　　熊本大学病院新生児医学寄付講座
村山　　圭　　千葉県こども病院代謝科
山田　健治　　島根大学医学部小児科
李　　知子　　兵庫医科大学小児科
渡邊　順子　　久留米大学医学部質量分析医学応用研究施設／同小児科

ガイドライン作成協力者（50音順）

石垣　景子	東京女子医科大学小児科	
石毛　信之	公益財団法人東京都予防医学協会	
伊藤　　康	東京女子医科大学小児科	
井原　健二	大分大学医学部小児科	
大浦　敏博	仙台市立病院小児科	
大友　孝信	川崎医科大学総合医療センター小児科	
大橋　十也	東京慈恵会医科大学総合医科学研究センター遺伝子治療研究部／小児科	
岡野　善行	おかのこどもクリニック	
奥山　虎之	国立成育医療研究センター臨床検査部	
折居　建治	岐阜大学医学部附属病院新生児集中治療部	
金澤　正樹	千葉市立海浜病院	
河井　昌彦	京都大学医学部小児科	
呉　　繁夫	東北大学大学院医学系研究科小児病態学	
小須賀基通	国立成育医療研究センター臨床検査部	
児玉　浩子	帝京平成大学健康メディカル学部	
小林　博司	東京慈恵会医科大学総合医科学研究センター遺伝子治療研究部／小児科	
酒井　規夫	大阪大学大学院医学系研究科保健学専攻生命育成看護科学講座成育小児科学	
清水　教一	東邦大学医療センター大橋病院小児科	
新宅　治夫	大阪市立大学大学院医学研究科発達小児医学分野	
杉江　秀夫	常葉大学保健医療学部作業療法学科	
高橋　　勉	秋田大学医学部小児科	
高柳　正樹	帝京平成大学健康医療スポーツ学部看護学科	
竹島　泰弘	兵庫医科大学小児科	
青天目　信	大阪大学医学部小児科	
成田　　綾	鳥取大学医学部小児科	
長谷川奉延	慶應義塾大学医学部小児科学教室	
羽田　　明	千葉大学大学院公衆衛生学	
村上　良子	大阪大学微生物病研究所籔本難病解明寄附研究部門	
望月　　弘	埼玉県立小児医療センター代謝内分泌科	
山本　重則	独立行政法人国立病院機構下志津病院小児科	
依藤　　亨	大阪市立総合医療センター小児代謝・内分泌内科	

利益相反
本ガイドラインの作成には，製薬会社などの企業の資金は用いられておらず，特記すべき利益相反（conflict of interest）はない．

新生児マススクリーニング対象疾患等診療ガイドライン 2019
目　次

序　文 .... 井田博幸　　iii

新生児マススクリーニング対象疾患等診療ガイドライン 2019
の発刊に際して .... 中村公俊　　iv

本書で使用される略語一覧 ....　x

ガイドライン改訂にあたって―基本的な考え方― .... 大竹明，中村公俊，深尾敏幸　xiii

1	代謝救急診療ガイドライン	2
2	フェニルケトン尿症および類縁疾患	11
3	メープルシロップ尿症	25
4	ホモシスチン尿症	35
5	高メチオニン血症 （メチオニンアデノシルトランスフェラーゼ欠損症）	43
6	高チロシン血症 1 型	49
7	シトリン欠損症	57
8	尿素サイクル異常症	67
9	リジン尿性蛋白不耐症	93
10	ガラクトース-1-リン酸ウリジルトランスフェラーゼ （GALT）欠損症	101
11	先天性門脈-体循環シャントによる高ガラクトース血症	106
12	メチルマロン酸血症	113
13	プロピオン酸血症	127
14	イソ吉草酸血症	139
15	3-メチルクロトニル CoA カルボキシラーゼ欠損症 （メチルクロトニルグリシン尿症）	148
16	HMG-CoA リアーゼ欠損症， 3-ヒドロキシ 3-メチルグルタル酸尿症	157
17	複合カルボキシラーゼ欠損症	164

18	βケトチオラーゼ欠損症	173
19	グルタル酸血症 1 型	180
20	脂肪酸代謝異常症：総論	191
21	極長鎖アシル CoA 脱水素酵素（VLCAD）欠損症	195
22	三頭酵素（TFP）欠損症	207
23	中鎖アシル CoA 脱水素酵素（MCAD）欠損症	218
24	全身性カルニチン欠乏症（OCTN2 異常症）	228
25	カルニチンパルミトイルトランスフェラーゼ I（CPT1）欠損症	240
26	カルニチンパルミトイルトランスフェラーゼ II（CPT2）欠損症	250
27	カルニチンアシルカルニチントランスロカーゼ（CACT）欠損症	263
28	グルタル酸血症 2 型（複合アシル CoA 脱水素酵素欠損症）	274
29-1	糖原病と糖新生異常症：肝型糖原病	286

①糖原病 I 型，III 型，VI 型
②糖原病 IV 型
③ Fanconi-Bickel 症候群

| 29-2 | 糖原病と糖新生異常症：筋型糖原病 | 305 |

筋型糖原病

| 29-3 | 糖原病と糖新生異常症：その他の糖原病 | 310 |

①糖原病 0 型（グリコーゲン合成酵素欠損症）
②糖原病 0b 型（筋グリコーゲン合成酵素欠損症）

| 29-4 | 糖原病と糖新生異常症：糖新生異常症 | 313 |

フルクトース-1, 6-ビスホスファターゼ（FBPase）欠損症

| 索 引 | | 316 |

遺伝子の表記方法
　本書では，遺伝子はイタリック表記としている．

本書で使用される略語一覧

略語	和文	欧文
ACC	アセチル CoA カルボキシラーゼ	acetyl-CoA carboxylase
ADHD	注意欠陥・多動障害	attention-deficit hyperactivity disorder
ALTE	乳幼児突発性危急事態	apparent life-threatening event
Arg	アルギニン	arginine
ARG1	アルギナーゼ I	arginase 1
AS	アシル CoA 合成酵素	acyl-CoA synthetase
ASL	アルギニノコハク酸リアーゼ	argininosuccinate lyase
ASS	アルギニノコハク酸合成酵素	argininosuccinate synthetase
BCAA	分枝鎖アミノ酸	branched-chain amino acid
BCAT	分枝鎖アミノ酸アミノトランスフェラーゼ	branched-chain amino acid transaminase
BCKA	分枝鎖ケト酸	blanched-chain keto acid
BCKAD	分枝鎖ケト酸脱水素酵素	branched-chain keto acid dehydrogenase
BH$_4$	テトラヒドロビオプテリン	tetrahydrobiopterin
CACT	カルニチンアシルカルニチントランスロカーゼ	carnitine acylcarnitine translocase
CBS	シスタチオニン β 合成酵素	cystathionine β-synthetase
CDSP	全身性カルニチン欠乏症	carnitine deficiency, systemic primary
CHD	持続血液透析	continuous hemodialysis
CHDF	持続血液ろ過透析	continuous hemodiafiltration
Cit	シトルリン	citrulline
CoA	コエンザイム A	coenzyme A
CPS1	カルバミルリン酸合成酵素 I	carbamoyl phosphate synthetase 1
CPT	カルニチンパルミトイルトランスフェラーゼ	carnitine palmitoyltransferase
CTLN2	成人発症 II 型シトルリン血症	adult-onset citrullinemia type 2
DHAP	ジヒドロキシアセトンリン酸	dihydroxyacetone phosphate
DHPR	ジヒドロプテリジン還元酵素	dihydropteridine reductase
ETF	電子伝達フラビンタンパク	electron-transferring flavoprotein
ETFDH	電子伝達フラビンタンパク脱水素酵素	electron-transferring flavoprotein dehydrogenase
FBPasa	フルクトース-1, 6-ビスホスファターゼ	fructose-1, 6 bisphosphatase
FSH	卵胞刺激ホルモン	follicle stimulating hormone
FTTDCD	シトリン欠損による体重増加不良と脂質異常	failure to thrive and dyslipidemia coused by citrin deficiency
G6Pase	グルコース-6-ホスファターゼ	glucose-6-phosphatase
G6PD	グルコース-6-リン酸脱水素酵素	glucose-6-phosphate dehydrogenase deficiency
GA	グルタル酸血症	glutaric acidemia
GALE	ウリジン二リン酸ガラクトース-4-エピメラーゼ	uridine diphosphate-galactose-4-epimerase
GALK	ガラクトキナーゼ	galactokinase

略語	和文	欧文
GALT	ガラクトース-1-リン酸ウリジルトランスフェラーゼ	galactose-1-phosphate uridyl transferase
GC	ガスクロマトグラフィー	gas chromatography
GCDH	グルタリル CoA 脱水素酵素	glutaryl-CoA dehydrogenase
G-CSF	顆粒球コロニー刺激因子	glanulocyte colony-stimulating factor
GIR	グルコース投与速度	glucose infusion rate
GLUT	グルコーストランスポーター	glucose transporter
GTP	グアノシン三リン酸	guanosine triphosphate
GTPCH	GTP シクロヒドロラーゼ I	GTP cyclohydrolase 1
HCS	ホロカルボキシラーゼ合成酵素	holocarboxylase synthetase
HHH	高オルニチン・高アンモニア・ホモシトルリン尿症	hyperornithinemia-hyperammonemia-homocitrullinuria
HHV	ヒトヘルペスウイルス	human herpesvirus
5-HIAA	5-ヒドロキシインドール酢酸	5-hydroxyindole acetic acid
HMG-CoA	3-ヒドロキシ-3-メチルグルタリル-CoA	3-hydroxy-3-methylglutaryl-CoA
HMGL	3-ヒドロキシ-3-メチルグルタリル-CoA リアーゼ	3-hydroxy-3-methylglutaryl-CoA lyase
5-HTP	5-ヒドロキシトリプトファン	5-hydroxytryptophan
HVA	ホモバニリン酸	homovanillate
IVA	イソ吉草酸血症	isovaleric acidemia
IVDH	イソバレリル CoA 脱水素酵素	isovaleryl-CoA dehydrogenase
2KG	2-ケトグルタル酸	2-ketoglutarate
LCEH	エノイル CoA ヒドラターゼ	enoyl-CoA hydratase
LCHAD	長鎖 3-ヒドロキシアシル-CoA 脱水素酵素	long-chain-3-hydroxyacyl-CoA dehydrogenase
LCKAT	3-ケトアシル-CoA チオラーゼ	3-ketoacyl-CoA thiolase
LCT	長鎖脂肪酸トリグリセリド	long-chain triglyceride
LDH-A	乳酸デヒドロゲナーゼ A	lactate dehydrogenase A
MADD	マルチプルアシル CoA 脱水素酵素欠損症	multiple acyl-CoA dehydrogenase deficiency
m-AST	ミトコンドリア アスパラギン酸アミノトランスフェラーゼ	mitochondrial aspartate aminotransferase
MAT	メチオニンアデノシルトランスフェラーゼ	methionine adenosyltransferase
MC	メチルクエン酸	methylcitrate
MCAD	中鎖アシル CoA 脱水素酵素	medium-chain acyl-CoA dehydrogenase
MCC	3-メチルクロトニル-CoA カルボキシラーゼ	3-metylcrotonyl-CoA carboxylase
MCD	複合カルボキシラーゼ欠損症	multiple carboxylase deficiency
MCG	メチルクロトニルグリシン尿症	methylcrotonylglycinuria
MCKAT	中鎖 3-ケトアシル-CoA チオラーゼ	medium-chain ketoacyl-CoA thiolase
MCM	メチルマロニル CoA ムターゼ	methylmalonyl-CoA mutase
MCT	中鎖脂肪酸トリグリセリド	medium-chain triglyceride
Met	メチオニン	methionine
2M3HBD	2-メチル-3-ヒドロキシブチリル-CoA 脱水素酵素	2-methyl-3-hydroxybutyryl-CoA dehydrogenase
MMA	メチルマロン酸血症	methylmalonic acidemia
MRS	MR 分光法	MR spectroscopy

略語	和文	欧文
MSUD	メープルシロップ尿症	maple syrup urine disease
MTHFR	メチレンテトラヒドロ葉酸還元酵素	methylene tetrahydrofolate reductase
MTR	メチオニン合成酵素	methionine synthase
MTRR	メチオニン合成酵素還元酵素	methionine synthase reductase
NADH	還元型ニコチンアミドアデニンジヌクレオチド	reduced nicotinamide adenine dinucleotide
NAGS	N-アセチルグルタミン酸合成酵素	N-acetyl-glutamate synthetase
NBS	新生児マススクリーニング	newborn screening または neonatal screening
NICCD	シトリン欠損による新生児肝内胆汁うっ滞症	neonatal intrahepatic cholestasis caused by citrin deficiency
OCTN2	カルニチントランスポーター	carnitine transporter
25(OH)D	25水酸化ビタミンD	25-hydroxyvitamin D
ORNT1	オルニチン・シトルリンアンチポーター	ornithine/citrulline antiporter
OTC	オルニチントランスカルバミラーゼ	ornithine transcarbamylase
PA	プロピオン酸血症	propionic acidemia
PAH	フェニルアラニン水酸化酵素	phenylalanine hydroxylase
PC	ピルビン酸カルボキシラーゼ	pyruvate carboxylase
PCC	プロピオニルCoAカルボキシラーゼ	propionyl-CoA carboxylase
PCD	プテリン-4α-カルビノルアミン脱水素酵素	pterin-4α-carbinolamine dehydrogenase
PGK	ホスホグリセリン酸キナーゼ	phosphoglycerate kinase
PGM	筋ホスホグルコムターゼ	phosphoglucomutase
Phe	フェニルアラニン	phenylalanine
PKU	フェニルケトン尿症	phenylketonuria
PLD	ホスホリラーゼ限界デキストリン	phosphorylase-limit dextrin
PTH	副甲状腺ホルモン	parathyroid hormone
PTPS	6-ピルボイルテトラヒドロプテリン合成酵素	6-pyruvoyl-tetrahydropterin synthase
qBH_2	キノノイドジヒドロビオプテリン	quinonoid dihydrobiopterin
RCT	ランダム化比較試験	randomized controlled trial
SCAD	短鎖アシルCoA脱水素酵素	short-chain acyl-CoA dehydrogenase
SCHAD	短鎖3-ヒドロキシアシル-CoA脱水素酵素	short-chain-3-hydroxyacyl-CoA dehydrogenase
SCKAT	短鎖3-ケトアシル-CoAチオラーゼ	short-chain-3-ketoacyl-CoA thiolase
SCOT	スクシニルCoA：3-ケト酸-CoAトランスフェラーゼ	succinyl-CoA：3-ketoacid-CoA transferase
SIDS	乳幼児突然死症候群	sudden infant death syndrome
SPR	セピアプテリン還元酵素	sepiapterin reductase
T2	ミトコンドリア・アセトアセチルCoAチオラーゼ	mitochondrial acetoacetyl-CoA thiolase
TFP	ミトコンドリア三頭酵素	trifunctional protein
Tyr	チロシン	tyrosine
Thr	トレオニン	threonine
UDP	ウリジン二リン酸	uridine diphosphate
UDPG	ウリジン二リン酸グルコース	uridine diphosphate glucose
VLCAD	極長鎖アシルCoA脱水素酵素	very long-chain acyl-CoA dehydrogenase
VMA	バニリルマンデル酸	vanillylmandelate
XLG	X連鎖性肝型糖原病	X-linked liver glycogenosis

ガイドライン改訂にあたって
―基本的な考え方―

1 はじめに

2014年までにタンデムマスによる新生児マススクリーニングが全国のすべての都道府県で実施されることになり、早くも5年が経過した。少なくとも先天代謝異常症の17疾患、二次疾患の重要な疾患を含めて20疾患程度がスクリーニングされている。対象疾患疑いで紹介された場合、何をしたらいいか？ どう診断に結びつけるのか？ 診断確定までどうしたらいいか？ などを含めた「新生児マススクリーニング対象疾患等診療ガイドライン2015」を2015年に発刊した。発刊直後からさらに3～4年後の改訂を目指して活動を続けてきて、ここに「新生児マススクリーニング対象疾患等診療ガイドライン2019」を発刊するに至った。このガイドライン改訂には「新生児マススクリーニング対象疾患等の診療に直結するエビデンス創出研究」(国立研究開発法人日本医療研究開発機構＜AMED＞難治性疾患実用化研究事業 深尾班)および「先天代謝異常症の生涯にわたる診療支援を目指したガイドラインの作成・改訂および診療体制の整備に向けた調査研究」(厚生労働科学研究費補助金難治性疾患等政策研究事業 中村班)による研究の成果があらたに盛り込まれ、特に成人期における問題にも初版以上に積極的に触れていることが特徴である。本ガイドラインが新生児マススクリーニングによってスクリーニング陽性と判断された新生児への対応、対象疾患の診断、治療のみでなく、成人期での管理においても役立つことを願っている。

2 本ガイドラインの基本的な考え方、記載方法

先天代謝異常症は遺伝性の希少疾患であり、その頻度は多いもので数万人に1人である。一つひとつの疾患の頻度は高くないため、その診断、治療の経験が豊富な医師は非常に限られている。

わが国において全国に普及するタンデムマスを用いた新生児マススクリーニング対象の先天代謝異常症も、一つひとつの疾患の発症頻度は低いものの、合計すれば1万人に1人以上の頻度となり、毎年それぞれの地域でマススクリーニング陽性例への確定診断、治療を行うことが必要になる。そのため、どのように診断するかという診断基準の策定が急務となり、日本先天代謝異常学会では2013年に診断基準の策定を行って公表した。また、わが国においてどの地域にあっても標準的な診療を行っていくためには、診療ガイドラインが必要である。2015年の本ガイドライン初版は、おもに新生児マススクリーニングで診断される疾患を中心に、スクリーニング陽性例から確定診断へのステップを上記診断基準に従って行うプロセス、その後の治療、フォローアップについて作成したものであるが、今回の2019年のガイドラインはこれをベースに「先天代謝異常症の生涯にわたる診療支援を目指したガイドラインの作成・改訂および診療体制の整備に向けた調査研究」(厚生労働科学研究費補助金難治性疾患等政策研究事業 中村班)を中心に検討し、先天代謝異常学会の診断基準、診療ガイドライン委員会においてさらに検討を加えて改訂されたものである。

各疾患の診療ガイドラインの前に、前回同様に代謝救急のガイドラインを加えた。それは新生児マススクリーニングの対象疾患を含め、診断がつかない段階で急性期症状を呈することがあるので、その対応のガイドラインを示すことは意味があると考えたからである。今回、ホモシスチン尿症の鑑別上重要な高メチオニン血症、高アンモニア血症の鑑別に重要なリジン尿性蛋白不耐症、ガラクトース血症の鑑別上問題となる門脈-体循環シャントの3疾患を追加している。

また今回の改訂では、本文以外にミニコラムがいくつか掲載されている。ガイドライン改訂にあたり、ガイドラインの本文に記載するほどコンセ

ンサスを得ているとは言えないがガイドライン提案者からのメッセージを少し入れたい，もしくはガイドラインをより理解するうえで必要と思われる用語や知識の解説を目的としてミニコラムが誕生している．あくまでも参考ということで見ていただければと考えている．

3 先天代謝異常症の診断

先天代謝異常症においては，原因となる酵素などのタンパクが欠損し，機能が低下することによって生じる臨床像，臨床検査所見から臨床的な疑い例となる．そのうえで，その疾患に特有と考えられる特殊な生化学的異常パターンから生化学診断がなされ，原因タンパクの欠失，減少，酵素活性の低下，遺伝子変異の同定から確定診断がなされている．ある疾患においては，生化学診断が確定診断としての位置づけとなっており，一方で，生化学診断のみでは複数の疾患が鑑別できず，原因タンパクの欠失，酵素活性異常，遺伝子変異の同定が確定診断に必要な疾患も存在する．

本ガイドラインにおいては，どのレベルでの診断で確定診断としたらよいかについて，各疾患で個別に示した．基本的に学会承認の診断基準である．

先天代謝異常症の検査においては，特殊検査があり，現時点で保険適用でない検査も多い．それについては表1のような記載を行った．新生児マススクリーニング対象疾患の診断のうえで重要な尿中有機酸分析，アシルカルニチン分析については，令和元年現在これらの検査ができる保険医療機関に依頼した場合に限り，患者1人につき月1回のみ算定することができるという制約がある．このため検査会社に依頼すると保険適用ではないことに注意が必要である．また令和元年の段階では新生児マススクリーニング一次対象疾患の多く（CPT2欠損症，ガラクトース血症を除く）については，遺伝学的検査として1症例に1回のみ保険請求ができる．遺伝学的検査は，遺伝子検査のほか，酵素診断などの遺伝病の確定診断ということになる．2015年初版発刊当時とは大きく状況は異なり，多くの疾患が保険診療で遺伝子異常を調べ

表1 検査について

＊	保険適用であるもの
＊＊	保険適用ではあるが施設間契約が必要で，それ以外は保険外として行われることが多いもの
＊＊＊	保険適用ではないもの（研究レベルのことが多い）

ることが可能になっている（これも検査施設—令和元年7月時点ではかずさDNA研究所—と契約が必要である）．同じ疾患名でも遺伝子異常によっては臨床的にかなり重症度も異なり，治療に対する反応も異なる可能性がある．それらについてもまだまだエビデンスの蓄積は必要であるが可能な範囲で本ガイドラインでも記載されている．ぜひ遺伝子変異を明らかにしたうえで，新生児マススクリーニングの対象疾患がしっかりとフォローされて，これらのデータが蓄積されて将来的によりよきスクリーニング，より適切な診療ガイドライン改訂に結びつくことを期待し，皆様の協力をお願いしたい．

なお令和元年7月現在，AMED難治性疾患実用化研究事業「新生児マススクリーニング対象疾患等の診療に直結するエビデンス創出研究」（深尾班）として，マススクリーニング対象先天代謝異常症については，遺伝子変異を同定してフォローするというレジストリー事業を行っている．実施状況についてホームページで確認していただきたい（http://www.jsiem.com/）．

4 先天代謝異常症の治療

治療法の選択などにおいては，一般に症例数が非常に少ないため，エビデンスレベルが高いといわれるランダム化比較試験による治療法の解析という，通常頻度の高い疾患に行われている手法を用いた検討は残念ながらほとんどない．最近承認された治療薬においては，非ランダム化比較試験のレベルのエビデンスをもつものもある．そこで，エビデンスレベルの記載にあたっては，レベルⅢ以上のエビデンスをもつ場合にはそれを明記する（表2）．通常はその希少性により，生化学的な病態から考えて，エキスパートが妥当と考える

表2 エビデンスレベル

レベル	基づいているエビデンス
I	systematic review/RCTのメタアナリシス
II	1つ以上のランダム化比較試験
III	非ランダム化比較試験
IV	コホート，症例対象研究
V	症例報告やケースシリーズ
VI	患者データに基づかない専門家の意見

表3 推奨度

A	I～IIIのエビデンスに基づく推奨で行うべきもの
B	生化学的，病態的に妥当性があり，症例で効果があると報告されており，行うべきもの
C	症例で効果があると報告されており，考慮すべきもの
D	生化学的，病態学的に妥当性はあるが反対意見もあるもの
E	科学的根拠や症例報告などに基づいて行ってはいけないこと

表4 治療薬について

*	保険適用であるもの
**	医薬品として認められているが，現時点で保険適用でないもの
***	試薬など医薬品でないため，倫理委員会等をへて用いるべきもの

治療法を選択し，それが症例において有効であったという症例報告レベルの積み重ねによって治療法が成り立っている．そのため症例報告，ケースシリーズでのエビデンス，エキスパートオピニオンによる治療法の場合にはエビデンスレベルを明記しないで記載する．

上述のごとく多くの疾患治療では論文としてのエビデンスは乏しいものの，生化学的，病態的な妥当性があるものが多く，推奨度は表のA～Eとして委員会でコンセンサスを得て記載した（表3）．

また先天代謝異常症の治療薬についても，その特殊性から保険適用外の薬，試薬を使わざるをえない場合がある．それについても令和元年の段階で記載した（表4）．

5 ガイドラインの検証と改訂

本ガイドラインは，守らなくてはいけない規則ではない．治療計画は個々の患者を総合的に判断して主治医が決定するのが原則である．エビデンスの少ない分野ならなおさら，今後のより質の高い研究の結果が期待され，その結果推奨度も変化する可能性がある．本ガイドラインの内容が一般医に広く認識されるには時間がかかるため，学会として周知に尽力する．

本ガイドラインは第2版（2019年版）であり，今後数年での見直しを行っていく予定である．お気づきの点があれば，ぜひ日本先天代謝異常学会事務局へ連絡いただきたい．

＊　＊　＊

本診療ガイドラインの作成にあたり，忙しい診療，教育，研究の合間をぬって診療ガイドライン案の作成，議論，修正，推敲を行ってくれた先生方に感謝します．

日本先天代謝異常学会　診断基準・診療ガイドライン委員会

大竹明，中村公俊，深尾敏幸

新生児マススクリーニング対象疾患等
診療ガイドライン 2019

1 代謝救急診療ガイドライン

1 はじめに

　先天代謝異常症の中には，代謝救急が必要になる疾患が多く含まれている．あらかじめ診断がついている場合は，通常の救急医療に加え，その疾患にあわせた特殊治療を行うことによって，より確実な救命，救急が可能となる．しかしながら診断がついていない場合，特に初診時に，鑑別診断と同時に治療を開始しなければならないこともある．その代表的な病態が，低血糖，代謝性アシドーシス，高アンモニア血症である．このような場合，脂肪酸代謝異常症，有機酸代謝異常症，尿素サイクル異常症などの鑑別診断を行いつつ，治療を開始することになる．これらの疾患の詳細な診療に関しては各ガイドラインを参照していただきたい．ここでは，first lineの検査から治療の方向性を決めて，確定診断までの間に行うべき診療の指針を示す．

2 先天代謝異常症を疑うポイント[1]

(1) けいれん，筋緊張低下，意識障害，not doing well
(2) 感染症や絶食後の急激な全身状態の悪化
(3) 特異的顔貌，皮膚所見，体臭，尿臭
(4) 代謝性アシドーシスに伴う多呼吸，呼吸障害
(5) 心筋症
(6) 肝脾腫（または脾腫のない肝腫大，門脈圧亢進所見のない脾腫）
(7) Reye（様）症候群
(8) 関連性の乏しい多臓器にまたがる症状
(9) 特異な画像所見
(10) 先天代謝異常症の家族歴
(11) 死因不明の突然死

3 検体検査

　前述のごとく先天代謝異常症が疑われれば，まずはfirst lineの検査を行う．血糖，血液ガス，アンモニア，乳酸・ピルビン酸，血中ケトン体/尿中ケトン体/遊離脂肪酸である[2]．受診時のこれらの検査結果が，通常の診療でよく経験するレベルを超えた異常値であった場合は，そのすべての児に対して，先天代謝異常症は疑われるべきである．これらの検査は，ピルビン酸，遊離脂肪酸を除いて緊急検査や迅速キットなどで施行可能であり，1時間以内に結果を揃えることが重要である．結果がすぐに出ない場合でも，治療前のcritical sampleで上記の検査依頼を出しておくことは必要である．異常があった場合には，後述の治療を開始する前に，second lineの検査として，ろ紙血を用いたアシルカルニチン分析，尿中有機酸分析，血中アミノ酸分析などを行う．休日や夜間の救急対応時においても，治療前のcritical sampleとして表1のようにろ紙血，血清，尿を採取し，保存しておくことが重要である．このcritical sampleを用いて確定診断が行われることが多い．DNA用全血や皮膚線維芽細胞は必要に応じて採取する．特に予後が厳しいと考えられる場合には積極的に採取する．低血糖，高アンモニア血症，高乳酸血症，ケトン体高値の鑑別診断を図1〜4に示す．

4 治療の実際

　前述のfirst lineの結果より，診断の方向性を予想し，治療を開始する．以下に代謝性アシドーシスと高アンモニア血症の2通りの組み合わせを詳述する．

　どちらの場合においても，低血糖を認めた場合，血糖値を測定しながらブドウ糖静注を行うが，先天代謝異常症に伴う低血糖は，最終的にブドウ糖投与速度（GIR）8〜10 mg/kg/minのブドウ糖を必要とすることもある．糖代謝に異常のない有機酸代謝異常症や尿素サイクル異常症などであっても，低カルニチン血症を伴うことにより，低血糖が遷延することがある．また，治療開始時

表1 ● 採取すべき検体

検体	採取量	保存方法	検査
血清および血漿	最低 0.5 mL	−20℃以下	アミノ酸分析
ガスリーろ紙血	1スポット以上	常温乾燥 長期保存は−20℃以下	アシルカルニチン分析 (脂肪酸代謝異常症検索) ライソゾーム病など酵素活性
尿	最低 0.5 mL	−20℃以下	有機酸分析
髄液	2〜3 mL	−20℃以下	一般検査,乳酸・ピルビン酸など
DNA用全血	EDTA管に3〜4 mL	4℃　凍結禁	各種遺伝子検索
皮膚（線維芽細胞）	5 mm角	常温（滅菌生食に浸して2日以内に培養開始） 凍結禁	ミトコンドリア呼吸鎖異常症など各種酵素活性,遺伝子変異検索

髄液,皮膚（線維芽細胞）,DNA用全血は必要に応じて採取する.

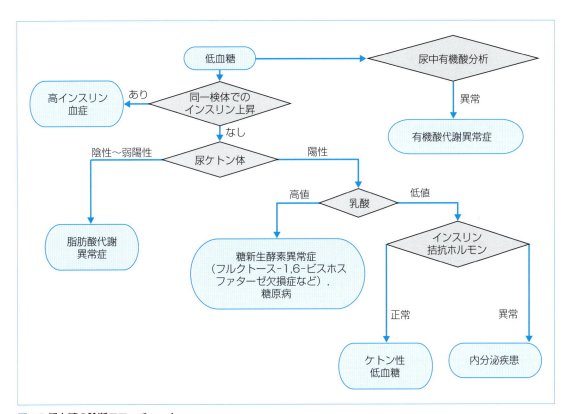

図1 ● 低血糖の診断フローチャート
(鑑別チャートは大きな考え方の流れを示したもので,例外もある)

は低血糖を認めなくとも,治療開始後に低血糖が顕在化することもある.急性発作は異化亢進を伴っている場合が多く,血糖を正常範囲に維持するということのみでなく,異化を防ぐためにブドウ糖の十分な補給が重要である.

そのため,以下の解説の中で,血糖を維持するためにブドウ糖の投与量は多めに設定している.治療開始後の血糖は120〜200 mg/dL（6.6〜11 mmol/L）を目標とする.ただし,それ以上の高血糖は避けるべきである.GIRを下げると異化が亢

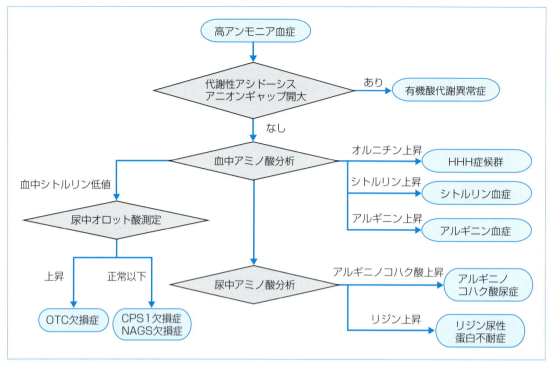

図2 ● 高アンモニア血症の診断フローチャート
HHH：高オルニチン・高アンモニア・ホモシトルリン尿症，OTC：オルニチントランスカルバミラーゼ，CPS：カルバミルリン酸合成酵素，NAGS：N-アセチルグルタミン酸合成酵素．
(鑑別チャートは大きな考え方の流れを示したもので，例外もある)

進する場合には，インスリンを使用し血糖を調整する．また，乳酸やアミノ酸などの検査結果が揃うにつれてミトコンドリア病，シトリン欠損症などの糖毒性が問題になる疾患が疑われた場合は，糖の過剰投与には十分に注意する必要がある．

❶ アシドーシスのない高アンモニア血症（アンモニア 400 μg/dL（220 μmol/L）以上のことが多い）

この場合は，尿素サイクル異常症を念頭において治療する．代謝性アシドーシスが中心の病態であっても，高アンモニア血症が遷延している場合は，以下の治療の追加を考慮する．血中アンモニア値チェックのタイミングは，300 μg/dL 以上の場合は 30 分毎，200 μg/dL〜300 μg/dL の場合は 60 分毎，100 μg/dL〜200 μg/dL の場合は，数時間毎で可とする．

1) まず救急の ABC（状態の安定化）

呼吸障害を見逃さず，必要があれば迷いなく気管内挿管を行い，鎮静をして人工呼吸管理を導入する．血中アンモニアが 700 μg/dL 以上の場合は気道確保の適応である．循環不全が存在する場合は，末梢ルートや骨髄路を確保し，生理食塩水をボーラス注射で投与する（初回投与量は 20 mL/kg）．その後は血圧や全身状態を考慮し，輸液量を決定する．

2) 血糖管理

低血糖を合併している場合は，20% ブドウ糖 1 mL/kg で補正する．シトリン欠損症やミトコンドリア病であっても低血糖は避けるべきであり，血糖の補正は必要である．しかし，過剰な糖分は毒性をもつため，高濃度のブドウ糖を持続して投与することは避ける．

ブドウ糖で補正した後，異化を防止するために，最初の維持輸液は，一般的な輸液を組み合わせ，10% ブドウ糖濃度になるようにする．輸液の種類に特に推奨するものはない．輸液は表2を参考にして行う．血糖の目標値は 120〜200 mg/dL

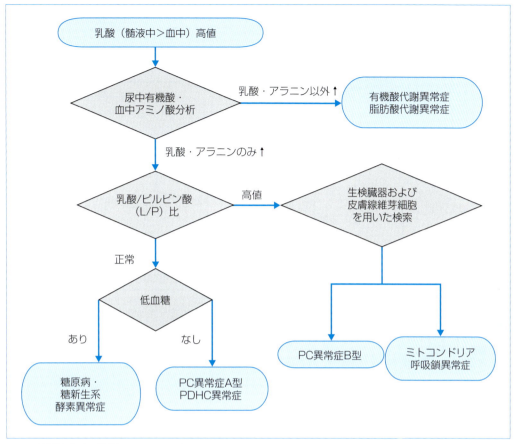

図3● 高乳酸血症の診断フローチャート
L：乳酸（lactic acid），P：ピルビン酸（pyravate），PC：ピルビン酸カルボキシラーゼ，PDHC：ピルビン酸脱水素酵素複合体．
（鑑別チャートは大きな考え方の流れを示したもので，例外もある）

（6.6～11 mmol/L）とする．高血糖は避ける．高血糖（新生児＞280 mg/dL（15.4 mmol/L），新生児期以降＞180 mg/dL（9.9 mmol/L））を認めた場合は，即効型インスリンの持続投与を開始する．インスリン投与を行っても血液乳酸値が 45 mg/dL（5 mmol/L）を超える場合には，すでに解糖系が動いておらず糖分をエネルギーとして利用できていないため，糖濃度を下げていく[3)4)]．

3）中枢神経の保護

けいれんが生じたら抗けいれん薬を投与する．脳浮腫に対してはマンニトールを使用する．グリセロールはシトリン欠損症の場合に病状を悪化させるために使用しない．成人では時に減圧開頭術を要することもある[5)]．

4）ブフェニール®と安息香酸Na＊＊＊・アルギU®の投与

ブフェニール® 250 mg/kg の経胃管投与と，表3の輸液を表2の輸液に追加する．安息香酸Naの静注薬が院内製剤として準備できていなければ，試薬を秤量して経胃管投与を行う．その際，安息香酸カフェイン（アンナカ）を使用してはならない．なお，嘔吐を合併している場合が多く，その際は，経胃管投与の速度，患児の体位などに気を配るべきである．アルギU®はすぐに投与できるように準備しておく必要がある．

血液浄化療法の準備ができるまでの間や搬送までの間にできることとして，表2の輸液，ビタミン類の投与，ブフェニール®と表3の安息香酸

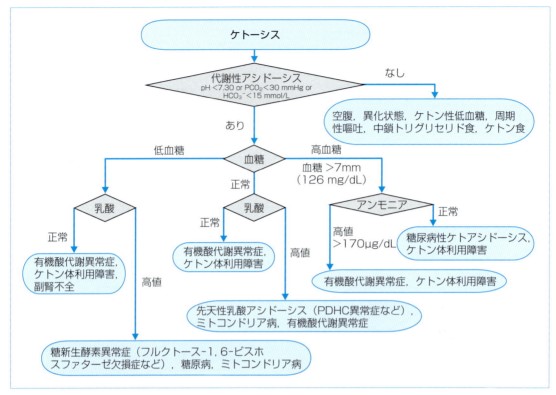

図4 ● ケトン体高値の診断フローチャート
PDHC：ピルビン酸脱水素酵素複合体．
（鑑別チャートは大きな考え方の流れを示したもので，例外もある）

Na・アルギU®の投与を先にはじめておくとよい[6]．
近年カーバグル®が発売され，投与可能となっている．100〜250 mg/kg/dayを分2〜4で経胃管投与を行う．保険適用は尿素サイクル異常症ではN-アセチルグルタミン酸合成酵素欠損症のみであるため，他の診断が付いた場合は投与を中止する．

5）血液浄化療法

血中アンモニア値が＞850 μg/dL（＞500 μmol/L）の場合，アンモニア値にかかわらず意識障害が強い場合，上記**1)**〜**4)**の治療を2〜3時間行ってもアンモニア値が50 μg/dL（30 μmol/L）以上低下しない場合，緊急で血液浄化療法を行う必要がある[2]．血中アンモニア最高値が800 μg/dL（480 μmol/L）を超えると何らかの精神遅滞をきたしたり，生後30日以内ではアンモニア最高値が1000 μg/dL（590 μmol/L）を超えると生命予後が不良となるとする報告[6,7]もあるため，速やかに血液浄化療法を行う必要がある．

透析を導入する基準値としては以下のものが推奨されている[3]．
[アンモニア値]
・420〜850 μg/dL（250〜500 μmol/L）：血液浄化療法を準備する（血液浄化療法が可能な病院に転院させる）．
・850 μg/dL（500 μmol/L）以上：ただちに血液浄化を開始する．

血液浄化療法を開始するには準備の時間がかかる．そのため内科治療を継続しながら血液浄化療法の導入の準備を行う必要がある．

自施設で血液浄化療法が速やかに行えない場合は，躊躇なく転院搬送を行う．透析開始時には，脳の浮腫により腹痛，嘔吐，意識障害などをきたす透析不均衡症候群（dialysis disequilibrium syndrome）を起こすことがある．透析不均衡症候群と原疾患による意識障害との鑑別が重要である．

表2 ● 先天代謝異常症が疑われるときの治療例

ビタミン等	商品名		投与量
	静注薬	内服薬	
ビタミン B₁：チアミン	ビタメジン®	アリナミン F®	100〜200 mg/kg
ビタミン B₂：リボフラビン	ビスラーゼ®	ハイボン®	100〜200 mg/kg
ビタミン B₁₂：コバラミン	ビタメジン®	ハイコバール®	1〜10 mg/day
ビタミン C：アスコルビン酸	アスコルビン酸®	シナール®	500〜3000 mg/day
ビオチン	ビオチン®	ビオチン®	5〜10 mg/day
コエンザイム Q10	—	ノイキノン®	10〜50 mg/day
L-カルニチン	エルカルチン FF® 静注	エルカルチン FF®	100〜150 mg/day

体重 3 kg の児への投与例
初期輸液（最初の 24 時間） 12 mL/hr （メイン＋側管で 80.6 kcal/kg/day）

メイン組成
生理食塩水　　　　　　　　　　168 mL
50％ ブドウ糖　　　　　　　　 100 mL
ビタメジン®　　　　　　　　　 1 V
（チアミン 100 mg，ピリドキシン 100 mg，シアノコバラミン 1 mg）
ビスラーゼ®　　　　　　　　　 10 mL（5 A）
（リボフラビン 100 mg）
アスコルビン酸注射液（サワイ®）　2 mL（1 A）
（アスコルビン酸 500 mg）
ビオチン（フソー®）　　　　　　10 mL（5 A）
（ビオチン 5 mg）
計　　　　　　　　　　　　　　290 mL
17.2％ ブドウ糖，96 mL/kg/day，66.2 kcal/kg/day

側管
エルカルチン FF® 静注　　初回は 1.5 mL 静注　　100 mg/kg
　　　　　　　　　　　　以後 0.75 mL×3 回静注　150 mg/kg/day
10％ イントラリピッド®（50 mL）　2 mL/hr　43.2 kcal/day＝14.4 kcal/kg/day
高血糖時はインスリンを使用
生理食塩水　　　　　　　　　　199 mL
速攻型インスリン　　　　　　　1 mL　　　　0.3 mL/hr
（100 単位/1 mL）　0.05 単位/kg/hr から開始
計　80.6 kcal/kg/day

表3 ● 先天代謝異常症が疑われる高アンモニア血症の治療例

体重 3 kg の児への投与例
初期輸液（最初の 90 分） 35 mL/hr

メイン組成
10％ ブドウ糖　　　　　　40 mL
安息香酸 Na　　　　　　　4 mL
（院内製剤 2,000 mg/10 mL）
アルギ U®（20 g/200 mL）　6 mL
計　　　　　　　　　　　50 mL

初期輸液終了後は上記組成を 2 mL/hr で投与
メインの輸液は表2 を参考にする．

6) 栄養管理

ベースの輸液は表2 を参考に行う．血液浄化療法の有無にかかわらず，このような重症児の管理には，中心静脈カテーテルの挿入が必要である．これらの管理に不慣れな場合は，管理可能な施設に搬送する．高アンモニア血症の場合は，まずは投与タンパクを 0 g とする．異化の予防のため，80 kcal/kg/day 以上のカロリーを確保し，十分な尿量を確保できる輸液を行う．さらに，末梢ルートを確保し，脂肪乳剤を使用すると糖濃度を上げすぎずにカロリーを確保できる．0.5 g/kg/day

（Max 2.0 g/kg/day）の投与が推奨されている．また，経腸投与が可能な場合，早期からMCTミルクやオイルを使用する．これらは中鎖脂肪酸トリグリセリドが使用されており，脂肪酸β酸化系を通して速やかにエネルギーとなる．

必須アミノ酸はなるべく24〜36時間以内に導入したほうがよい．72時間以上必須アミノ酸を投与しないと必須アミノ酸枯渇をきたす．その際は，必須アミノ酸中心のアミノ酸製剤である，ネオアミュー®，キドミン®などを使用する．これらのアミノ酸製剤は必須アミノ酸以外も含有しているが，0.5 g/kg/day程度であれば，問題となることはない．

7）ビタミン類の投与

アシドーシスを伴う場合と同じ．

代謝性アシドーシスがなくてもビタミン類を入れておくことは，二次的なミトコンドリア障害から保護するために推奨される[8]．経腸栄養が可能なら，なるべく早期から無タンパク乳（明治S23ミルク）を投与して必要カロリーを確保する．

❷ 高アンモニア血症＋代謝性アシドーシス（pH＜7.2，アニオンギャップ＞20 mEq/L，アンモニア 新生児＞250 μg/dL（150 μmol/L），乳児期以降＞170 μg/dL（100 μmol/L））

循環不全や呼吸不全を改善させてもpH＜7.2の場合に関して述べる．この場合は，有機酸代謝異常症，ケトン体代謝異常症などを念頭において治療する．Second lineの検査の結果が出るまでの治療を以下に示す[9]．

1）まず救急のABC

代謝性アシドーシスの場合，呼吸による代償で血中二酸化炭素は低値のことが多いが，状態が悪くすでに呼吸による代償ができていないことや，呼吸性アシドーシスを含む混合性アシドーシスのことも多い．必要があれば迷いなく気管内挿管を行い，鎮静をして人工呼吸管理を導入する．循環不全が存在する場合は，末梢ルートや骨髄路を確保し，生理食塩水をボーラス注射で投与する（初回投与量は20 mL/kg）．その後は血圧や全身状態を考慮し，輸液量を決定する．

2）血糖管理

低血糖を合併している場合は，20％ブドウ糖1 mL/kgで補正する．シトリン欠損症やミトコンドリア病であっても低血糖は避けるべきであり，血糖の補正は必要である．しかし，過剰な糖分は毒性をもつため，高濃度のブドウ糖を持続して投与することは避ける．

ブドウ糖で補正した後，異化を防止するために，最初の維持輸液は，一般的な輸液を組み合わせ，10％ブドウ糖濃度になるようにする．輸液の種類に特に推奨するものはない．輸液は表2を参考にして行う．血糖の目標値は120〜200 mg/dL（6.6〜11 mmol/L）とする．高血糖は避ける．高血糖〔新生児＞280 mg/dL（15.4 mmol/L），新生児期以降＞180 mg/dL（9.9 mmol/L）〕を認めた場合は，即効型インスリンの持続投与を開始する．インスリン投与を行っても血液乳酸値が45 mg/dL（5 mmol/L）を超える場合には，すでに解糖系が動いておらず糖分をエネルギーとして利用できていないため，糖濃度を下げていく[3)4)]．

3）アルカリ化剤の投与

循環不全や呼吸不全を改善させてもpH＜7.2であれば，炭酸水素ナトリウム（以下メイロン®：HCO_3^- 833 mEq/L）を投与する．

メイロン®：BE×体重×0.3 mLの半量（half correct）

緩徐（1 mEq/分以下）に投与する

目標値はpH＞7.2，PCO_2＞20 mmHg，HCO_3^-＞10 mEq/Lとし，改善を認めたら速やかに中止する．一般的にメイロン®は過剰な二酸化炭素を産生し，その二酸化炭素は自由に心筋や脳の細胞に入るため，細胞内は逆にアシドーシスになり，予後が改善されないことが指摘されているが[10)]，先天代謝異常症によるアシドーシスは，大量に酸が産生されるため，なかなか中和できない．そのため，必要であればメイロン®の投与を避けるものではない．なお，メイロン®投与の副作用としての高ナトリウム血症に注意しなければならない．アシドーシスが改善しなければ，以下の血液浄化療法を行う必要がある．

THAM（トロメタモール）（サム点滴静注セッ

ト®）も静注で使用できるアルカリ化剤である．ナトリウムが少量しか添加されていないため，高ナトリウム血症を起こしにくく使用しやすい．また，細胞外液のみならず細胞内液のアシドーシスの改善効果が示唆されている．

添付文書通りに希釈すると0.3モル溶液となる．
トロメタモール 0.3 モル溶液：投与量（mL）＝BE×体重（kg）の半量から投与
0.2 mL/kg/min 以下の速度で投与する

皮下に漏れると組織壊死を起こすため，確実な静脈ラインから投与する必要がある．新生児への投与で出血性肝壊死の報告があり，注意が必要である[11]．

4）血液浄化療法〔持続血液透析（CHD）あるいは持続血液ろ過透析（CHDF）〕

初回のデータが極端に異常な場合，上記 1）～3）の治療を 2～3 時間行ってもアシドーシスが改善しない場合，あるいは，アンモニア値が 50 μg/dL（30 μmol/L）以上低下しない場合，緊急で血液浄化療法を行う必要がある[2]．

透析を導入する基準のアンモニア値としては以下のものが推奨されている[3]．

［アンモニア値］
・420～850 μg/dL（250～500 μmol/L）：血液浄化療法を準備する．（血液浄化療法が可能な病院に転院させる）
・850 μg/dL（500 μmol/L）以上：直ちに血液浄化を開始する．

血液浄化療法を開始するには準備の時間がかかる．そのため内科治療を継続しながら血液浄化療法の導入の準備を行う必要がある．

交換輸血は無効であり，腹膜透析は効率が劣るため，当該施設で血液浄化療法を行えない場合は，なるべく迅速に血液浄化療法が可能な施設に搬送する．血液ろ過を行わず持続血液透析を行うことのほうが多い[12]．

メチルマロン酸血症，プロピオン酸血症などの有機酸代謝異常症を疑う場合には，カーバグル®を使用する．100～250 mg/kg/day を分 2～4 で経胃管投与を行う．

5）栄養管理

血液浄化療法の有無にかかわらず，このような重症児の管理には，中心静脈カテーテルの挿入が必要である．これらの管理に不慣れな場合は，管理可能な施設に搬送する．高アンモニア血症の場合は，まずは投与タンパクを 0 g とする．異化の予防のため，80 kcal/kg/day 以上の熱量を確保し，十分な尿量を確保できる輸液を行う．さらに，末梢ルートを確保し，脂肪乳剤を使用すると糖濃度を上げすぎずに必要な熱量を確保できる．0.5 g/kg/day（Max 3.0 g/kg/day）の投与が推奨されている．また，経腸投与が可能な場合，早期から MCT ミルクやオイルを使用する．これらは中鎖脂肪酸トリグリセリドが使用されており，脂肪酸 β 酸化系を通して速やかにエネルギーとなる．

6）ビタミン類の投与

初期輸液から，表 2 に示すビタミン・カクテルを投与する．体重 3 kg の新生児が搬送されてきたときの例を記載しておく．維持輸液に移行する際は，輸液のベースを生理食塩水からカリウム入りの輸液に変更する．新生児マススクリーニング施行例であっても，軽症例や，哺乳・採血時期のために新生児期に発見されていない場合もあり，投与可能なすべてのビタミンを投与しておくべきである．特に，カルニチンは有機酸代謝異常症を疑う場合には必須である．初期投与量（100 mg/kg）を静注，以後 150 mg/kg/day を分 3 で静注することが必要である．

5 患者・家族への対応

❶家族への説明

重症であり，場合によっては死亡する可能性のあることを十分に説明する．そのうえで的確な診断のもとで治療を行っていることを説明し，ご家族からの疑問点などは解消するように努める．

こういった状況の家族は，患児の急変の原因を自分に求め，自分を責める傾向がある．そのため，家族歴の聴取，特に遺伝に関する説明は十分な配慮が必要である．

❷検査・治療に関する同意

検査・治療に関する説明は，文書を用いて行う．

表4 ● SUD/ALTE のときに採取すべき検体

検体	採取量	保存方法	検査
胆汁	数 mL	−20℃以下	アシルカルニチン分析（脂肪酸代謝異常症検索）
臓器（肝臓，心筋，骨格筋など）	1 cm³ 程度	−80℃　ホルマリン禁	ミトコンドリア呼吸鎖異常症など各種酵素活性，遺伝子検索
皮膚（線維芽細胞）	5 mm 角	常温（滅菌生食に浸して2日以内に培養開始）凍結禁	ミトコンドリア呼吸鎖異常症など各種酵素活性，遺伝子検索
DNA 用全血	EDTA 管に 3〜4 mL	4℃　凍結禁	各種遺伝子検索

表1に加えて，Metabolic Autopsy として上記を採取する．
皮膚（線維芽細胞）と DNA 用全血は生前に採れなかった場合に採取する．

特に代謝救急においては，保険診療外の検査や気管内挿管，人工呼吸管理，血液浄化療法，中心静脈カテーテル挿入などの侵襲的な治療を必要とする場合が多い．また，安息香酸 Na などの未承認薬を用いることもある．そのため，十分な説明と文書による同意が必要である．

❸患児が確定診断前に死亡した場合

基本的には病理解剖の承諾を得るよう心がけるべきである．どうしても病理解剖の承諾を得られないときは生検針を使用するなど，できる限り検体を採取するよう努める．病因，死因を究明する意味は非常に大きく，何よりも残されたご家族のために死因の究明は重要である．先天代謝異常症で死に至った場合，病理解剖を行っても病理組織学的な所見だけでは死因究明がむずかしいことも多い．そのため，採取した肝，心筋，腎，骨格筋，胆汁，培養皮膚線維芽細胞を用いて，表4に記載したような Metabolic Autopsy を行うことで，死因の究明につながることが多く経験される[13]．

なお，上記にて得られた結果の説明や，遺伝に関する説明のため，後日家族にお話しする機会を設ける．十分なカウンセリングを行い，同胞や次子への対応を説明することが重要である．

文献

1) 吉田忍．小児科臨床ピクシス 23 見逃せない先天代謝異常．総編集．五十嵐隆，専門編集．高柳正樹．どのような症状から先天代謝異常症を疑うか？ 中山書店，2010；74-77．
2) チョッケ＆ホフマン．監訳：松原洋一．小児代謝疾患マニュアル改訂第 2 版，診断と治療社，2013；1-16．
3) Häberle1 J, et al. Suggested guidelines for the diagnosis and management of urea cycle disorders. Orphanet J Rare Dis 2012；7：32.
4) Baumgartner MR, et al. Proposed guidelines for the diagnosis and management of methylmalonic and propionic academia. Orphanet J Rare Dis 2014；9：130.
5) Wendell LC, et al. Successful management of refractory Intracranial hypertension from acute hyperammonemic Encephalopathy in a woman with ornithine transcarbamylase deficiency. Neurocrit Care 2010；13：113-117.
6) Enns GM, et al. Survival after treatment with phenylacetate and benzoate for urea-cycle disorders. N Engl J Med 2007；356：2282-2292.
7) Bachmann C. Outcome and survival of 88 patients with urea cycle disorders：a retrospective evaluation. Eur J Pediatr 2003；162：410-416.
8) Omata, et al. Drugs indicated for mitochondrial dysfunction as treatments for acute encephalopathy with onset of febrile convulsive status epileptics. J Neurol Sci 2016；360：57-60.
9) Chapman KA, et al. Acute management of propionic academia. Mol Genet Metab 2012；105：16-25.
10) Lokesh L, et al. A randomized controlled trial of sodium bicarbonate in neonatal resuscitation-effect on immediate outcome. Resuscitation 2004；60：219-223.
11) ＊サム点滴静注セット，添付文書 http://www.info.pmda.go.jp/go/pack/3399400X1035_1_04/
12) Iyer H, et al. Coma, hyperammonemia, metabolic acidosis, and mutation：Lessons learned in the acute management of late onset urea cycle disorders. Hemodial Int 2012；16：95-100.
13) Yamamoto T, et al. Metabolic autopsy with postmortem cultured fibroblasts in sudden unexpected death in infancy：Diagnosis of mitochondrial respiratory chain disorders. Mol Genet Metab 2012；106：474-477.

2 フェニルケトン尿症および類縁疾患

疾患概要

1 代謝経路

フェニルケトン尿症（PKU）に代表されるフェニルアラニン（Phe）の代謝経路の障害によって引き起こされる疾患群は，先天性アミノ酸代謝異常症の一種である[1,2]．Pheは必須アミノ酸のひとつで，正常なタンパク合成を営むためには体外から摂取する必要がある．この食物中のPheはタンパク合成に用いられる以外は，おもにPhe水酸化酵素（PAH）によりチロシン（Tyr）に変換されTyr代謝経路で分解される（図1）．Phe水酸化反応が障害された場合，Pheが蓄積し血中Phe値が上昇し，尿中にはPheとその代謝産物のフェニルピルビン酸が大量に排泄されるためPKUとよばれている．過剰のPheとともにこれらの代謝産物は正常の代謝を阻害し，新生児・乳児期では脳構築障害による精神発達遅滞などの臨床症状を引き起こすが，成人においても様々な精神症状をきたす．さらに，酸化ストレスの成因となることも示唆されている[3,4]．

PAHは*PAH*遺伝子によりコードされ，*PAH*遺伝子の異常により酵素活性の低下をきたす．さらに，PAHは補酵素としてテトラヒドロビオプテリン（BH$_4$）を利用するため，BH$_4$の合成系あるいは再生系の代謝経路の異常によってもPAH酵素活性が低下する[5]．BH$_4$はPAHの補酵素として

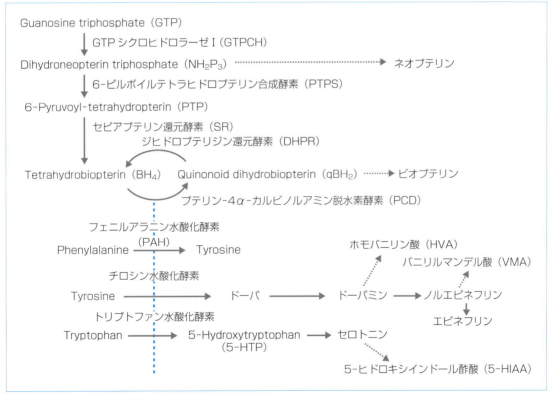

図1 PheおよびBH$_4$代謝経路

利用される以外に，脳内のチロシン水酸化酵素にも利用されるため，BH_4の低下は，ドーパの産生低下を生じ，ドパミン，ノルアドレナリン，アドレナリンの低下を引き起こす．またトリプトファン水酸化酵素の異常によるセロトニンの低下が起こるため，高Phe血症による中枢神経障害だけでなく，神経伝達物質の不足によるうつ病などの精神症状が出現する[6]．

2 疫学

わが国で新生児マススクリーニングが開始されてから2011年度までの約30年間に累積で約500人以上の高Phe血症（PKU，BH_4反応性高Phe血症，BH_4欠損症を含む）が発見された．発生頻度は約7万出生に1例で，全国で年間20人前後発見される（厚生労働省・母子保健課「先天代謝異常等検査実施状況」より）．タンデムマス・スクリーニング導入後では，46,000出生に1例との報告もある[7]．病型別では，古典的PKUが約9万人に1例，軽症高Phe血症と軽症PKUが約16万人に1例である．BH_4反応性高Phe血症はPAH欠損症の約25〜30%と推測される．BH_4欠損症は170万人に1例の発生頻度と推定されている．海外では，わが国に比べてPKUの発生頻度は高く，アメリカの統計では1万5千人に1例と報告されている[8]．

診断の基準

1 臨床病型

Pheの代謝経路が先天的に障害され高Phe血症を引き起こす疾患群は，①Phe水酸化酵素をコードする遺伝子変異に起因するPAH欠損症と，②PAHの補酵素であるBH_4の合成系あるいは再生系の酵素遺伝子の変異に起因するBH_4欠損症とに大別できる．

❶ PAH欠損症[1]

無治療時の血中Phe値により軽症高Phe血症[注1]（良性持続性高Phe血症）（2 mg/dL以上10 mg/dL未満），軽症PKU[注1]（10 mg/dL以上20 mg/dL未満），古典的PKU（20 mg/dL以上）に分類されることがあるが，無治療時のPhe値は摂取Phe量により異なるため，厳密な重症度分類の一定見解はない[9)10]．さらにPAH欠損症の亜型としてBH_4に反応するBH_4反応性高Phe血症が存在する[11]．

❷ BH_4欠損症[5]

BH_4生合成系酵素のGTPシクロヒドロラーゼI（GTPCH）欠損症と6-ピルボイルテトラヒドロプテリン合成酵素（PTPS）欠損症，再生系酵素のジヒドロプテリジン還元酵素（DHPR）欠損症とプテリン-4α-カルビノルアミン脱水素酵素（PCD）欠損症とが存在する．

2 主要症状および臨床所見

新生児期の症状はない．新生児マススクリーニングで発見されず，または無治療の場合，生後数か月から2歳頃までに脳の発達障害をきたす．小頭症，てんかん，重度の精神発達遅滞または行動上の問題といった徴候と症状を呈する．特有の尿臭（ネズミ尿臭，カビ臭），茶髪，色白，湿疹がみられることがある．

3 参考となる検査所見

❶ 一般検査所見

肝トランスアミナーゼやビリルビン，胆汁酸，アンモニア上昇などの異常を認めない．ガラクトースやメチオニン，シトルリン上昇などを認めない．

❷ 画像所見

脳萎縮，MRI T2強調およびFLAIRで白質病変（側脳室周囲の高信号）を認めることがある（新生児期には認めない）．

[注1] これまでに軽症という名称が使われることもあったが，長期に食事療法と薬物投与を行い血中Phe値を治療目標値内に保つようにしなければ神経障害をきたすため，重症度分類での軽症とは異なる．

4 診断の根拠となる特殊検査

❶アミノ酸分析(HPLC 法)＊

血中 Phe 値：2 mg/dL（120 μmol/L）以上（基準値 0.7～1.8 mg/dL）．ろ紙血による Phe 値はスクリーニング検査であり血漿値より低くなるため，Phe と Tyr を含めた全種の血中アミノ酸分析を行う．

❷プテリジン分析＊＊＊

BH_4 欠損症では，尿・血漿におけるプテリジン分析で異常パターンがみられる．すなわち，血中プテリジン分析＊＊において，ネオプテリン(N)とビオプテリン(B)がともに低値であり，またその比率(N/B)が正常であれば GTPCH 欠損症．N 高値で B 低値のため N/B 比が著しく高値であれば PTPS 欠損症，N と B がともに高値であれば DHPR 欠損症かあるいは PAH 欠損症，7-ビオプテリンが多量に検出されれば PCD 欠損症と診断できる．BH_4 は極めて不安定で酸化されやすく，光で分解されやすいため，採取直後にビタミン C を添加し冷凍保存した検体で検査を行う．大阪市立大学小児科（shintakuh@med.osaka-cu.ac.jp）に依頼し分析可能である．

❸DHPR 酵素解析＊＊＊

プテリジン分析だけでは DHPR 欠損症と PAH 欠損症の鑑別ができないため，ろ紙血を用いて DHPR 酵素活性を測定する．DHPR 欠損症では DHPR 酵素活性の著しい低下を認める．大阪市立大学小児科（❷と同じ）に依頼し解析可能である．

❹BH_4・1 回負荷試験＊＊＊

通常，血中 Phe 値が 6 mg/dL（360 μmol/L）以上の場合に行われる（後述）．BH_4 10 mg/kg を経口 1 回投与し，負荷前および負荷後 4，8，24 時間の血中 Phe 値を測定する．古典型 PKU もしくは DHPR 欠損症では変化なし，BH_4 欠損症（DHPR 欠損症を除く）で血中 Phe 正常化，BH_4 反応性高 Phe 血症で前値より 20％ 以上低下する．1 回負荷検査に必要な BH_4 製剤は BH_4 欠乏症（異型高フェニルアラニン血症）審査委員会（日本大学病院小児科内，biopten.med@nihon-u.ac.jp）より入手できる．

❺遺伝子解析＊＊

PAH 遺伝子および，BH_4 欠損症の責任遺伝子は常染色体劣性遺伝形式をとるため，責任遺伝子において 2 アレルに病因となる変異が同定されることで診断が可能である．遺伝子解析は，PAH 遺伝子のみ保険収載されている．2019 年 4 月現在では，かずさ DNA 研究所が解析を受けており，AMED 難治性疾患実用化研究事業（深尾班）の遺伝子診断サポートを受けることができる（かずさ DNA 研究所への依頼および班研究詳細は http://www.jsiem.com を参照）．

5 鑑別診断

(1) 一過性高 Phe 血症：血中 Phe 高値は一過性．
(2) 肝炎，門脈体循環シャント，シトリン欠損症によるアミノ酸上昇：他のアミノ酸や胆汁酸などの上昇も伴うことが多い．

6 診断基準（図）

❶疑診

確定診断のみを対象とする．

❷確定診断

1) アミノ酸分析（HPLC 法）＊：血中 Phe 値：2 mg/dL（120 μmol/L）以上（基準値 0.7～1.8 mg/dL）

2) プテリジン分析＊＊＊：BH_4 欠損症で異常パターンがみられる．

3) DHPR 酵素解析＊＊＊：DHPR 欠損症では DHPR 活性の著しい低下を認める．

4) BH_4・1 回負荷試験＊＊＊：古典型 PKU もしくは DHPR 欠損症では負荷前後で Phe 変化なし．BH_4 欠損症（DHPR 欠損症を除く）で血中 Phe 正常化．BH_4 反応性高 Phe 血症で前値より 20％ 以上低下．

5) 遺伝子解析＊＊：PAH，PTPS，DHPR 遺伝子などの各疾患の責任遺伝子において 2 アレルに病因となる変異が同定される．

診断の根拠となる上記 **1)** を認めるものを生化学診断例とし，**2) 3) 4)** を実施し，PAH 欠損症，BH_4 反応性高 Phe 血症もしくは BH_4 欠損症のいずれかに病型分類できたものを確定診断例とする．新生児期の **4)** では診断できない BH_4 反応性高 Phe

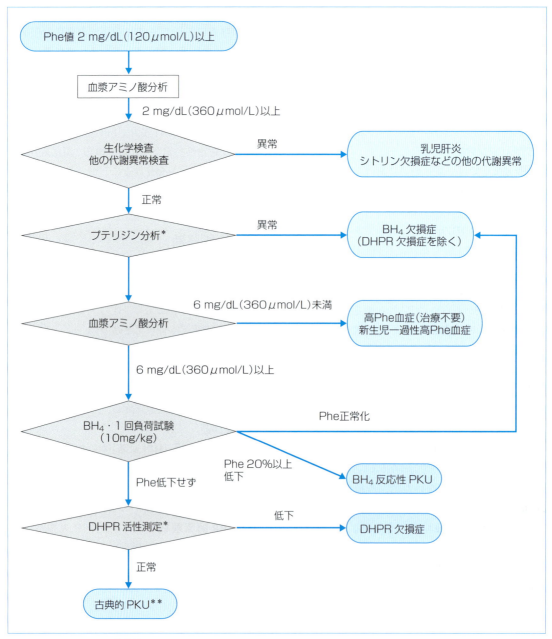

図 ● フェニルケトン尿症診断フローチャート

Phe：phenylalanine（フェニルアラニン），DHPR：dihydropteridine reductase（ジヒドロプテリジン還元酵素），PKU：phenylketonuria（フェニルケトン尿症）．
＊：プテリジン分析とDHPR活性測定には時間がかかるため，検査結果の判明を待たずに次に進む．また，DHPR活性測定はプテリジン分析と同時に提出しておくことが望ましい．
＊＊：後日，BH₄・1週間投与試験で30%以上Phe低下があれば，BH₄反応性PKUと診断される．
（鑑別チャートは大きな考え方の流れを示したもので，例外もある）

血症があるため，後日BH₄・1週間投与試験を行う場合がある（「**新生児マススクリーニングで疑われた場合**」の「**1 ǀ 確定診断**」の**補記**）を参照）．

新生児マススクリーニングで疑われた場合

1 確定診断

❶ステップ1（BH₄欠損症とPAH欠損症の鑑別）

　高Phe血症（2 mg/dL，120 μmol/L以上）として精密検査のため紹介された全例に対して，血漿アミノ酸分析＊とプテリジン分析＊＊＊および乾燥ろ紙血でジヒドロプテリジン還元酵素（DHPR）活性＊＊＊の測定を行い，BH₄欠損症とPAH欠損症の鑑別を行う．

❷ステップ2（BH₄欠損症とPAH欠損症，BH₄反応性高Phe血症の鑑別）

1) 新生児マススクリーニング（Phe摂取制限がない状態）で血中Phe値が6 mg/dL（360 μmol/L）以上の場合

　ステップ1の検査結果は待たずに，ただちにBH₄・1回負荷試験を行う[12]．BH₄ 10 mg/kgを経口1回投与．負荷前および負荷後4，8，24時間の血中Phe測定とプテリジン分析を行う．古典的PKUもしくはDHPR欠損症では負荷前後で変化しない．BH₄欠損症（DHPR欠損症を除く）では4～8時間後に血中Pheは正常化する．前値より20%以上低下する場合はBH₄反応性高Phe血症と診断する．

2) 新生児マススクリーニング（Phe摂取制限がない状態）で血中Phe値が6 mg/dL（360 μmol/L）未満の場合

　BH₄負荷による効果の判定が困難となるため，BH₄・1回負荷試験を施行する必要性はない．しかし乳幼児期は，成長が著しく，食事内容も変化するため，経過中，血中Phe値が6 mg/dLを超えてくることもあるので注意が必要である．

補記）（BH₄・1週間投与試験＊＊＊）[12]

　PAH欠損症の亜型であるBH₄反応性高Phe血症の診断に関しては，BH₄・1回負荷試験ではすべての反応性患児を拾い上げることは不可能であるため，BH₄・1週間投与試験（BH₄ 20 mg/kg/day）で血中Phe値が30%以上低下することで反応性を診断する[13]．1週間投与試験では血中Pheが上昇するため，神経発達に重要な生後半年以内での試験は推奨しない．既報の遺伝子型によりBH₄反応性が期待できるが1回負荷試験で20%以上の低下がなく診断できていない場合は，ご家族・ご本人に血中Phe上昇に伴うリスクを十分に説明したうえで本試験によりBH₄反応性を確認することが望ましい．逆に，遺伝子型から明らかに反応性がないと推測される症例では，Phe上昇に伴う神経障害の不利益が大きいため本試験は推奨しない．本試験に必要なBH₄製剤は1回負荷検査とは異なり，先天代謝異常学会BH₄委員会事務局（大阪市立大学小児科内，bh4@med.osaka-cu.ac.jp）より入手できる[14]．

2 診断確定までの対応

　確定診断を進める一方で，高Phe血症による脳構築障害をできるだけ早期に是正する必要性がある．そのため，ただちに初期治療を原則として入院して行う．新生児では可能な限り早くにPhe投与量を0～1/2量に制限して，数日のうちに血中Phe値が10 mg/dL（600 μmol/L）以下になるよう治療する．具体的には，無治療時のPhe値が20 mg/dL（1200 μmol/L）以上の場合は普通ミルクや母乳を中止してPhe除去ミルクのみを，20 mg/dL未満では普通ミルクや母乳とPhe除去ミルクを半量ずつ用いる．ミルク総量は，治療開始前と同量もしくは順調な体重増加（20～40 g/day）が得られるエネルギー量とする．3～4日毎に血中Phe値を測定する．順調な体重増加が得られていれば，数日～1週間程度で血中Phe値が10 mg/dL（600 μmol/L）以下になることが多い．Phe忍容能は症例により異なるので，血中Pheが10 mg/dL以下になった後は，普通ミルクまたは母乳を徐々に増量することで摂取Phe量を漸増し，血中Phe値が2～6 mg/dL（120～360 μmol/L）まで低下するように調節する．Phe値の検査に時間がかかる場合もあるが，Pheは必須アミノ酸であるため，Phe除去ミルクのみを摂取する期間が7～10日間を超えることは避けるべきである．

　PAH欠損症であることが確定できれば，以下

PAH欠損症の治療指針に従って治療をすすめる．PAH欠損症ではなくBH₄欠損症と診断された場合には，速やかな神経伝達物質の補充療法が必要となるため，以下BH₄欠損症の治療指針に従ってただちに薬物療法を開始する．DHPR欠損症以外のBH₄欠損症では，原則として食事療法は不要である．

PAH欠損症（BH₄反応性高Phe血症を含む）

診断確定後の治療

1 食事療法

Pheの摂取を食事療法により制限し体内のPheとその代謝産物の蓄積を改善させることを原則とする **①** **A** [8)15)16)]．Pheを含む自然タンパクの摂取は厳しく制限するが，エネルギー量および三大栄養素，微量栄養素は同年齢の健常者とほぼ等しく摂取する必要がある．

Pheを除去した治療用特殊ミルク（後述「**①治療用特殊ミルクの入手方法**」）を用いて，血中Phe値を妊婦を含む全年齢で2〜6 mg/dL（120〜360 μmol/L）[17)]に保つようPheの摂取量を制限する（**mini column 1** 参照）．Phe値は，ろ紙血では血漿に比し低値となるので，血漿値を基準とする[18)]．米国における重症度別の摂取目安量と血中Phe目標値を参考に記す（表1）[17)]が，症例によりPhe忍容量は大きく異なるため，実際の摂取量がこの量より少なくなっても，目標血中Phe濃度を保つ摂取量を優先する **B** [19)]．

Pheは必須アミノ酸であり，成長には不可欠である．そのため日本人の食事摂取基準による年齢相当の推定平均必要量のタンパクを摂取しても血中Phe 6 mg/dL（360 μmol/L）以下を維持できる場合には特に食事療法は必要としない．しかし，乳幼児期は成長が著しく，食事内容も変化するため，食事療法を行っている患児に準じた血中Phe値の測定や身体計測が必要である．

エネルギー不足ではタンパク異化が起こり血中Pheが上昇し，エネルギー過剰では肥満となるため，1日の摂取エネルギー量は同年齢の健康小児と等しくし，成長曲線に沿った身長・体重増加が得られるようにする．

mini column 1　血中Phe濃度の管理目標の設定の経緯

わが国での血中Phe濃度の管理目標は2012年に改訂された[18)]．これは，年長例の中枢神経学的所見の報告等に基づき15歳以上での目標値を引き下げたもので，年齢別に乳児期〜幼児期前半は2〜4 mg/dL（120〜240 μmol/L），幼児期後半〜小学生前半は2〜6 mg/dL（120〜360 μmol/L），小学生後半は2〜8 mg/dL（120〜480 μmol/L），中学生以降は2〜10 mg/dL（120〜600 μmol/L）とされている．しかしその後，2014年には米国から年齢・性別を問わず血中Pheを2〜6 mg/dL（120〜360 μmol/L）[17)]，2017年にはヨーロッパから0〜12歳と妊婦は2〜6 mg/dL（120〜360 μmol/L），それ以外の年齢層では2〜10 mg/dL（120〜600 μmol/L）と，相次いで目標値の設定が引き下げられている[10)]．これは，新生児マススクリーニングで発見され早期治療が開始できた多くの患児が発達の遅れなく成人し社会生活を営める中高年となり，PKUの治療の目的が幼小児期の発達遅滞を防ぐことだけでなく，成人後も認知機能や心理社会的機能を保ち，生涯にわたりよりよい社会生活を送れることを目標とした結果である．現段階では，国内での成人例のコントロール状況と認知機能等の関連についてのデータの蓄積は十分ではないが，ヨーロッパよりも厳しい米国の管理目標に対する明確な反論は未だなく，さらに，国内でも予期せぬ妊娠により複数回の中絶を余儀なくされる例や重篤な先天性の障害を持つ児の出産の問題（母性PKU）がある．以上より，今回のガイドライン改訂では，より厳格な米国の基準にあわせて，年齢や性別を問わず血中Phe 2〜6 mg/dL（120〜360 μmol/L）を管理目標と設定することとした．

表1 ● 重症度別・年齢別 Phe 摂取量（mg/kg/day）の目安（米国，2014）

無治療時 Phe (mg/dL)	1歳未満	2～5歳未満 (*5以下)	5歳以上 (*2～6)
>20	25～45	<20	<12
15～20	45～50	20～25	12～18
10～15	55	25～50	>18
6～10	70	>50	データなし

*：目標血中 Phe 値（mg/dL）
〔Camp KM, et al. Phenylketonuria scientific review conference：State of the science and future research needs. In：Mol Genet Metab. 2014；112：87-122. より引用〕

治療用特殊ミルクと食事を合わせたタンパク（窒素源）の摂取量は「日本人の食事摂取基準」（2015年版）にあるタンパク質の食事摂取基準の「推奨量」を基本的な必要量とし，乳児期には 2 g/kg/day，幼児期は 1.5～1.8 g/kg/day，学童期以後は 1.0～1.2 g/kg/day 以下にならないようにする（タンパク摂取量が 0.5 g/kg/day 以下になると，Phe 摂取制限をしても血中 Phe 値が上昇することがあるので注意を要する）[20]．乳児期では，タンパク，すなわち窒素源の大部分は Phe を除去した治療用特殊ミルク（後述：「❶治療用特殊ミルクの入手方法」）から摂取し，血中 Phe 2～6 mg/dL（120～360 μmol/L）に保つことができる範囲で Phe を自然タンパク（母乳や普通ミルクなど）として与える．離乳期以降は，治療用特殊ミルクに低タンパク米や野菜などの低タンパク食品を組み合わせた食事療法を行っていく．なお，PKU の治療の中心となる治療用特殊ミルクの Phe 除去ミルクの投与量の目安は，乳児期：60～100 g/day，幼児期前半（1～2歳）：100～120 g/day，幼児期後半（3～5歳）：120～150 g/day，学童期前半（6～9歳）：150～200 g/day，学童期後半およびそれ以後：200～250 g/day[18]であるが Phe 忍容量により異なり，忍容量が低く自然タンパク摂取量が少ない場合は除去ミルク量を多くし，両者を合わせた総タンパク摂取量が不足しないようにする．学童期以降は，摂取エネルギー量やミルク量の減量のため，高タンパク低カロリーであるフェニルアラニン無添加総合アミノ酸粉末（雪印 A-1）または低

フェニルアラニンペプチド粉末（森永 MP-11）を Phe 除去ミルクと併用することもできる．

❶ 治療用特殊ミルクの入手方法

Phe 除去ミルク（フェニルアラニン除去ミルク配合散「雪印」®）は薬価収載されており，処方箋で処方できる．アミノ酸粉末（A-1）およびペプチド粉末（MP-11）は特殊ミルク事務局（http://www.boshiaiikukai.jp/milk.html）に申請することで入手できる．

2 薬物療法

❶ BH_4 反応性高 Phe 血症に対する BH_4（天然型 BH_4 製剤塩酸サプロプテリン）療法について Ⅰ A [14)21)-26)]*

PAH 欠損症の亜型である BH_4 反応性高 Phe 血症は，BH_4 による薬物療法の適応となる．

BH_4 反応性高 Phe 血症の診断は，新生児期の BH_4・1回負荷試験で 20% 以上の低下がある場合，もしくは BH_4・1週間投与試験（BH_4 20 mg/kg/day）にて血中 Phe 値が 30% 以上低下することで行う．無治療時の Phe 値や遺伝子変異から BH_4 反応性が期待できるが，1回負荷試験で 20% 以上の低下がなく診断できていない場合は，血中 Phe 上昇に伴うリスクを十分に説明したうえで BH_4 反応性を確認することが望ましい．1週間投与試験では血中 Phe 値が上昇するため，原則として4歳以上で行う．生後半年以内での試験は推奨しない．早期の BH_4 治療の必要性などにより半年～4歳未満で行う場合は，乳幼児期の Phe 上昇による神経障害のリスクについて十分に説明したうえで行う．本試験に必要な BH_4 製剤は先天代謝異常学会 BH_4 委員会事務局（大阪市立大学小児科内，bh4@med.osaka-cu.ac.jp）で入手可能である．逆に，Phe 値や遺伝子変異から明らかに反応性がないと推測される症例では，Phe 上昇に伴う神経障害の不利益が大きいため1週間投与試験は推奨しない．
PAH 遺伝子の2つの変異アレルのうち少なくとも1つに酵素活性が比較的残存している変異がある場合には，BH_4 反応性であることが多い．日本人に多い遺伝子変異の報告例では，残存酵素活性が高い p.R241C 変異は，BH_4 反応性の患者が多

い[27)28)]（mini column 2, 3 参照）．

具体的には，BH$_4$・1週間投与試験を行いBH$_4$反応性高Phe血症の診断基準（血中Phe値の30%以上の低下）を満たしている場合，負荷試験終了後もBH$_4$の投与量を変更せずに20 mg/kg/dayで継続し，血中Phe値2〜6 mg/dL（120〜360 µmol/L）にコントロールできる状態を保ちながらゆっくりと減量し必要最少投与量を設定する．BH$_4$反応性高Phe血症の診断基準を満たすが負荷後のPhe値が目標範囲を超える場合は，BH$_4$ 20 mg/kg/day内服とタンパク制限食と治療用特殊ミルク（食事療法の項目を参照）の併用が必要であり，遅滞なく導入する．なお，食習慣の確立した幼児期以降に食事療法（低タンパク食，治療用特殊ミルク）を導入することは，時に非常な困難を伴うため，BH$_4$反応性高Phe血症であっても乳児期から適宜栄養指導を行い，治療用特殊ミルクを飲む習慣をつけておくことが望ましい．また，BH$_4$は1日2回に分けて内服したほうが効果が高いとの報告がある C [31)]．

mini column 2　遺伝子型-表現型の相関データ収集の必要性

PKU患者の重症度，BH$_4$反応性は，遺伝子型から推測でき治療方針決定に有用な場合がある．遺伝子型から予測される表現型はBIOPKUデータベース（http://www.biopku.org/home/biopku.asp）で検索できる．しかし，日本人やアジア圏でのみ認められる変異についてのデータは乏しく，今後の遺伝子型-表現型の相関データの蓄積が期待される．日本で高頻度に認められる*PAH*変異のうち，古典的PKUの表現型を示すものとしてR413P，R111Xなどが知られている[29)]．これら重症型変異を複合ヘテロまたはホモ接合性に有する患者ではBH$_4$反応性が期待できない．一方，R241CなどBH$_4$反応性が期待できる変異を1つ以上有する場合は，厳格な食事療法を緩和できる可能性がある[27)]．

mini column 3　R53H変異を有する高Phe血症患者

*PAH*遺伝子解析にて，R53H変異は日本人の一般集団で高頻度に認められる（アレル頻度5%）．R53H変異と重症型変異の複合ヘテロ変異では，血中Phe値が2 mg/dL（120 µmol/L）を超えるため新生児マススクリーニングで精査対象となる．R53H変異を有する場合，食事制限が必要なく，継続的に血中Phe値6 mg/dL（360 µmol/L）以下となることが多い．病因となる変異がR53H以外に1つしか見つからず，乳幼児期の食事内容が変化する時期においても，食事制限のない状態で，安定的に血中Phe値が6 mg/dL（360 µmol/L）以下で維持できる場合には学童期までの発育・発達を確認後，フォロー終了も考慮できる．一方，血中Phe値が食事制限を必要とする程度まで継続的に上昇する場合には，R53H以外に病因変異が2つ存在している可能性を考慮し継続フォローが必要である．

mini column 4　DNAJC12欠損症

2017年に，高フェニルアラニン血症をきたす疾患として，DNAJC12欠損が新たに報告された[30)]．DNAJC12は，HSP70と協働して，PAHタンパクの高次構造を安定化する分子シャペロンとして作用すると推測されている．臨床的には，軽度自閉症，多動から重度の知的障害，パーキンソン病症状を呈する症例も報告されている．BH$_4$に反応性を示し，L-ドーパ，5-HTPの補充が有効とされる．現行のガイドラインでは，鑑別の対象となっていないため見逃され治療開始が遅れる危険性がある．そのため遺伝子解析項目に加えることを現在検討中である．わが国ではまだ発見例は報告されていない．

慢性期の管理

1 食事療法

上記の食事療法を継続する（低タンパク食と治療用特殊ミルクの摂取はあわせて行うものであり，両者をともに十分行う必要がある）．

タンパク制限食および治療用特殊ミルクの長期使用によるビオチン，ヨウ素，セレンなどのビタミン類や微量元素の低下が報告されており[32]，検査結果や症状に基づき適宜補充を行う B．特にセレンは治療用特殊ミルクにおける含有量が少なく，セレン欠乏症の診療指針2015に基づいた亜セレン酸（食品として市販されている）の補充を推奨する B．

人工甘味料のアスパルテーム®（L-フェニルアラニン化合物）はPheを含むため，これを含む食品や薬の摂取は避ける C．特殊ミルク事務局ホームページ（http://www.boshiaiikukai.jp/milk.html）で一部食品と薬のL-フェニルアラニン化合物の含量が参照可能である．

2 薬物療法

BH_4反応性高Phe血症では，上記の薬物療法を継続する．

診断当初はBH_4投与のみで治療を行うことができても，成長に伴い食欲が増加し間食や外食も増えて，薬物療法のみでは目標血中Phe値を超える症例もある．BH_4を20 mg/kg/day投与しても血中Phe濃度を6 mg/dL（360 μmol/L）以下に下げることが困難な場合には，食事療法との併用が必要であり，遅滞なく低タンパク食と治療用特殊ミルク（「診断確定後の治療」の「1 食事療法」を参照）を導入する．前述のように成長後の食事療法導入は難渋する場合が多く，診断当初から適宜栄養指導を行い治療用特殊ミルクの習慣をつけておくとよい．

3 sick dayの対応

発熱や摂取エネルギー不足によるタンパク異化で一過性に血中Phe濃度の上昇がみられることがあるが，短期間で低下するためsick dayとしての特別な対応は不要である．

内服薬の甘味剤にPheを含むアスパルテーム®（L-フェニルアラニン化合物）が使用されている場合があり，できる限りこれを含まない薬剤を選択する．

フォローアップ指針

1 一般的評価と栄養学的評価

小学校入学までは原則として4週ごと，学童期以降は3〜4か月ごとに来院させ，血中Phe値を測定するとともに身体計測を行い，成長曲線に沿った身長・体重の増加がみられていることを確認する．血中Phe値が目標維持範囲外であれば，来院間隔を短くし低タンパク食と治療用特殊ミルクが十分に摂取できているか確認し指導を行う，もしくはBH_4内服量の調整（最大20 mg/kg/day）を行う．3か月毎に血液一般検査，血液生化学検査（微量元素，ビタミン等を含む）を行い，不足があれば内服薬またはサプリメントで補充する．

2 神経学的評価

Phe値が上昇すると精神症状が不可逆的に進行するため，定期的に知能発達検査（乳幼児では新版K式，学童以降はWISC-Ⅳが推奨されるが，津守・稲毛式や遠城寺式など簡易な検査でも代用可）を行う．新生児マススクリーニングで発見されてただちに治療を開始した例では，明らかな知能指数の低下はみられないことがほとんどである．しかし，不十分なPheコントロールや血中Phe値上昇により注意欠陥多動性障害や認知能力の障害が報告されている[33]．

適宜，脳波検査を行うことが望ましい．

10 歳以降では脳 MRI による画像検査（数年毎）も推奨される Ⓒ [33)34)].

3 特殊ミルクの使用

本疾患は生涯にわたる食事療法が必要であるため，特殊ミルクを継続して使用する．

4 その他

本疾患は常染色体劣性の遺伝形式であり，必要に応じて遺伝カウンセリングを行う．

成人期の課題

1 食事療法を含めた治療の継続

成人患者が治療を中断すると，頭痛，うつ状態，神経症，認知能力の低下など，様々な精神神経学的問題をきたすことがわかっている[35)]．よって，これまで述べてきた食事療法は患者の性別や年齢を問わず生涯にわたって継続すべきであり Ⓑ，成人でも男女ともに血中 Phe 値を 2～6 mg/dL（120～360 μmol/L）に維持することが推奨される[17)]．そのために，思春期以前と同様に，食事療法（低タンパク食と食事で不足するタンパクを補うための治療用特殊ミルク）を十分行う．高校・大学への進学や就職後に社会生活をしながら思春期以前と同様な食事療法を行うためには，本人の意志と医療従事者を含めた周囲のサポートが不可欠である．

2 飲酒

蒸留酒を除きアルコール飲料には少なからず Phe が含まれている．おつまみ類と合わせて Phe の過剰摂取となる可能性が高いため推奨しない．

3 運動

特に制限はない．

4 妊娠・出産

PKU 患者が女性の場合，妊娠中の高 Phe 血症は，胎児に小頭症や心奇形など重篤な影響を与え，流産・死産，児の難治性てんかんまたは治療不可能な精神運動発達遅滞などをきたすことが報告されている．（母性PKU）[36)]．これらの合併症を予防するには，PKU 患者が妊娠を希望する場合，低タンパク食と特殊治療ミルクにより，受胎前から全妊娠期間を通じて血中 Phe 値を 2～6 mg/dL（120～360 μmol/L）に厳格にコントロールすることが必要である[37)-42)]．したがって，特に女性患者では将来の妊娠に備えて，思春期以降十分な治療を継続することが望ましい．PKU 患者の妊娠に伴う栄養素摂取量の目安や妊娠期のための標準献立例は，特殊ミルク共同安全開発委員会が作成した食事療法ガイドブックに記載されており，これを参考に治療を行う Ⓑ[43)]．受胎前から妊娠初期は 2～4 週間毎に血中 Phe 値を測定し，食事内容や特殊治療ミルクを調整する．出産後の授乳に制限はない．

患者が BH_4 反応性である場合には，BH_4 療法が母性PKU に対しても有効と報告されているが[44)]，症例数が少ないため安全性に関しての結論はまだ出ていない．

男性患者が妊娠に与える影響の報告はない．

5 医療費の問題

指定難病であり，治療用特殊ミルクの Phe 除去ミルクを含む医療費は 20 歳以降も自己負担分を除き補助される．ただし，主食である低タンパク米をはじめとする低タンパク食にかかる費用の補助はないため，治療にかかる費用は大きい．

BH₄欠損症

診断確定後の治療⁶⁾

1 食事療法

DHPR欠損症ではBH₄単独では血中Phe値が十分に下がらないことがあり，PAH欠損症に準じた食事療法が必要である．

2 薬物療法

血中Phe濃度のコントロールに加えて，神経伝達物質の補充療法を行う必要がある．BH₄は血液脳関門を通過しにくいため，BH₄単独では中枢神経症状を予防することはむずかしい．そのため，BH₄，L-ドーパ，5-ヒドロキシトリプトファン（5-HTP）の3剤投与が必要である．さらにジヒドロプテリジン還元酵素（DHPR）欠損症ではこの3剤に加えて葉酸の投与も必要である ．

❶ 天然型BH₄製剤塩酸サプロプテリンの投与＊

BH₄はおもにPhe制限食の代わりに血中Phe濃度をコントロールする目的でBH₄ 10 mg/kg/dayを目安として使用する．一般にPTPS欠損症とGTPCH欠損症ではBH₄ 2～6 mg/kg/dayを3～4分割して投与すると普通食でも血中Phe濃度を正常に保つことが可能である．しかしDHPR欠損症ではこの投与量でも不十分なことがあり，BH₄ 12～20 mg/kg/dayの投与量を勧める報告もある．血中Phe濃度のコントロールにPhe制限食を併用する場合においてもBH₄の投与は神経症状の発現を予防するために継続することが望ましい．

❷ L-ドーパ注¹⁾＊＊，5-HTP注²⁾＊＊＊の投与

BH₄はドパミンの合成系，セロトニン合成系にも関与しているが，投与されたBH₄は血液脳関門を通過しにくいため，中枢神経においてドパミン欠乏（パーキンソニズム），セロトニン欠乏が起こる．そこで前駆物質であるL-ドーパおよび5-HTPの投与が必要となる．投与方法は，それぞれ3 mg/kg，6 mg/kg，10 mg/kgと4日から7日毎に増量し，10 mg/kgになってから1週間程度様子を見てから髄液中のプテリジン分析，HVA，5-ヒドロキシインドール酢酸（5-HIAA）の分析を行いながら適宜投与量を調節していく．髄液中HVA，5-HIAA値の測定のための頻回の髄液採取は患児にとってはストレスである．それに代わる指標として，中枢神経でのドパミン欠乏を反映して血中プロラクチン値が上昇することが知られており，採血にてある程度のL-ドーパの投与量調節ができる可能性がある⁴⁵⁾＊＊．L-ドーパの用量を増やす指標となる症状として，眠気，活気の低下，こわばり，振戦などが参考となる．若年者ではL-ドーパは10～15 mg/kg/day，投与回数も3～4回/dayに増量となることが多い．5-HTPの副作用として，下痢がみられることがあるが，5歳頃までは，精神運動発達を優先し，下痢があっても補充を続けることが望ましい．年長児，成人では，必ずしも5-HTPの投与を継続できていない症例もあるが，セロトニンの欠乏により抑うつなどの精神症状がある場合には，投与の再開や増量が必要となる．

❸ 葉酸（5-ホルミル-テトラヒドロ葉酸

10～20 mg/day＊＊の投与は，DHPR欠損症の患者において髄液中の葉酸レベルが低い場合に推奨されている．この治療は，脱髄プロセスと大脳基底核の石灰化の両方を改善することができる⁴⁶⁾⁴⁷⁾．

注¹⁾ L-ドーパは末梢での分解を阻害する脱炭酸酵素阻害薬であるcarbidopa（カルビドパ）との合剤が用いられる．
注²⁾ わが国では5-HTPの薬剤はないので，同意を得たうえで試薬を投与するか，患者自身でサプリメントとして購入し内服してもらうよう十分に説明する必要がある．

慢性期の管理

1 食事療法

前述の「診断確定後の治療」の「1 食事療法」を継続する．

2 薬物療法

前述の「診断確定後の治療」の「2 薬物療法」を継続する．

3 sick day の対応

発熱や薬物療法の内服が困難な場合は，L-ドーパの不足による症状の出現に注意が必要．

フォローアップ指針

1 一般的評価と神経学的評価

小学校入学までは原則として4週毎に来院させ，血中 Phe 値を測定するとともに身体計測を行う．3か月毎に血液一般検査，血液生化学検査（血中プロラクチン，カテコラミンを含む）を行う．神経伝達物質の補充量の過不足は血液生化学検査では評価は困難であり，精神運動発達障害，気分障害などの臨床所見の有無を確認しながら，適宜，髄液中プテリジン分析，HVA，5-HIAA 値の測定をする．年齢別の髄液中 HVA，5-HIAA 値の正常値（表2）[48)49)]の下限以上に保つことを目標にする．定期的な知能発達検査（乳幼児では新版K式，学童以降は WISC-Ⅳが推奨されるが，津守・稲毛式や遠城寺式など簡易な検査でも代用可）を行う．また適宜脳波検査と脳の画像検査を行うことが望ましい．

表2 髄液中 5-HIAA と HVA の正常値

年齢	5-HIAA (nmol/L)	HVA (nmol/L)
0〜6か月	150〜800	310〜1100
6か月〜1歳	114〜336	295〜932
2〜4歳	105〜299	211〜871
5〜10歳	88〜178	144〜801
11〜16歳	74〜163	133〜551
16歳以上	66〜141	115〜488

〔Blau N, et al. Hyperphenylalaninemia. In：Blau N, et al, eds. Physician's Guide to the Laboratory Diagnosis of Metabolic Diseases 1st ed. Chapman & Hall；1996：65-78, Hyland K, et al. Disorders of neurotransmitter metabolism. In：Blau N, et al, eds. Physician's Guide to the Laboratory Diagnosis of Metabolic Diseases 1st ed. London：Chapman & Hall；1996：79-98 より引用〕

成人期の課題

1 治療の継続

生涯にわたり，上記薬物療法，食事療法の継続が必要である．特に成人期になり，独立した生活を営む場合に，L-ドーパの怠薬により，無動・寡動が起こり生命の危険性があるため，見守りなど何らかの安全策が必要となる．

2 飲酒

一般的に神経症状に影響を与えるので推奨はできない．

3 運動

基本的に運動制限は不要であり，通常の日常生活に支障が出ることは稀であると思われる．

4 妊娠・出産

母性 PKU と同様に，妊娠中の高 Phe 血症は，胎児に，小頭症や心奇形など重篤な影響を与えるため，受胎前よりおよび全妊娠期間を通じて血中 Phe 値を厳格にコントロールすることが必要である．

5 医療費の問題

本疾患は指定難病となっており，保険診療内の諸検査および薬物治療については難病制度に即した医療費助成制度が適用される．しかし，5-HTP の薬剤がなく，サプリメントとして購入し内服する場合には経済的負担がある．

文献

1) Scriver CR, et al. The hyperphenylaninemias. Phenylalanine hydroxylase deficiency. In：Scriver CR, et al, eds. Metabolic and Molecular Bases of Inherited Disease, 8th ed. McGraw-Hill, 2000：1667.
2) Blau N, et al. Phenylketonuria. lancet 2010；376：1417-1427.
3) Groot MJ de, et al. Pathogenesis of cognitive dysfunction in phenylketonuria：Review of hypotheses. mol genet metab 2009；99（Suppl）：S86-S89.
4) Sanayama Y, et al. Experimental evidence that phenylalanine is strongly associated to oxidative stress in adolescents and adults with phenylketonuria. mol genet metab 2011；103：220-225.
5) Blau N, et al. Disorders of tetrahydrobiopterin and related biogenic amines. In：Scriver CR, Sly WS, Childs B, et al., eds. Metabolic and Molecular Bases of Inherited Disease, 8th ed. McGraw-Hill, 2000：1725.
6) Shintaku H. Disorders of tetrahydrobiopterin metabolism and their treatment. curr drug metab 2002；3：123-131.
7) Shibata N, et al. Diversity in the incidence and spectrum of organic acidemias, fatty acid oxidation disorders, and amino acid disorders in Asian countries：Selective screening vs. expanded newborn screening. mol genet metab reports 2018；16：5-10.
8) National Institutes of Health Consensus Development Panel. National Institutes of Health Consensus Development Conference Statement. pediatrics 2001；108：972-982.
9) Muntau AC, et al. Tetrahydrobiopterin as an alternative treatment for mild phenylketonuria. n engl j med 2002；347：2122-2132.
10) Wegberg AMJ Van, et al. The complete European guidelines on phenylketonuria：Diagnosis and treatment. orphanet j rare dis 2017；12：162.
11) Kure S, et al. Tetrahydrobiopterin-responsive phenylalanine hydroxylase deficiency. j pediatr 1999；135：375-378.
12) 新宅治夫. テトラヒドロビオプテリン負荷試験. 小児内科 2006；38：1326-1332.
13) Anjema K, et al. The neonatal tetrahydrobiopterin loading test in phenylketonuria：what is the predictive value? orphanet j rare dis 2016；11：10.
14) 大浦敏博, ほか. テトラヒドロビオプテリン（BH4）反応性高フェニルアラニン血症に対する天然型 BH4 製剤サプロプテリンの適正使用に関する暫定指針. 日本小児科学会雑誌 2009；113：649-653.
15) Feillet F, et al. Challenges and pitfalls in the management of phenylketonuria. pediatrics 2010；126：333-41.
16) Burgard P, et al. Rationale for the German recommendations for phenylalanine level control in phenylketonuria 1997. eur j pediatr 1999；158：46-54.
17) Camp KM, et al. Phenylketonuria scientific review conference：State of the science and future research needs. Mol Genet Metab 2014；112：87-122.
18) 北川照男, ほか. フェニルケトン尿症（高フェニルアラニン血症の一部を含む）治療指針の第 2 次改定の経緯と改定勧告治療指針（平成 24 年度）について. 特殊ミルク情報 2012；48：82-84.
19) 小川えりか, ほか. フェニルケトン尿症患者における 24 月齢までのフェニルアラニン摂取量の推移についての検討. 日本先天代謝異常学会雑誌 2016；32：168.
20) MacDonald A, et al. Protein substitute dosage in PKU：how much do young patients need? arch dis child 2006；91：588-593.
21) Blau N, et al. Optimizing the use of sapropterin（BH(4)）in the management of phenylketonuria. mol genet metab 2009；96：158-163.
22) Levy HL, et al. Efficacy of sapropterin dihydrochloride（tetrahydrobiopterin, 6R-BH4）for reduction of phenylalanine concentration in patients with phenylketonuria：a phase Ⅲ randomised placebo-controlled study. lancet 2007；370：504-510.
23) Trefz FK, et al. Efficacy of sapropterin dihydrochloride in increasing phenylalanine tolerance in children with phenylketonuria：a phase Ⅲ, randomized, double-blind, placebo-controlled study. j pediatr 2009；154：700-707.
24) Trefz FK, et al. Frauendienst-Egger G. Long-term follow-up of patients with phenylketonuria receiving tetra-

hydrobiopterin treatment. j inherit metab dis 2010 ; 33 (Suppl 3) : S163-169.

25) Lambruschini N, et al. Clinical and nutritional evaluation of phenylketonuric patients on tetrahydrobiopterin monotherapy. mol genet metab 2005 ; 86 (Suppl 1) : S54-S60.

26) Hennermann JB, et al. Long-term treatment with tetrahydrobiopterin increases phenylalanine tolerance in children with severe phenotype of phenylketonuria. mol genet metab 2005 ; 86 (Suppl 1) : S86-90.

27) Shintaku H, et al. Long-term treatment and diagnosis of tetrahydrobiopterin-responsive hyperphenylalaninemia with a mutant phenylalanine hydroxylase gene. pediatr res 2004 ; 55 : 425-430.

28) Okano Y, et al. Molecular characterization of phenylketonuria in Japanese patients. hum genet 1998 ; 103 : 613-618.

29) Okano Y, et al. Molecular characterization of phenylketonuria and tetrahydrobiopterin-responsive phenylalanine hydroxylase deficiency in Japan. j hum genet 2011 ; 56 : 306-312.

30) Blau N, et al. DNAJC12 deficiency : A new strategy in the diagnosis of hyperphenylalaninemias. mol genet metab 2017 ; 123 : 1-5.

31) Kör D, et al. Improved metabolic control in tetrahydrobiopterin (BH4), responsive phenylketonuria with sapropterin administered in two divided doses vs. a single daily dose. j pediatr endocrinol metab 2017 ; 30 : 713-718.

32) Okano Y, et al. Nutritional status of patients with phenylketonuria in Japan. mol genet metab reports 2016 ; 8 : 103-110.

33) Nardecchia F, et al. Neurocognitive and neuroimaging outcome of early treated young adult PKU patients : A longitudinal study. mol genet metab 2015 ; 115 : 84-90.

34) 美奈和泉, ほか. フェニルケトン尿症における頭部磁気共鳴画像 (MRI) の検討. 脳と発達 2006 ; 38 : 27-31.

35) Bilder DA, et al. Neuropsychiatric comorbidities in adults with phenylketonuria : A retrospective cohort study. mol genet metab 2017 ; 121 : 1-8.

36) Lenke RR, et al. Maternal phenylketonuria and hyperphenylalaninemia. An international survey of the outcome of untreated and treated pregnancies. n engl j med 1980 ; 303 : 1202-1208.

37) Prick BW, et al. Maternal phenylketonuria and hyperphenylalaninemia in pregnancy : pregnancy. am j clin nutr 2012 ; 95 : 374-382.

38) Koch R, et al. The International Collaborative Study of Maternal Phenylketonuria : status report 1998. eur j pediatr 2000 ; 159 (Suppl) : S156-S160.

39) Koch R, et al. The Maternal Phenylketonuria International Study : 1984-2002. pediatrics 2003 ; 112 : 1523-1529.

40) Levy HL, et al. Congenital heart disease in maternal phenylketonuria : report from the Maternal PKU Collaborative Study. pediatr res 2001 ; 49 : 636-642.

41) Rouse B, et al. Effect of high maternal blood phenylalanine on offspring congenital anomalies and developmental outcome at ages 4 and 6 years : the importance of strict dietary control preconception and throughout pregnancy. j pediatr 2004 ; 144 : 235-239.

42) Lee PJ, et al. Maternal phenylketonuria : report from the United Kingdom Registry 1978-97. arch dis child 2005 ; 90 : 143-146.

43) 特殊ミルク共同安全開発委員会. アミノ酸代謝異常症のために, 食事療法ガイドブック. 恩賜財団母子愛育会 2008.

44) Trefz FK, et al. Potential role of tetrahydrobiopterin in the treatment of maternal phenylketonuria. pediatrics 2003 ; 112 : 1566-1569.

45) Ogawa A, et al. A case of 6-pyruvoyl-tetrahydropterin synthase deficiency demonstrates a more significant correlation of l-Dopa dosage with serum prolactin levels than CSF homovanillic acid levels. brain dev 2008 ; 30 : 82-85.

46) Irons M, et al. Folinic acid therapy in treatment of dihydropteridine reductase deficiency. J Pediatr 1987 ; 110 : 61-67.

47) Woody RC, et al. Progressive intracranial calcification in dihydropteridine reductase deficiency prior to folinic acid therapy. Neurology 1989 ; 39 : 673-675.

48) Blau N, et al. Hyperphenylalaninemia. In : Blau N, Duran M, Blaskovics M, eds. Physician's Guide to the Laboratory Diagnosis of Metabolic Diseases 1st ed. Chapman & Hall, 1996 : 65-78.

49) Hyland K, et al. Disorders of neurotransmitter metabolism. In : Blau N, et al eds. Physician's Guide to the Laboratory Diagnosis of Metabolic Diseases 1st ed, Chapman & Hall 1996 : 79-98.

3 メープルシロップ尿症

疾患概要

メープルシロップ尿症（maple syrup urine disease：MSUD）は，分枝鎖αケト酸脱水素酵素（branched-chain α-ketoacid dehydrogenase：BCKDH）の異常により，分枝鎖アミノ酸（BCAA）であるバリン，ロイシン，イソロイシン由来の分枝鎖ケト酸（BCKA）の代謝が障害される常染色体劣性遺伝の疾患である[1]．血中に増加したBCKAおよびBCKAによる中枢神経障害と二次性に発症する代謝性アシドーシスがおもな病態である．臨床症状や発症時期は多彩であり，新生児期に発症する場合は，元気がない，哺乳力低下，不機嫌，嘔吐などで発症する．進行すると意識障害，けいれん，呼吸困難，筋緊張低下，後弓反張などが出現し，治療が遅れると死亡するか重篤な神経後遺症をのこすため，初期対応が重要である．慢性症状としては発達障害，精神運動発達遅滞，失調症，けいれんなどがみられる．また，無症状で平時は検査データ異常を認めないが，感染症などを契機に急性増悪する間欠型も報告されている．このような間欠型では新生児マススクリーニングでは検出されず，注意が必要となる．血液中や尿中にαケト酸が上昇する．新生児マススクリーニングの対象疾患であり，スクリーニングでは分枝鎖アミノ酸の増加を指標としているガスリー法，HPLC法では血中ロイシンの上昇，タンデムマス検査では血中ロイシン＋イソロイシンの上昇を測定する．

図1に代謝経路を示す．分枝鎖アミノ酸（BCAA）であるバリン，ロイシン，イソロイシンは分枝鎖アミノトランスフェラーゼによりアミノ基転移反応を受けて，分枝鎖ケト酸であるαケトイソ吉草酸，αケトイソカプロン酸，αケトメチ

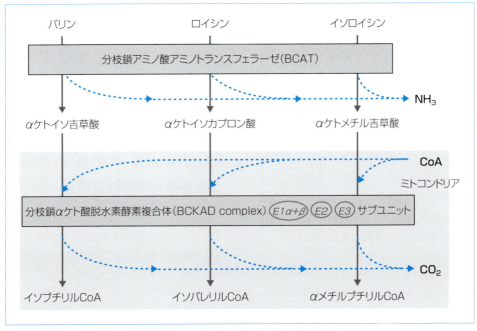

図1 ● 分枝鎖アミノ酸の代謝と分枝鎖ケト酸脱水素酵素複合体の代謝経路

ル吉草酸にそれぞれ変換される．さらに，分枝鎖ケト酸は分枝鎖αケト酸脱水素酵素複合体（BCKD複合体）によってアシルCoAであるイソブチリルCoA，イソバレリルCoA，αメチルブチリルCoAへと変換される．BCKD複合体はE1α，E1β，E2，E3の4つのサブユニットから構成される複合体であり，各サブユニットをコードする遺伝子の異常により発症する．いずれの遺伝子の異常も常染色体劣性の遺伝形式を示す．E3はピルビン酸脱水素酵素複合体，αケトグルタル酸脱水素酵素複合体とも共通のサブユニットであるため，その異常では高乳酸血症，αケトグルタル酸の上昇を合併する．

1 疫学

新生児マススクリーニングの対象疾患であり，多くの患者はこのスクリーニングによって発見される．わが国での頻度は出生約50万人に1人と考えられている[2]．

臨床像と診断の基準

1 臨床病型

❶古典型
新生児期に発症する．生後1週間程度で嘔吐，けいれん，昏睡などの症状をきたす．新生児マススクリーニングの結果が判明する前に発症していることが少なくない．

❷間欠型
新生児期は正常に経過し，その後に急性増悪を起こす．非発作時は正常である．

❸中間型
血中の分枝鎖アミノ酸の上昇は中等度であるが，知的障害を伴う．

❹チアミン反応型
チアミン投与により分枝鎖アミノ酸は低下し，臨床症状が改善する．

❺E3欠損症
DLD（ジヒドロリポアミド脱水素酵素）は，ミトコンドリアの3つの酵素複合体（分枝鎖ケト酸脱水素酵素，αケトグルタル酸脱水素酵素，ピルビン酸脱水素酵素のE3サブユニットとして機能するため，高乳酸血症，ケトン血症を呈し，急性脳症や重症肝不全などの重篤な症状を示す．

2 主要症状および臨床所見

急性期のおもな症状は，不活発，哺乳不良，嘔吐，筋緊張低下，運動失調，けいれん，昏睡，尿の特有のにおいなどである．血中ロイシン値と臨床症状がほぼ一致する．血中ロイシン値が10〜20 mg/dL（760〜1,500 μmol/L）では哺乳力が低下し嘔吐が出現する．ロイシン値が20 mg/dL（1,500 μmol/L）以上では意識障害，筋緊張低下，けいれん，呼吸困難，後弓反張などが出現する．分枝鎖アミノ酸および分枝鎖ケト酸の血中濃度が上昇するとミエリン合成の障害をきたし不可逆的な中枢神経の障害により，精神運動発達の遅れを認める．尿のメープルシロップ様の甘いにおいが特徴的であるが，新生児期は明らかではないこともある．

古典型では生後1週間程度で嘔吐，けいれん，昏睡などの症状をきたす．間欠型や中間型では新生児期には無症状であり，感染などをきっかけとして，嘔吐や昏睡，発達の遅れなどを認める．

3 参考となる検査所見

年長児のアシドーシス発作時には，アニオンギャップの増加を伴う代謝性アシドーシス，尿中ケトン陽性を認める．新生児期には必ずしもアシドーシスや尿中ケトンの増加を認めない．新生児

注1) $AG = [Na^+] - [Cl^- + HCO_3^-]$（正常範囲10〜14）重度の代謝性アシドーシス（pH<7.2，AG>20）の場合，有機酸代謝異常症やメープルシロップ尿症が疑われるため鑑別する．

期には低血糖（＜45 mg/dL）を認めることがあるので血糖測定は必須である．

❶代謝性アシドーシスの定義
・新生児期 HCO_3^- ＜17 mmol/L，乳児期以降 HCO_3^- ＜22 mmol/L
・pH＜7.3 かつアニオンギャップ（AG）＞15 [注1]

4 診断の根拠となる特殊検査[3)-5)]

❶ろ紙血アミノ酸分析＊
タンデムマス法での測定ではロイシンとイソロイシンは区別されず Leu＋Ile として結果が出る．
・Leu＋Ile＞350 μmol/L（＞4.5 mg/dL）
・Val＞250 μmol/L（＞2.9 mg/dL）

❷血中・尿中アミノ酸分析＊
診断に必須の検査である．ロイシン，イソロイシン，バリンの増加，アラニンの低下を認める．アロイソロイシンの出現も特徴的だが，国内の質量分析計によるアミノ酸分析では測定できない＊＊．

❸尿中有機酸分析＊＊
分枝鎖αケト酸，分枝鎖αヒドロキシ酸の増加を認める．

❹遺伝子解析＊＊
複合体を形成する酵素をコードする E1α，E1β，E2，E3 のそれぞれの遺伝子について解析が必要である．各施設で手続きを行うことで，保険収載で遺伝子解析が可能である．かずさ DNA 研究所が解析を受けており，AMED 難治性疾患実用化研究事業（深尾班）の遺伝子診断サポートを受けることができる（かずさ DNA 研究所への依頼および班研究詳細は http://www.jsiem.com.）遺伝子診断を行ったうえでフォローアップする上記研究に協力して公的マススクリーニングの重要な情報を次世代に情報財産として残すことを，研究班として呼びかけている．

5 鑑別診断（図2）

ケトーシスやチアミン欠乏では分枝鎖ケト酸の上昇を認める場合がある．低血糖に伴って分枝鎖アミノ酸の上昇を認める場合があり，間欠型との鑑別が困難となる．発作期の血中・尿中アミノ酸分析と尿中有機酸分析が重要となる．

6 診断基準

❶疑診
1) 急性発症型
（1）主要症状
不活発，哺乳不良，嘔吐，筋緊張低下，運動失

---

mini column 1　アミノ酸分析

三菱化学メディエンスの「血漿アミノ酸分画」検査を依頼するとアロイソロイシンが測定される．（アロイソロイシンは非特異的に検出される場合があり，欧米のガイドラインでは血漿中アロイソロイシンとしてカットオフ値 5 μmol/L 以上（ドイツ，デュッセルドルフ），乾燥ろ紙血を用いた UPLC/MS/MS での測定では 2 μmol/L 以上（Mayo Clinic），と定義されている）．

---

mini column 2　酵素活性

日本人には分枝鎖アミノ酸の代謝にかかわる上記以外の酵素の機能低下の可能性が一部から提唱されており，現行の遺伝子検査で診断が困難な例が含まれている可能性がある．その場合は，従来，確定診断のために実施されていた酵素活性の測定が必要となる．現在，国内ではコマーシャルベースで活性測定が可能な施設はない．遺伝子診断で確定が困難だった症例などへの研究ベースで実施されている酵素活性の測定については，先天代謝異常学会ホームページの検査依頼施設に掲載されている場合に依頼が可能である．

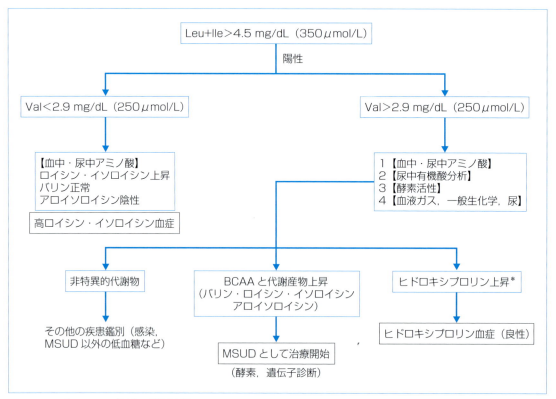

図2● メープルシロップ尿症の鑑別診断
Leu：ロイシン，Ile：イソロイシン，Val：バリン，BCAA：必須アミノ酸．
＊：BMLのアミノ酸分析，SRL（エス・アール・エル）の尿中ヒドロキシプロリン分析．

調，けいれん，昏睡，尿の特有のにおい．
(2) 臨床所見
　アニオンギャップの増加を伴う代謝性アシドーシス，尿中ケトン陽性，低血糖．
(1)，(2)の項目のうち少なくとも1つ以上あり，かつアミノ酸検査（ろ紙血，血中，尿中）で分枝鎖アミノ酸（バリン，ロイシン，イソロイシン）の増加を認めた場合を疑診とする．

2) 発症前型（新生児マススクリーニング陽性例を含む）
　主要症状および臨床所見を認めない症例で，アミノ酸検査（ろ紙，血中，尿中）で分枝鎖アミノ酸（バリン，ロイシン，イソロイシン）の増加を認めた場合を疑診とする．

・基準値：Leu＋Ile＞4.5 mg/dL（350 μmol/L），Val＞2.9 mg/dL（250 μmol/L）

❷ 確定診断
　前述「4 | 診断の根拠となる特殊検査」の❷（血中・尿中アミノ酸分析の異常）かつ，❸（尿中有機酸分析の異常）を認めるものを確定診断（生化学確定例）とする．
　もしくは❷かつ，❹（遺伝子解析における両アレルに存在する疾患関連変異）を認めるものを確定診断とする．

新生児マススクリーニングで疑われた場合

1 確定診断

NBSでろ紙血中のロイシンもしくはロイシン＋イソロイシン（タンデムマス検査の場合）の上昇を認めた無症状例は本症に罹患している可能性がある．一般検査（末梢血，一般生化学検査）に加え，血糖，血液ガス，アンモニア，乳酸，血中ケトン体分画を測定し，血中と尿中のアミノ酸分析，尿中有機酸分析を行う．

2 診断確定までの対応 Ⓑ

症状がない場合，急性発作に注意しつつ，同時に診断を確定する．無症状でもロイシンのコントロールが不良の場合，経口摂取が不十分な場合，感染症など異化亢進が懸念される全身状態の場合は，入院も考慮する．治療は慢性期の治療から開始する．「臨床像と診断の基準」の「4｜診断の根拠となる特殊検査」の❸，❹は時間を要するため，治療を優先する．血液中のロイシン濃度を指標として，乳児期はBCAA除去ミルク（ロイシン・イソロイシン・バリン除去ミルク配合散「雪印」）に普通ミルクを混合して使用する．この混合比は患児の残存酵素活性に依存しているので，血中ロイシン値を75〜300 μmol/L（2〜5 mg/dL）に維持することを目標とする．

表1● 欧米における血中ロイシン濃度の目標値

	ロイシン（μmol/L）	イソロイシン（μmol/L）	バリン（μmol/L）
≦5歳	75〜200	200〜400	200〜400
＞5歳	75〜300	200〜400	200〜400

補記） 欧米のガイドラインでは，血中ロイシン濃度の目標値は表1のようになっており，これまで日本で使用されてきた基準より厳しい基準となっている．しかし，欧米では厳しい基準でコントロールした場合でも神経症状が起こること，日本と同じ基準でコントロールした集団との神経学的後遺症に差がないこと（未報告），などから徐々に基準を引き上げる施設も出ている．これは，本疾患が，神経細胞におけるαケト酸によって障害されることに起因しており，現状以上の改善が認められにくい理由と考えられている．また，欧米では治療のステージによって様々な治療用製剤（治療用経腸栄養剤，BCAA調整治療用アミノ酸点滴製剤）が入手可能（年齢別に少なくとも20種類の治療用製剤がある）であり，日本国内での成人症例における治療上の問題点となっている．

参考までに欧米での教科書的な推奨摂取量を表2に示す．

表2● 欧米における推奨される栄養摂取量の目安

Age	Nutrient					
	ILE (mg/kg)	LEU (mg/kg)	VAL (mg/kg)	Protein (g/kg)	Energy (Kcal/kg)	Fluid (ml/kg)
Infants						
0 to ＜3 mo	36〜60	60〜100	42〜70	3〜3.5	120（95〜145）	125〜150
3 to ＜6 mo	30〜50	50〜85	35〜60	3〜3.5	115（95〜145）	130〜160
6 to ＜9 mo	25〜40	40〜70	28〜50	2.5〜3	110（80〜135）	125〜145
9 to ＜12 mo	18〜33	30〜55	21〜38	2.5〜3	105（80〜135）	120〜135
Girls and Boys						
1 to ＜4 yr	165〜325	275〜535	190〜400	≥30	1,300（900〜1,800）	900〜1,800
4 to ＜7 yr	215〜445	360〜695	250〜490	≥35	1,700（1,300〜2,300）	1,300〜2,300
7 to ＜11 yr	245〜470	410〜785	285〜550	≥40	2,400（1,650〜3,300）	1,650〜3,300

Ile：イソロイシン，Leu：ロイシン，Val：バリン，Protein：プロテイン，Energy：エネルギー，Fluid：液体．
（Abbott Laboratories. Ross Products Division. Nutrition support protocols より引用）

3 診断確定後の治療（未発症の場合）[6)7)]

❶食事療法 Ⓑ＊

BCAA除去ミルク（ロイシン・イソロイシン・バリン除去ミルク配合散「雪印」）に普通ミルクを混合して使用する．この混合比は患児の残存酵素活性に依存しているので，血中ロイシン値を150〜400 μmol/L（2〜5 mg/dL）に維持することを目標（p.29，**補記**）参照）とする．

❷sick dayの対応 Ⓑ

感染症による体調不良・食欲低下時には早めに医療機関を受診させ，必要によりブドウ糖を含む輸液を実施することで異化亢進を抑制し急性発症を防ぐ．

急性発作で発症した場合の診療

1 診断確定の手順

本疾患の古典型の患者は新生児期に発症し，NBSの結果が判明する前に急性発作型の症状を呈することがある．ろ紙血中のロイシンもしくはロイシン＋イソロイシン（タンデムマス検査の場合）の結果を検査センターに問いあわせるとともに，一般検査（末梢血，一般生化学検査），血糖，血液ガス，アンモニア，乳酸，血中ケトン体分画を測定し，血中と尿中のアミノ酸分析，尿中有機酸分析を行う．必要に応じて酵素活性測定による確定診断を行う．尿のメープルシロップ様の甘いにおいが特徴的であるが，新生児期は明らかではないこともある．

2 診断確定までの対応 Ⓑ

・入院管理とし，必要に応じて「代謝クライシス」の治療を行う（「代謝救急診療ガイドライン」（p.2）参照）．本疾患の場合，代謝性アシドーシス（重度の場合：pH＜7.2，アニオンギャップ（AG）＞20 mEq/L）に加えて前述した主要症状がある場合，診断確定までは有機酸血症も念頭に入れ，代謝クライシスと判断して救急対応を行う．具体的には「1．代謝救急診療ガイドライン」（p.2）参照．
・「臨床像と診断の基準」の「4 | 診断の根拠となる特殊検査」の❸，❹は時間がかかることがあり，治療を優先する．血液中のロイシン濃度を指標として，乳児期はBCAA除去ミルク（ロイシン・イソロイシン・バリン除去ミルク配合散「雪印」）に普通ミルクを混合して使用する．この混合比は患児の残存酵素活性に依存しているので，血中ロイシン値を75〜300 μmol/L（2〜5 mg/dL）に維持することを目標（p.29，**補記**）参照）とする．
・チアミン依存性の可能性があるので，発症時から大量のチアミン投与＊＊を試みるべきである．
・チアミン＊＊の投与量は，10 mg/kg/day（50〜200 mg/day）を用いるが，それ以上の投与の報告もある（1000 mg/day）．
・チアミン投与の反応性の有無の効果判定は最低3週間以上をかけて，BCAA血中濃度と耐容量を指標として評価する．これまで報告されているチアミン反応性MSUD症例は，10 mg/dayのチアミン投与後，7日以内にBCAAが正常化し，タンパク制限も解除できている[8)]．
（1312 T＞A変異のホモ接合体は効果を示さないことがわかっているため，遺伝子検査は治療方針決定上，有効な情報となる場合がある．）

3 診断確定後の治療[6)7)]

急性期の治療は早期発見・治療が原則である．BCAAおよびBCKAの蓄積と体タンパクの異化を抑制しながら，同化を促進することを目標にする．急性増悪が疑われれば，特殊ミルク（BCAA除去ミルク）の投与や，脂肪投与，高カロリー輸液，アシドーシスの補正を行う．

急性期の治療方針

「代謝クライシス」として下記の治療を開始する．

❶状態の安定化（重篤な場合）Ⓑ

(1) 気管内挿管と人工換気（必要であれば）．
(2) 末梢静脈ルートの確保：血液浄化療法や中心静脈ルート用に重要な右頸静脈や大腿静脈は使わない．
　　静脈ルート確保困難な場合は骨髄針など現場の判断で代替法を選択する．
(3) 必要により昇圧薬を投与して血圧を維持する．
(4) 必要に応じて生理食塩水を投与してよいが，過剰にならないようにする．ただし，生理食塩水投与のために異化亢進抑制策を後回しにしてはならない．
(5) 診断基準に示した臨床検査項目を提出する．残検体は破棄せず保管する．
(6) 脳浮腫がある場合，必要に応じて以下の投与を行う．
　・利尿薬（フロセミド）0.5～1 mg/kg/dose を6～12時間毎．
　・塩分投与 血中ナトリウムを135 mEq/L 以上に保つ．
　・D-マンニトール 0.5 g/kg/dose 6～8時間毎もしくは持続投与．

❷異化亢進の抑制 Ⓑ

(1) 絶食とし，中心静脈路を確保のうえ，10%以上のブドウ糖を含む輸液で80～120 kcal/kg/day（平常時のエネルギー必要量の150%まで）以上のエネルギー補給を維持する．治療開始後の血糖は120～200 mg/dLを目標とする ⒷⒾ．

補記） ブドウ糖の投与はミトコンドリア機能低下状態への負荷となって高乳酸血症を悪化させることも考えられるため，モニタリングして投与する必要がある．

(2) 高血糖（新生児＞280 mg/dL，新生児期以降＞180 mg/dL）を認めた場合は，速攻型インスリンの持続投与を開始する．インスリンの併用で低血糖となる場合は，ブドウ糖投与量を増やして対応する．静注用脂肪製剤が使用可能なら使用する（0.5 g～2 g/kg/day）．

❸代謝性アシドーシスの補正 Ⓑ

代謝性アシドーシスが高度の場合は重炭酸ナトリウム投与による補正も行う．循環不全や呼吸不全を改善させたうえでなお pH＜7.2 であれば，炭酸水素ナトリウム（メイロン®：0.833 mmol/mL）BE×体重×0.3 mL の半量（half correct）を10分以上かけて静注する．目標値は pH＞7.2，PCO$_2$＞20 mmHg，HCO$_3^-$＞10 mEq/L とし，改善しなければ血液浄化療法を行う必要がある．

❹血液浄化療法 Ⓑ

通常は，上記治療にて改善するが，もしも上記の治療を2～3時間行っても代謝性アシドーシスが改善しない場合は，緊急で血液浄化療法を実施する必要がある．有効性および新生児～乳幼児に実施する際の循環動態への影響の少なさから，持続血液透析（CHD）または持続血液ろ過透析（CHDF）が第一選択となっており，実施可能な高次医療施設へ速やかに搬送することが重要である．腹膜透析は効率が劣るため，搬送までに時間を要する場合などのやむを得ない場合以外には，推奨しない．交換輸血は無効である．

慢性期の管理

治療の目標は急性増悪の発症を防止しながら十分な発育，発達を得ることである．

1 食事療法 Ⓑ

新生児期，乳児期はBCAA除去ミルク（ロイシン・イソロイシン・バリン除去ミルク配合散「雪印」）＊に普通ミルクを混合して使用する．混合比は血中ロイシン値を75～300 μmol/Lに維持することを目標（p.29, **補記）**参照）として決定する．

新生児，乳幼児期の古典型であれば，BCAA摂

取量はロイシン 60〜90 mg/day，イソロイシン，バリンは 40〜50 mg/day が目安（p.29，**補記**）参照）となる．また，他の必須アミノ酸の濃度も発育発達に重要であり，低ければミルクあるいはアミノ酸製剤で補充する．

幼児期においてもBCAA除去ミルク，もしくはアミノ酸製剤に自然タンパクを加えた治療を行いながら，血中ロイシン値を 75〜300 μmol/L に維持することを目標（p.29，**補記**）参照）とする．

2 薬物治療 B

チアミン依存性の可能性があるので，チアミン（10 mg/kg/day）投与を3週間以上試みる．

対症的に制吐剤，解熱剤などを用いる．

3 sick day の対応 B

感染症による体調不良・食欲低下時には早めに医療機関を受診させ，必要によりブドウ糖を含む輸液を実施することで異化亢進を抑制し急性発症を防ぐ．上気道炎などで，夜間救急病院などを受診した場合は，血液ガス，血糖，ケトン体などを評価する．これらの項目は，輸液開始後も経時的に測定し，増悪する場合には透析が可能な専門施設への搬送を検討する．

4 肝移植 C

上記の治療を行っていても感染を契機とした急性増悪を防ぐのはむずかしいことがあり，中枢神経障害が進行性である古典型 MSUD 患者に対しては肝移植が行われている[9]．

移植後ロイシン摂取耐性が10倍に増加し，血中ロイシン値が安定することが報告されている．また，中枢神経障害の進行も抑制できることが示唆されている．さらに，MSUD 患者の肝臓はドミノ移植の肝臓としても利用可能で，MSUD 患者の摘出肝を移植されたレシピエントに MSUD 発症はなく通常の食事が可能である．

フォローアップ指針

1 一般的評価と栄養学的評価 B

❶身長・体重測定

栄養制限により体重増加不良をきたさないよう注意する．

❷血液検査（食後 3〜4 時間で採血）

1) 検査間隔

初期は月1回以上，状態が安定すれば最低3か月に1回は行う．

血液ガス分析，血糖，ケトン体，アルブミン，血漿アミノ酸分析，血中アシルカルニチン分析，末梢血液像，一般的な血液生化学検査項目

2) 血漿アミノ酸分析

血中ロイシン値を 75〜300 μmol/L に維持することを目標（p.29，**補記**）参照）とする．

❸尿中有機酸分析

検査間隔：必要に応じて行う．評価項目：分枝鎖αケト酸，分枝鎖αヒドロキシ酸．

❹その他

骨代謝関連指標など，栄養状態に関係する各種項目についても，病歴・食事摂取・身体発育に鑑みて適宜測定・評価する．

---

mini column 3　救急外来での輸液のポイント

ファーストタッチを行う一般救急病院では，まず，末梢ルートを確保し，初期輸液を開始する．このとき，救急病院では細胞外液（ソルアセト®Fなど）や1号輸液（ソルデム®1輸液など）が使用される場合が多いが，ソルアセト®Fはブドウ糖が含まれておらず，ソルデム®1輸液もブドウ糖濃度が低い（2.6%）．適宜，50%ブドウ糖などを加えて糖濃度をあげたうえ（5%〜7.5%）で，輸液を行うことが重要である．軽度のアシドーシスやケトーシスの場合は，初期の輸液だけで改善する場合も多いので，初期輸液は重要である．

2 神経学的評価

 小児期以降には，注意欠陥多動性障害，不安，パニック障害や抑うつなどを発症することがあり，薬物療法を必要とすることがある[10)-12)]．早期に診断，治療することにより，新生児期の初回急性増悪を抑えることができれば良好な経過が期待される．
 (1) 発達検査：年1回程度
 (2) 頭部MRI（MRS）：1～3年に1回程度
 (3) 脳波検査（てんかん合併例）：年1回程度

 各種の機能障害を認めた場合は，理学療法・作業療法・言語療法などによる早期からの介入が必要である．

3 その他

 MSUDの急性発作時に急性膵炎を併発した症例が報告されている．まれではあるが，欧米のガイドラインでも注意喚起がなされている．嘔吐，腹痛を認めた場合は，膵炎発症を疑い血清アミラーゼ，リパーゼの測定が推奨される[13)]．急性膵炎を併発した場合の輸液管理は，膵臓の壊死を防ぎ，血管内凝固を抑制するため，通常より増量することが推奨されている（「急性膵炎治療ガイドライン」を参照：http://www.suizou.org/APCGL2010/APCGL2015.pdf）．

成人期の課題

1 食事療法を含めた治療の継続

 継続が必要となる（年齢別栄養推奨量（p.29, 表2参照）．成人期でも特殊ミルクでの補充が必須である．

2 飲酒

 推奨されない．

3 運動

 激しい運動は望ましくないが適度な運動はBCAAを低下させるため望ましい．

4 妊娠・出産

 頻回のモニタリングが推奨される**ⅠB**．血漿BCAAの目標値は，Leu：75～300 μmol/L，Ile，Val：200～400 μmol/L を妊娠中に維持するように努力する．妊娠悪阻の場合は，積極的に異化の亢進を抑制することが推奨される**ⅠA**．妊娠中に使用されるサプリメント（ビタミン，微量元素）は必要量投与してもよい**ⅡD**．分娩前後および分娩後の2週間は特に注意が必要であり，6週間はフォローを行うほうが望ましい**ⅠC**．過去の症例は，いずれも妊娠出産でBCAAの上昇により管理が不安定になっており，注意が必要であるが，最終的に児は無事に出産されて，その後の数年間の発育発達にも問題が起きていないことが報告されている．管理に注意が必要であるため，専門施設でのお産が望ましい．

5 医療費の問題

 本疾患の罹患者は，食事療法をはじめ，定期的な検査，体調不良時の支持療法，低タンパク食品の購入などが必要となる．そのため，特定疾患の登録がなされており，申請し認可されると公的補助の対象となっている．

文献

1) Chuang DT, et al. Maple syrup urine disease. In：The metabolic and molecular bases of inherited disease（ed by Scriver CR, Beaudet AL, Sly WS, Valle D）McGraw-Hill, 2001：1971-2005.
2) 三渕浩，ほか．メープルシロップ尿症の予後とマス・スクリーニング．小児内科36：1881-1886, 2004.
3) 信國好俊，ほか．メープルシロップ尿症：分枝鎖ケト酸脱水素酵素複合体の分子病理学．生化学 1992；64：67-82.
4) Mitsubuchi H, et al. Markers associated with inborn errors of metabolism of branched-chain amino acids and their relevance to upper levels of intake in healthy people：an implication from clinical and molecular investigations on

maple syrup urine disease. J Nutr 2005；135：1565S-1570S.

5) 三渕浩, ほか. メープルシロップ尿症の遺伝子解析. 臨床病理 1993；41：484-491.

6) Tsuruta M et al. Molecular basis of intermittent maple syrup urine disease：novel mutations in the E2 gene of the branched-chain alpha-keto acid dehydrogenase complex. J Hum Genet 1998；43：91-100.

7) Morton DH, et al. Diagnosis and treatment of Maple syrup disease. A study of 36 patients. Pediatrics 2002；109：999-1008.

8) 三渕浩：メープルシロップ尿症 別冊 日本臨牀 新領域別症候群シリーズ No19 先天代謝異常症候群（第2版）上. 日本臨牀社 2012：257-261.

9) Mazariegos GV, et al. Liver transplantation for classical maple syrup urine disease：long-term follow-up in 37 patients and comparative United Network for Organ Sharing experience. J Pediatr 2012；160：116-121.

10) Hilliges C, et al. Intellectual performance of children with maple syrup urine disease. Eur J Pediatr 1993；152：144-147.

11) 青木菊麿, ほか. 長期予後における追跡調査の役割（2）メープルシロップ尿症の現状について：平成2年度厚生省心身障害研究「代謝疾患・内分泌疾患等のマス・スクリーニング，進行阻止及び長期管理に関する研究」. 1990：10-12.

12) 大和田操：メープルシロップ尿症とホモシスチン尿症. 小児医学 22：278-296, 1989.

13) Gold NB, et al. Acute Pancreatitis in a Patient with Maple Syrup Urine Disease：A Management Paradox. J Pediatr 2018；198：313-316.

4 ホモシスチン尿症

疾患概要（図1）

ホモシスチン尿症は先天性アミノ酸代謝異常症の一種であり，メチオニンの代謝産物であるホモシステインが血中に蓄積することにより発症する．ホモシステインの重合体がホモシスチンである．ホモシスチン尿症のおもな症状は，ホモシステインの蓄積が原因であると考えられている．ホモシステインはチオール基を介し，生体内の種々のタンパクとも結合する．その過程で生成されるスーパーオキサイドなどにより血管内皮細胞障害などをきたすと考えられている．また，ホモシステインがフィブリリンの機能を障害するために，マルファン症候群様の眼症状や骨格異常を発現すると考えられている[1]．

狭義のホモシスチン尿症はシスタチオニン β 合成酵素（CBS）欠損症を指す[1)-3)]．CBS はホモシステインからシスチンを合成する経路の入り口に位置し，CBS の活性低下によりホモシステインが蓄積する．またホモシステイン代謝のもう一つの経路は再メチル化によるメチオニン合成であり，新生児マススクリーニングではメチオニンを指標として CBS 欠損症をスクリーニングしている．

CBS はビタミン B_6 を補酵素とする．CBS 欠損症には大量のビタミン B_6 投与により血中メチオニン，ホモシステインが低下するタイプが知られ

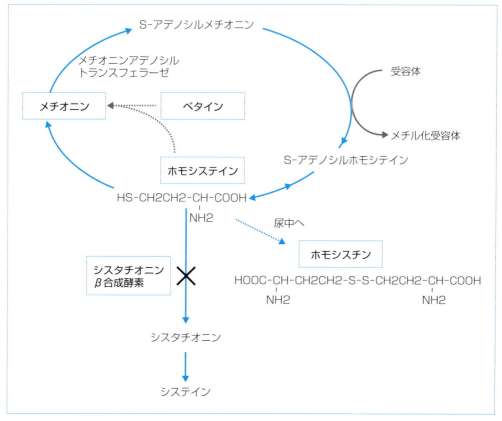

図1 ● 代謝経路とベタインの作用

ている（ビタミン B_6 反応型）．ビタミン B_6 反応型と非反応型との違いは，CBS 遺伝子変異の違いに起因すると考えられており，白人ではビタミン B_6 反応型が半数を占めるが[1]，日本人ではまれである[4,5]．

1 疫学

わが国での患者発見頻度は約 80 万人に 1 人とされる．

診断の基準

1 臨床病型

❶ 慢性進行型

無治療の場合，およびコントロール不良の場合には，成長に伴い中枢神経障害や骨格異常，眼症状，血管系障害を発症してくる．

2 主要症状および臨床所見

無治療（およびコントロール不良）の場合には，以下の症状を呈する．

❶ 中枢神経系異常

知的障害，てんかん，精神症状（パーソナリティ障害，不安，抑うつなど）．

❷ 骨格異常

骨粗鬆症や高身長・クモ状指・側彎症・鳩胸・凹足・外反膝（マルファン症候群様体型）．

❸ 眼症状

水晶体亜脱臼に起因する近視（無治療の場合には，10 歳までに 80% 以上の症例で水晶体亜脱臼を呈する[6]），緑内障．

❹ 血管系障害

冠動脈血栓症，肺塞栓，脳血栓塞栓症，大動脈解離血栓症は一般に思春期以降に起こり，生命予後を規定する因子となるため[7]，治療は一生涯を通じて行う必要がある．

3 参考となる検査所見

❶ 一般血液・尿検査

一般検査において特徴的な所見を認めない．

❷ 画像検査

脳血栓塞栓症などの際には，梗塞所見が認められる．

4 診断の根拠となる特殊検査

❶ 血中メチオニン高値＊

1.2 mg/dL（80 μmol/L）以上
〔基準値：0.3〜0.6 mg/dL（20〜40 μmol/L）〕

❷ 高ホモシステイン血症＊

60 μmol/L 以上（基準値：15 μmol/L 以下）

❸ 尿中ホモシスチン排泄＊

基準値：検出されない

❹ 線維芽細胞，あるいはリンパ芽球でのシスタチオニン β 合成酵素（CBS）活性低下＊＊＊

❺ 遺伝子解析＊

CBS 遺伝子の両アレルに病因として病原性変異を認める．

本疾患は保険収載の対象外の疾患であり，2019 年 4 月現在では，AMED 難治性疾患実用化研究事業（深尾班）のフォローアップ研究に参加することで，研究班による遺伝子診断を行うことが可能である（班研究詳細は http://www.jsiem.com 参照）．遺伝子診断を行ったうえでフォローアップする上記研究に協力し，公的マススクリーニングの重要な情報を次世代に情報財産として残すことを研究班として呼びかけている．

5 鑑別診断（図 2）

❶ 高メチオニン血症をきたす疾患

1) メチオニンアデノシルトランスフェラーゼ（MAT）欠損症

・血中アミノ酸分析ではメチオニンのみが特異的に上昇．
・血中ホモシステインは正常から軽度高値（60 μmol/L 以下）．

2) シトリン欠損症（別項 p.57 参照）

・血中メチオニン高値は一過性．

- 血中アミノ酸分析ではメチオニン以外の複数のアミノ酸も非特異的に上昇（Cit, Thr, Tyr, Phe, Arg など）.

3) 新生児肝炎等の肝機能異常
- 血中メチオニン高値は一過性.
- 血中アミノ酸分析ではメチオニン以外の複数のアミノ酸も非特異的に上昇（Cit, Thr, Tyr, Phe, Arg など）.

❷ 高ホモシステイン血症（広義の「ホモシスチン尿症」）をきたす疾患

1) メチオニン合成酵素欠損症
- 血中メチオニンは低値.

2) メチレンテトラヒドロ葉酸還元酵素（MTHFR）欠損症
- 血中メチオニンは低値.

3) ホモシスチン尿症を伴うメチルマロン酸血症（コバラミン代謝異常症 C 型など）
- 血中メチオニンは低値. 尿中にメチルマロン酸の排泄.

6 診断基準

❶ 疑診
前述の「2 主要症状および臨床所見」の項目のうち少なくとも1つ以上があり, アミノ酸分析（ろ紙血採血, 血中アミノ酸分析）でメチオニンの上昇を単独で認めた場合（メチオニン以外のアミノ酸の上昇を認めない）.

❷ 確定診断
血中メチオニン高値：1.2 mg/dL（80 μmol/L）以上, かつ血中総ホモシステイン：60 μmol/L 以上を満たせば, CBS 欠損症の確定診断とする.

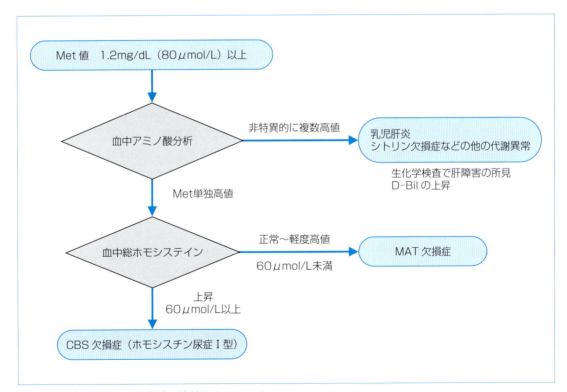

図2 ● MAT 欠損症と CBS 欠損症の診断フローチャート
MAT：methionine adenosyltransferase.

新生児マススクリーニングで疑われた場合

1　確定診断

メチオニン高値［1.0～1.2 mg/dL（67～80 μmol/L）：スクリーニングのカットオフ値は施設毎に若干の違いがある］をもってスクリーニングされる．新生児マススクリーニングで発見後，以下の検査を実施して診断をすすめる．

- 血中アミノ酸分析＊　血中メチオニン高値：1.2 mg/dL（80 μmol/L）以上
  ［基準値：0.3～0.6 mg/dL（20～40 μmol/L）］
- 血中総ホモシステイン＊　60 μmol/L 以上（基準値：15 μmol/L 以下）
- 尿中アミノ酸分析＊　ホモシスチン排泄（基準値：検出されない）

並行して下記の高メチオニン血症をきたす疾患を鑑別する．

- MAT欠損症：血中ホモシステインは正常から軽度高値（60 μmol/L以下）[8)9)]
- シトリン欠損症：血中メチオニン高値は一過性[8)]であり，血中アミノ酸分析ではメチオニン以外の複数のアミノ酸も非特異的に上昇
- 新生児肝炎等の肝機能異常：血中メチオニン高値は一過性であり，血中アミノ酸分析ではメチオニン以外の複数のアミノ酸も非特異的に上昇

血中メチオニン高値：1.2 mg/dL（80 μmol/L）以上，かつ血中総ホモシステイン：60 μmol/L以上を満たせば，CBS欠損症と確定されるが，血中ホモシステインが「やや高値」であるため，メチオニンアデノシルトランスフェラーゼ（MAT）欠損症などとの鑑別が困難な場合には，酵素診断＊＊＊（線維芽細胞やリンパ芽球でのCBS活性低下の証明）もしくは遺伝子診断＊（CBS遺伝子解析の両アレルに病因として妥当な変異を認める）の実施を考慮する．

2　診断確定までの対応

新生児マススクリーニングでの発見時は無症状であり，発症前段階の状態である．治療は，確定診断後から開始する．

3　診断確定後の治療

❶ メチオニン制限食 Ⓑ

治療は血中ホモシステイン値の低下を目標とする．食事療法としてメチオニン摂取制限を実施し，血中メチオニン濃度を 1 mg/dL（67 μmol/L）以下に保つようにする．維持量は症例により個体差があるので，特に治療開始1か月間はできるだけ頻回に血中メチオニン値を測定し，さらに臨床症状，体重増加，血清タンパク値，血色素値に留意する．

ヨーロッパのガイドラインでは，血中総ホモシステインを指標とした治療基準として，血中総ホモシステイン値50 μmol/L以下で管理することが推奨されている[10)]．新生児・乳児期には許容量かつ発育必要量のメチオニンを母乳・一般粉乳，離乳食などより摂取し，不足分のカロリー・必須アミノ酸などは治療乳〔メチオニン除去粉乳（雪印S-26）〕から補給する．メチオニン除去粉乳（雪印S-26）は特殊ミルク事務局に申請して入手する．幼年期以降の献立は，食事療法ガイドブック〔特殊ミルク事務局のホームページより入手できる（http://www.boshiaiikukai.jp/milk.html）〕を参考にする．

❷ L-シスチン補充 Ⓑ

ホモシステインの下流にあるL-シスチンを補充する．前述のメチオニン除去粉乳（雪印S-26）にはL-シスチンが添加されている．市販されているL-シスチンのサプリメントを併用することもある．

❸ ピリドキシン＊の大量投与 Ⓑ

ビタミンB_6反応型においてはピリドキシンの大量投与（30～40 mg/kg/day）を併用する[1)7)]．ビタミンB_6反応型ではピリドキシン投与で，食事療法の緩和が可能であることが多い．

反応型か否かの確認には，ホモシスチン尿症の確定診断後，まず低メチオニン・高シスチン食事療法を行い，生後6か月時に普通食にした後，ピリドキシン 40 mg/kg/day を10日間経口投与し，

血中メチオニン,ホモシスチン値の低下を検討する.反応があれば投与量を漸減し,有効な最小必要量を定め継続投与する.反応がなければ食事療法を再開し,体重が12.5 kgに達する2～3歳時に再度ピリドキシン500 mg/dayの経口投与を10日間試みる(**mini column 1**[11]).

1977年に発表されたホモシスチン尿症の暫定治療指針[12]では,確定診断後に500 mg/dayの投与により反応型か否かを判定することとなっていた.しかしながら新生児期ないし乳児期前半に行ったビタミンB_6大量投与後に急性呼吸不全,筋緊張低下,意識障害,肝障害などの重篤な症状を呈した症例があったため[13],前段落のように実施時期を遅らせることとなった経緯がある.ただしこの時期であっても慎重に実施する必要がある.

また長期大量投与例で手足のしびれ等の末梢神経障害の報告があり,900 mg/day以上(成人)ではそのリスクが高いとされる[10].

❹ベタイン(サイスタダン®)＊B

年長児においてはベタインが併用されることが多い[7)14)15].ベタイン内服によりホモシステインの再メチル化を促進しメチオニンに代謝することで,結果としてホモシステインを低下させることができる(この場合,血中メチオニン値は上昇するため,コントロールの基準は前述したホモシステイン値を使用する).投与量は11歳以上には1回3 g,11歳未満には1回50 mg/kgを1日2回経口投与し,適宜増減する.メチオニン制限を緩和できたとしても,ベタイン投与のみでホモシステイン値を50 μmol/L以下でコントロールすることは多くの場合困難であり[16],食事療法との併用が必要である[17].ベタイン療法中に脳浮腫をきたした症例が報告されている.高メチオニン血症がその原因として推察されているため,ベタイン投与中のメチオニン値は15 mg/dL(1000 μmol/L)以下にすることとされている[18)19].

❺葉酸＊,ビタミンB_{12}＊C

血中葉酸,ビタミンB_{12}値が低い場合には,適宜補充する.

> **mini column 1**　ホモシスチン尿症の治療指針の一部改定[11]
>
> 新生児マススクリーニングで発見され,ホモシスチン尿症の確定診断後,まず低メチオニン・高シスチン食事療法を行い,生後6か月時に入院させて普通食にした後,ピリドキシン40 mg/kg/dayを10日間経口投与し,血中メチオニン,ホモシスチン値の低下を調べ,反応があれば投与量を漸減し,有効な最小必要量を定め継続投与する.反応がなければピリドキシンをいったん中止して,食事療法を再開する.体重が12.5 kgに達する2～3歳児に入院させて普通食にした後,ピリドキシン500 mg/dayの経口投与を10日間試み,反応の有無を再度確認する.また,ピリドキシン継続投与中は,定期的に末梢神経伝導速度など,末梢神経機能の電気生理学的検査によってニューロパチー発症の早期発見に努める.

新生児マススクリーニングすり抜け例の対応

ビタミン B_6 反応型では高メチオニン血症が軽度であることがあることや，新生児マススクリーニング時にミルクの摂取が不十分であったことなどから，血中メチオニン値が基準値以下となり，学童・思春期以降に下記の症状から診断されるすり抜け例が存在する．また未実施例（わが国での1970年代以前の出生例など）にも注意が必要である[20)21)]．

1 水晶体亜脱臼，マルファン症候群様体型にて本症を疑われた場合の対応

以下の可能性を考えて鑑別を行う．
(1) マルファン症候群[22)]
(2) CBS 欠損症
(3) CBS 欠損症以外のホモシスチン尿症
- メチオニン合成酵素欠損症：血中メチオニンは低値．
- メチレンテトラヒドロ葉酸還元酵素（MTHFR）欠損症：血中メチオニンは低値．
- ホモシスチン尿症を伴うメチルマロン酸血症（コバラミン代謝異常症 C 型[23)]など）：血中メチオニンは低値．血中アシルカルニチン分析（タンデムマス法）での C3 の上昇，尿中にメチルマロン酸の排泄．

マルファン症候群の診断基準にある診察・画像診断に加え，「血中アミノ酸分析」「血中総ホモシステイン」「尿中アミノ酸分析」「血中アシルカルニチン分析（タンデムマス法）」「尿中有機酸分析」を実施する．

知的障害などの症状がある場合には CBS 欠損症（およびそれ以外のホモシスチン尿症）を念頭において，上述の検査を実施する．この場合も「血中メチオニン高値：1.2 mg/dL（80 μmol/L）以上」および「血中総ホモシステイン：60 μmol/L 以上」を満たせば，CBS 欠損症と確定する．

治療については，前述の診断後の治療と同様である．

2 若年性脳梗塞などにて本症を疑われた場合の診療ガイドライン

不整脈（心房細動など），血管奇形（脳動脈瘤，モヤモヤ病），血管炎，抗リン脂質抗体症候群などの鑑別疾患に，CBS 欠損症（マススクリーニングすり抜け例など），CBS 欠損症以外のホモシスチン尿症を加え，「血中アミノ酸分析」「血中総ホモシステイン分析」「尿中アミノ酸分析」「尿中有機酸分析」を実施する．

知的障害，水晶体亜脱臼，マルファン様体型などの症状を認める場合には CBS 欠損症（およびそれ以外のホモシスチン尿症）を念頭において，上述の検査を実施する．この場合も「血中メチオニン高値：1.2 mg/dL（80 μmol/L）以上」および「血中総ホモシステイン：60 μmol/L 以上」を満たせば，CBS 欠損症と確定する．

治療については，前述の「新生児マススクリーニングで疑われた場合」「3 | 診断確定後の治療」と同様である．

慢性期の管理

1 食事療法

前述の「新生児マススクリーニングで疑われた場合」の「3 | 診断確定後の治療」と同様．

2 薬物療法

前述の「新生児マススクリーニングで疑われた場合」の「3 | 診断確定後の治療」と同様．

3 sick day の対応

特別な対応は不要．

フォローアップ指針

1 一般的評価と栄養学的評価 Ⓑ

評価は初期には月1回以上，状態が安定すれば最低3か月に1回は行う．
(1) 身長，体重測定．
(2) 血中アミノ酸分析，血中総ホモシステイン分析．
(3) 末梢血液像，一般的な血液生化学検査項目．
(4) 凝固機能検査（成人期以降，血栓症発症例に対して適時）．
(5) その他：上記以外の栄養学的評価に関係する骨代謝を含めた一般的項目も，病歴・食事摂取・身体発育に鑑みて適宜測定する．

2 神経学的評価 Ⓒ

(1) 発達チェック：年1回程度．
(2) 頭部MRIの評価：1回/1〜3年程度．脳梗塞症状を呈した場合には適時．
(3) てんかん合併時：脳波検査も年1回程度行う．
(4) ピリドキシン継続投与中は，末梢神経障害発症のリスクがあるため，受診時に手足のしびれ等の末梢神経症状の有無を確認する．必要があれば，末梢神経伝導速度など，末梢神経機能の電気生理学的検査によって末梢神経障害の早期発見に努める．

成人期の課題

1 食事療法を含めた治療の継続

食事療法（メチオニン除去粉乳（雪印S-26）を用いたメチオニン制限食），ピリドキシン大量投与，ベタイン内服等の治療は一生涯を通じて行う必要がある．成人期になってベタイン内服管理中にメチオニン制限食の管理が不十分となったことから，高メチオニン血症および脳浮腫を発症した症例報告がある[24]．

若年成人以降では，血栓症等の合併症の問題があり，フォローアップをより慎重に行う必要がある．血栓症血栓予防のためアスピリン＊，ジピリダモール＊の投与がなされているが，長期的効果に関しては評価が定まっていない Ⓒ．

2 飲酒

一般的に代謝に影響を与えるので推奨はできない．

3 運動

特に制限はない．

4 妊娠・出産

成人女性において妊娠，出産は血栓症発症のリスクが高い．低容量アスピリンの妊娠期を通した内服および妊娠第3期から出産後6週間の低分子ヘパリン投与による血栓予防＊＊が提案されている Ⓒ [25)26)]．

5 医療費の問題

本疾患の罹患者は，低タンパク食品の購入，ベタイン内服，定期的な検査などに加え，成人期では血栓症予防のための治療が必要となり，小児期よりも成人期で医療費負担が高くなる．小児期に引き続いて十分な医療が不安なく受けられるよう，費用の公的補助が強く望まれる．

本疾患は，小児慢性特定疾患の対象疾患となっているが，指定難病の対象疾患とはなっていない．

6 その他

本疾患は常染色体劣性遺伝形式であり，必要に応じて遺伝カウンセリングを行う．

📖 文献

1) Mudd SH, et al. Disorders of transulfuration. In：Scriver CR, et al, eds. The Metabolic and Molecular Bases of Inherited Disease. 8 ed. McGraw Hill, 2001b：2016-2040.

2) Mudd SH. Hypermethioninemias of genetic and non-genetic origin : A review. Am J Med Genet C Semin Med Genet. 2011 ; 157 : 3-32.

3) Picker JD, et al. Gene Review : Homocystinuria caused by cystathionine beta-synthase deficiencyy. http://www.ncbi.nlm.nih.gov/books/NBK1524/

4) 勝島史夫, ほか. 日本人におけるシスタチオニンβ合成酵素欠損症の遺伝子解析 日本小児科学会雑誌 2005 ; 109 : 1205-1210.

5) Furujo M, et al. Methionine adenosyltransferase Ⅰ/Ⅲ deficiency : Neurological manifestations and relevance of S-adenosylmethionine. Mol Genet Metab 2012 ; 107 : 253-256.

6) Mudd SH, et al. The natural history of homocystinuria due to cystathionine β-synthase deficiency. Am J Hum Genet 1985 ; 37 : 1-31.

7) Wilcken DEL, et al. The natural history of vascular disease in homocystinuria and the effects of treatment. J Inher Metab Dis 1997 ; 20 : 295-300.

8) Linnebank M, et al. Methionine adenosyltransferase (MAT) Ⅰ/Ⅲ deficiency with concurrent hyperhomocysteinaemia : two novel cases. J Inherit Metab Dis 2005 ; 28 : 1167-1168.

9) Ohura T, et al. A novel inborn error of metabolism detected by elevated methionine and/or galactose in newborn screening : neonatal intrahepatic cholestasis caused by citrin deficiency. Eur J Pediatr 2003 ; 162 : 317-322.

10) Morris AAM, et al. Guidelines for the diagnosis and management cystathionine beta-synthase deficiency 2017 ; 40 : 49-74.

11) 多田啓也. ホモシスチン尿症の治療に関するお知らせ. 日本小児科学会雑誌 1995 ; 99 : 598.

12) 多田啓也, ほか. 先天性代謝異常症の治療指針 -新生児マス・スクリーニングの対象疾患-. 日本小児科学会雑誌 1977 ; 81 : 84-845.

13) Shoji Y, et al. Acute life-threatening event with rhabdomyolysis after starting on high-dose pyridoxine therapy in an infant with homocystinuria. J Inherit Metab Dis 1998 ; 21 : 439-440.

14) Wilcken DE, et al. Homocystinuria-the effects of betaine in the treatment of patients not responsive to pyridoxine. N Engl J Med 1983 ; 309 : 448-453.

15) Lawson-Yuen A, et al. The use of betaine in the treatment of elevated homocysteine. Mol Genet Metab 2006 ; 88 : 201-207.

16) Sakamoto A, et al. Limited effectiveness of betaine therapy for cystathionineβ synthase deficiency. Pediatr Int 2003 ; 45 : 333-338.

17) Singh RH, et al. Cystathionine β-synthase deficiency : effects of betaine supplementation after methionine restriction in B6-nonresponsive homocystinuria. Genet Med 2004 ; 6 : 90-95.

18) Yaghmai R, et al. Progressive cerebral edema associated with high methionine levels and betaine therapy in a patient with cystathionineβ-synthase（CBS）deficiency. Am J Med Genet 2002 ; 108 : 57-63.

19) Devlin AM, et al. Cerebral edema associated with betaine treatment in classical homocystinuria. J Pediatr 2004 ; 144 : 545-548.

20) Mulvihill A, et al. Ocular findings among patients with late-diagnosed or poorly controlled homocystinuria compared with a screened, well-controlled population. J AAPOS 2001 ; 5 : 311-315.

21) 鈴木圭, ほか. 脳梗塞を契機に診断されたホモシスチン尿症の1成人例. 脳と神経 2004 ; 56 : 781-784.

22) Loeys BL, et al. The revised Ghent nosology for the Marfan syndrome. J Med Genet 2010 ; 47 : 476-485.

23) Heil SG, et al. Marfanoid features in a child with combined methylmalonic aciduria and homocystinuria（CblC type）. J Inherit Metab Dis 2007 ; 30 : 811.

24) Sasai H, et al. Successive MRI findings of reversible cerebral white matter lesions in a patient with cyctathionine β-synthase deficiency. Tohoku J Exp Med. 2015 ; 237 : 323-327.

25) Yap S, et al. Maternal pyridoxine non-responsive homocystinuria : the role of dietary treatment and anticoagulation. BJOG 2001 ; 108 : 425-428.

26) Vilaseca MA, et al. Two successful pregnancies in pyridoxine-nonresponsive homocystinuria. J Inherit Metab Dis 2004 ; 27 : 775-777.

5 高メチオニン血症（メチオニンアデノシルトランスフェラーゼ欠損症）

疾患概要

　新生児マススクリーニング（NBS）ではホモシスチン尿症以外の様々な原因による高メチオニン血症を検出するが，多くがメチオニン単独の持続的な上昇を示す（持続性高メチオニン血症，isolated persistent hypermethioninemia）[1]。持続性高メチオニン血症は図1に示した硫化転移経路（transsulfuration pathway）の酵素欠損により出現するが[2]，メチオニン代謝の起点となるmethionine adenosyltransferase I/III（MAT I/III）の欠損が大部分を占める[3][4]。MAT I/III はメチオニンとATPより活性型のS-アデノシルメチオニン（S-Adenosyl-Methionine：SAM）を合成する．SAMは生体内で重要なメチル基供与体であり，中枢神経系のミエリンタンパクの合成に重要な役割を果たしている[5]．このSAMの合成低下が本症の中枢神経の病態に関与している[6][7]．R264H変異を有するAD（常染色体優性，autosomal dominant）型は臨床的に良性で無症候に経過することが多く，一方，R264H以外の変異を有するAR（常染色体劣性）型は散発的であるが，血中メチオニンの高値が持続し中枢神経症状を合併することがある．

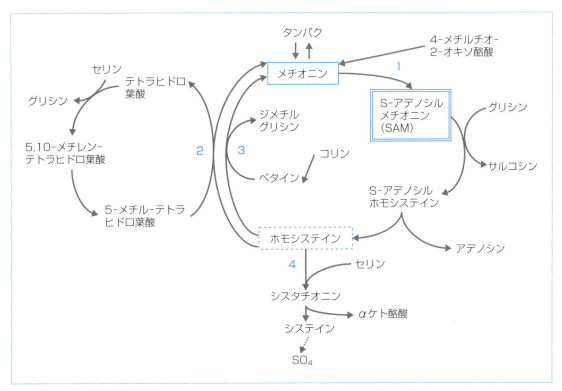

図1　含硫アミノ酸代謝経路
1：MAT．
2：メチルテトラヒドロ葉酸-ホモシステイン メチルトランスフェラーゼ（methyltetrahydrofolate-homocysteine methyltransferase）．
3：ベタイン-ホモシステイン メチルトランスフェラーゼ（betaine-homocysteine methyltransferase）．
4：シスタチオニンβ-合成酵素（cystathionine β-synthetase）．

MATは組織特異的発現やメチオニンに対するKm値の違いより3種類のアイソザイム（Ⅰ，Ⅱ，Ⅲ）が知られている．このうち肝臓には*MAT1A*遺伝子にコードされ，同一サブユニットから構成されるMATⅠ（4量体，high Km form）とMATⅢ（2量体，low Km form）が存在する．クローニングされた*MAT1A* cDNAは約3.2 kbで，395個のアミノ酸からなる4.3 kDのタンパクをコードする．またそのゲノムは9つのエクソンと8つのイントロンから構成され，染色体10q22.3に位置する．一方，MATⅡは別の*MAT2A*遺伝子にコードされ，胎児肝，腎臓，脳，リンパ球，皮膚線維芽細胞などに発現している．染色体2p11.2に位置する[8)-10)]．

1 疫学

わが国における正確な頻度は不明であるが，北海道で2001年から2012年に431,400人の新生児をスクリーニングした結果4人の患者を発見しており1/107,850であった[11)]．

診断の基準

1 臨床病型

MAT欠損症は遺伝形式により大きく2つに分けられる．

❶AD型

一方のアレルにR264H変異を有するヘテロ接合体であり，ドミナントネガティブ作用により常染色体優性遺伝する[11)]．両親や同胞の検索により同じ病因による高メチオニン血症を発見することが多い[12)]．

❷AR型

両方のアレルに変異を認め，一般に両親の血中メチオニン値は正常である[13)14)]．

2 主要症状および臨床所見

❶AD型

NBSでのメチオニンの初回検査値は2〜10 mg/dL：134〜670 μmol/Lであり，HPLCを用いたアミノ酸分析による再検でも228〜763 μmol/Lとなる．その後も血中メチオニン値は概ね10 mg/dL：670 μmol/L以下で経過する．臨床的に良性で無症候に経過することが多い．成人期になると血中メチオニン値が正常上限から2〜3 mg/dL：134〜201 μmol/L程度に低下する[12)]．

❷AR型

多くの症例で10 mg/dL：670 μmol/L以上（763〜2,500 μmol/L）の高メチオニン血症が持続し中枢神経症状を合併することがある．乳児期に軽度の肝機能障害やアンモニアの上昇，葉酸の高値，一過性に体重増加不良や筋トーヌスの亢進，さらにMRIでミエリン形成の遅延などが報告されている．肝生検で一部脂肪変性を認めることがある．R264H以外の変異のホモあるいは複合ヘテロ接合体であり常染色体劣性遺伝する[15)16)]．

また，両病型ともメチオニンのアミノ基転移経路により合成されるジメチルスルフィドにより特異な呼気臭に気付かれることがある．

3 参考となる検査所見

❶一般血液・尿検査

一般検査において特徴的な所見を認めない．

❷画像検査

AR型においてMRIにより大脳白質に脱髄所見を認めることがある．

4 診断の根拠となる特殊検査

❶血中メチオニン高値の持続＊

2 mg/dL：134 μmol/L以上．

❷血中総ホモシステインは正常あるいは軽度の上昇＊

〜59 μmol/L[17)18)]（基準値：15 μmol/L以下）．

❸尿中ホモシスチン＊はごく微量か不検出（基準値：不検出）

❹**肝臓のメチオニンアデノシルトランスフェラーゼ（MAT）酵素活性の低下（国内で測定している施設なし）**＊＊＊

酵素活性測定を行うと AR 型では MAT の活性低下を認める．一方，AD 型では肝臓の MAT 活性自体は対照との差異はないが，Km 値が高く酵素の質的な異常を認める．

❺**遺伝子解析**＊＊＊

AR 型では *MAT1A* 遺伝子の両アレルに病因変異を認める．AD 型では一方のアレルにのみ R264H 変異を認める．最近は *MAT1A* 遺伝子の変異解析により確定診断に至ることが多い．特に AD 型では R264H 変異が病因となる．この変異を有するサブユニットが Km 値の低い 2 量体の合成を阻害することがわかり，dominant negative effect により優性遺伝する仕組みが解明された．

MAT1A 遺伝子は国内で遺伝子解析可能である．

5 鑑別診断

p.37 図 2 参照．

血中メチオニン値の上昇をきたす疾患．
(1) シトリン欠損症：一過性の上昇
(2) 新生児肝炎症候群：一過性の上昇
(3) ホモシスチン尿症：血中メチオニン値 1.2 mg/dL：80 μmol/L 以上
血液と尿でのホモシステインの上昇が必発．

6 診断基準

❶疑診

上記「**4｜診断の根拠となる特殊検査**」の❶，❷および❸を満たすものを疑診例とする．

❷確定診断

疑診例のうち，「**4｜診断の根拠となる特殊検査**」の❹または❺により，確定診断する．わが国では遺伝子解析により確定診断としていることが多い．

新生児マススクリーニングで疑われた場合

1 確定診断

血中メチオニン単独の上昇が特徴的な所見であり，一般的な臨床検査で異常を認めることは少ない．アミノ酸分析でもメチオニン単独の上昇が唯一特徴的な所見であり，新生児マススクリーニングが発見のきっかけになる．最終的には *MAT1A* 遺伝子の変異解析により確定診断されることが多い[19)-21)]．

(1) R264H 変異を有するヘテロ接合体は dominant negative effect により常染色体優性遺伝するが，血中メチオニン値は概ね 10 mg/dL：670 μmol/L 以下であり臨床的に良性である（AD 型）．両親のいずれか，あるいは同胞に高メチオニン血症を認めるので家族歴の聴取が大切である[22)]．

(2) 一方，R264H 以外の変異を有する常染色体劣性遺伝する病型は散発的であるが，血中メチオニンの高値が持続し中枢神経症状を合併することがある（AR 型）．後者では血中ホモシスチンの上昇を伴う場合があり，ホモシスチン尿症との鑑別に注意を要する．

2 診断確定までの対応

特になし．

3 診断確定後の治療

後述の「**慢性期の管理**」と同様．

急性発作で発症した場合の診療

2,000 μmol/L 以上の急激なメチオニン上昇は脳浮腫を起こす危険性があるため注意が必要である.

1 確定診断

アミノ酸分析で行う.

2 急性期の検査

アミノ酸分析,脳画像検査など.

3 急性期の治療方針

脳浮腫に対する対症療法を行う.メチオニン制限食を行うことが推奨される.

慢性期の管理

1 食事療法

❶ メチオニン制限食 C

AD 型において,以前は乳児期より低メチオニン食により治療されていたが,現在は無治療で経過観察することが多い.乳児期に 10 mg/dL 以上の高値を示すときや,肝機能障害や髄鞘化遅延のみられる場合に低メチオニンミルク(メチオニン除去粉乳〈雪印 S-26〉)の使用が考慮される.AR 型では血中メチオニンの高値が持続し SAM の合成障害と中枢神経の脱髄との関連が示唆された症例があり神経学的発達のフォローと画像診断が重要である.治療は AD 型と同様にメチオニン制限食により血中メチオニン値を 10 mg/dL 以下に維持するが[23],その有効性は確立していない.メチオニン制限食により MRI 画像上の髄鞘化遅延が改善した例,発達遅滞などの中枢神経症状が改善した例など少数ながら報告はある.またメチオニン制限解除後に MRI 画像が増悪した例も少数の報告がある[24].一方,メチオニン制限によって残存 MAT I/III による SAM 合成を低下させる危険性も検討されており,メチオニン制限を行う際には以下の SAM 投与を検討する.

2 薬物療法

❶ S-アデノシルメチオニン(SAM)＊＊＊ C

SAM の投与により脱髄や神経症状の改善が報告されており,今後の治療法として注目されている[25][26].実際には S-アデノシル-L-メチオニン(商品名:SAMe, Source Naturals, Inc., USA)400〜800 mg を 1 日 2 回に分けて投与している.ただし SAM 自体の測定法が一般的でなく,国内で認可された製剤がないため輸入品のサプリメントを用いている現状である.投与量や投与期間は今後の課題である.

3 sick day の対応

特別な対応の必要はない.

フォローアップ指針

新生児マススクリーニングで発見された症例の長期予後はまだ確定したものがない.全症例について成人期を含めた長期観察が必要となる.

1 一般的評価と栄養学的評価

乳児期は 1〜2 か月に 1 回以上,それ以後で状態が安定すれば 3〜6 か月に 1 回下記の項目を行う.
(1) 身長,体重,および発達のチェック
(2) 血中メチオニン値(血漿アミノ酸分析)
(3) 血液一般および肝機能を含む生化学検査

2 神経学的評価

1～2歳でMRIによる髄鞘化の評価を行う．

血中メチオニンの高値が持続し（10 mg/dL：670 μmol/L以上），遺伝子型より重症と予想される症例では中枢神経合併症に注意を要する．定期的な脳MRI検査によるフォローの必要性を検討する（脱髄の出現の有無）[27)-30)]．てんかん合併症例では定期的な脳波検査が必要である．

3 特殊ミルクの使用

乳児期に血中メチオニン10 mg/dL以上の高値を示すときや，肝機能障害や髄鞘化遅延のみられる場合に低メチオニンミルク（メチオニン除去粉乳〈雪印S-26〉）を使用する．

4 その他

本疾患は，AD型およびAR型の二つの病型が存在し，必要に応じて遺伝カウンセリングを行う．

成人期の課題

1 食事療法を含めた治療の継続

脱髄や神経症状の出現した患者ではメチオニン制限食やSAM補充療法を組みあわせて，MRIによる画像の評価を行いながら生涯にわたりフォローする必要がある．メチオニン制限解除後にMRI画像が増悪した例も少数ながら報告はあるため，治療の中断には十分気をつける必要がある．また，治療を急に中止した場合，急激なメチオニン値上昇から脳浮腫を起こす危険性があるため注意が必要である．

2 飲酒

一般的に代謝に影響を与えるので推奨はできない．

3 運動

特に制限はない．

4 妊娠・出産

妊娠や出産に対するリスクは不明であるため，妊娠中の血中メチオニン値のモニタリングを行い妊婦に神経症状の出現や胎児への影響がないか慎重に観察する必要がある．妊娠中に低メチオニンミルク（メチオニン除去粉乳〈雪印S-26〉）を使用し，健康な新生児を出産した報告も少数ながらある[31)]．

5 医療費の問題

治療用ミルクの成人期以後の供給は保障されていない．またメチオニン制限に必要な低タンパク食品やSAM（サプリメントとして輸入品）を購入するなど保険診療適応外の出費が必要となる．

文献

1) Mudd SH, et al. Isolated persistent hypermethioninemia. Am J Hum Genet 1995；57：882-892.
2) Baric I. Inherited disorders in the conversion of methionine to homocysteine. J Inherit Metab Dis 2009；32：459-471.
3) Gaull GE, et al. Methionine adenosyltransferase deficiency：new enzymatic defect associated with hypermethioninemia. Science 1974；186：59-60.
4) Couce ML, et al. Hypermethioninemia due to methionine adenosyltransferase Ⅰ/Ⅲ（MAT Ⅰ/Ⅲ）deficiency：Diagnosis in an expanded neonatal screening programm. J Inherit Metab Dis 2008；31：S233-S239.
5) Mato JM, et al. S-Adenosylmethionine synthesis：molecular mechanisms and clinical implications. Pharmacol Ther 1997；73：265-280.
6) Surtees R, et al. Association of demyelination with deficiency of cereberospinal-fluid S-adenosylmethionine in inborn errors of methyl-transfer pathway. Lancet 1991；338：1550-1554.
7) Surtees R. Demyelination and inborn errors of the single

carbon transfer pathway. Eur J Pediatr 1998 ; 157（Suppl 2）: S118-S121.
8) Horikawa S, et al. Molecular cloning and developmental expression of a human kidney S-adenosylmethionine synthetase. FEBS Lett 1992 ; 268 : 37-41.
9) Alvarez L, et al. Characterization of a full-length cDNA encoding human S-adenosylmethionine synthetase : tissue-specific gene expression and mRNA levels in hepatopaties. Biochem J 1993 ; 293 : 481-486.
10) Kotb M, et al. Methionine adenosyltransferase : structure and function. Pharmacol Ther 1993 ; 59 : 125-143.
11) Nagao M, et al. Spectrum of mutations associated with methionine adenosyltransferase Ⅰ/Ⅲ deficiency among individuals identified during newborn screening in Japan. Mol Genet Metab 2013 ; 110 : 460-464.
12) Chamberlin ME, et al. Dominant inheritance of isolated hypermethioninemia is associated with a mutation in the human methionine adenosyltransferase 1A gene. Am J Hum Genet 1997 ; 60 : 540-546.
13) Nagao M, et al. Genetic analysis of isolated hypermethioninemia with dominant inheritance. Pediatr International 1997 ; 39 : 601-606.
14) Ubagai T, et al. Molecular mechanisms of an inborn error of methionine pathway : methionine adenosyltransferase deficiency. J Clin Invest 1995 ; 96 : 1943-1947.
15) Fernandez-Irigoyen J, et al. Enzymatic activity of methionine adenosyltransferase variants identified in patients with persistent hypermethioninemia. Mol Genet Metab 2010 ; 101 : 172-177.
16) Chamberlin ME, et al. Demyelination of the brain is associated with methionine adenosyltransferase Ⅰ/Ⅲ deficiency. J Clin Invest 1996 ; 98 : 1021-1027.
17) Chamberlin ME, et al. Methionine adenosyltransferase Ⅰ/Ⅲ deficiency : Novel mutations and clinical variations. Am J Hum Genet 2000 ; 66 : 347-355.
18) Stabler SP, et al. Elevated plasma total homocysteine in severe methionine adenosyltransferase Ⅰ/Ⅲ deficiency. Metabolism 2002 ; 51 : 981-988.
19) Linnebank M, et al. Methionine adenosyltransferase (MAT) Ⅰ/Ⅲ deficiency with concurrent hyperhomocysteinaemia : Two novel cases. J Inherit Metab Dis 2003 ; 28 : 1167-1168.

20) Chien YH, et al. Spectrum of hypermethioninemia in neonatal screening. Early Hum Dev 2005 ; 81 : 529-533.
21) Mudd SH. Hypermethioninemias of genetic and non-genetic origin : A review. Am J Med Genet C Semin Med Genet 2011 ; 157C : 3-32.
22) Nagao M, et al. Spectrum of mutations associated with methionine adenosyltransferase Ⅰ/Ⅲ deficiency among individuals identified during newborn screening in Japan. Mol Genet Metab 2013 ; 110 : 460-464.
23) Martins E, et al. Methionine adenosyltransferase Ⅰ/Ⅲ deficiency in Prtugal : High frequency of a dominantly inherited form in a small area of Douro High Lands. JIMD Rep 2012 ; 6 : 107-112.
24) Ito M, et al. A methionine adenosyltransferase (MAT) deficiency patient treated with diet therapy. J Inherit Metab Dis 2003 ; 26（Suppl 2）: 768.
25) Chien YH, et al. Mudd's disease (MAT Ⅰ/Ⅲ deficiency) : a survey of data for MAT1A homozygotes and compound heterozygotes. Orphanet J Rare Dis 2015 ; 10 : 99.
26) Furujo M, et al. S-adenosylmethionine treatment in methionine adenosyltransferase deficiency, a case report. Mol Genet Metab 2011 ; 105 : 516-518.
27) Furujo M, et al. Methionine adenosyltransferase Ⅰ/Ⅲ deficiency : Neurological manifestations and relevance of S-adenosylmethionine. Mol Genet Metab 2012 ; 107 : 253-256.
28) Tada H, et al. Reversible white matter lesion in methionine adenosyltransferase Ⅰ/Ⅲ deficiency. AJNR Am J Neuroradiol 2004 ; 25 : 1843-1845.
29) Hazelwood S, et al. Normal brain myelination in a patient homozygous for a mutation that encodes a severely truncated methionine adenosyltransferase Ⅰ/Ⅲ. Am J Med Genet 1998 ; 75 : 395-400.
30) Maruta U, et al. Attenuated brain lesion on magnetic resonance imaging in an adult patient with methionine adenosyltransferase Ⅰ/Ⅲ deficiency. Neurol Sci 2017 ; 38 : 1131-1133.
31) 花山桂子，ほか．高メチオニン患者の妊娠・出産において栄養管理を行った一例．日小児栄消肝会誌 2015 ; 29 : 100.

6　高チロシン血症1型

疾患概要

　高チロシン血症1型（hyper tyrosinemia type 1：HT1）はチロシンの代謝経路の最終酵素であるフマリルアセト酢酸ヒドラーゼ（FAH：EC 3.7.1.2）が欠損することで発症する[1,2]．代謝が阻害されることにより毒性のある中間代謝産物であるフマリルアセト酢酸やその分解産物であるサクシニルアセトンの体内濃度が上昇し，肝障害，腎障害などを引き起こす[3]（図1）．またサクシニルアセトンがポルフォビリノーゲン（PBG）合成酵素の活性を阻害し，ポルフィリン症に類似した症状を呈することもある（図1）．全TYR-1の80%は肝不全の徴候が生後数週から数か月で生じ，その多くが生後2〜8か月で肝不全のため死亡する．2か月以前で発症した症例の1年死亡率は60%と

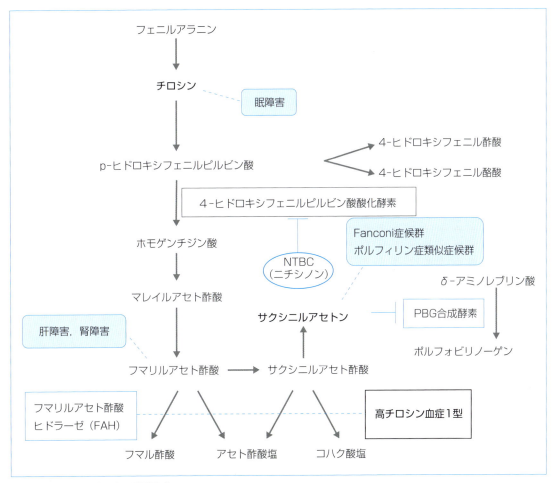

図1　チロシン代謝経路と代謝障害シェーマ

〔Jeffrey M, et al. Diagnosis and treatment of tyrosinemia type I：a US and Canadian consensus group review and recommendations. Genet Med 2017；19. より引用〕

されている[4]．また，生存例でも，2歳以降までには肝硬変を呈し，さらに肝細胞癌を合併する場合もある．Weinbergらは2歳以上での肝細胞癌の合併率は37%であると報告している[5]．ニチシノン［2-(2-nitro-4-trifluoro-methylbenzoyl)-1,3-cyclohexanedione：NTBC］が治療薬として保険収載され，使用可能となった（詳細は別途記載）．NTBC投与中でも肝細胞癌を発症することもあるため，腫瘍マーカーであるαフェトプロテイン（AFP）や肝酵素などの血液検査，腹部MRIなどの画像検査を定期的に行う必要がある[6]．

疫学

常染色体劣性の遺伝形式をとり，15番染色体長腕（15q23-q25）上に原因遺伝子である*FAH*が存在する．世界における頻度は10万～12万人に1人と推定されている[7]．200万人を対象とした新生児マススクリーニングの試験研究では見つかっておらず，わが国における頻度はさらに低いと考えられている．

わが国での症例はこれまでに6例認められている[8]．1例目は1957年に報告されたが，これは世界で第1例目でもある．2, 3例目は同胞例で一例は肝移植を施行され，もう一例はNTBC投与後に肝移植を施行されている[9]．4例目はNTBCで治療後に肝移植を施行された．5例目はNTBCで治療継続中である[10]．これら5例は亜急性型であり酵素の活性がある程度残っていたことが想像された．6例目は新生児期に劇症肝炎に至った症例で，血液透析とNTBC投与開始後に肝移植を施行された．

診断の基準

1 臨床病型

①急性型，②亜急性型，③慢性型の3つの病型がある[11)12]．

❶急性型

生後数か月以内で発症する．肝障害は肝硬変へ進展し，肝結節や肝腫瘍を生じる．触診上，肝臓は硬く触れる．肝不全による低血糖や高インスリン血症を認める．発育不良，下痢，嘔吐などもみられる．最重症の症例では0～2か月で肝不全を発症する．無治療であれば生後2～3か月で死亡する．

❷亜急性型

生後数か月から1歳程度で肝障害を発症する．発症時期が早いほど重症度が高い．おもな特徴は凝固能異常と成長障害（failure to thrive），肝脾腫，くる病である．

❸慢性型

1歳以上で発症する．肝障害がおもな症状であるが，腎障害を合併することもある．時に心筋症，神経障害を合併する．肝障害の進行はゆるやかであるが，診断時には肝硬変をすでに認めている症例が多い．

2 主要症状および臨床所見

臨床像では進行する肝障害と腎尿細管障害，末梢神経障害が特徴である．臨床症状の重症度は酵素障害の重症度，すなわち遺伝子変異と関連している[12]．

❶肝障害

最も重篤な障害を受ける臓器である．凝固能異常による出血，低アルブミン血症による浮腫，腹水を認めることが多く，黄疸，肝酵素の上昇は軽度なことが多い．肝障害は肝硬変へ進展し，肝結節や肝腫瘍を生じる．触診上，肝臓は硬く触れる．進行すれば肝不全による低血糖や高インスリン血症を認める．

❷腎障害

Fanconi症候群としてみられる尿細管障害が特徴的である．重症度は様々である．典型例ではアミノ酸尿，糖尿，リン酸塩尿と尿細管アシドーシ

スを認めるがすべてを認めるとは限らない．低リン血症性くる病やビタミンD抵抗性くる病へと進展し，これは重症となりうる．腎障害は腎石灰沈着症，糸球体硬化症，慢性腎不全へと進行する．腎障害は有意な所見であるが，常に肝障害を伴って存在している．

❸ 末梢神経

最も特徴的な神経障害はポルフィリン症様の症状である．感染，ストレス等を契機に引き起こされる．これはサクシニルアセトンがPBG合成酵素を阻害する結果，δ-アミノレブリン酸が蓄積するため生じるとされている．遺伝性疾患である急性間欠性ポルフィリン血症と同様の症状を認める．発作はときに重篤で，急性腹症のような腹部手術を考慮されるほどの強い腹痛や，血圧上昇のような自律神経症状を認め，neurologic crises（神経性クリーゼ）とよばれている．消化器症状としては他に，悪心，嘔吐，重度の便秘，まれに下痢を認める．精神症状として，易刺激性，不穏，不眠症，興奮，疲労，抑うつなどもみられる．上行性の運動神経障害が急速に進行し，人工呼吸が必要となる症例もしばしば認める．

3 参考となる検査所見

肝障害：血清トランスアミナーゼの上昇，凝固因子の合成低下による凝固能異常．

腎尿細管機能障害：低リン酸血症，糖尿，タンパク尿．

血清AFPの著明な増加．

血中アミノ酸分析：チロシン，メチオニン，セリン，スレオニンなどの上昇．

尿中アミノ酸分析：チロシン，δ-アミノレブリン酸の排泄増加．

画像診断：腹部超音波検査，腹部CT，腹部MRIにて肝腫大，肝硬変や脂肪肝，結節病変等を認める．

肝生検：著明な肝構築の乱れ，様々な異常形態を呈する肝細胞，脂肪肝など．

4 診断の根拠となる特殊検査

❶ 尿中有機酸分析＊＊

チロシン代謝産物（4-ヒドロキシフェニルピルビン酸，4-ヒドロキシフェニル乳酸，4-ヒドロキシフェニルピルビン酢酸など）の増加．

サクシニルアセトンの増加．

❷ 遺伝子解析＊＊＊

FAH遺伝子の両アレルに病原性変異を同定する．

❸ 酵素診断＊＊＊

肝細胞，培養皮膚線維芽細胞を検体として，FAH活性を測定する．（2018年現在，日本で実施している施設はない）

❹ 血中サクシニルアセトン測定＊＊＊

血中サクシニルアセトン＞10 nmol/mLをカットオフ値とする．

5 鑑別診断（図2）

先天代謝異常症：高チロシン血症2型，3型，ホーキンシン尿症．

その他：肝硬変，劇症肝炎，糖尿病．

6 診断基準[13]

❶ タンデムマス検査＊

チロシン＞200 μmol/L

❷ 血漿アミノ酸分析＊

チロシン＞200 μmol/L（3.6 mg/dL）であれば可能性があるが，それ以外の原因による高チロシン血症が多く存在する．

❸ 尿中有機酸分析＊＊

サクシニルアセトンの上昇を認める．

上記の❶〜❸をすべて満たすものをTYR-1と確定診断する．ただし，発症時点でチロシン値が上記のカットオフ値以上になっていない症例も実際にはあるため，臨床症状から高チロシン血症を疑った場合は血中のチロシン値が低くても尿中有機酸分析を速やかに提出し，サクシニルアセトンの上昇があれば確定診断例として対応する．

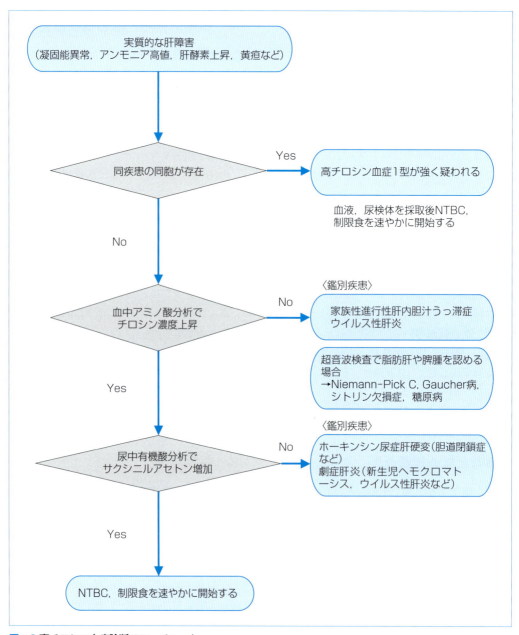

図 2 ● 高チロシン血症診断フローチャート
NTBC：nitisinone（ニチシノン）．

新生児マススクリーニングで疑われた場合

　一部地域ではチロシン高値を指標として新生児マススクリーニングの対象とされているが，多くは対象疾患となっていない．新生児マススクリーニング施行時に，血中チロシン値が高値になることはまれであるため，無症状の時点では見逃されやすい．しかし，早期のNTBC投与とチロシン制限による治療という内科的管理が選択できるようになったため新生児マススクリーニングによる早期発見は重要性を増してくることが予想される[14)-16)]．感度，特異度からは，血中チロシン値の

計測よりも尿中サクシニルアセトンの計測がよりよい検査法である．この方法によって症状が出現していない症例に対しても治療が可能となる．

1 確定診断

新生児マススクリーニングで血中チロシンが高値であった場合，血漿アミノ酸分析および尿中有機酸分析にて確定診断を行う．

2 診断確定までの対応

初診時に無症状であっても，血液検査項目で凝固能異常や低アルブミン血症，黄疸，トランスアミナーゼの上昇があれば，入院管理にて検査を進めていく．フェニルアラニン・チロシン除去粉乳（雪印S-1）を用いて栄養管理を行う．

3 診断確定後の治療

❶薬物治療

NTBC（ニチシノン，商品名：オーファディン®）投与．
診断確定後は速やかにNTBCの投与を開始する．常に食事療法と併用する必要がある．

❷食事療法

前駆アミノ酸の負荷を軽減するため，母乳や一般育児用粉乳にフェニルアラニン・チロシン除去粉乳（雪印S-1）を併用し，または低フェニルアラニン・低チロシン食によりタンパク摂取制限を行う．初期は週に2, 3回，血漿アミノ酸分析を行い，特殊ミルク量，食事量を調節する．

急性発作で発症した場合の診療

1 確定診断

重篤な肝障害をきたした症例ではTYR-1を疑い，末梢血液像，一般生化学検査，凝固能検査，アンモニア測定に加え，血漿アミノ酸分析も行う．確定診断には尿中有機酸分析が必須であるため，尿を採取後，冷凍保存し，速やかに専門機関へ分析を依頼する．

2 急性期の検査

肝酵素，アンモニア，AFP，凝固能，腎機能検査，血ガス，血漿/尿中アミノ酸分析，尿中有機酸分析，腹部超音波（必要に応じて腹部造影CTまたはMRI）．

3 急性期の治療方針

❶状態の安定化（急性肝不全の場合）B

(1) 気管挿管と人工換気（必要であれば）
(2) 静脈ルートの確保

❷血液浄化療法，血漿交換 B

急性肝不全で，著明な凝固能異常や高アンモニア血症を認めた場合は速やかに実施する．新生児〜乳幼児では循環動態への影響を考慮し持続血液ろ過透析が第一選択となる．肝移植を含めて実施可能な高次医療施設へ速やかに搬送することが重要である．

❸NTBC投与 B

診断が確定後，あるいは診断がついていなくても尿中サクシニルアセトンの排泄増加を認め，TYR-1が強く疑われる場合は，適切な専門施設に検体を送付したのち速やかにNTBC投与を開始する．1 mg/kg/dayを一日一回で投与する（半減期が54時間であるため）[17]．患者の状態によって量を増減するが，上限量は2 mg/kg/dayである．NTBCを使用しない例では肝不全に至ることが多く，肝移植が行われることが多い．また，NTBCを使用した例でも肝臓癌の発生例では肝移植が行われる[12)18)]．

補記）NTBC（オーファディン®）について[12)18)-22)]

NTBCは，チロシンの分解に必要な4-ヒドロキシフェニルピルビン酸酸化酵素の阻害薬である．本薬を投与することによりTYR-1の肝腎障害の原因となるフマリルアセト酢酸（FAHの基質）の産生が抑制され治療効果を示す．しかしながら，チロシンの体内濃度を下げることはできないので，チロシン・フェニルアラニンの摂取制限を併

用する必要がある．おもな副作用として血漿中チロシン濃度の上昇による眼障害（角膜混濁，角膜症/角膜炎，眼痛，結膜炎など）を認めることがあるため，本薬による治療開始前には，眼の細隙灯顕微鏡検査を行うことが望ましい．また，顆粒球減少症，白血球減少症，血小板減少症を認めることがあるため，定期的な検査を行う必要がある．長期予後については，まだ症例の蓄積は少ないが，NTBC 投与により血液中のチロシン濃度が上昇するため，原疾患と同様の神経障害（運動機能障害および言語障害）が認められるとの報告がある．

❹ 食事療法 B

NTBC と低チロシン，低フェニルアラニン食の併用療法が第一選択である．これにより症状がコントロール可能な場合は治療を継続する．肝障害の進行をできるだけ早く防止することが重要である．

❺ 肝移植

急性肝不全に対して，上記治療でもコントロール困難である場合は，肝移植が選択される．

慢性期の管理[12)23)]

1 食事療法

低チロシン，低フェニルアラニン食を継続しなければならない．目標とされる血漿チロシンとフェニルアラニン濃度は明らかではないが，チロシンの上昇は髄液中のチロシン濃度にも関連することが報告されている．目標としては 12 歳ごろまでは血漿チロシン値を 200〜400 μmol/L とする．眼の合併症はチロシン値が 800 μmol/L を下回っている場合はまれである．

2 薬物療法

NTBC 内服の継続が必要である．NTBC 内服によって血漿チロシン濃値が上昇するため，血漿チロシン濃度を定期的に測定する必要がある．

腎尿細管機能障害による低リン血症性くる病に対しては，血清 Ca，P，ALP，25（OH）D，1,25（OH）D 値を定期的に計測し，リンやビタミン D 製剤による補充を検討する．

3 sick day の対応

感染を契機に急性間欠性ポルフィリン症に似た症状が出現するおそれがある．消化器症状等に対しては対処療法が必要となる．カロリー摂取不足でも発症することがあるため，その場合はブドウ糖の点滴が有効である．

4 移植医療

国内では HT1 を含む遺伝性高チロシン血症および疑い例による生体肝移植症例が日本肝移植研究会に 13 例登録されている[24)]．

高チロシン血症における肝移植後の QOL は良好である．肝移植の適応は肝不全と腫瘍性病変である[25)]．新生児や乳児発症で重篤な肝障害を認める症例のうち，内科的治療に反応しない場合は緊急での生体肝移植が選択される．肝移植を待つ間，血液透析，血漿交換などの浄化療法が必要になる場合もある．肝細胞癌の診断がつき，肝外病変を認めない場合，または肝細胞癌が疑われる場合は，早急に肝移植チームによる移植適応の評価が必要である．

フォローアップ指針[12)23)]

1 一般的評価と栄養学的評価

栄養制限により体重増加不良をきたさないように注意する．

1) 身長・体重測定
2) 血液検査
　検査間隔：初期は月一回．
　血漿アミノ酸分析，血清 AFP，末梢血液像，一

般生化学検査，1,25-OHD，尿生化学検査．

肝逸脱酵素上昇の有無，腎機能障害の有無について評価する．AFP は治療の効果がでれば，治療開始後1年ほどで正常化するが個人差がある．AFP の減少が緩徐であったり正常化しない場合や軽度の上昇がみられる場合は，肝腫瘍の有無について画像検査により注意深く観察する．

3) 尿中有機酸分析

必要に応じて行う．

評価項目：サクシニルアセトン．

4) 画像検査（腹部超音波検査，腹部 MRI 検査，腹部造影 CT 検査）

腹部超音波検査は全症例に施行すべきである．腹部造影 CT は多断面再構成像の作成が可能で，空間分解能にすぐれているので肝臓の異常病変の描出が可能である．ただし，すでに悪性腫瘍のリスクがあるため被曝のデメリットを考慮する必要がある．腹部 MRI は結節病変の描出，鑑別のための最もよい画像検査であるため，結節病変を認めた場合は腹部 MRI まで施行することが望ましい．ガドリニウムによるダイナミック撮影により結節の血管増生の有無を分析できる．DWI（diffusion-weighted imaging：拡散強調画像）では高分化肝細胞癌と良性結節との鑑別が可能である．NTBC 投与中に AFP の上昇がなく肝腫瘍を認めた症例もあるため，定期的に検査を行う必要がある[26]．

2 神経学的評価

神経学的評価は重要であるが，4歳頃までは予後予測が困難である．精神発達評価としては初回の知能検査を就学前に行い，以後は症状の進行に応じて定期的に行う．

3 その他

眼検査：年1回程度．

骨密度評価：年1回程度．

手関節 X 線：（乳児期にくる病の評価として）血清 Ca，P，ALP の値を見ながら 2，3 か月に 1 回程度．

腎機能検査：採血，尿生化学検査1か月毎．レノグラム：年1回．

成人期の課題

内科的治療の奏効や移植施行により今後は成人症例が増加する可能性がある．

1 食事療法と内服療法の継続

移植症例以外では継続が必要となる．

2 飲酒

代謝機能に影響を与えるため，一般的には推奨されない．

3 運動

過度の運動は体調悪化の誘因となりやすく，無理のない範囲にとどめる必要がある．

4 妊娠・出産[12]

妊婦における NTBC の安全性は確立されていない．これまで，NTBC 内服中の 3 症例で出産した報告がある．いずれの症例の児も新生児期には異常を認めなかった．罹患した胎児では羊水中にサクシニルアセトンが検出される．臍帯血ではサ

---

mini column 1　CQ：肝移植後に NTBC は必要か？[27,28]

肝移植後に NTBC の使用が必要かどうかについては，明確な結論が得られていない．肝移植後に尿中サクシニルアセトン排泄が持続するため，腎障害の進行を防ぐためには少量の NTBC の継続を考慮したほうがよいとの報告がある．

クシニルアセトンとAFPの上昇を認める．胎児と母親ともにTYR-1であった場合，NTBCは胎盤を通過し胎児の病状の進行も抑えることができると考えられる．

5 医療費の問題

小児慢性特定疾病，指定難病であり，医療補助対象疾患である．

📖 文献

1) Berger R, et al. Deficiency of fumarylacetoacetate in a patient with hereditary tyrosinemia. Clin Chim Acta 1981；114：37-44.
2) Russo PA, et al. Tyrosinemia：a review. Pediatr Dev Pathol 2001；4：212-221.
3) Jeffrey M, et al. Diagnosis and treatment of tyrosinemia type I：a US and Canadian consensus group review and recommendations. Genet Med 2017；19.
4) Van Spronsen FJ, et al. Hereditary tyrosinemia type I：a new clinical classification with difference in prognosis on dietary treatment. Hepatology 1994；20：1187-1191.
5) Weinberg AG, et al. The occurrence of hepatoma in the chronic form of hereditary tyrosinemia. J Pediatr 1976；88：434-438
6) Van Spronsen FJ, et al. Hepatocellular carcinoma in hereditary tyrosinemia type 1 despite 2-(2 nitro-4-3 trifluoro-methylbensoyl)-1,3-cyclohexanedione treatment. J Pediatr Gastroenterol Nutr 2005；40：90-93.
7) De Braekeleer M, et al. Genetic epidemiology of hereditary tyrosinemia in Quebec and in Saguenay-Lac-St-Jean. Am J Hum Genet 1990；47：302-307.
8) Nakamura K, et al. Tyrosinemia Type I in Japan：A Report of Five Cases. Adv Exp Med Biol 2017；959：133-138.
9) 植田昭仁，ほか．NTBCを投与した後，生体肝移植を行った高チロシン血症I型の1例．特殊ミルク情報 2005；41：23-26.
10) 伊藤道徳，ほか．NTBCの長期投与により良好な経過をとっているチロシン血症I型の1例．特殊ミルク情報 2005；41：27-30.
11) 遠藤文夫．遺伝性高チロシン血症．小児内科 2003；35：317-321.
12) De Laet, et al. Recommendations for the management of tyrosinaemia type 1. Orphanet of Rare Dis 2013；8：8.
13) Nakamura K, et al. Diagnosis and treatment of hereditary tyrosinemia in Japan. Pediatr Int 2015；57：37-40.
14) Essam MI et al. Case of hepatocellular carcinoma in a patient with hereditary tyrosinemia in the post-newborn screening era. World J Hepatol 2017 28；9：487-490.
15) Das AM, et al. Diagnosing Hepatorenal Tyrosinaemia in Europe：Newborn Mass Screening Versus Selective Screening. Adv Exp Med Biol 2017；959：125-132.
16) McKiernan PJ, et al. Outcome of children with hereditary tyrosinaemia following newborn screening. Arch Dis Child. 2015；100：738-741.
17) Kienstra NS, et al. Daily variation of NTBC and its relation to succinylacetone in tyrosinemia type 1 patients comparing a single dose to two doses a day. J Inherit Metab Dis 2018；41：181-186.
18) 厚生労働省．平成18年ワーキンググループ検討結果報告書．
19) 箕浦秀明，ほか．高チロシン血症I型治療薬ニチシノン（オーファディン®カプセル）の薬理学的特徴および臨床試験成績．日薬理誌 2015；146：342-348.
20) Das AM. Clinical utility of nitisinone for the treatment of hereditary tyrosinemia type-1（HT-1）. Appl Clin Genet 2017；10：43-48.
21) Thimm ER, et al. Neurocognitive outcome in patients with hypertyrosinemia type I after long-term treatment with NTBC. J Inherit Metab Dis 2012；35：263-268.
22) Walker H, et al. Three Cases of Hereditary Tyrosinaemia Type 1：Neuropsychiatric Outcomes and Brain Imaging Following Treatment with NTBC. JIMD Rep 2017；16 ［Epub ahead of print］
23) Geppert J. Evaluation of pre-symptomatic nitisinone treatment on long-term outcomes in Tyrosinemia type 1 patients：a systematic review. Orphanet of Rare Dis 2017；12：154.
24) 日本肝移植研究会．肝移植症例登録報告．移植 2015；51：145-159.
25) Dehghani SM, et al. Clinical and Para Clinical Findings in the Children with Tyrosinemia Referring for Liver Transplantation. Int J Prev Med 2013；4：1380-1385.
26) Gokay S, et al. The outcome of seven patients with hereditary tyrosinemia type 1. J Pediatr Endocrinol Metab 2016；29：1151-1157.
27) Bartlett DC, et al. Plasma succinylacetone is persistently raised after liver transplantation in tyrosinaemia type 1. J Inherit Metab Dis 2013；36：15-20.
28) Pierik LJ, et al. Renal function in tyrosinaemia type I after liver transplantation：a long-term follow-up. J Inherit Metab Dis 2005；28：871-876.

7 シトリン欠損症

疾患概要

シトリンとは肝ミトコンドリア膜に存在するアスパラギン酸・グルタミン酸キャリア（AGC）のことであり，リンゴ酸-アスパラギン酸シャトルの一員として細胞質で生じたNADH還元当量のミトコンドリアへの輸送に関与する[1)-3)]．シトリン欠損症では，このシトリンの機能低下によりNADH還元当量が細胞質内に過剰蓄積してしまうことで，糖代謝，糖新生やアミノ酸代謝，尿素サイクルなど多彩な代謝障害を生じる（図1）．

本症は，新生児期から乳児期のNICCD（neonatal intrahepatic cholestasis caused by citrin deficiency）期を脱すると，見かけ上健康となる適応・代償期となる．基本的には無症状になると考えられていたが，近年，適応・代償期でも慢性肝障害や肝腫大，易疲労感，胃腸障害などの軽微な非特異的症状を認めることがわかってきた．また，体重増加不良や低身長，低血糖，高脂血症などを示す"シトリン欠損による体重増加不良と脂質異常（failure to thrive and dyslipidemia caused by citrin deficiency：FTTDCD）"とよばれる病態がみられる例もある[3)]．その後，一部に思春期以降の病型である成人発症Ⅱ型シトリン血症（adult-onset citrullinemia type 2：CTLN2）となり，肝不全，急性脳症を発症し，高アンモニア血症，高シトルリン血症を呈する例もある．そのためシトリン欠損症と診断がついた後は，生涯にわたって

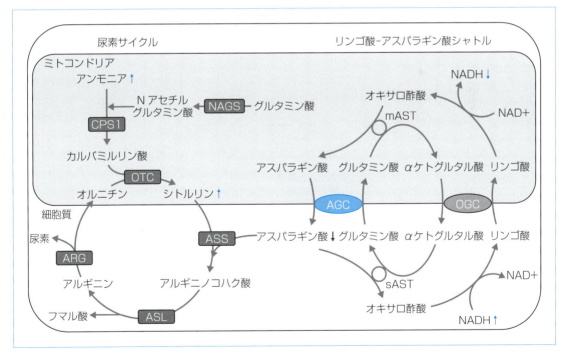

図1 代謝経路
NAGS：N-アセチルグルタミン酸合成酵素，CPS1：カルバミルリン酸合成酵素Ⅰ，OTC：オルニチントランスカルバミラーゼ，ASS：アルギニノコハク酸合成酵素，ASL：アルギニノコハク酸リアーゼ，ARG：アルギナーゼ，AGC：シトリン（アスパラギン酸・グルタミン酸キャリア），OGC：リンゴ酸・αケトグルタル酸キャリア．

注意深いフォローが必要である．

1 疫学

シトリン欠損症は東アジアから東南アジアで頻度が高く，少数ながら欧米からの報告もある．わが国での保因者頻度は1/65であり，理論上の有病率は1/17,000となる[4]．CTLN2の発症頻度は10万人に1人であり，シトリン欠損症の約20%がCTLN2を発症することとなる．

診断の基準（図2）

1 臨床病型

シトリン欠損症には3つの病型がある[5)-7)]．
❶ シトリン欠損による新生児肝内胆汁うっ滞症
❷ 適応・代償期
シトリン欠損による体重増加不良と脂質異常．
❸ 成人発症Ⅱ型シトルリン血症

2 主要症状および臨床所見

❶ NICCD

新生児期から乳児期にかけて遷延性黄疸となり，胆汁うっ滞，灰白色便，肝障害を認める．一部では体重増加不良をきたしたり，肝腫大，脂肪肝，低血糖を示す．低タンパク血症による腹水，凝固能障害による出血症状，脂溶性ビタミン欠乏のためビタミンK欠乏性出血症，ビタミンD欠乏性くる病を認める．胆汁うっ滞は胆道閉鎖症や新生児肝炎との鑑別が重要となる．周産期に低出生体重児やSFD（small for dates neonates）児となる症例も散見する[8)-15)]．ごくまれに，急性肝不全となり肝移植を要した例も報告されている[16)]．高ガラクトース血症のために白内障をきたす例もある[17)]．

❷ 適応・代償期

NICCD期を脱すると，見かけ上健康な適応・代償期となる．多くは糖質を嫌い，高タンパク・高脂質を好む特異な食癖となってくる．基本的には無症状になると考えられていたが，近年，適応・代償期でも慢性肝障害や肝腫大，易疲労感，胃腸

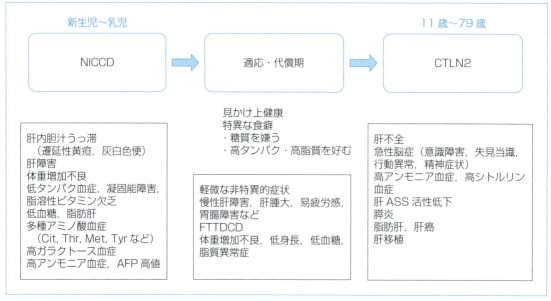

図2 ● シトリン欠損症の病態と自然歴
Cit：シトルリン，Thr：トレオニン，Met：メチオニン，Tyr：チロシン，AFP：αフェトプロテイン，FTTDCD：failure to thrive and dyslipidemia caused by citrin deficiency.

障害などの軽微な非特異的症状を認めることがわかってきた．また，体重増加不良や低身長，低血糖，脂質異常症などを示す"シトリン欠損による体重増加不良と脂質異常（FTTDCD）"とよばれる病態がみられる例もある[3]．けいれんやてんかん，膵炎を発症する例もある．低血糖になりやすいため，感染症罹患時には，特に低血糖に注意が必要である[18)19)]．

❸CTLN2

シトリン欠損症の一部の症例で発症する思春期以降の病型である．CTLN2では肝不全や急性脳症を発症し，意識障害，失見当識，行動異常，精神症状を認め，高アンモニア血症，高シトルリン血症を呈する．シトリン欠損に加えて二次性に肝argininosuccinate synthetase（ASS）活性が低下することで高アンモニア血症，高シトルリン血症を発症するが，肝ASS活性低下が起きる原因を含め，病態については不明な点も多い．これまでは予後不良とされており，内科的治療が有効ではないことも多かったが，近年の治療法として肝移植が有効である．膵炎，脂肪肝，肝癌の合併も時にある．

3 参考となる検査所見

❶NICCD

1) 一般検査

・AST・ALT・γGTP 上昇，総ビリルビン／直接ビリルビン上昇，総胆汁酸上昇，アンモニア軽度上昇
・総タンパク・アルブミン低値，低血糖，ALP 上昇
・凝固能低下
・AFP 高値，PIVKA II 上昇，25（OH）D 低下，intactPTH 上昇

2) アミノ酸分析

・シトルリン，スレオニン，メチオニン，チロシン，フェニルアラニン値の上昇，スレオニン/セリン比の上昇

3) 腹部超音波検査，腹部 CT 検査

・脂肪肝

4) 血中ガラクトース*

・ガラクトース高値

これらの検査所見は，出生からNICCD期まで，NICCDピーク時，NICCD期がピークアウトして適応・代償期に近づいている時期によって，典型的検査所見からほぼ全く検査異常がないレベルまで幅広い．中でも特に診断の根拠となりうる血中シトルリン値が正常化している時期もあるため，診断に迷うことが多く，最終的に下記の遺伝子解析によるところが大きい．

❷適応・代償期

基本的には上記のNICCD期の検査所見は消失していることが多い．

1) 一般検査

・AST・ALT 高値，（感染症罹患時）低血糖

2) FTTDCD

・低血糖，脂質異常症（TG 高値，Tcho 高値）

❸CTLN2

1) 一般検査

・AST・ALT・γGTP 上昇，アンモニア上昇

2) アミノ酸分析

・シトルリン値上昇

4 診断の根拠となる特殊検査

❶遺伝子解析***

シトリン欠損症は，常染色体劣性遺伝型式を取り，原因遺伝子は*SLC25A13*である[20]．*SLC25A13*の両アレルに既知病因変異を認めると確定診断が可能である．日本人シトリン欠損症では高頻度変異11個で変異頻度の95％を占める[4)21)]．

❷末梢血でのウエスタンブロット***

シトリン分子が検出されない．（現在，国内で測定できる施設はない）

5 鑑別診断（表1）

NICCDでは胆汁うっ滞をきたす疾患が鑑別となる．おもに胆道閉鎖症，新生児肝炎が鑑別となるが，胆道閉鎖症との鑑別では術中胆道造影など侵襲的な検査に進む前に鑑別できることが望ましい[22]．シトリン欠損症を鑑別せずに漫然と新生児肝炎と診断した場合，その後のシトリン欠損症の

表1 ● 胆汁うっ滞性肝疾患の鑑別

肝外性
- 胆道閉鎖症
- 総胆管嚢腫（総胆管拡張症）

肝内性
- 感染症：細菌（敗血症，尿路感染症，梅毒，結核，リステリア）ウイルス（HAV，HBV，HCV，CMV，風疹，HSV，コクサッキー，超音波検査，Parvo，水痘，HHV6，HIV）その他（トキソプラズマ，真菌，寄生虫）
- 薬剤性
- 内分泌疾患：甲状腺機能低下症，下垂体機能低下症
- 染色体異常ほか：Down 症候群，Trisomy E，Leprechaunism
- その他：新生児ループス，静脈栄養，Histiocytosis X，Familial erythrophagocytic lymphohistiocytosis，ショック，循環不全，腸炎/腸管閉塞
- 代謝性疾患：シトリン欠損症（NICCD），チロシン血症Ⅰ型，Arginase 欠損症，Niemann-Pick 病（type C），Gaucher 病，Wolman 病，ガラクトース血症，果糖不耐症，糖原病Ⅳ型，ミトコンドリア肝症，胆汁酸代謝異常（3β-hydroxy-Δ5-C27-steroid dehydrogenase/isomerase 欠損症，Δ4-3-oxosteroid 5β-reductase 欠損症），その他（α1 アンチトリプシン欠損症，膵線維嚢胞症，新生児ヘモクロマトーシス，Zellweger 症候群）
- 原因不明：新生児肝炎，Alagille 症候群，非症候性肝内胆管減少症，進行性家族性肝内胆汁うっ滞（PFIC1，2，3），Aagenaes 症候群，先天性肝線維症，Caroli 病

〔田澤雄作．新生児胆汁うっ滞　新生児肝炎及びシトリン欠損による新生児肝内胆汁うっ滞の臨床を中心として．日本小児科学会雑誌 2007；111：1493-1514．より改変〕

適応・代償期を新生児肝炎の回復期と判断してしまう可能性がある．また，ガラクトース高値，シトルリン高値の疾患も鑑別として重要である．ガラクトース高値ではガラクトース血症（Ⅰ型，Ⅱ型，Ⅲ型），門脈-体循環シャントとの鑑別を要し，シトルリン高値ではシトルリン血症Ⅰ型，アルギニノコハク酸尿症との鑑別を要する．いずれにしろ，NICCD では特徴的な一般検査所見が得られる場合とそうでない場合があり，シトリン欠損症の診断が除外できないときには最終的には遺伝子解析が必要となることが多い．

また CTLN2 は，思春期以降の成人期での急性脳症の鑑別，高アンモニア血症の鑑別となるが，それについてはこのガイドラインでは述べない．

6 診断基準

❶ 疑診

「3 ｜ 参考となる検査所見」の「❶NICCD」1），2），3），4）のいずれかを満たす場合，疑診とする．

「3 ｜ 参考となる検査所見」の「❷CTLN2」1），2）のいずれかを満たす場合，疑診とする．

❷ 確定診断

上記❶を満たし，遺伝子解析で *SLC25A13* 遺伝子の両アレルに病因変異を認めた場合に確定診断とする．

新生児マススクリーニングで疑われた場合

新生児マススクリーニング（NBS）ではシトリン欠損症はスクリーニング二次対象疾患となっており，積極的に拾いあげていない自治体も多く存在する（図3）．しかし，NBS で，シトルリン，メチオニン，フェニルアラニン，チロシン高値やガラクトース高値で要精査となる中で診断されることも多い．

1 確定診断

NBS でシトルリン高値となった場合，フローチャートを参照して鑑別診断をしていく．「診断の基準」の「2 ｜ 主要症状および臨床所見」，ならびに「3 ｜ 参考となる検査所見」での NICCD 症状・所見に合致した場合 NICCD が強く疑われる．最終的に遺伝子解析にて確定診断される．

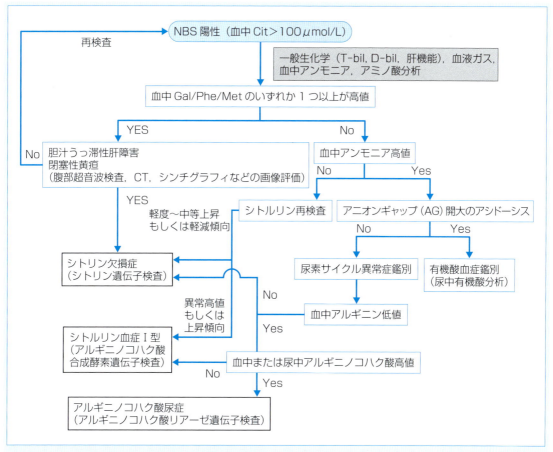

図3● 新生児マススクリーニング陽性（シトルリン高値）患者の鑑別診断
Gal：ガラクトース．

2 診断確定までの対応

NBSで発見される時期ではまだNICCD症状がすべて出現していないことも多い．そのため，今後のNICCD症状の進行に注意する．また同様にして，「診断の基準」の「3 参考となる検査所見」もすべては出現していないので，シトリン欠損症が疑われる場合には経時的に検査所見をフォローしていくことも大事である．

診断確定となるまでに胆汁うっ滞，肝障害などの肝症状や体重増加不良，低血糖，低タンパク血症，脂溶性ビタミン欠乏などの栄養欠乏症状がある場合，それらに対処する．急性肝不全の進行にも注意する．

3 診断確定後の治療

胆汁うっ滞，肝障害などの肝症状や体重増加不良，低血糖，低タンパク血症，脂溶性ビタミン欠乏などの栄養欠乏症状がある場合，それらに対処する．急性肝不全の進行に注意する．

❶中鎖脂肪酸トリグリセリド（MCT）Ⓑ

MCTは胆汁うっ滞があっても吸収がよく，脂肪酸β酸化系からエネルギーを産生できるため，NICCDでのエネルギー供給には重要な栄養源となる．肝症状，栄養欠乏症状がある場合はより必要性が増す．必須脂肪酸強化MCTフォーミュラ（明治721）を特殊ミルク事務局に申請，もしくは市販品を購入して入手する．MCTオイル（市販品）を購入し，ミルク100 mLに対して2 mLを添

表2 ● 高ガラクトース血症の有無によるミルクの選択

高ガラクトース血症	あり	蛋白質加水分解MCT乳（森永ML-3） ガラクトース除去フォーミュラ（明治110）100 mL＋MCTオイル（市販品）2 mL 乳糖除去ミルク（市販品）＋MCTオイル（市販品）2 mL
	なし	必須脂肪酸強化MCTフォーミュラ（明治721） 必須脂肪酸強化MCTフォーミュラ（市販品） 普通ミルク100 mL＋MCTオイル（市販品）2 mL

加して飲用してもよい．

❷ 乳糖除去[8)23)-26)] Ⓑ

肝症状，栄養欠乏症状を併発していることが多いため，蛋白質加水分解MCT乳（森永ML-3）を特殊ミルク事務局より入手し使用する．MCTが添加され，ガラクトースは除去されているため適している．ガラクトース除去フォーミュラ（明治110）にMCTオイル（市販品）を添加することも可能である．ミルク100 mLに対してMCTオイルを2 mL添加して飲用する．乳糖除去ミルクは明治110以外も市販されている（表2）．

❸ 脂溶性ビタミン[24)] Ⓑ

胆汁うっ滞，脂溶性ビタミン欠乏時に使用する．

・ビタミンA：100〜500 U/kg/day
・ビタミンD：0.01〜0.1 μg/kg/day
・ビタミンE：軽症5〜10 mg/kg/day，中等症20〜50 mg/kg/day，重症50〜100 mg/kg/day
・ビタミンK：2 mg/週，5 mg/day

❹ 利胆薬[24)] Ⓑ

胆汁うっ滞時に使用する．

・ウルソデオキシコール酸：5〜15 mg/kg/day

急性発作で発症した場合の診療

おもにNICCD期について述べる．

1 確定診断

NICCD期となったところで症状が顕在化し発見されることが多い．「診断の基準」の「2｜主要症状および臨床所見」，ならびに「3｜参考となる検査所見」でのNICCD症状・所見に合致した場合NICCDが強く疑われる．最終的に遺伝子解析にて確定診断される．急性肝不全の進行に注意する．

2 急性期の検査

「診断の基準」の「3｜参考となる検査所見」でのNICCD所見が合致することと，胆汁うっ滞をきたす疾患を鑑別する．中でも特に診断の根拠となりうる血中シトルリン値が正常化している時期もあるため，診断に迷うことが多く，最終的に遺伝子解析によるところが大きい．またシトリン欠損症を鑑別せずに漫然と新生児肝炎と診断した場合，その後のシトリン欠損症の適応・代償期を新生児肝炎の回復期と判断してしまう可能性がある．

3 急性期の治療方針

「新生児マススクリーニングで疑われた場合」の「3｜診断確定後の治療」を参照する．また，急性肝不全に陥った際には新鮮凍結血漿，浸透圧利尿薬，抗凝固療法，高アンモニア対策，肝不全用アミノ酸製剤，血液浄化療法などの治療を検討するが，詳細は成書を参照されたい．

❶ 肝移植 Ⓒ

内科的治療が奏効せず急性肝不全が進行する際には肝移植を検討する[14)-17)]．

❷ 経静脈栄養を実施する際のブドウ糖濃度ならびに血糖値への注意 Ⓓ

シトリン欠損症では，過剰な糖負荷により高血糖状態にさせた場合，解糖系で生じるNADHの細胞質内での過剰蓄積をさらに助長させるため，肝臓の状態を増悪させることがある．したがっ

て，高カロリー輸液など高糖濃度の経静脈栄養の投与時には，血糖をモニターしながら低血糖にも高血糖にもならない適切な糖投与量を調節する必要がある．高アンモニア血症にも注意する．

❸グリセリンの禁忌 E

肝不全によって脳浮腫が生じた場合の治療ではグリセリンは使用しない．マンニトールを用いる．

慢性期の管理

おもに適応・代償期について述べる．

1 食事療法

❶高脂肪・低炭水化物食 B

シトリン欠損症の多くは炭水化物を嫌い，高タンパク・高脂質を好む特異な食癖を呈することが多い．炭水化物摂取による過剰な糖負荷により細胞質内でのNADH過剰およびNAD⁺（ニコチン酸アミドジヌクレオチド）枯渇状態に陥るため，食癖はこれを避けるための自己防衛反応と考えられる[27]．そのため食癖を矯正せずに食事させるようにする．

シトリン欠損症が好む食事のエネルギー比はタンパク：脂質：糖質＝15〜25：40〜50：30〜40%kcalとなることが知られている（日本人の食事の一般平均は15：25：60%kcal）[28)29)]．炭水化物嫌いが顕著な患者では，このエネルギー組成に合わせた栄養摂取を心がけるよう栄養指導を行うことが重要である．母乳やミルクはこの組成に近くシトリン欠損症には合目的な栄養となっている．そのため，授乳期や離乳期では炭水化物摂取を制限するほど離乳食を矯正する必要性はないと考える．離乳完了後あるいは食嗜好が現れてくる2歳前後で，特異な食癖に寄り添った栄養摂取に努めていくこととなるので，それまでに母親はもとより家族，保育所・幼稚園などにも栄養内容について理解を進めておくことが重要である．

2 薬物療法

❶中鎖脂肪酸トリグリセリド（MCT） C

適応・代償期においてもMCTオイルが有効と

の報告がある．

❷ピルビン酸ナトリウム＊＊＊ C

細胞質内のNADHをNAD⁺に変換することを目的にピルビン酸ナトリウム0.1〜0.3 g/kg/dayの投与が試みられ，体調の改善や食癖の変化が報告されている[30)]．

3 sick day の対応

低血糖になりやすく，感染症罹患時には注意が必要である．通常，発熱などで経口補水するには電解質・糖質からなる経口補水液を用いることが一般的だが，シトリン欠損症児ではその食癖により摂取を好まない場合があるため，経口補水液にこだわらなくてもよい．

点滴が必要となった場合は通常の末梢補液製剤を用いて構わない．ブドウ糖濃度5%程度の輸液を使用する B．症状が回復し食事が可能になったら，早めに高脂肪・低炭水化物食を再開するようにする．

4 移植医療

NICCD期あるいはCTLN-2期においては肝移植の報告がある．

NICCDにおいては，内科的治療が奏効せず急性肝不全が進行する際には，肝移植を考慮する．

CTLN2においては，内科的治療でコントロールが困難な場合では，肝移植を考慮する．

フォローアップ指針

1 一般的評価と栄養学的評価

乳幼児期は1～3か月ごとに成長・発達を確認し，栄養摂取内容を聞き取りする．血算，一般生化学に加え血中アミノ酸，血糖，アンモニアを検査する．学童期以降は1～4か月毎に定期診察，検査を実施する．保育園，学校における給食での一般的な高炭水化物食を強要しないよう，栄養指導を十分に行う．

適応・代償期における軽微な非特異的症状（慢性肝障害や肝腫大，易疲労感，胃腸障害など）やあるいはFTTDCD症状（体重増加不良や低身長，低血糖，高脂血症など）に注意する．

成人期ではCTLN2発症のリスクを考慮する．血中アンモニア値，シトルリン値，スレオニン/セリン値の上昇が認められた場合は注意が必要である．また肝腫瘍の発生などにも注意し，数年に1回腹部エコーを行う．

2 神経学的評価

通常の定期診察の中で発達を評価していく．発達遅滞など神経徴候があれば，脳MRIや脳波検査などを行う．けいれん，てんかんを合併している場合は定期的に脳波検査を行う．

3 特殊ミルクの使用

NICCDを発症した場合，必須脂肪酸強化MCTフォーミュラ（明治721）あるいは蛋白質加水分解MCT乳（森永ML-3），ガラクトース除去フォーミュラ（明治110）を使用する．「新生児マススクリーニングで疑われた場合」の「3｜診断確定後の治療」を参照する．適応・代償期となった場合，特殊ミルクの飲用ではなく，食事にMCTオイルを使用することが多い．

4 その他

シトリン欠損症は常染色体劣性遺伝形式を取り，必要に応じて遺伝カウンセリングを行う．患者（発端者）は複合ヘテロ接合体変異あるいはホモ接合体変異となる．通常，両親はヘテロ接合体変異となるが，まれに両親の一方が罹患者（複合ヘテロ接合体変異あるいはホモ接合体変異）であった家系例が報告されており，偶発的に親が罹患者と診断される可能性について注意する．

成人期の課題

1 食事療法を含めた治療の継続

理論上はシトリン欠損症の約20%がCTLN2を発症することとなり，意識障害や高アンモニア血症を呈する．そのため，慢性期の高脂肪・低炭水化物食を継続していくことが重要である．

2 飲酒

飲酒は推奨されない **B**．アルコール過剰摂取によりCTLN2が発症した例が報告されている．

3 運動

基本的に運動制限はない．CTLN2を発症した場合は，異化亢進を避けるために過剰な運動は避けたほうがよい．

4 妊娠・出産

妊娠・出産に関しての報告はないが，児のシトリン欠損症診断後に親がシトリン欠損症と判明した例があることから，適応・代償期において妊娠は正常に進行すると考えられる．しかし親がシトリン欠損症と判明した例数は少ないことから，異化亢進となる妊娠，出産時にはCTLN2発症のリスクを踏まえて高アンモニア血症とならないか慎重に観察する必要がある

5 医療費の問題

本疾患は指定難病となっている．ただし，治療

で用いる市販品（MCT オイル）は自費で購入する必要がある．

6　その他

　CTLN2 を発症した場合，シトリン欠損症の治療に加えて尿素サイクル異常症としての治療にも準じる．高脂肪・低炭水化物食，MCT オイルや L-アルギニン，安息香酸 Na，フェニル酪酸 Na などが用いられる．また一般的な肝性脳症として，肝臓食（低タンパク・高炭水化物食）もしくは絶食・高カロリー輸液，脳浮腫治療としてのグリセロールは病状を増悪させるので禁忌である[31)-33)]．内科的治療でコントロールが困難な場合には肝移植を考慮する[34)-37)]．

　NICCD を発症せずに，もしくは NICCD を未診断のままで経過し，適応・代償期へと移り変わって成人となっている症例の存在が推測される．その場合，突然の CTLN2 で発症し，原因不明の肝性脳症として治療されることとなる．その場合，結果的には CTLN2 としての治療とは相反することとなり症状を増悪させてしまうため，成人期において原因不明の意識障害，高アンモニア血症の患者の中に CTLN2 が存在する可能性について注意が必要である．

文献

1) Saheki T, et al. Mitochondrial aspartate glutamate carrier (citrin) deficiency as the cause of adult-onset type II citrullinemia (CTLN2) and idiopathic neonatal hepatitis (NICCD). J Hum Genet 2002；47：333-341.
2) Saheki T, et al. Adult-onset type II citrullinemia and idiopathic neonatal hepatitis caused by citrin deficiency：involvement of the aspartate glutamate carrier for urea synthesis and maintenance of the urea cycle. Mol Genet Metab 2004；81（Suppl 1）：S20-26.
3) Kobayashi K, et al. Citrin Deficiency. GeneReviews：http://www.ncbi.nlm.nih.gov/books/NBK1181/
4) Tabata A, et al. Identification of 13 novel mutations including a retrotransposal insertion in SLC25A13 gene and frequency of 30 mutations found in patients with citrin deficiency. J Hum Genet 2008；53：534-45.
5) Ohura T, et al. Neonatal presentation of adult-onset type II citrullinemia. Hum Genet 2001；108：87-90.
6) Tazawa Y, et al. Infantile cholestatic jaundice associated with adult-onset type II citrullinemia. J Pediatr 2001；138：735-740.
7) Tomomasa T, et al. Possible clinical and histologic manifestations of adult-onset type II citrullinemia in early infancy. J Pediatr 2001；138：741-743.
8) Ohura T, et al. Clinical pictures of 75 patients with neonatal intrahepatic cholestasis caused by citrin deficiency (NICCD). J Inherit Metab Dis 2017；30：139-144.
9) 大浦敏博，ほか．新生児マススクリーニングを契機に発見され，特異なアミノ酸異常を伴った新生児肝炎 7 例の検討　日本小児科学会雑誌 1997；101：1522-1525.
10) Ohura T, et al. A novel inborn error of metabolism detected by elevated methionine and/or galactose in newborn screening：neonatal intrahepatic cholestasis caused by citrin deficiency. Eur J Pediatr 2003；162：317-322.
11) Naito E, et al. Type II citrullinaemia（citrin deficiency）in a neonate with hypergalactosaemia detected by mass screening. J Inherit Metab Dis 2002；25：71-76.
12) Tazawa Y, et al. Clinical heterogeneity of neonatal intrahepatic cholestasis caused by citrin deficiency：case reports from 16 patients. Mol Genet Metab 2004；83：213-219.
13) Dimmock D, et al. Citrin deficiency：a novel cause of failure to thrive that responds to a high-protein, low-carbohydrate diet. Pediatrics 2007；119：e773-e777.
14) 玉森晶子，ほか．生体肝移植を要した重症 1 例を含めた乳児期シトリン欠損症（NICCD）8 例の臨床経過について．特殊ミルク情報 2004；40：19-24.
15) Tamamori A, et al. Neonatal intrahepatic cholestasis caused by citrin deficiency：severe hepatic dysfunction in an infant requiring liver transplantation. Eur J Pediatr 2002；161：609-613.
16) 中林啓記，ほか．乳児期に肝不全をきたし生体肝移植を施行した citrin 欠損症の 1 例　特殊ミルク情報 2004；40：30-35.
17) Shigeta T, et al. Liver transplantation for an infant with neonatal intrahepatic cholestasis caused by citrin deficiency using heterozygote living donor. Pediatr Transplant 2010；14：E86-E88.
18) Komatsu M, et al. Citrin deficiency as a cause of chronic liver disorder mimicking non-alcoholic fatty liver disease. J Hepatol 2008；49：810-820.
19) Hachisu M, et al. Citrin deficiency presenting with ketotic hypoglycaemia and hepatomegaly in childhood. Eur J Pediatr 2005；164：109-110.
20) Kobayashi K, et al. The gene mutated in adult-onset type II citrullinaemia encodes a putative mitochondrial carrier protein. Nat Genet 1999；22：159-163.

21) Kikuchi A, et al. Simple and rapid genetic testing for citrin deficiency by screening 11 prevalent mutations in SLC25A13. Mol Genet Metab 2012；105：553-558.

22) 田澤雄作．新生児胆汁うっ滞 新生児肝炎及びシトリン欠損による新生児肝内胆汁うっ滞の臨床を中心として．日本小児科学会雑誌2007；111：1493-1514.

23) 大浦敏博．シトリン欠損症研究の進歩 —発祥予防・治療法の開発にむけて．日本小児科学会雑誌 2009；113：1649-1653.

24) 厚生労働省．厚生労働科学研究補助金難病性疾患克服研究事業「シトリン欠損症の実態調査と診断方法および治療法の開発に関する研究」（平成22年度から23年度 研究代表者 岡野善行）

25) Saheki T, et al. Citrin deficiency and current treatment concepts. Mol Genet Metab 2010；100（Suppl 1）：S59-S64.

26) Hayasaka K, et al. Treatment with lactose (galactose)-restricted and medium-chain triglyceride-supplemented formula for neonatal intrahepatic cholestasis caused by citrin deficiency. JIMD Rep 2012；2：37-44.

27) Saheki T, et al. Reduced carbohydrate intake in citrin-deficient subjects. J Inherit Metab Dis 2008；31：386-394.

28) Saheki T, et al. Reduced carbohydrate intake in citrin-deficient subjects. J Inherit Metab Dis 2008；31：386-394.

29) Nakamura M, et al. The characteristics of food intake in patients with type II citrullinemia. J Nutr Sci Vitaminol 2011；57：239-245.

30) Mutoh K, et al. Treatment of a citrin-deficient patient at the early stage of adult-onset type II citrullinaemia with arginine and sodium pyruvate. J Inherit Metab Dis 2008；31（Suppl 2）：S343-347.

31) Fukushima K, et al. Conventional diet therapy for hyperammonemia is risky in the treatment of hepatic encephalopathy associated with citrin deficiency. Intern Med 2010；49：243-247.

32) Yazaki M, et al. Risk of worsened encephalopathy after intravenous glycerol therapy in patients with adult-onset type II citrullinemia (CTLN2). Intern Med 2005；44：188-195.

33) Takahashi H, et al. A case of adult-onset type II citrullinemia- deterioration of clinical course after infusion of hyperosmotic and high sugar solutions. Med Sci Monit 2006；12：CS13-CS15.

34) Kasahara M, et al. Living-related liver transplantation for type II citrullinemia using a graft from heterozygote donor. Transplantation 2001；71：157-159.

35) 志村英恵，ほか．乳児期に特異な臨床像を呈した成人型シトルリン血症の1例．小児科臨床2002；65：1010-1014.

36) Takashima Y, et al. Recovery from marked altered consciousness in a patient with adult-onset type II citrullinemia diagnosed by DNA analysis and treated with a living related partial liver transplantation. Intern Med 2002；1：555-560.

37) Hirai I, et al. Living donor liver transplantation for type II citrullinemia from a heterozygous donor. Hepatogastroenterology 2008；55：2211-2216.

8 尿素サイクル異常症

疾患概要

尿素サイクルはおもに肝臓においてアンモニアから尿素を産生する経路であり，オルニチン，シトルリン，アルギニノコハク酸，アルギニンの4つのアミノ酸から構成されている．尿素サイクル異常症では，この尿素サイクルにおける尿素を生成する過程の遺伝的障害によって高アンモニア血症を呈する．尿素サイクルにかかわる酵素として，CPS1，OTC，ASS，ASL，ARG1，NAGS，ORNT1 があげられる．それぞれの欠損によりCPS1 欠損症，OTC 欠損症，シトルリン血症Ⅰ型，アルギニノコハク酸尿症，アルギニン血症，NAGS 欠損症や hyperornithinemia-hyperammo-nemia-homocitrullinuria（HHH）症候群をきたす．

小児期に発症する高アンモニア血症の原因は，尿素サイクル異常症をはじめとする先天代謝異常症のほか，門脈体循環シャント，重症感染症や薬物など多岐にわたる．尿素サイクル異常症の診療では，これらの疾患の鑑別を進める必要がある．先天代謝異常症では，「血中アンモニアが上昇」し「アニオンギャップが正常」で「低血糖がない」場合には尿素サイクル異常症の存在が強く疑われる．

1 代謝経路

尿素サイクルは，肝臓において，生体内で発生する有毒なアンモニアを無毒な尿素に変えていく経路である（図1）．肝臓内にプールされている窒

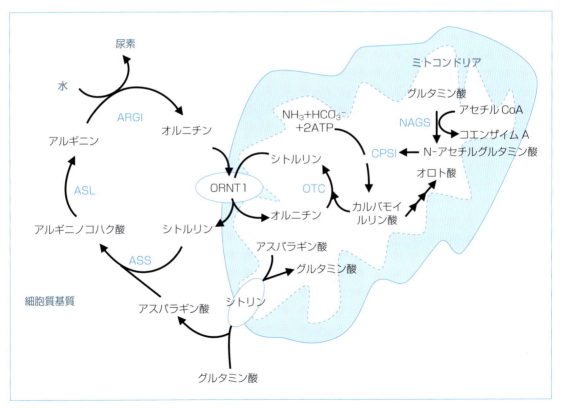

図1 尿素サイクル

素源は，尿素サイクルを構成する酵素群によって，最終産物の尿素に変換され，尿中に排出される．

2 疫学

尿素サイクル異常症の発症頻度は1：8,000～44,000人と考えられている[1)2)]．わが国における頻度としては，CPS1欠損症：80万人に1人，OTC欠損症：8万人に1人，シトルリン血症I型：53万人に1人，アルギニノコハク酸尿症：7万人に1人[1)]（報告によっては，80万人に1人としているものもある）[2)]，アルギニン血症：220万人に1人との報告[2)]がある．

診断の基準

1 臨床病型

❶発症前型

家族解析や新生児マススクリーニング（NBS）検査等で発見された無症状例を指す．タンパク負荷や，感染，嘔吐下痢といった異化の亢進によって高アンモニア血症を発症する可能性がある．早期に発見され治療介入された症例は，比較的安定に経過することも多い．

❷新生児期発症型

新生児期（通常生後数日）に，頻回に起こる嘔吐，哺乳力低下，多呼吸，けいれん，意識障害などで急性に発症し，高アンモニア血症クライシス[注1)]を呈する．速やかにアンモニアを除去できなければ死に至る．いったん急性期を離脱した後も異化亢進した際やタンパク過剰摂取時に再発することがある．

❸遅発型

乳児期以降に神経症状が現れ，徐々に症状が進行する．また，感染や飢餓などを契機に高アンモニア血症と症状の悪化がみられることがある．行動異常，嘔吐，発達障害，けいれんなどの症状を呈する．

2 主要症状および臨床所見

尿素サイクル異常症の高アンモニア血症は，異化の亢進（発熱，絶食など），タンパクの過剰摂取，薬物などによって悪化する[3)4)]．臨床症状は非特異的な神経学的異常であることが多く，嘔吐，哺乳力低下，多呼吸，けいれん，意識障害，行動異常，発達障害などがみられる[5)6)]．尿素サイクル異常症は，どの酵素が欠損し，どの臨床病型になるかで重症度と発症時期が異なる．また，同じ疾患であっても，遺伝子の変異部位により酵素活性が異なるため，重症度が異なる．一方で，同じ遺伝子変異をもつ同胞でも発症時期や重症度が異なることもある[7)]．OTC遺伝子ヘテロ変異の女性では，X染色体不活化の偏りの程度によって，無症状から新生児期発症まで様々な病態が存在する．ときに出産後に発症または症状の悪化が認められることがある．また，髪の毛のねじれはアルギニノコハク酸尿症に，小児期から進行する両側麻痺はアルギニン血症やHHH症候群によくみられる症状であり[3)8)9)]，これらは高アンモニア血症がほとんど認められなくても進行する．

❶急性期

意識レベルの変化（傾眠，不活発，昏睡），急性脳症，けいれん，失調，脳梗塞様変化，一過性視力障害，嘔吐や食欲不振，肝障害，多臓器不全，末梢循環不全，産後のうつやいらだちなどの精神的症状（女性において），落ち着きのなさや情緒不安定などの精神異常．

・新生児期：敗血症様症状，体温不安定，呼吸困難，多呼吸．

❷慢性期

混迷，不活発，振戦，失調，構音障害，羽ばたき振戦，学習障害，精神神経発達遅滞，舞踏アテトーゼ様運動，小脳失調，持続性皮質盲，進行性痙性両麻痺/四肢麻痺，精神科的異常，自傷，自閉症，めまい，頭痛，腹痛，嘔吐，タンパク嫌い，成長障害，肝腫大，肝酵素上昇，皮膚炎．

注1)高アンモニア血症クライシス：意識障害やけいれんを伴う高アンモニア血症．

❸疾患特異的な症状

- 毛髪異常：アルギニノコハク酸尿症．
- 進行性痙性両麻痺：高アルギニン血症，HHH症候群．
- 脳回転状脈絡網膜萎縮：オルニチンアミノ基転移酵素欠損症．

❹尿素サイクル異常症患者に高アンモニア血症をきたす誘因[3)10)]

異化の亢進となる感染，発熱および嘔吐，カロリー摂取不足，タンパク摂取不足，過剰な運動，消化管出血，子宮退縮，全身麻酔下の手術，タンパク過剰摂取，化学療法，過剰なグルココルチコイド摂取，薬物（バルプロ酸，L-アスパラギナーゼ，トピラマート，カルバマゼピン，フェノバルビタール，フェノトイン，プリミドン，フロセミド，ヒドロクロロチアジド，サリチル酸など）過剰な心理的ストレス負荷（ICU管理や災害後などの通常とは異なる過剰なストレスがかかる状態）[11)12)]．

❺NAGS欠損症とCPS1欠損症

カルバモイルリン酸の前駆物質であるNアセチルグルタミン酸（NAG）を合成する酵素が，NAG合成酵素（NAGS）である（図1）．NAG合成酵素欠損症とCPS1欠損症は同じような臨床的および生化学的症状を呈する．CPS1欠損症では，症状の重症度は多様で発症年齢にも幅がある．一般的には，生後数日に高アンモニア血症の徴候が現れ，死亡や精神発達遅延に至る例が多い．検査所見では，血漿グルタミン濃度と血漿アラニン濃度の上昇が認められるが，尿中オロト酸排泄増多は認められない．診断は，遺伝子解析または肝臓内のCPS1酵素活性測定で確定されるが，酵素活性測定でNAG合成酵素欠損と鑑別することは，かなり高度な技術が必要とされるため，通常は遺伝子解析をもって確定診断される

❻OTC欠損症

OTC欠損症は，X染色体連鎖性遺伝疾患である[13)]．ヘテロ接合体の女性よりもヘミ接合体の男性のほうが重症であり，ヘテロ接合体の女性は本疾患の軽症型または無症候性であると考えられていた．しかし，Uchinoらが，日本における遅発発症のOTC欠損症女性患者は，必ずしも軽症とは限らないことを報告した[14)]．男児の新生児で認められる臨床症状は，典型的には生後数日で現れる重症の高アンモニア血症である．OTC欠損症の遅発発症型は，概してヘテロ接合体の女性患者と一部の男性患者で認められる．遅発発症型の特徴は，発作的に症状が現れることで，どの年齢でも起こりうる．また，高アンモニア血症の急性発作が出現するまでには，無症状で血中アンモニア値が基準値範囲内にある期間がある．これらの発作は，通常，タンパクを過剰に摂取した後，あるいは感染症などで異化亢進状態になった後に起こる．高アンモニア血症時には，昏睡や死亡に至る可能性があり，重度の高アンモニア血症後には，精神発達遅滞に至る可能性が高い．高アンモニア血症発作時の検査所見は，血漿グルタミン濃度と血漿アラニン濃度の上昇，さらに尿中オロト酸濃度の上昇である．診断は，遺伝子解析または肝臓内のOTC酵素活性測定で確定される．出生前診断は，羊水中の絨毛膜羊膜細胞の遺伝子解析によって行われる．血漿アンモニアおよび尿中オロト酸濃度が上昇する経口タンパク負荷試験を用いることによって，無症候性のヘテロ接合体女性保因者が同定される場合がある．また，アロプリノール負荷試験によりオロト酸の尿中排泄が著しく増加する所見も女性保因者を検出するために有用である．無症候性女性保因者では，通常，罹患していない兄弟や姉妹と比較して，軽度の脳機能障害が認められることが多い．

❼ASS欠損症（シトルリン血症Ⅰ型）

ASS欠損症（シトルリン血症Ⅰ型）は，臨床所見および生化学的所見がかなり多様性を示す．臨床症状は，重症型から無症候性まで幅がある．新生児期発症型における徴候や症状は，CPS1欠損症とOTC欠損症の新生児期発症型で認められるものと全く同じである．遅発発症型は，発育不全，頻繁に起こる嘔吐，発達遅滞および乾燥した脆弱毛が段階的に発症するか，OTC欠損症の遅発発症型のように，症状が急性発作として現れる場合がある．一部の患者では，20歳まで症状が現れないこともある．検査所見は，血漿シトルリン濃度

の著明な上昇，血漿グルタミン濃度と血漿アラニン濃度の上昇および尿中オロト酸排泄の軽度上昇である．診断は，遺伝子解析か線維芽細胞の酵素活性測定で確定される．出生前診断は，羊膜細胞の酵素活性測定または遺伝子解析によって確定される．大多数の患者は，2つの異なる対立遺伝子の複合ヘテロ接合体である．新生児期発症者は予後が極めて不良だが，障害が軽度の患者は，タンパク制限食によって予後が良好となる．

❽ASL 欠損症（アルギニノコハク酸尿症）

ASL 欠損症（アルギニノコハク酸尿症）の臨床所見と生化学的所見の重症度は，かなり幅がある．新生児期発症型では，重度の高アンモニア血症が生後数日から現れ，死亡率が極めて高い．遅発発症型では，精神発達遅滞に至り，発育不全と肝腫大を伴う．毛髪異常は，本疾患に特有の診断的価値をもつ．肝逸脱酵素の軽度上昇と，凝固因子異常が原因の出血傾向を伴う持続性の肝腫大は，本疾患で高頻度に認められる．重度の高アンモニア血症の急性発作は，感染症などで異化状態になったときに生じる．検査所見では，高アンモニア血症，肝逸脱酵素の中等度の上昇，血漿グルタミン濃度と血漿アラニン濃度の非特異的上昇，血漿シトルリン濃度の中等度の上昇および血漿アルギニノコハク酸濃度の著明な上昇が認められる．アルギニノコハク酸は，尿と髄液中でも確認でき，アルギニノコハク酸の髄液中濃度は，血漿中濃度より高い．ASL は，赤血球，肝臓および線維芽細胞に存在する．出生前診断は，羊膜細胞の酵素活性測定または遺伝子解析にて行う．また，アルギニノコハク酸は，罹患した胎児の羊水で増加している．

❾ARG1 欠損症（アルギニン血症）

ヒトには，遺伝的に異なる2種類のアルギナーゼがある．一つは，細胞質に存在し，肝臓および赤血球に発現する．もう一つは，腎臓のミトコンドリアに認められる．ARG1 欠損症（アルギニン血症）は，細胞質の ARG1 が欠損している．臨床症状は，ほかの尿素サイクル異常症とはまったく異なる．通常，生後数か月から数年間無症状である．それまでは正常であった乳児が，下肢のハサミ脚歩行を伴う進行性の痙性両側麻痺を呈し，または舞踏アテトーゼ様運動および発達指標の消失を呈する．本疾患では，けいれんが高頻度に認められ，精神発達遅延は進行的である．肝腫大は認められることがあるが，重度の高アンモニア血症の発作はあまり認められない．検査所見では，血漿と髄液中のアルギニンの著明な上昇と尿中オロト酸の中等度排泄増多が認められる．血漿アンモニア濃度は，正常であるか，わずかに上昇する．アルギニン，リジン，シスチンおよびオルニチンの尿中排泄は，増加するが正常な場合もある．尿中のグアニジノ化合物（αケトグアニジノ吉草酸およびアルギニン酸）が著明に増加する．血漿中のアミノ酸定量は，極めて重要である．赤血球の arginase 1 測定により診断が確定する．治療法は，アルギニンをできるだけ含まないタンパク制限食を主体に，高アンモニア血症の治療法として安息香酸 Na やフェニル酪酸 Na の投与を行う．また，血漿アミノ酸濃度を測定しながら，血漿アルギニン値から食事療法を工夫したり，食事の組成を考えることは重要である．

3 参考となる検査所見[3)4)10)15)]（表1）

(1) 血中アンモニア高値＊：新生児＞200 μg/dL（120 μmol/L），乳児期以降＞100 μg/dL（60 μmol/L）．

(2) アニオンギャップ（AG）＊正常（＜20）であることが多い．

(3) 血糖＊が正常範囲である（新生児期＞45 mg/dL）．

(4) BUN＊が低下していることが多い．

(5) OTC 欠損症の女児例は肝機能障害＊を契機に発見されることがある．

4 診断の根拠となる特殊検査[1)2)8)9)]

❶血中・尿中アミノ酸分析＊の異常高値あるいは低値

血中・尿中アミノ酸分析は，鑑別のための最も重要な検査であり，シトルリン血症Ⅰ型，アルギニノコハク酸尿症，アルギニン血症，HHH 症候群はこの結果をもとにほぼ診断できる．シトルリン

表1 ● 尿素サイクル異常症の鑑別

	尿素サイクル異常症	有機酸血症	β酸化系酵素欠損症	高インスリン血症-高アンモニア血症症候群	ピルビン酸カルボキシラーゼ欠損症[注7]
代謝性アシドーシス	+/−	+[注5]	+/−	−	+
ケトン尿症[注1]	−	+	−	−	++
低血糖[注2]	−	+/−	+	+	+
乳酸の上昇[注3]	−	+	+/−	−	+
ASTとALTの上昇	(+)[注4]	−	+	−	+/−
CPKの上昇	−	−	+	−	−
尿酸の上昇	−	+	+	−	−
WBC/RBC/PLTの上昇	−	+	−	−	−
体重減少	−	+[注6]	−	−	+

注1：新生児期のケトン尿症（+/++）は有機酸血症が疑われる．
注2：低血糖と高アンモニア血症はHMGL欠損症による有機酸血症が疑われる．
注3：血中乳酸値は6 mmol/Lを超える場合．
注4：ASTとALTの上昇は，尿素サイクル異常症では一般的に認められるわけではないが，時に認められる．
注5：新生児では，認められないこともある．
注6：新生児のみ認められる．
注7：タイプBのみが高アンモニア血症が認められる．タイプAとCは認められない．

の低値はCPS1欠損症，NAGS欠損症，OTC欠損症の診断に重要である．

❷尿有機酸分析＊＊における尿中オロト酸測定

尿中オロト酸が高値の場合，OTC欠損症，ASS欠損症，ASL欠損症，HHH症候群が疑われる．症状の悪化に伴って尿中オロト酸は増加する．OTC欠損症の女性患者あるいは保因者の診断にはオロト酸の測定が有用である．アロプリノール負荷試験において尿中のオロト酸排泄が増加するが，偽陰性となることも少なくない．

❸酵素診断＊＊＊あるいは遺伝子解析＊＊

尿素サイクル異常症においては，遺伝子診断が保険適用であり，有用である．酵素診断は，各酵素活性を測定している研究機関で行われる．

❹タンデムマス検査＊＊

NBSにおいて用いられている検査である．シトルリン血症Ⅰ型，アルギニノコハク酸尿症ではシトルリンの増加を認める．また，高アンモニア血症をきたす有機酸血症の鑑別に有用である．アルギニン血症ではアルギニンの増加を認めるが，この疾患は一般にNBSの対象とはされていない．

前述の検査を参考にしながら，図2のフローチャートを活用する．

5 鑑別診断[3)11)]（図3）

有機酸血症，シトリン欠損症，ウイルス性肝炎，門脈体循環シャント，薬剤性肝障害，肝不全などによる高アンモニア血症などの鑑別を行う．

6 診断基準

❶臨床症状・家族歴

（1）悪心，嘔吐，意識障害，けいれんなど非特異的な臨床症状．
（2）3親等内の尿素サイクル異常症の存在（OTC欠損症の場合）．
（3）新生児期における同胞の突然死．

❷検査データ

（1）血中アンモニア高値 新生児＞200 μg/dL（120 μmol/L），乳児期以降＞100 μg/dL（60 μmol/L）が，再検しても3時間以上持続して認められる．
（2）アニオンギャップ（AG）正常（＜20）である．
（3）血糖が正常範囲である（新生児期＞45 mg/dL）．

❸特異的検査

（1）血中・尿中アミノ酸分析，尿有機酸分析（オ

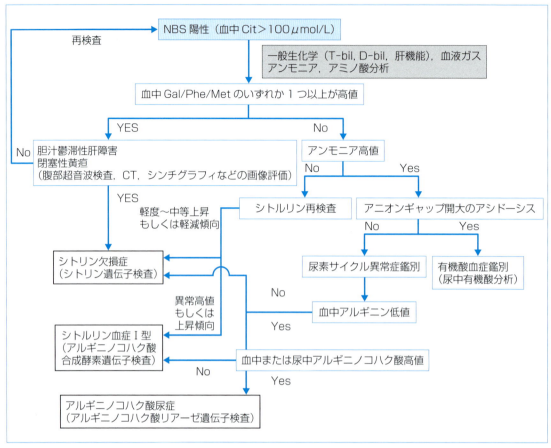

図2 シトルリン高値のフローチャート

表2 尿素サイクル異常症の特徴

疾患名	主な症状	上昇するアミノ酸			遺伝形式	責任遺伝子	発症頻度	活性測定可能な組織または細胞
		血中	尿中	オロト酸				
CPS1欠損症	高アンモニア血症	グルタミン,グルタミン酸		−	AR	CPS1	1：800,000	肝臓,小腸
OTC欠損症	高アンモニア血症	グルタミン,グルタミン酸		＋＋＋	XL	OTC	1：80,000	肝臓,小腸
ASS欠損症	高アンモニア血症	シトルリン	シトルリン	＋＋	AR	ASS	1：530,000	肝臓,腎臓,皮膚線維芽細胞
ASL欠損症	高アンモニア血症,肝腫大,毛髪異常	アルギニノコハク酸,シトルリン	アルギニノコハク酸	＋	AR	ASL	1：70,000	肝臓,腎臓,皮膚線維芽細胞
ARG1欠損症	高アンモニア血症,痙性両側麻痺	アルギニン	アルギニン,リジン,シスチン	＋＋	AR	ARG1	1：220,000	肝臓,赤血球
NAGS欠損症	高アンモニア血症	グルタミン,グルタミン酸		−	AR	NAGS	不明	肝臓

AR：常染色体劣性遺伝,XL：X染色体連鎖遺伝.

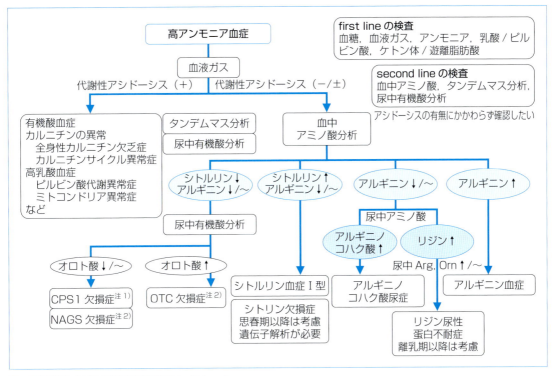

図3　尿素サイクル異常症の鑑別フローチャート
注1) 区別できないので遺伝子解析が必要
注2) ヘテロ女性の診断には遺伝子解析が必要

ロト酸）の特徴的高値あるいは低値（表2）．
(2) 酵素活性あるいは遺伝子解析における異常．

❹疑診

「**6｜診断基準**」の❶のうち1項目以上かつ❷の(1) を含めた2項目以上を満たす場合，尿素サイクル異常症が疑われ，確定診断のための検査を行う．

❺確定診断

診断の根拠となる「**6｜診断基準**」の❸(1) もしくは(2) で疾患特異的所見を認めるとき確定診断とする．

新生児マススクリーニングで疑われた場合

NBSで発見されうる尿素サイクル異常症は，シトルリン血症Ⅰ型とアルギニノコハク酸尿症である．いずれもシトルリンの高値をきたす．CPS1欠損症とOTC欠損症，NAGS欠損症，HHH症候群，オルニチンアミノ基転移酵素欠損症，アルギニン血症は，NBSの対象疾患とされていない．

1｜確定診断

「**6｜診断基準**」の❷**検査データ**（(1) 血中アンモニア，(2) 血液ガス分析，(3) 血糖）と❸**特異的検査**（(1) 血中・尿中アミノ酸分析，尿中有機酸分析，(2) 酵素活性測定あるいは遺伝子解析）を行い，確定診断を進める（図3を参照）．

シトルリン血症Ⅰ型とアルギニノコハク酸尿症の血中アミノ酸分析においては，血中グルタミンと血中シトルリンが高値である．シトルリン血症Ⅰ型では血中シトルリン＞17.5 mg/dL（1,000 μmol/L）程度となることもあるが，最重症例はNBSの結果が判明する前に発症する．そのためNBS発見例では血中シトルリン値は最重症例よ

り低く，1.8 mg/dL（100 μmol/L）程度のこともある．アルギニノコハク酸尿症では尿中アミノ酸分析を行い，尿中に通常であれば検出されないアルギニノコハク酸が検出される（質量分析法では検出できず，HPLC・ニンヒドリン法によるアミノ酸分析において検出を依頼する必要がある）．

2 診断確定までの対応

無症状または/および軽度のアンモニア上昇〔新生児≦250 μg/dL（150 μmol/L），乳児期以降≦170 μg/dL（100 μmol/L）〕であれば，血中アンモニア値を評価しながら，経過観察をする．異化状態にあるならば，ブドウ糖輸液を行う．

新生児＞250 μg/dL（150 μmol/L），乳児期以降＞170 μg/dL（100 μmol/L）の高アンモニア血症を伴えば，3〜6時間毎の血中アンモニア値を評価しながら，血中アンモニア値に応じた治療戦略（表3)[15]を参考にして，治療法を選択する．

3 診断確定後の治療

各尿素サイクル異常症に応じた治療を行う．各尿素サイクル異常症に対する薬物療法は以下の通りである．また，必要ならば，表3〔血中アンモニア値に応じた治療戦略〕[16]を参考に治療法を選択する．

保険適用がある治療薬としては，L-アルギニン塩酸塩（アルギU®配合顆粒またはアルギU®注射：100〜250 mg/kg/day）＊とフェニル酪酸Na（ブフェニール®：200〜300 mg/kg/day）＊である．保険適用外の治療薬は，シトルリン（100〜250 mg/kg/day）＊＊＊と安息香酸Na（100〜250 mg/kg/day）＊＊＊である．カルグルミン酸（カーバグル®：100〜250 mg/kg/day）＊は，NAGS欠損症のみ保険適用のある治療薬である．

補記1) フェニル酪酸Naは2013年1月にブフェニール®として国内販売が開始されている．添付文書では初期投与量は450〜600 mg/kgとされているが，実際には添付文書とは異なり初期投与量を200〜300 mg/kg/day程度とし，効果と副作用を勘案しながら増量を検討する（適正使用情報を参照)．

補記2) シトルリンは医薬品としては取り扱われていないので，サプリメント，日本先天代謝異常学会からの食品としての供給などを利用して経口投与する．

補記3) 安息香酸Naは，試薬を院内調整して，内服製剤または静注製剤として用いられている．100〜250 mg/kg/day程度を投与するが，急性期の高アンモニア血症クライシス時においては，この投与量で高アンモニア血症をコントロールできない場合が多い．その際には，効果と副作用を勘案しながら500 mg/kg/dayまで増量することが可能である．ただし，安息香酸Naが250 mg/kg/dayを超える量では，肝障害を起こすことが多い．

❶ CPS1欠損症とOTC欠損症

アルギニン補充目的で，L-アルギニン塩酸塩（アルギU®注射100〜250 mg/kg/day）＊を使用する．また，血漿シトルリン値も低下しているため，L-シトルリン（100〜250 mg/kg/day）＊＊＊の使用は，アルギニン補充の目的（シトルリンは尿素サイクルでアルギニンに変換される）からも有効であり，アルギニンとの併用使用も認められている．さらに，アルギニン補充療法だけで血中アンモニア値をコントロールすることが難しいときは，血中アンモニアの除去目的で，安息香酸Na（注射〔用意できない場合は内服〕100〜250 mg/kg/day）＊＊＊または/およびフェニル酪酸Na（ブフェニール®：200〜300 mg/kg/day）＊を使用する．

❷ ASS欠損症（シトルリン血症I型）

アルギニン補充目的で，L-アルギニン塩酸塩（アルギU®注射：100〜250 mg/kg/day）＊を使用する．さらに，アルギニン補充療法だけで血中アンモニア値をコントロールすることが難しいときは，血中アンモニアの除去目的で，安息香酸Na（注射〔用意できない場合は内服〕100〜250 mg/kg/day）＊＊＊または/およびフェニル酪酸Na（ブフェニール®：200〜300 mg/kg/day）＊を使用する．

表3 ● 血中アンモニア値に応じた治療戦略

血中アンモニア値	未診断患者への対応	UCD患者への対応
血中アンモニア値 ≦170 μg/dL (100 μmol/L) 新生児では，血中アンモニア値 ≦250 μg/dL (150 μmol/L)	・タンパク摂取の中止 ・ブドウ糖負荷輸液 ・3時間毎の血中アンモニア値のチェック	・タンパク摂取の中止 ・ブドウ糖負荷輸液 ・3時間毎の血中アンモニア値のチェック
170 μg/dL (100 μmol/L)＜血中アンモニア値＜425 μg/dL (250 μmol/L) 新生児では，250 μg/dL (150 μmol/L)＜血中アンモニア値＜425 μg/dL (250 μmol/L)	・L-アルギニン注，安息香酸Na，フェニル酪酸Naを投与． ・カルニチン，ビオチン，ビタミンB₁₂など投与．（必要ならカーバグル®も投与）	・L-アルギニン注，安息香酸Na，フェニル酪酸Naを投与．すでに投与されているならば，これらの薬剤を増量する．NAGSD, CPS1DおよびOTCDでは，L-シトルリンも投与．
425 μg/dL (250 μmol/L)≦血中アンモニア値＜850 μg/dL (500 μmol/L)	・L-アルギニン注，安息香酸Na，フェニル酪酸Naを投与． ・カルニチン，ビオチン，ビタミンB₁₂など投与．（必要ならカーバグル®も投与） ・血液透析を考慮（明らかな脳症，早期のアンモニアの上昇または出生2日以内の発症がある場合） ・3～6時間以内に血中アンモニア濃度が急速に低下しない場合は，血液透析開始．	・L-アルギニン注，安息香酸Naは，静脈内投与．フェニル酪酸Naも投与． ・カルニチン，ビオチン，ビタミンB₁₂など投与．（必要ならカーバグル®も投与） ・血液透析を考慮（明らかな脳症，早期のアンモニアの上昇または出生2日以内の発症がある場合） ・3～6時間以内に血中アンモニア濃度が急速に低下しない場合は，血液透析開始．
850 μg/dL (500 μmol/L)≦血中アンモニア値＜1700 μg/dL (1000 μmol/L)	・L-アルギニン注，安息香酸Na，フェニル酪酸Naを投与． ・カルニチン，ビオチン，ビタミンB₁₂など投与．（必要ならカーバグル®も投与） ・速やかに血液透析施行．	・L-アルギニン注，安息香酸Naは，静脈内投与．フェニル酪酸Naも投与． ・カルニチン，ビオチン，ビタミンB₁₂など投与．（必要ならカーバグル®も投与） ・速やかに血液透析施行．
血中アンモニア値＞1700 μg/dL (1000 μmol/L)	・集中治療を続けるか緩和ケアを行うか検討．	・集中治療を続けるか緩和ケアを行うか検討．

UCD：尿素サイクル異常症．
〔Häberle J, et al. Suggested guidelines for the diagnosis and management of urea cycle disorders. Orphanet J Rare Dis 2012；7：32.〕

❸ ASL欠損症（アルギニノコハク酸尿症）

アルギニン補充目的で，L-アルギニン塩酸塩（アルギU®注射：100～250 mg/kg/day）＊を使用する．さらに，アルギニン補充療法だけで血中アンモニア値をコントロールすることが難しいときは，血中アンモニアの除去目的で，安息香酸Na（注射［用意できない場合は内服］100～250 mg/kg/day）＊＊＊または/およびフェニル酪酸Na（ブフェニール®：200～300 mg/kg/day）＊を使用する．

❹ ARG1欠損症（アルギニン血症）

高アンモニア血症は，軽度なことが多い．必要度に応じて，安息香酸Na（注射［用意できない場合は内服］100～250 mg/kg/day）＊＊＊または/およびフェニル酪酸Na（ブフェニール®：200～300 mg/kg/day）＊を使用する．L-アルギニン塩酸塩（アルギU®配合酸またはアルギU®注射：100～250 mg/kg/day）＊は使用してはならない．

❺ NAGS欠損症

カルグルミン酸（カーバグル®：100～250 mg/kg/day）＊を投与する．血中アンモニア値に応じ

て，L-アルギニン塩酸塩（アルギU®注射：100～250 mg/kg/day）＊または/および L-シトルリン（100～250 mg/kg/day）＊＊＊を使用しながら，安息香酸 Na（注射［用意できない場合は内服］100～250 mg/kg/day）＊＊＊または/およびフェニル酪酸 Na（ブフェニール®）＊を使用する．

急性発作で発症した場合の診療

1 確定診断および急性期の検査

新生児期に高アンモニア血症クライシスを発症する場合は，尿素サイクル異常症の可能性が高い．また，有機酸血症は鑑別に入れる必要がある．さらに，OTC 欠損症の遅発発症は，前述（表4）の尿素サイクル異常症患者に高アンモニア血症をきたす誘因によって，高アンモニア血症を発症することがある．

「6｜診断基準」の❷検査データ〔(1) 血中アンモニア，(2) 血液ガス分析，(3) 血糖〕と❸特異的検査〔(1) 血中・尿中アミノ酸分析，尿有機酸分析，(2) 酵素活性測定あるいは遺伝子解析〕を行い，確定診断を進める．（図3を参照）．

2 急性期の治療方針

急性期にはまず絶食とし，薬物療法によるアンモニアの低下を行う．タンパク異化を抑制するため，ブドウ糖電解質液の十分な輸液，10% ブドウ糖もしくは PI，CV カテーテルを用いた高濃度輸液（60～100 kcal/kg/day 程度を目安とする）を行う B．ただし，24～48 時間を超えるタンパク除去の絶食は，高アンモニア血症を増悪させるので，48 時間以内に少量の必須アミノ酸（を含んだタンパク）(0.1～0.3 g/kg/day) を補充する必要がある．

高血糖（新生児＞280 mg/dL，新生児期以降＞180 mg/dL）を認めた場合は，インスリン＊を 0.01～0.1 単位/kg/hr で開始する B．インスリンは細胞内へのブドウ糖の移行を促すことにより，代謝サイクルの悪循環を回復させる働きがあるとされている．

高アンモニア血症に対する薬物療法として，L-アルギニン＊（アルギU®，負荷試験用のアルギニンでも代用可 100～250 mg/kg/day 経静脈投与）B やシトルリン（100～250 mg/kg/day 経口投与，食品としての扱い，OTC 欠損症，CPS I 欠損症に使用）B が使用される．アルギニンが欠乏すると尿素サイクルの代謝反応に必要なオルニチンも欠乏し，アンモニアの除去がさらに困難になる．また，アルギニンはタンパクの合成に必須のアミノ酸であるため，欠乏するとタンパクの異化が亢進する．そのため，尿素サイクル異常症の治療においては，まずアルギニンの静注製剤の投与を行う．シトルリンは OTC 欠損症，CPS1 欠損症に有効であり，アルギニンよりもアンモニア除去に対する効果が高いと考えられている．高アルギニン血症では，アルギニン高値を認めた時点でアルギニン投与は中止する．

フェニル酪酸 Na＊（ブフェニール® 200～300 mg/kg/day 程度から徐々に増量，経口投与）B，安息香酸 Na＊＊（100～250 mg/kg/day 経静脈投与　院内調製）B は余剰窒素の排泄を目的として使用される[3)13)]．

血中アンモニア値に応じた治療戦略（表3）[16)]を参考にして，治療法を選択する．また，高アンモニア血症クライシス時は，高アンモニア血症クライシス時の尿素サイクル疾患毎の治療方針（表5）に従いながら治療を行う．通常数時間で血中アンモニアは低下するが，低下しないこともある．改善しない場合は，血中アンモニア値に応じた治療戦略（表3）および「1. 代謝救急診療ガイドライン (p.2)」に従って，血液透析，または血液ろ過透析を行う必要がある B．血中アンモニア値が＞850 μg/dL（＞500 μmol/L）の場合，アンモニア値にかかわらず意識障害が強い場合，高アンモニア血症時の治療を 2～3 時間行ってもアンモニア値が 50 μg/dL（30 μmol/L）以上低下しない場合，緊急で血液浄化療法を行う必要がある．専門施設で

表4 ● 尿素サイクルに影響を与える要因（高アンモニア血症を引き起こす要因）

- 尿素サイクルに関係のある酵素の障害
- 急性または慢性の肝障害
- 薬剤性の肝障害
- 感染症（特にウイルス性肝炎）
- 尿素サイクルに対する薬剤性の障害：バルプロ酸ナトリウム，化学療法薬（シクロスポリンなど），抗真菌薬，アセトアミノフェン，グルココルチコイドなど
- 他の先天代謝異常症：有機酸血症，ピルビン酸カルボキシラーゼ欠損症，脂肪酸化異常，ガラクトース血症，高チロシン血症，糖原病など
- 門脈体循環シャント
- 生体への窒素源の過剰な負荷：骨折や外傷による過剰な溶血，相対的に過剰なタンパク摂取，飢餓や手術による異化の亢進，出産後のストレス，消化管出血，腎臓病

表5 ● 高アンモニア血症クライシス時の尿素サイクル疾患毎の治療方針

疾患	L-アルギニン塩酸塩[注1]	フェニル酪酸Na（ブフェニール®）	安息香酸Na（注）	カルグルミン酸（カーバグル®）
診断が確定していない高アンモニア血症[注2]	250 mg/kgを120分で投与．その後，維持量で250 mg/kg/dayを投与する．	250 mg/kgをNGチューブ下で投与．その後，維持量で200～300 mg/kg/dayを投与する[注3]．	250 mg/kgを120分で投与．その後，維持量で250～500 mg/kg/dayを投与する[注3]．	—
NAGS欠損症	250 mg/kgを120分で投与．その後，維持量で250 mg/kg/dayを投与する．	—	同上	100 mg/kgをNGチューブ下で投与．その後，6時間毎に25～62.5 mg/kgで投与する．
CPS1欠損症とOTC欠損症	同上	250 mg/kgをNGチューブ下で投与．その後，維持量で200～300 mg/kg/dayを投与する[注3]．	同上	—
ASS欠損症[注4]	同上	同上	同上	—
ASL欠損症[注5]	250 mg/kgを120分で投与．その後，維持量で250 mg/kg/dayを投与する．	250 mg/kgをNGチューブ下で投与．その後，維持量で250～300 mg/kg/dayを投与する[注3]．	同上	—
ARG欠損症	避けるべき	—	同上	—

[注1] シトルリンが使用されるときは，L-アルギニン塩酸塩の併用は必ずしも必要ではない．
[注2] 診断が確定しない高アンモニア血症では，100 mg/kgのLカルニチン，1 mg水酸化コバラミン，10 mgビオチンの投与を考慮する．
[注3] 血液透析中では，350 mg/kg/dayまで増量する必要がある．
[注4] ASL欠損症では，L-アルギニン治療が有効な患者がいる．
[注5] ARG欠損症では，高アンモニア血症クライシスが起こる頻度は，低い．

〔Häberle J, Boddaert N, Burlina A, Chakrapani A, Dixon M, Huemer M, Karall D, Martinelli D, Crespo PS, Santer R, Servais A, Valayannopoulos V, Lindner M, Rubio V, Dionisi-Vici C. Suggested guidelines for the diagnosis and management of urea cycle disorders. Orphanet J Rare Dis. 2012；7：32. より一部改変〕

は新生児であっても血液透析治療を行うことが可能である．腹膜透析ではアンモニアの除去効率は悪く **C**，血液透析，または血液ろ過透析が困難であれば速やかな移送が望ましい **B**．

アンモニアが低下し経口摂取が可能になれば，タンパク除去粉乳（雪印S-23）で調整しながら必須アミノ酸製剤＊または自然タンパク（ミルクや食事など）を徐々に増量する **B**．注射薬も内服に切り替え，自然タンパクと必須アミノ酸製剤で，FAO/WHO/UNUの推奨している年齢に応じた必要タンパク摂取量（アミノ酸製剤などを含む）（表6）を目安に，血中アンモニア値に注意しながら徐々にタンパクを増量する．乳幼児以降では，最終的に総タンパク摂取量1.0～1.2 g/kg/day程

度を目標とすることが多い．総タンパク摂取量の目標は症例毎に異なるが，シトルリン，アルギニン（アルギU®配合酸），フェニル酪酸Na（ブフェニール®），安息香酸Naなどを併用しながら，できるだけタンパク摂取の制限が軽減できるように努める．HHH症候群ではタンパクの制限，アルギニンの投与，ラクツロースの内服などで治療を行い，予後は比較的良好とされている[16]．また，オルニチンアミノ基転移酵素欠損症には高アンモニア血症時にはアルギニン，その後の治療には低アルギニン食が試みられる．

シトリン欠損症においては高血糖にならないように注意して使用すべきである．

mini column 1　高アンモニア血症クライシス時の治療方針

　1998年にUchinoら[14]が日本における尿素サイクル異常症の実態を報告した論文では，発症時の最高血中アンモニア濃度が600 μg/dL（360 μmol/L）以上では，全例が死亡または精神神経発達遅滞例に至っていた．その後Kidoらによって2012年に報告された論文[17]によると，近年は医療の進歩とともに1998年よりも予後の改善が認められるものの，依然として発症時の最高血中アンモニア濃度が600 μg/dL（360 μmol/L）以上では精神神経発達遅滞に至っている症例が多く，このレベルの血中アンモニア濃度は精神神経発達に対する予後不良因子であった．したがって，血中アンモニア濃度が600 μg/dL（360 μmol/L）以上である状況は，それだけ脳に障害を与える可能性がある．さらに，血中アンモニア濃度だけでなく，患者の年齢や高アンモニア血症の持続時間も脳の障害に関係する因子である．

　血中アンモニア濃度が425 μg/dL（250 μmol/L）以上から850 μg/dL（500 μmol/L）未満の症例では，ヨーロッパの尿素サイクル異常症のガイドラインに従って，血液透析を行える準備をしながら，塩酸アルギニン注，安息香酸Na注または/およびフェニル酪酸Na（ブフェニール®）の投与を行う．そして，3～6時間後の治療反応性（血中アンモニア濃度値）をもとに，血液透析治療の必要性を決定する．実際，このレベルの高アンモニア血症は，血液透析をすぐに行うことも選択肢の一つとして考えられるが，（高アンモニア血症クライシス時の尿素サイクル疾患毎の治療方針〈表5〉）で記載されているように，安息香酸Na注の急速投与によって血中アンモニア値が急速に低下する症例もあるため，短時間の塩酸アルギニン注，安息香酸Na注または/およびフェニル酪酸Na（ブフェニール®）の治療効果を評価することも重要である．血中アンモニア濃度が850 μg/dL（500 μmol/L）以上の症例は，塩酸アルギニン注，安息香酸Na注または/およびフェニル酪酸Na（ブフェニール®）の投与を開始するとともに，速やかに血液透析治療の準備と導入を行うことが必要である．

慢性期の管理

1　食事療法

　食事療法として，FAO/WHO/UNUの推奨している年齢に応じた必要タンパク摂取量（表6）を目標にしながら，適切なタンパク制限が重要である **B**．また，摂取されるタンパク量は，できるだけ3度の食事と間食に均等に振り分けられるのが望ましい．OTC欠損症，CPS1欠損症では，血中アンモニア値，グルタミンおよびグルタミン酸値に留意しながら，特に急性期を離脱後は，徐々にFAO/WHO/UNUの推奨している年齢に応じた必要タンパク摂取量（アミノ酸製剤などを含む）（表6）を目標にタンパクを増量する．もちろん，この必要タンパク摂取量は，栄養学的に必要と考えられている量であるため，血中アンモニア値のコントロールがついているのであれば，これ以上摂取してもよい．同様に，ASS欠損症とASL欠損症においても，タンパク制限は必要であるが，薬物療法によって，タンパク制限は比較的軽度にすることができ，1.75 g/kg/day程度が摂取可能

表6 FAO/WHO/UNU の推奨している1日あたりのエネルギー摂取量とタンパク摂取量

エネルギー摂取必要量 (kcal/kg/day)		
年齢	女性	男性
6か月	81.3	80.0
2歳6か月	79.8	83.2
5歳	72.9	75.3
10歳	59.3	65.7
15歳	46.1	55.0
適度な運動量がある成人(体重70kg)		
年齢	女性	男性
18〜29歳	38.0	43.7
30〜59歳	35.4	41.8
適度な運動量がある成人(体重50kg)		
年齢	女性	男性
18〜29歳	43.0	50.7
30〜59歳	43.7	50.7
妊娠中の女性 (kcal/day)		
妊娠週数12週まで		+90
妊娠週数13〜28週まで		+287
妊娠週数29週以降		+406
授乳中の女性 (kcal/day)		
出産後6か月まで		+669
出産後7か月児以降		+460

タンパク摂取必要量 (g/kg/day)		
年齢	タンパク摂取量	
1か月	1.77	
2か月	1.50	
3か月	1.36	
6か月	1.31	
1歳	1.14	
1歳6か月	1.03	
2歳	0.97	
3歳	0.90	
4〜6歳	0.87	
7〜10歳	0.92	
年齢	女性	男性
11歳	0.90	0.90
12歳	0.89	0.89
13歳	0.88	0.88
14歳	0.87	0.87
15歳	0.85	0.85
16歳	0.84	0.84
17歳	0.83	0.83
18歳	0.82	0.82
19歳以上	0.83	0.83
妊娠中の女性 (g/day)		
妊娠週数12週まで		+1
妊娠週数13〜28週まで		+10
妊娠週数29週以降		+31
授乳中の女性 (g/day)		
出産後6か月まで		+19
出産後7か月児以降		+13

となることも少なくない．食事療法が不十分であるとアンモニアとグルタミンが高値となり，感染などを契機とした急性増悪を起こしやすい．総タンパクの摂取量の目標は患者の残存酵素活性によって症例毎に異なるが，血中アンモニア値が140 μg/dL（80 μmol/L）以下，血漿グルタミン値が1000 μmol/L以下でコントロールしながら，シトルリン，アルギニン，フェニル酪酸Na，安息香酸Naなどの薬物療法を併用して，できるだけタンパク摂取の制限が軽減できるように努めることが重要である．

尿素サイクル異常症の治療ミルクとして，完全にタンパクが除去されているタンパク除去粉乳（雪印S-23）がある．母乳（自然タンパク1.0〜1.7 g/dL），ミルクまたは食事によってタンパク量と総熱量の摂取を確保しながら，不足している栄養量および総熱量をタンパク除去粉乳（雪印S-23）により確保する．また，シトルリン血症I型およびアルギニノコハク酸尿症に対して，高アンモニア・シトルリン血症フォーミュラ（明治7925-A），アルギニン血症に対して，アルギニン血症用フォーミュラ（明治8103）の適応がある．これらの特殊ミルクと薬物療法の併用が有効である．

2 薬物療法

L-アルギニン塩酸塩＊または/およびL-シトルリン＊＊＊のみで血中アンモニアをコントロールできる症例から，安息香酸Na＊＊または/およびフェニル酪酸Na＊を投与する必要のある症例まである．

基本的には，表7の投与量を参考にして，血中アンモニア値や血中アミノ酸値を参考にしながら投与量を決める．

表7 ● 尿素サイクル異常症の慢性期の薬物療法

疾患	L-アルギニン塩酸塩[注1)]	フェニル酪酸Na（ブフェニール®）	安息香酸Na	L-シトルリン	L-カルニチン＊
NAGS欠損症	100〜250 mg/kg/day	200〜300 mg/kg/day	100〜250 mg/kg/day	100〜250 mg/kg/day	20〜50 mg/kg/day
CPS1欠損症とOTCD欠損症	同上	同上	同上	同上	同上
ASS欠損症	同上	同上	同上	×	同上
ASL欠損症	同上	同上	同上	×	同上
ARG欠損症	×	同上	同上	×	同上

カルグルミン酸（カーバグル®）（100〜250 mg/kg/day）は，NAGS欠損症のみ有効で使用可能．
×：使用不可能．
[注1]：シトルリンが使用されるときは，アルギニンの併用は必ずしも必要ではない．

❶ CPS1欠損症とOTC欠損症

L-アルギニン塩酸塩（アルギU®配合酸：100〜250 mg/kg/day）＊または/およびL-シトルリン（100〜250 mg/kg/day）＊＊＊を使用する．これで血中アンモニア値がコントロールできれば，安息香酸Na＊＊＊またはフェニル酪酸Na＊を使用しなくてもよい．血中アンモニア値がコントロールできなければ，安息香酸Na（内服）＊＊＊またはフェニル酪酸Na（ブフェニール®）＊を増減しながら投与する．

❷ ASS欠損症（シトルリン血症Ⅰ型）

L-アルギニン塩酸塩＊とともに，安息香酸Na（内服）＊＊＊または/およびフェニル酪酸Na（ブフェニール®）＊を使用する．L-シトルリンは使用してはならない．

❸ ASL欠損症（アルギニノコハク酸尿症）

L-アルギニン塩酸塩＊とともに，安息香酸Na（内服）＊＊＊または/およびフェニル酪酸Na（ブフェニール®）＊を使用する．L-シトルリン＊＊＊は使用してはならない．

❹ ARG1欠損症（アルギニン血症）

高アンモニア血症は，軽度なことが多い．必要度に応じて，安息香酸Na（内服）＊＊＊または/およびフェニル酪酸Na（ブフェニール®）＊を使用する．L-アルギニン塩酸塩とL-シトルリンは使用してはならない．

❺ NAGS欠損症

カルグルミン酸（カーバグル®）（100〜250 mg/kg/day）＊が極めて重要．カルグルミン酸で血中アンモニア値がコントロールできなければ，CPS1欠損症と同様にL-アルギニン塩酸塩＊または/およびL-シトルリン＊＊＊を使用し，必要ならば，安息香酸Na（内服）＊＊＊または/およびフェニル酪酸Na（ブフェニール®）＊を使用する．

タンパク摂取の制限を行うとカルニチン欠乏をきたすことがある．さらに，長期的な安息香酸Naの服用は，血中の遊離カルニチンとアシルカルニチン値が低下するため[18]，定期的に血中カルニチンを測定し，欠乏を認めれば血中カルニチン50 μmol/Lを目標にL-カルニチン投与を行う **Ⓑ**[16]．

腸内細菌によるアンモニア産生の抑制のため，ラクツロース，メトロニダゾール（10〜20 mg/kg/day，耐性菌出現防止のため4日服薬/3日休薬，1週間服薬/3週間休薬などとする）の内服を行う．メトロニダゾール **Ⓑ**（フラジール®内服錠）は，これまで腟トリコモナス症が適応症であったが，2012年に感染性腸炎などが適用追加となっている．

急性憎悪時には「**急性発作で発症した場合の診療**」の「**2｜急性期の治療方針**」に準じて，ブドウ糖電解質液輸液を開始し，アンモニア値の上昇の程度によって，急性期に準じた薬物療法を行う **Ⓑ**．食事療法が厳しすぎると，発育障害，皮膚炎，発毛異常などがみられる．厳しいタンパク制限を行うときには，必須アミノ酸の投与をあわせて行うことも重要である．

3｜sick dayの対応

感染，発熱，嘔吐，カロリー摂取不足，タンパ

ク摂取不足の際には，異化の亢進が起こり，血中アンモニア値が高くなる可能性があるため，血中アンモニア値をチェックする．また，食事摂取が不十分なときは，必要に応じてブドウ糖電解質液の輸液を行う．

4 移植医療

先天代謝異常症に対して肝移植が行われるようになった[19]．尿素サイクル異常症における適応は，血液浄化療法から離脱できない症例，急性憎悪を繰り返す症例が考えられる **B**．わが国においては主として生体肝移植が行われ，良好な結果を得ている．わが国では血縁者がドナーとなることがほとんどであるため，肝移植の説明には倫理的な配慮が必要である．OTC欠損症のヘテロ女性も発症後は肝移植の適応と考えられる **B**．また，高アンモニア血症を呈したことのないOTC欠損症のキャリアーであるヘテロ女性が肝移植のドナーとなった例もあり，ドナー（OTC欠損症キャリアー）とレシピエント（OTC欠損症）ともに肝移植後の良好な結果を得ている報告もある[20)21)]．

初発時の高アンモニア血症による脳障害を最小限にとどめて，その後の急性増悪の前に生体肝移植を行うことが望ましい．

アルギニノコハク酸尿症では肝移植を行うと管理が容易になるものの，移植後も神経症状が進行する場合があり，肝移植の適応には慎重な考慮が必要である **D**．

mini column 2　肝移植は，どのような患者に行うメリットがあるのか？

急性期と慢性期では，肝移植の対象者が変わる．

急性期は，血液浄化療法から離脱できない症例のように，肝移植でしか救命できない症例が肝移植を行う対象になる．慢性期は，内服治療にもかかわらず頻回に高アンモニア血症で入院する症例，服薬コンプライアンスが悪く頻回に高アンモニア血症を起こす症例，成長障害をきたしている症例，高度のタンパク摂取制限が必要な症例などが対象となり，長期予後の改善やQOLの向上目的で肝移植が行われることが多い[22)]．

また近年，発症時の最高血中アンモニア濃度が500 μg/dL（300 μM）以上の尿素サイクル異常症症例では，非肝移植群に比べて肝移植群で精神神経発達の予後がよい症例が多かったことを報告した[23)]．すなわち，発症時の最高血中アンモニア濃度が500 μg/dL（300 μM）以上の症例は，それだけで重症患者であるといえることから，2回目以降の高アンモニア血症クライシスを防ぐためにも肝移植の適応であることを報告している[23)]．

フォローアップ指針

1 一般的評価と栄養学的評価

治療効果の判定には，身長体重の順調な増加，血中アンモニア値，アミノ酸（特にグルタミン，アルギニン，シトルリン，グリシン，その他の必須アミノ酸），トランスアミナーゼ，BUN，電解質を定期的にチェックし，ときに肝臓や頭部の画像診断を行う．通常月に1回の外来受診と血液検査が必要であるが，血中アンモニア値が安定している場合には適宜受診の間隔を調節できる．OTC欠損症やCPS1欠損症では，血中アンモニア値は140 μg/dL（80 μmol/L）以下，グルタミン1000 μmol/L以下を治療効果判定の指標とし，血漿アルギニンは，80～150 μmol/Lを目安に維持する（ヨーロッパのガイドラインでは，空腹時血漿アルギニン濃度は，およそ70～120 μmol/Lであることを推奨している）[16)]．血漿アルギニン濃度が200 μmol/Lを超えると毒性が強くなるため，血漿アルギニン濃度は200 μmol/L未満であるべきである[16)]．安息香酸Naはグリシン抱合により排出

されるため，使用時にはグリシンを100〜150 μmol/L を維持できるようにする．血漿グリシンを維持できないときは，安息香酸 Na の投与量の減量やフェニル酪酸 Na の使用も考慮する必要がある．フェニル酪酸 Na の使用時は分枝鎖アミノ酸の低下が報告されているので，血漿イソロイシン 25 μmol/L 以下が持続するときは，分枝鎖アミノ酸の投与も考慮する．

予防接種は積極的に行うことが望ましい．特に任意接種のインフルエンザ，水痘なども接種するように進める．

2 神経学的評価

知能評価だけでなく，学習障害，注意欠陥性発達障害および自閉症などの発達障害についても注意することが必要である[24]．また，成人期以降は，うつ病のリスクもあるため，神経内科，心療内科または精神科によるフォローもあることが望ましい[25]．

成人期の課題

1 食事療法を含めた治療の継続

食事療法または/および薬物療法は生涯継続するべきである．FAO/WHO/UNU の推奨している1日あたりのタンパク摂取量とエネルギー摂取量（表6）を参考に，一日のタンパク摂取量と摂取カロリー量を維持しながら，高アンモニア血症をコントロールしなければいけない．また，必要であれば，乳児期のみならず成人期においてもタンパク除去粉乳（雪印 S-23）の継続使用も行う．また，薬物療法およびタンパク除去粉乳（雪印 S-23）とともに，シトルリン血症Ⅰ型およびアルギニノコハク酸尿症では，高アンモニア・シトルリン血症フォーミュラ（明治 7925-A），アルギニン血症では，アルギニン血症用フォーミュラ（明治 8103）の使用も有効である．

一般的に，尿素サイクル異常症は，生涯にわたる食事療法が必要であるため，特殊ミルクを継続して使用する．

2 飲酒

できるだけ飲酒は避けたほうがよいと考えられる．特に，血中アンモニアの上昇リスクがある場合や肝機能障害のある場合などには推奨されない．

3 運動

基本的に運動制限は不要であり，通常の日常生活に支障が出ることは稀であると思われる．激しい長時間の運動は，異化が亢進するため避けたほうがよい．就労においても重度の肉体労働は避けることが望ましい．

4 妊娠・出産

尿素サイクル異常症の妊娠中や出産時は，血中アンモニア，グルタミン・グルタミン酸などの疾患特異的に変動のある血中アミノ酸の細目なチェックが必要である．また，尿素サイクル異常症患者の出産に関しての報告はあるが[26-29]，確立した方針は特にない．したがって，帝王切開や無痛分娩などの出産の方法や出産後の管理については，産科医と相談して個別に対応する必要がある．また，分泌される母乳中にはアミノ酸が含まれており，母体には母乳産生のためのアミノ酸代謝が亢進する．出産後の母乳を止めることについても産科医との話し合いが必要である．

5 医療費の問題

本疾患は指定難病となっており，保険診療内の諸検査および薬物療法については難病制度に即した医療費助成制度が適応される．タンパク除去粉乳（雪印 S-23 ミルク）も特殊ミルク事務局より無償で供給される．ただし，シトルリン供給については，先天代謝異常学会より有償で供給される．安息香酸 Na については，保険適用外のため，自費で購入して院内調整する必要がある．

6 その他

ASL 欠損症（アルギニノコハク酸尿症）は，他

の尿素サイクル異常症と異なって，肝線維症に進行する肝腫大，全身性高血圧，脂質異常症，低K血症，進行性の知的退行を発症する．これらの症状は，高アンモニア血症の重症度や期間とは無関係であり，たとえ血中アンモニアのコントロールが良好であっても発症する．これらの病態は，アルギニノコハク酸の毒性やアルギニンの不足によるものと考えられている[16)30)]．そのため，成人期では，諸症状に対する継続治療が必要となる．

ARG1欠損症（アルギニン血症）は，他の尿素サイクル異常症に比べて，血中アンモニアの上昇は軽度である．けいれん両側麻痺を小児期に発症し，脳MRIでの拡散強調画像では，皮質脊髄路の異常信号所見を呈することが報告されている[31)]．さらに，肝硬変に至る肝障害を発症するが[32)]，これらの症状は，ARG1欠損症（アルギニン血症）での全身性（脳，肝，腎，血中）のアルギニンとグアニジノ酢酸などのアルギニンの代謝産物による産生亢進した一酸化窒素の毒性の影響と考えられている[33)]．

尿素サイクル異常症の出産

　すでに尿素サイクル異常症と診断がついている患者の出産に関しては，出産直後より，ブドウ糖電解質輸液，安息香酸Na，フェニル酪酸Na（ブフェニール®），アルギニンまたは/およびシトルリンなどの薬物療法を行いながら，出産後1週間後まで頻回に血中アンモニアをチェックして臨床経過を見ていくことで，高アンモニア血症クライシスを回避できる可能性が高い[27)]．しかし，OTC欠損症の女性で報告されているように，出産後の高アンモニア血症は，出産後7〜14日後に発症することが多いため，出産後2週間後までは血中アンモニア値とアミノ酸値に注意しながら，経過を観察する必要がある[25)]．いったん高アンモニア血症クライシスを発症すると重症であり，厳重なタンパク制限および薬物療法管理下においても，2, 3か月ほど血中アンモニア値の高値が持続する[27)28)]．未発症のヘテロのOTC欠損症女性に関しても，出産を機に高アンモニア血症を発症することがあるので，注意が必要である．

CPS1欠損症

疾患概要

　CPS1欠損により，高アンモニア血症を起こす．わが国での発症頻度は，80万人に1人である．

1｜主要症状および臨床所見

　高アンモニア血症に起因する症状であり，「尿素サイクル異常症」の「2｜主要症状および臨床所見」があてはまる．高アンモニア血症は，ほとんどが新生児期に発症する重症例であり，死亡や精神発達遅延に至る重症の症例が多い．

2｜診断の根拠となる検査

(1) 血中アンモニア値高値．

(2) 血中アミノ酸分析で血漿グルタミン，グルタミン酸の高値．血漿シトルリン，アルギニン値の低値．

(3) 尿中オロト酸陰性．

3｜確定診断

　①遺伝子検査，または，②肝組織の酵素活性測定により確定診断できる．

急性期の治療

タンパク除去とする．ただし，48時間以内に必須アミノ酸を含む少量のタンパク（0.1〜0.3 g/kg/day）を補充する必要がある．

ブドウ糖電解質液*の十分な輸液，10%グルコース，もしくはPI，CVカテーテルを用いた高濃度輸液（60〜100 kcal/kg/day程度を目安とする）の投与．

薬物療法として，L-アルギニン塩酸塩®注（100〜250 mg/kg/day）の点滴投与．必要ならば，安息香酸Na注（100〜250 mg/kg/day）も使用する．さらに血中アンモニアを下げたい場合は，安息香酸Na注（500 mg/kg/dayまで）を増量可能である．これらの治療では不十分でさらに血中アンモニア値を下げる必要がある場合は，フェニル酪酸Na（ブフェニール®）とL-シトルリン（100〜250 mg/kg/day）も内服投与する．服用できないときは，NGチューブ下で投与する．先天代謝異常学会よりシトルリンを入手でき次第，アルギニンとシトルリンの併用が勧められる．また，アンモニア産生の抑制のため，ラクツロース，メトロニダゾール（10〜20 mg/kg/day）の内服を行う．L-カルニチン（20〜50 mg/kg/day）もミトコンドリア機能維持のために投与する（表4）．

高アンモニア血症クライシス時，血中アンモニア濃度が425 μg/dL（250 μmol/L）以上のときは，血液透析治療の適応となりうる．血中アンモニア値に応じた治療戦略（表4）を参考に，ICU管理下での状況に応じて治療選択を行う必要がある．

慢性期の治療

タンパク制限は有効である．

ただし，タンパク制限を強化すると，成長障害を引き起こすので，血中アンモニア，グルタミン値および表6を参考にしながら1日のタンパク摂取量と総カロリー摂取量を決める．

薬物療法として，L-アルギニン塩酸塩（100〜250 mg/kg/day），L-シトルリン（100〜250 mg/kg/day），安息香酸Na（100〜250 mg/kg/day），および/またはフェニル酪酸Na（ブフェニール®）を組み合わせて，血中アンモニア，グルタミン値およびグルタミン酸値を参考にしながら投与する．必要に応じて，アンモニア産生の抑制のため，ラクツロース，メトロニダゾール（10〜20 mg/kg/day，耐性菌出現防止のため4日服薬/3日休薬，1週間服薬/3週間休薬などとする）を使用する．また，L-カルニチン（20〜50 mg/kg/day）もカルニチン欠乏の予防とミトコンドリア機能維持のために投与する．

1 sick dayの対応

食事摂取が不十分なときは，必要に応じてブドウ糖電解質液を輸液する．さらに，血中アンモニア値を測定し，血中アンモニア値に応じた治療戦略（表4）に応じた急性期の治療方針に従う．

2 急性増悪時の対応

上記「急性期の治療」に準じる．

3 特殊ミルクの使用

母乳（自然タンパク1.0〜1.7 g/dL）または食事によってタンパク量と総熱量の摂取を確保しながら，不足している栄養量および総熱量をタンパク除去粉乳（雪印S-23）により確保する．また，タンパク除去粉乳（雪印S-23）を使用したタンパク制限治療は，基本的に成人期以降も必要である．

OTC 欠損症

疾患概要

OTC欠損により，高アンモニア血症を起こす．わが国での発症頻度は，8万人に1人である．

1 主要症状および臨床所見

高アンモニア血症に起因する症状であり，「尿素サイクル異常症」の「2 主要症状および臨床所見」があてはまる．高アンモニア血症は，新生児期に発症する重症例から，遅発型の比較的軽症例まで多岐にわたる．ヘテロ接合体の女性よりもヘミ接合体の男性のほうが重症であり，ヘテロ接合体の女性は本疾患の軽症型または無症候性であると考えられていた．しかし，Uchinoらが，日本における遅発発症のOTC欠損症女性患者は，必ずしも軽症とは限らないことを報告した．男児の新生児で認められる臨床症状は，典型的には生後数日で現れる重症の高アンモニア血症である．

2 診断の根拠となる検査

(1) 血中アンモニア値高値．
(2) 血中アミノ酸分析で血漿グルタミン，グルタミン酸の高値．血漿シトルリン，アルギニン値の低値．
(3) 尿中オロト酸の著明な高値．

3 確定診断

①遺伝子検査，または，②肝組織の酵素活性測定により確定診断できる．

急性期の治療

タンパク除去とする．ただし，48時間以内に必須アミノ酸を含む少量のタンパク（0.1～0.3 g/kg/day）を補充する必要がある．

ブドウ糖電解質液*の十分な輸液，10%グルコース，もしくはPI，CVカテーテルを用いた高濃度輸液（60～100 kcal/kg/day程度を目安とする）の投与．

薬物療法として，L-アルギニン塩酸塩注（100～250 mg/kg/day）の点滴投与．必要ならば，安息香酸Na注（100～250 mg/kg/day）も使用する．さらに血中アンモニア値を下げたい場合は，安息香酸Na注（500 mg/kg/dayまで）を増量可能である．これらの治療では不十分でさらに血中アンモニア値を下げる必要がある場合は，フェニル酪酸Na（ブフェニール®）とL-シトルリン（100～250 mg/kg/day）も内服投与する．服用できないときは，NGチューブ下で投与する．先天代謝異常学会よりシトルリンを入手でき次第，アルギニンとシトルリンの併用が勧められる．また，アンモニア産生の抑制のため，ラクツロース，メトロニダゾール（10～20 mg/kg/day）の内服を行う．L-カルニチン（20～50 mg/kg/day）もミトコンドリア機能維持のために投与する（表4）．

高アンモニア血症クライシス時，血中アンモニア濃度が425 μg/dL（250 μmol/L）以上のときは，血液透析治療の適応となりうる．血中アンモニア値に応じた治療戦略（表4）を参考に，ICU管理下での状況に応じて治療選択を行う必要がある．

慢性期の治療

タンパク制限は有効である．

ただし，タンパク制限を強化すると，成長障害を引き起こすので，血中アンモニア，グルタミン値および表6を参考にしながら1日のタンパク摂取量と総カロリー摂取量を決める．

薬物療法として，L-アルギニン塩酸塩（100～

250 mg/kg/day），L-シトルリン（100～250 mg/kg/day），安息香酸 Na（100～250 mg/kg/day），および/またはフェニル酪酸 Na（ブフェニール®：200～300 mg/kg/day）を組み合わせて，血中アンモニア，グルタミン値およびグルタミン酸値を参考にしながら投与する．必要に応じて，アンモニア産生の抑制のため，ラクツロース，メトロニダゾール（10～20 mg/kg/day，耐性菌出現防止のため 4 日服薬/3 日休薬，1 週間服薬/3 週間休薬などとする）を使用する．また，L-カルニチン（20～50 mg/kg/day）もカルニチン欠乏の予防とミトコンドリア機能維持のために投与する．

1 sick day の対応

食事摂取が不十分なときは，必要に応じてブドウ糖電解質液を輸液する．さらに，血中アンモニア値を測定し，血中アンモニア値に応じた治療戦略（表 4）に応じた急性期の治療方針に従う．

2 急性増悪時の対応

「急性期の治療」に準じる．

3 特殊ミルクの使用

母乳（自然タンパク 1.0～1.7 g/dL），ミルクまたは食事によってタンパク量と総熱量の摂取を確保しながら，不足している栄養量および総熱量をタンパク除去粉乳（雪印 S-23）により確保する．また，タンパク除去粉乳（雪印 S-23）を使用したタンパク制限治療は，基本的に成人期以降も必要である．

ASS 欠損症（シトルリン血症 I 型）

疾患概要

ASS 欠損により，高アンモニア血症を起こす．わが国での発症頻度は，53 万人に 1 人である．

1 主要症状および臨床所見

高アンモニア血症に起因する症状であり，「尿素サイクル異常症」の「2 主要症状および臨床所見」があてはまる．高アンモニア血症は，多くが新生児期に発症する重症例である．遅発発症型は，発育不全，頻繁に起こる嘔吐，発達遅滞および乾燥した脆弱毛が段階的に発症するか，OTC 欠損症の遅発発症型のように，症状が急性発作として現れる場合がある．

2 診断の根拠となる検査

(1) 血中アンモニア値高値．
(2) 血中アミノ酸分析で血漿シトルリンの著明な高値．血漿グルタミンおよびアラニン高値．尿中シトルリン高値．
(3) 尿中オロト酸高値．

3 確定診断

①遺伝子検査，または，②線維芽細胞の酵素活性測定により確定診断できる．

急性期の治療

タンパク除去とする．ただし，48 時間以内に必須アミノ酸を含む少量のタンパク（0.1～0.3 g/kg/day）を補充する必要がある．

ブドウ糖電解質液＊の十分な輸液，10％グルコース，もしくは PI，CV カテーテルを用いた高濃度輸液（60～100 kcal/kg/day 程度を目安とする）の投与．

薬物療法として，L-アルギニン塩酸塩注（100～250 mg/kg/day）の点滴投与．必要ならば，安息香酸 Na 注（100～250 mg/kg/day）も使用する．さらに血中アンモニア値を下げたい場合は，安息香酸 Na 注（500 mg/kg/day まで）を増量可能で

ある．これらの治療では不十分でさらに血中アンモニア値を下げる必要がある場合は，フェニル酪酸Na（ブフェニール®）を内服投与する．服用できないときは，NGチューブ下で投与する．また，アンモニア産生の抑制のため，ラクツロース，メトロニダゾール（10～20 mg/kg/day）の内服を行う（表4）．

高アンモニア血症クライシス時，血中アンモニア濃度が425 µg/dL（250 µmol/L）以上のときは，血液透析治療の適応となりうる（表4）．血中アンモニア値に応じた治療戦略を参考に，ICU管理下での状況に応じて治療選択を行う必要がある．

慢性期の治療

タンパク制限は有効である．

ただし，タンパク制限を強化すると，成長障害を引き起こすので，血中アンモニア，シトルリン，グルタミン値および表6を参考にしながら1日のタンパク摂取量と総カロリー摂取量を決める．

薬物療法として，L-アルギニン塩酸塩（100～250 mg/kg/day），安息香酸Na（100～250 mg/kg/day），および/またはフェニル酪酸Na（ブフェニール®）を組み合わせて，血中アンモニア，グルタミン値およびグルタミン酸値を参考にしながら投与する．必要に応じて，アンモニア産生の抑制のため，ラクツロース，メトロニダゾール（10～20 mg/kg/day，耐性菌出現防止のため4日服薬/3日休薬，1週間服薬/3週間休薬などとする）を使用する．また，L-カルニチン（20～50 mg/kg/day）もカルニチン欠乏の予防のために投与する．

1 sick dayの対応

食事摂取が不十分なときは，必要に応じてブドウ糖電解質液を輸液する．さらに，血中アンモニア値を測定し，血中アンモニア値に応じた治療戦略（表4）に応じた急性期の治療方針に従う．

2 急性増悪時の対応

「急性期の治療」に準じる．

3 特殊ミルクの使用

母乳（自然タンパク1.0～1.7 g/dL），ミルクまたは食事によってタンパク量と総熱量の摂取を確保しながら，不足している栄養量および総熱量をタンパク除去粉乳（雪印S-23）により確保する．また，タンパク除去粉乳（雪印S-23）を使用したタンパク制限治療は，基本的に成人期以降も必要である．高アンモニア・シトルリン血症フォーミュラ（明治7925-A）は，アルギニン含有が高く，シトルリンを含有していないため，明治S-23ミルクとの併用も有効である．

ASL欠損症（アルギニノコハク酸血症）

疾患概要

ASL欠損により，高アンモニア血症を起こす．わが国での発症頻度は，7万人に1人である（報告によっては，80万人に1人としているものもある）．

1 主要症状および臨床所見

高アンモニア血症は，新生児期に発症する重症例が多いが，臨床所見および生化学的所見にかなり多様性を示す．臨床症状は，重症型から無症候性のものまで幅がある．新生児期発症型では，重度の高アンモニア血症が生後数日から現れ，死亡率が極めて高い．遅発発症型では，精神発達遅滞に至り，発育不全と肝腫大を伴う．毛髪異常は，本疾患に特有の診断的価値をもつ．髪の毛のよじれは，本疾患に特有の診断的価値をもつ．発達遅滞などの神経学的障害や肝機能障害・肝線維症・肝硬変の合併率は他の尿素サイクル異常症に比べ

高く，アルギニノコハク酸の毒性によるものと推察されている．また，肝移植を行っても神経学的障害は進行することが多いといわれている．

2 診断の根拠となる検査

(1) 血中アンモニア値高値．
(2) 血中アミノ酸分析で血漿アルギニノコハク酸の著明な高値．血漿シトルリン，グルタミンおよびアラニン高値．尿中アルギニノコハク酸高値．
(3) 尿中オロト酸高値．

3 確定診断

①遺伝子検査，または，②赤血球，肝臓または線維芽細胞の酵素活性測定により確定診断できる．

急性期の治療

タンパク除去とする．ただし，48時間以内に必須アミノ酸を含む少量のタンパク（0.1～0.3 g/kg/day）を補充する必要がある．

ブドウ糖電解質液*の十分な輸液，10％グルコース，もしくはPI，CVカテーテルを用いた高濃度輸液（60～100 kcal/kg/day程度を目安とする）の投与．

薬物療法として，L-アルギニン塩酸塩注（100～250 mg/kg/day）の点滴投与．必要ならば，安息香酸Na注（100～250 mg/kg/day）も使用する．さらに，安息香酸Na注（500 mg/kg/dayまで）を増量可能である．これらの治療では不十分でさらに血中アンモニアを下げる必要がある場合は，フェニル酪酸Na（ブフェニール®）を内服投与する．服用できないときは，NGチューブ下で投与する．また，アンモニア産生の抑制のため，ラクツロース，メトロニダゾール（10～20 mg/kg/day）の内服を行う（表4参照）．

高アンモニア血症クライシス時，血中アンモニア濃度が425 μg/dL（250 μmol/L）以上のときは，血液透析治療の適応となりうる．血中アンモニア値に応じた治療戦略（表4）を参考に，ICU管理下での状況に応じて治療選択を行う必要がある．

慢性期の治療

タンパク制限は有効である．

ただし，タンパク制限を強化すると，成長障害を引き起こすので，血中アンモニア，アミノ酸値および表6を参考にしながら1日のタンパク摂取量と総カロリー摂取量を決める．

薬物療法として，L-アルギニン塩酸塩（100～250 mg/kg/day），安息香酸Na（100～250 mg/kg/day），および/またはフェニル酪酸Na（ブフェニール®）を組み合わせて，血中アンモニア，グルタミン値およびグルタミン酸値を参考にしながら投与する．必要に応じて，アンモニア産生の抑制のため，ラクツロース，メトロニダゾール（10～20 mg/kg/day，耐性菌出現防止のため4日服薬/3日休薬，1週間服薬/3週間休薬などとする）を使用する．また，L-カルニチン（20～50 mg/kg/day）もカルニチン欠乏の予防のために投与する．

1 sick dayの対応

食事摂取が不十分なときは，必要に応じてブドウ糖電解質液を輸液する．さらに，血中アンモニア値を測定し，血中アンモニア値に応じた治療戦略（表4）に応じた急性期の治療方針に従う．

2 急性増悪時の対応

「急性期の治療」に準じる．

3 特殊ミルクの使用

母乳（自然タンパク1.0～1.7 g/dL），ミルクまたは食事によってタンパク量と総熱量の摂取を確保しながら，不足している栄養量および総熱量をタンパク除去粉乳（雪印S-23）により確保する．また，タンパク除去粉乳（雪印S-23）を使用した

タンパク制限治療は，基本的に成人期以降も必要である．高アンモニア・シトルリン血症フォーミュラ（明治 7925-A）は，アルギニン含有が高く，シトルリンを含有していないため，S-23 ミルクとの併用も有効である．

ARG1 欠損症（アルギニン血症）

疾患概要

ARG1 欠損により，高アンモニア血症を起こす．わが国での発症頻度は，220 万人に 1 人である．

1 主要症状および臨床所見

臨床症状は，ほかの尿素サイクル異常症とはまったく異なる．高アンモニア血症に起因する症状は軽症のことが多い．通常，乳幼児期は無症状であるが，それまでは正常であった乳児が，下肢のハサミ脚歩行を伴う進行性の痙性両側麻痺を呈し，または舞踏アテトーゼ様運動および発達指標の消失を呈する．本疾患では，けいれんが高頻度に認められ，発達遅滞は進行的である．肝種大は認められることがあるが，重度の高アンモニア血症の発作はあまり認められない．

2 診断の根拠となる検査

(1) 血中アンモニア値高値．
(2) 血中アミノ酸分析で血漿アルギニンの著明な高値．尿中アルギニン，リジン，シスチンおよびオルニチン高値．
(3) 尿中オロト酸の中等度の高値．

3 確定診断

①遺伝子検査，または，②赤血球，肝臓の酵素活性測定により確定診断できる．

急性期の治療

タンパク除去とする．ただし，48 時間以内に必須アミノ酸を含む少量のタンパク（0.1〜0.3 g/kg/day）を補充する必要ある．

ブドウ糖電解質液＊の十分な輸液，10% グルコース，もしくは PI，CV カテーテルを用いた高濃度輸液（60〜100 kcal/kg/day 程度を目安とする）の投与．

薬物療法として，安息香酸 Na 注(100〜250 mg/kg/day) を使用する．さらに血中アンモニア値を下げたい場合は，安息香酸 Na 注（500 mg/kg/day まで）を増量可能である．これらの治療では不十分でさらに血中アンモニア値を下げる必要がある場合は，フェニル酪酸 Na（ブフェニール®）を内服投与する．服用できないときは，NG チューブ下で投与する．L-アルギニン塩酸塩注（100〜250 mg/kg/day）の点滴投与は禁忌である．また，アンモニア産生の抑制のため，ラクツロース，メトロニダゾール（10〜20 mg/kg/day）の内服を行う（表 4）．

高アンモニア血症クライシス時，血中アンモニア濃度が 425 μg/dL(250 μmol/L) 以上のときは，血液透析治療の適応となりうる．血中アンモニア値に応じた治療戦略（表 4）を参考に，ICU 管理下での状況に応じて治療選択を行う必要がある．

慢性期の治療

タンパク制限は有効である．
ただし，タンパク制限を強化すると，成長障害を引き起こすので，血中アンモニア，アルギニン値および表 6 を参考にしながら 1 日のタンパク摂

取量と総カロリー摂取量を決める．

　薬物療法として，安息香酸Na（100〜250 mg/kg/day），および/またはフェニル酪酸Na（ブフェニール®）を組みあわせて，血中アンモニア，アルギニン値を参考にしながら投与する．必要に応じて，アンモニア産生の抑制のため，ラクツロース，メトロニダゾール（10〜20 mg/kg/day，耐性菌出現防止のため4日服薬/3日休薬，1週間服薬/3週間休薬などとする）を使用する．また，カルニチン欠乏が認められれば，L-カルニチン（20〜50 mg/kg/day）を投与する．

1　sick day の対応

　食事摂取が不十分なときは，必要に応じてブドウ糖電解質液を輸液する．さらに，血中アンモニア値を測定し，血中アンモニア値に応じた治療戦略（表4）に応じた急性期の治療方針に従う．

2　急性増悪時の対応

　前述の「急性期の治療」に準じる．

3　特殊ミルクの使用

　母乳（自然タンパク1.0〜1.7 g/dL），ミルクまたは食事によってタンパク量と総熱量の摂取を確保しながら，不足している栄養量および総熱量をタンパク除去粉乳（雪印S-23）により確保する．また，タンパク除去粉乳（雪印S-23）を使用したタンパク制限治療は，基本的に成人期以降も必要である．さらに，アルギニン血症用フォーミュラ（明治8103）は，含有アミノ酸の85%が必須アミノ酸であることとアルギニンが全く含まれていないため，タンパク除去粉乳（雪印S-23）との併用も有効である．

NAGS 欠損症

疾患概要

　NAGS欠損により，高アンモニア血症を起こす．わが国での報告例は，今までのところ認められていない．

1　主要症状および臨床所見

　高アンモニア血症に起因する症状であり，「尿素サイクル異常症」の「2　主要症状および臨床所見」があてはまる．

2　診断の根拠となる検査

(1) 血中アンモニア値高値．

(2) 血中アミノ酸分析で血漿グルタミン，グルタミン酸の高値．血漿シトルリン，アルギニン値の低値．
(3) 尿中オロト酸陰性．

3　確定診断

　①遺伝子検査，または，②肝組織の酵素活性測定により確定診断できる．

急性期の治療

　タンパク除去とする．ただし，48時間以内に必須アミノ酸を含む少量のタンパク（0.1〜0.3 g/kg/day）を補充する必要がある．

　ブドウ糖電解質液＊の十分な輸液，10%グルコース，もしくはPI，CVカテーテルを用いた高濃度輸液（60〜100 kcal/kg/day程度を目安とする）の投与．

　薬物療法として，L-アルギニン塩酸塩注（100〜250 mg/kg/day）の点滴投与．必要ならば，安息香酸Na注（100〜250 mg/kg/day）も使用する．

少，アミノ酸バランスの破綻を招き，諸症状をきたす．所見の一つである高アンモニア血症は，尿素回路基質であるアルギニンとオルニチンの欠乏に基づくと推定されるが，詳細は不明である．また *SLC7A7* mRNA は全身の諸臓器（白血球，肺，肝，脾等）でも発現が確認されており，本疾患の多彩な症状は各々の膜輸送障害に基づく上述の病態に加え，細胞内から細胞外への輸送障害に起因する細胞内アルギニンの増加・一酸化窒素（NO）産生の過剰なども関与していることが推定されている．

2 疫学

わが国での患者数は 30～40 人と推定されている[3]．患者はフィンランド[4]，イタリア，日本[5]に集積するが，散発例（孤発例）は世界各国において報告がある．

診断の基準

1 臨床病型

本疾患の臨床症状と重症度は多彩である[3)6)7]．一般には，出生時には症状を認めず，タンパク摂取量が増える離乳期以後に症状を認める例が多い．

❶発症前型

同胞が診断されたことを契機に検索を行い，診断に至る例がある．この場合も軽度の低身長などを認めることが多い．

❷急性発症型

小児期の発症形態としては，高アンモニア血症に伴う意識障害やけいれん，嘔吐，精神運動発達遅滞などが多い．しかし，一部では間質性肺炎，易感染，血球貪食症候群，自己免疫疾患，血球減少などが初発症状となり，精査にて診断に至る例もある．

❸慢性進行型

軽症例は成人まで気づかれず，てんかん等の神経疾患の原因精査から診断されることもある．本疾患の臨床像の多様性をうかがわせる[3)6]．

2 主要症状および臨床所見

❶低身長，体重増加不良，肝脾腫

離乳期以降，徐々に低身長（四肢・体幹均衡型），低体重が認められるようになる．

体重増加不良，肝腫大なども受診の契機となることが多い．肝脾腫は新生児期から認める場合もある．

❷高アンモニア血症とそれに伴う神経症状（精神運動発達遅滞，けいれん，意識障害）

タンパク過剰摂取後には約半数で高アンモニア血症による悪心・嘔吐，意識障害を呈する．飢餓，感染，ストレス等も高アンモニア血症の誘因となる．しかし，症例によっては高アンモニア血症の既往なく経過する．一方，タンパク摂取と嘔吐の関連は気づかれにくいことも多く，診断が学童期や成人期まで遅れる場合もある．

❸タンパク摂取後の悪心・嘔吐，腹痛，下痢

上述のように多くの症例において 1 歳前後から，牛乳，肉，魚，卵等の高タンパク食品を摂取すると悪心・嘔吐，腹痛，下痢などを呈するため，これらの食品を嫌うようになる．この「タンパク嫌い」は，本疾患の特徴の一つで 8 割程度の患者に認める．

❹骨粗鬆症，骨折

患者の 2 割に骨折の既往が認められる．小児期～成人期において骨粗鬆症を呈する割合は半数近くあり，なかには骨成熟の遅延，骨変形，変形性関節症も認められる．そのほか疎な毛髪，皮膚や関節の過伸展などを認める場合もある．

❺免疫機能の異常，血球貪食症候群，自己免疫疾患

約 1/3 の症例に何らかの血液免疫学的異常所見を有する．水痘の重症化，EB ウイルス DNA 持続高値，麻疹脳炎合併などのウイルス感染の重症化や感染防御能の低下が報告されている[8]．

さらに血球貪食症候群[9]，自己免疫疾患（SLE，

9 リジン尿性蛋白不耐症

疾患概要

二塩基性アミノ酸（リジン，アルギニン，オルニチン）の輸送タンパクの一つであるy^+LAT-1（y^+L amino acid transporter-1）の機能異常により起こる，二塩基性アミノ酸の膜輸送障害をおもな病態とする．これらのアミノ酸の小腸での吸収障害，腎での再吸収障害を生じるために，アミノ酸バランスの破綻，タンパク合成の低下を招き，高アンモニア血症や成長障害を主とした多彩な臨床症状をきたす．

本疾患は常染色体劣性遺伝を呈し，責任遺伝子 *SLC7A7* の病因変異が認められる[1)2)]．

1 代謝経路

y^+LAT-1 は，おもに腎，小腸などの上皮細胞基底膜側に存在する（図1）．12の膜貫通領域をもったタンパク構造をとり，分子量は約 40 kDa である．調節ユニットである 4F2hc（the heavy chain of the cell-surface antigen 4F2）とジスルフィド結合を介してヘテロダイマーを形成することで，機能発現する．本タンパクの異常により二塩基性アミノ酸の吸収障害，腎尿細管上皮での再吸収障害をきたす結果，これらの体内プールの減

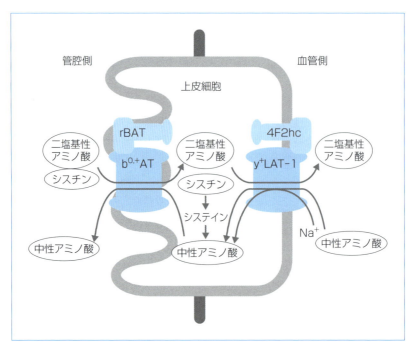

図1 ● 二塩基性アミノ酸の膜輸送

二塩基性アミノ酸とシスチンは，膜輸送タンパク $b^{0,+}$AT を介して中性アミノ酸と交換され，上皮細胞内に入る．細胞内に入った二塩基性アミノ酸は，y^+LAT-1 の作用により中性アミノ酸と交換され血管側に出る．y^+LAT-1 は，調節ユニットである 4F2hc（the heavy chain of the cell-surface antigen 4F2）とジスルフィド結合を介してヘテロダイマーを形成している．二塩基性アミノ酸は Na^+ 非依存性に，中性アミノ酸は Na^+ 依存性に取り込まれると考えられている．

tion：clinical, biochemical and DNA analyses in a four-generation family. Am J Med Genet 1997；68：236-239.
8) Crombez EA, et al. Hyperargininemia due to liver arginase deficiency. Mol Genet Metab 2005；84：243-251.
9) Salvi S, et al. Clinical and molecular findings in hyperornithinemia-hyperammonemia- homocitrullinuria syndrome. Neurology 2001；57：911-914.
10) 三渕浩, ほか. 尿素サイクル異常症. 小児内科 41（増刊）2009：359-364.
11) Summar ML, et al. Unmasked adult-onset urea cycle disorders in the critical care setting. Crit Care Clin 2005；21：S1-S8.
12) Kido J, et al. Impact of the 2016 Kumamoto Earthquake on a female patient with ornithine transcarbamoylase deficiency. Pediatr Int 2017；59：1213-1215.
13) Matsuda I, et al. Retrospective survey of urea cycle disorders：Part 1. Clinical and laboratory observations of thirty-two Japanese male patients with ornithine transcarbamylase deficiency. Am J Med Genet 1991；38：85-89.
14) Uchino T, et al. Neurodevelopmental outcome of long-term therapy of urea cycle disorders in Japan. J Inherit Metab Dis 1998；21：S151-S159.
15) Häberle J, et al. Suggested guidelines for the diagnosis and management of urea cycle disorders. Orphanet J Rare Dis 2012；7：32.
16) Endo F, et al. Clinical manifestations of inborn errors of the urea cycle and related metabolic disorders during childhood. J Nutr 2004；134：S1605S-S1609.
17) Kido J, et al. Long-term outcome and intervention of urea cycle disorders in Japan. J Inherit Metab Dis 2012；35：777-785.
18) Feoli-Fonseca JC, et al. Chronic sodium benzoate therapy in children with inborn errors of urea synthesis：effect on carnitine metabolism and ammonia nitrogen removal. Biochem Mol Med 1996；57：31-36.
19) Morioka D, et al. Current role of liver transplantation for the treatment of urea cycle disorders：a review of the worldwide English literature and 13 cases at Kyoto University. Liver Transpl 2005；11：1332-1342.
20) Morioka D, et al. Living donor liver transplantation for pediatric patients with inheritable metabolic disorders. Am J Transplant 2005；5：2754-2763.
21) Wakiya T, et al. Living donor liver transplantation from an asymptomatic mother who was a carrier for ornithine transcarbamylase deficiency. Pediatr Transplant 2012；16：E196-E200.
22) Kasahara M, et al. Living donor liver transplantation for pediatric patients with metabolic disorders：the Japanese multicenter registry. Pediatr Transplant 2014；18：6-15.
23) Kido J, et al. Liver transplantation may prevent neurodevelopmental deterioration in high-risk patients with urea cycle disorders Pediatr Transplant 2017；21（6）.
24) Seminara J, et al. Establishing a consortium for the study of rare diseases：The Urea Cycle Disorders Consortium. Mol Genet Metab 2010；100：S97-S105.
25) Krivitzky L, et al. Intellectual, adaptive, and behavioral functioning in children with urea cycle disorders. Pediatr Res 2009；66：96-101.
26) Langendonk JG, et al. A series of pregnancies in women with inherited metabolic disease. J Inherit Metab Dis 2012；35：419-424.
27) Tihtonen K, et al. Risk of hyperammonemic coma in the puerperium：two cases of women with diagnosed and undiagnosed deficiency of urea cycle enzymes. Acta Obstet Gynecol Scand 2010；89：404-406.
28) Açıkalın A, et al. A rare cause of postpartum coma：isolated hyperammonemia due to urea cycle disorder. Am J Emerg Med 2016；34：1324.
29) Kido J, et al. Hyperammonemia crisis following parturition in a female patient with ornithine transcarbamylase deficiency. World J Hepatol 2017；9：343-348.
30) Erez A, et al. Requirement of argininosuccinate lyase for systemic nitric oxide production. Nat Med 2011；17：1619-1626.
31) Gropman A. Brain imaging in urea cycle disorders. Mol Genet Metab 2010；100：S20-S30.
32) Wong D, et al. Arginase deficiency. In：GeneReviews *TM*. Pagon RA, Adam MP, Ardinger HH et al.（Eds）. University of Washington, Seattle, WA, USA（1993-2013）. 21 October 2004［Updated 28 August 2014］. http://www.ncbi.nlm.nih.gov/books/NBK1159.
33) Kniffin CL. Argininemia；OMIM entry 207800；2010. http://omim.org/entry/207800

さらに血中アンモニア値を下げたい場合は，安息香酸Na注（500 mg/kg/dayまで）を増量可能である．これらの治療では不十分でさらに血中アンモニア値を下げる必要がある場合は，フェニル酪酸Na（ブフェニール®）とL-シトルリン（100～250 mg/kg/day）も内服投与する．服用できないときは，NGチューブ下で投与する．先天代謝異常学会よりシトルリンを入手でき次第，アルギニンとシトルリンの併用が勧められる．また，アンモニア産生の抑制のため，ラクツロース，メトロニダゾール（10～20 mg/kg/day）の内服を行う．L-カルニチン（20～50 mg/kg/day）もミトコンドリア機能維持のために投与する．NAGS欠損症と診断がつけば，カルグルミン酸（カーバグル®：100～250 mg/kg/day）の投与を行う（表4）．

高アンモニア血症クライシス時，血中アンモニア濃度が425 μg/dL（250 μmol/L）以上のときは，血液透析治療の適応となりうる．血中アンモニア値に応じた治療戦略（表4）を参考に，ICU管理下での状況に応じて治療選択を行う必要がある．

慢性期の治療

タンパク制限は有効である．

ただし，タンパク制限を強化すると，成長障害を引き起こすので，血中アンモニア，グルタミン値および表6を参考にしながら1日のタンパク摂取量と総カロリー摂取量を決める．

薬物療法として，L-アルギニン塩酸塩（100～250 mg/kg/day），L-シトルリン（100～250 mg/kg/day），安息香酸Na（100～250 mg/kg/day），および/またはフェニル酪酸Na（ブフェニール®）を組みあわせて，血中アンモニア，グルタミン値およびグルタミン酸値を参考にしながら投与する．カルグルミン酸（カーバグル®：100～250 mg/kg/day）の投与を行う．必要に応じて，アンモニア産生の抑制のため，ラクツロース，メトロニダゾール（10～20 mg/kg/day，耐性菌出現防止のため　4日服薬/3日休薬，1週間服薬/3週間休薬などとする）を使用する．また，L-カルニチン（20～50 mg/kg/day）もカルニチン欠乏の予防とミトコンドリア機能維持のために投与する．

1　sick dayの対応

食事摂取が不十分なときは，必要に応じてブドウ糖電解質液を輸液する．さらに，血中アンモニア値を測定し，血中アンモニア値に応じた治療戦略に応じた急性期の治療方針（表4）に従う．

2　急性増悪時の対応

「急性期の治療方針」に準じる．

3　特殊ミルクの使用

母乳（自然タンパク1.0～1.7 g/dL），ミルクまたは食事によってタンパク量と総熱量の摂取を確保しながら，不足している栄養量および総熱量をタンパク除去粉乳（雪印S-23）により確保する．また，タンパク除去粉乳（雪印S-23）を使用したタンパク制限治療は，基本的に成人期以降も必要である．

引用文献

1) 山口清次．タンデムマス等の新技術を導入した新しい新生児マススクリーニング体制の確立に関する研究．厚生労働科学研究費補助金（成育疾患克服等次世代育成基盤研究事業）平成23年度報告書，2012.
2) Nagata N, et al. Estimated frequency of urea cycle enzymopathies in Japan. Am J Med Genet 1991；39：228-229.
3) Brusilow SW, et al. Urea cycle enzymes. In：Scriver CR, et al, eds. The metabolic and molecular basis of inherited disease. 8th ed, McGraw-Hill, 2001；1909-1963.
4) Wilcken B. Problems in the management of urea cycle disorders. Mol Genet Metab 2004；81：S86-S91.
5) Bachmann C. Outcome and survival of 88 patients with urea cycle disorders：a retrospective evaluation. Eur J Pediatr 2003；162：410-416.
6) Nassogne MC, et al. Urea cycle defects：management and outcome. J Inherit Metab Dis 2005；28：407-414.
7) Ausems MG, et al. Asymptomatic and late-onset ornithinetranscarbamylase deficiency caused by a A208T muta-

抗リン脂質抗体症候群, 自己免疫性肝炎, 関節リウマチ) 合併の報告がある.

❻その他

その他の臓器症状は発症初期には頻度は少ないが, 時に重篤となることがある.

肺合併症[10]として, 間質性肺炎, 肺胞蛋白症等がある. 小児期にはこれらの頻度は低いものの, 発症時期や重症度は個人差が大きいため, 留意しておく必要がある. またこれらは初期の段階では無症状であるが, その時点でも画像上の肺の線維化が度々認められる[6].

腎尿細管病変や糸球体腎炎も報告されており, 十分な観察が望まれる[11)12]. 小児期の腎不全例はほとんど報告がないが, 軽度のタンパク尿, 微小血尿, 尿β2ミクログロブリン (MG) の上昇などを認めることがある. これらは緩徐進行性であることが多い.

循環器症状は少ないが, 運動負荷後に心筋虚血性変化を示すとの報告[13]もあるため, 今後はNOとの関連メカニズムについても検討が望まれる. 血管内皮機能障害に基づくと思われる血管病変 (脳梗塞等) にも留意する必要がある. 急性膵炎も時にみられる.

3 参考となる検査所見

❶一般血液検査所見＊

(1) 血清LDH上昇

600～1,000 U/L程度に上昇していることが多い. LDHは基本的には肝型を主としてすべての分画で増加する (分画の比率においてはLDH 4, 5は上昇を認める例が多く, 一方でLDH 1, 2は相対的には低下する傾向がみられる).

(2) 血清フェリチン上昇

多くの患者で認めるが, その程度は症例によって異なる.

(3) 高アンモニア血症

新生児>120 μmol/L (200 μg/dL), 乳児期以降>60 μmol/L (100 μg/dL). 血中アンモニア高値の既往はほとんどの例でみられる. 最高血中アンモニア値は180～240 μmol/L (300～400 μg/dL) の範囲であることが多いが, 症例によっては600 μmol/L (1,000 μg/dL) 程度まで上昇することもある. また食後に採血することでタンパク摂取後の一過性高アンモニア血症が判明し, 本症の診断に至ることがある.

(4) 末梢白血球減少・血小板減少・貧血

上記の検査所見のほか, AST/ALTの軽度上昇 (AST>ALT), TG/TC上昇, 貧血, 甲状腺結合タンパク (thyroxine-binding globulin: TBG) 増加, IgGサブクラスの一部の低下, 白血球貪食能や殺菌能の低下, NK細胞活性低下, 補体低下, CD4/CD8比の低下等がみられることがある.

❷血中・尿中アミノ酸分析＊

(1) 血中リジン　低下-正常 (基準値：76～243 nmol/mL)
(2) 血中アルギニン　低下-正常 (基準値：42～143 nmol/mL)
(3) 血中オルニチン　低下-正常 (基準値：32.5～117 nmol/mL)
(4) 尿中リジン　ほぼ全例で増加 (基準値：643 nmol/mg Cre 以下)
(5) 尿中アルギニン　正常-増加 (基準値：89.5 nmol/mg Cre 以下)
(6) 尿中オルニチン　正常-増加 (基準値：45.1 nmol/mg Cre 以下)

血中二塩基性アミノ酸値 (リジン, アルギニン, オルニチン) は, 正常下限の1/3程度から正常域まで分布する. また二次的変化として, 血中グルタミン, アラニン, グリシン, セリン, プロリンなどの上昇を認めることがある. グルタミン値は高アンモニア血症を反映しており, 800～1,200 nmol/mL (11.7～17.5 mg/dL) 程度に上昇していることが多い.

尿の二塩基性アミノ酸濃度は通常増加 (リジンは多量, アルギニン, オルニチンは中等度, シスチンは軽度) し, なかでもリジンの増加はほぼ全例にみられる. まれに (血中リジン量が極端に低い場合等), これらのアミノ酸の腎クリアランスの計算が必要となる場合がある[6].

●参考所見

尿中有機酸分析＊＊における尿中オロト酸測定：高アンモニア血症に付随して尿オロト酸の増

4 診断の根拠となる特殊検査

❶遺伝子解析＊＊＊

　SLC7A7（y$^+$LAT-1 をコードする遺伝子）の 2 アレルに病因変異を認める．*SLC7A7* は染色体 14q11.2 に位置し，11 のエクソンより構成され，512 のアミノ酸をコードする．遺伝子変異は今まで 50 種以上の報告がある．わが国では約 9 種が同定されている[5]．

5 鑑別診断

❶尿素サイクル異常症の各疾患

　これらはいずれも高アンモニア血症を呈する．血液・尿のアミノ酸分析によってある程度鑑別を行う．遺伝子解析，場合によっては尿素サイクルにかかわる肝酵素活性の測定などが必要となる．

❷ライソゾーム病

　肝腫大や間質性肺疾患，血液異常などからGaucher 病や Niemann-Pick 病を疑う場合もある．

❸周期性嘔吐症，食物アレルギー，慢性腹痛，吸収不良症候群などの消化器疾患

　タンパク摂取によって消化器症状が誘発されることからこれらの疾患と判断されることがある．

❹てんかん，精神運動発達遅滞

　これらは高アンモニア血症による二次的な所見であるがアンモニアの高値に気づかれない場合，原因不明の発達遅延とみなされる場合がある．

❺自己免疫疾患，血球貪食症候群，間質性肺炎

　小児期にこれらを初発症状とする例がある．

6 診断基準

・次の「❶臨床所見」で 1 つ以上，かつ「❷検査所見」で 2 つ以上合致する項目があり，さらに❸を満たすもの
・または，「❶臨床所見」で 1 つ以上，かつ「❷検査所見」で 3 つ以上合致する項目があるもの．

❶臨床所見
（1）低身長，体重増加不良，肝腫大，脾腫大．
（2）タンパク摂取後の嘔吐，腹痛，気分不快．または高タンパク食品（肉，魚，卵・乳製品）を嫌う．
（3）ウイルス感染の重症化，免疫異常，自己免疫疾患．
（4）若年からの骨粗鬆症，頻回骨折．
（5）筋力低下，易疲労．

❷検査所見
（1）高アンモニア血症の既往．
（2）血清 LDH 値の上昇，血清フェリチン値の上昇．
（3）尿中（部分尿または酸性蓄尿）アミノ酸分析でリジン（症例によりアルギニン，オルニチンも）の排泄亢進．
（4）血中アミノ酸分析でリジン，アルギニン，オルニチンのいずれかまたは 3 者の低値．

❸遺伝学的検査
　責任遺伝子 *SLC7A7* の 2 アレルの病因変異の確定．

●診断に関して留意する点

　尿中および血中アミノ酸分析は診断における重要な所見であるが，低栄養状態では血中アミノ酸値が全体に低値となり，尿中排泄も低下していることがある．また新生児や未熟児では尿のアミノ酸排泄が多いため，新生児尿中アミノ酸の評価においては注意が必要である．逆にアミノ酸製剤投与下，Fanconi 症候群などでは尿アミノ酸排泄過多を呈するので評価の際は注意する．
・本疾患の 5％程度では遺伝子変異が同定されないことがある．

急性発作で発症した場合の診療

1 確定診断および急性期の検査

　高アンモニア血症をきたす尿素サイクル異常症の各疾患の鑑別のため，治療薬投与前に血中・尿中アミノ酸分析を提出する．加えて LDH やフェリチンが上昇していれば本疾患の可能性が高まる．確定診断には遺伝子解析を検討する．

2 急性期の治療方針

高アンモニア血症の急性期で悪心・嘔吐や意識障害などの臨床症状を認める場合は，速やかに窒素負荷となるタンパクをいったん除去するとともに，中心静脈栄養などにより十分なカロリーを補充することでタンパク異化の抑制を図る．尿素サイクル異常症の高アンモニア血症に準じて行う．

❶ブドウ糖輸液

10％ブドウ糖の輸液または中心静脈カテーテルによる高濃度輸液（60〜100 kcal/kg/day）を開始する．高血糖の際には適宜インスリンの併用も考慮する **B**．

❷薬物投与

L-アルギニン＊（アルギU® 100〜250 mg/kg/day，静脈内投与），フェニル酪酸Na＊（ブフェニール®），安息香酸Na＊＊＊（100〜250 mg/kg/day，静脈内投与または経口投与）等を投与する **B**．

❸血液浄化

ほとんどの場合は上記の薬物療法によって血中アンモニア値の低下が得られるが，無効な場合は持続血液透析（CHD）の導入を図る **B**．

❹その他

腸管でのアンモニア産生・吸収を減少させるため，必要に応じ抗菌薬（カナマイシン＊，ネオマイシン＊），ラクツロース＊，乳酸菌製剤＊等を投与する **C**．

ここでは急性発作を高アンモニア血症として記載しているが，重症の急性経過の一つに血球貪食症候群もあげられる．血球貪食症候群の治療を最優先して行ったうえで背景となるリジン尿性蛋白不耐症の診断および治療介入を行う．

慢性期の管理

1 食事療法

十分なカロリー摂取とタンパク制限が主体となる．高アンモニア血症を予防する観点からは，小児では摂取タンパク0.8〜1.5 g/kg/day，成人では0.5〜0.8 g/kg/dayが推奨される[7)14)]が，軽症例では適宜摂取量を調整する．一方でカロリーおよびCa，Fe，Znやビタミン D 等は不足しやすく[15)]，特殊ミルクであるタンパク除去粉乳（雪印 S-23）の併用も適宜考慮する **B**．

2 薬物療法

❶L-シトルリン（日本では医薬品として認可されていない．入手については後述の〈L-シトルリンの入手について〉を参照）

中性アミノ酸であるため吸収障害はなく，肝でアルギニン，オルニチンに変換されるため，本疾患に有効である **B**．海外では100 mg/kg/day程度を推奨する報告が散見される[7)14)]が，近年のわが国における使用状況としては100〜200 mg/kg/dayの範囲で，血中アンモニア値を目安に適宜増減している例が多い[3)]．L-シトルリンの投与により，血中アンモニア値の低下や悪心減少，食事摂取量の増加，活動性の増加，肝腫大の軽減などが認められる．

❷L-アルギニン＊（アルギU® 120〜380 mg/kg/day）

有効だが，吸収障害のため効果が限られ，また浸透圧性下痢をきたしうるため，注意して使用する．なおL-アルギニンの投与は，急性期の高アンモニア血症の治療としては有効であるが，本症における細胞内でのアルギニンの増加・NO産生過剰の観点からは，議論の余地があると思われる[16)] **C**．

❸L-カルニチン＊

2次性の低カルニチン血症をきたしている場合には内服（20〜50 mg/kg/day）を併用する **C**[17)]．

❹フェニル酪酸Na＊，安息香酸Na＊＊＊

さらに血中アンモニア値が不安定な例ではこれらの定期内服を検討する **C**[7)14)]．

その他，免疫能改善のためのγグロブリン投与，肺・腎合併症に対するステロイド投与，骨粗鬆症へのビタミンD製剤やビスホスホネート投

与[18]，成長ホルモン分泌不全性低身長への成長ホルモン投与[19]，重炭酸ナトリウム，抗けいれん薬，レボチロキシン投与などが試みられている．これらはいずれも対症療法である．

● L-シトルリンの入手について

本剤は医薬品として認可されていないが，治療の有用性については多くの報告がある．そのため日本先天性代謝異常学会の対応として，現在は一般社団法人日本小児先進治療協議会を通し有償で供給するシステムをとっている．入手方法の詳細については日本先天性代謝異常学会ホームページ（http://jsimd.net/）を参照していただきたい．

もしくは食品（サプリメント）として，適宜個人で入手することも可能である．

3 移植医療

海外症例では末期腎不全に対する腎移植の報告がある[20]．また重度の肺胞タンパク症に対し心肺移植を行った症例が報告されている[21]．

フォローアップ指針

1 一般的評価と栄養学的評価

❶ 身長・体重測定
❷ 血液検査

血中アミノ酸分析，アンモニア，フェリチン，LDH ほか一般的な血液生化学検査項目．適宜微量元素や血中カルニチン濃度も測定する．時に尿 β2MG や血清 KL-6 の測定を腎尿細管や肺間質所見の評価として行うことも有用である．

❸ 栄養評価

体重増加不良などがある場合は適宜栄養士との相談により摂取タンパク量やカロリーの評価・調整を行っていく．

❹ 骨密度測定

数年に一度．可能であれば行う．

2 神経学的評価

❶ 発達評価

新版 K 式や WISC による評価を 1 回/年程度．

❷ 脳 MRI 画像評価

1 回/1〜3 年程度．特に高アンモニア血症を反復する，もしくは著しい高アンモニア血症の既往がある例では必要．

❸ 脳波検査（てんかん合併時）

1 回/年程度．

3 特殊ミルクの使用

本疾患は一般的には成人期の特殊ミルク使用は不要であるが，患者の全身状態によっては使用が必要となる場合もある．

4 その他

成人期においては肺・腎に関し定期的な評価（胸部 CT，腎機能，β2 MG 等）を実施することが望ましい．ウイルス感染では重症化する可能性があり十分な注意が必要である[22]．水痘罹患時は免疫不全症に準じた管理も考慮する．

また，本疾患は常染色体劣性の遺伝形式であり，必要に応じて遺伝カウンセリングを行う．

成人期の課題

1 食事療法を含めた治療の継続

食事療法および薬物療法は生涯継続することが望ましい．

2 飲酒

一般的に代謝に影響を与えるので推奨はできない．

3 運動

基本的に運動制限は不要であるが，実際には易疲労や筋力低下のために激しい運動を好むことは少ない．就労においても重度の肉体労働は避けることが望ましい．

4 妊娠・出産

リジン尿性蛋白不耐症女性の妊娠においては，高アンモニア血症，貧血の進行，妊娠高血圧症候群および分娩時・産後出血，および胎児子宮内発育遅延などの合併症が生じやすい[23]．妊娠中および分娩に関しては血圧，血算，生化学所見（特に腎機能，血清 Ca，亜鉛，アルブミン値等），アミノ酸分析，尿検査などの十分なモニタリングと，タンパク摂取量の調節およびアミノ酸補充を伴う適切な食事療法が必要である．これらの介入により，母親および新生児の健全な身体状態の確保が可能となる．

5 医療費の問題

本疾患は指定難病となっており，保険診療内の諸検査および薬物治療については難病制度に即した医療費助成制度が適応される．

6 その他

肺合併症や腎病変は，一部の小児例でもみられるが，成人期ではより重要な管理項目である．これらはアミノ酸補充にもかかわらず進行を抑えられないため，生命予後に大きく影響する[24]．水痘や一般的な細菌感染は，腎臓・肺病変の重症化を招きうる[22]．

❶ 腎臓所見

腎臓疾患は，成人期には高頻度に認められる進行性の合併症である[25]．組織学的には膜性またはメサンギウム増殖性糸球体腎炎の像を呈することが多い[26)-28]．さらに，Fanconi 症候群の併発もあり，適宜治療を要する[25)29]．最終的には，腎不全に至る症例も多いため，腎機能について注意が必要である．

❷ 肺所見

呼吸器疾患は，生命予後を最も左右する合併症である．胸部高分解能 CT（high-resolution computed tomography：HRCT）によっても間質性病変を観察することができる[30)31]．進行すると胸部単純写真または HRCT でのびまん性の網状結節性の間質陰影が特徴的にみられる．気管支肺胞洗浄では細胞数の増加と泡沫状マクロファージを認める[32]．さらには，肺生検でコレステロール肉芽種 and/or 肺胞蛋白症を呈することがある．肺胞蛋白症は急速に進行し生命を脅かすことがあり，肺疾患の末期症状として典型的なものと考えられる[22)26)28)30)32]．呼吸器症状はどの年齢でも発症する可能性があり，新規患者の初発症状のこともある．また標準的な治療を行っていたとしても，月単位や年単位で進行することがある[26)27)31)32]．

文献

1) Sperandeo MP, et al. Lysinuric protein intolerance：update and extended mutation analysis of SLC7A7 gene. Hum Mutat 2008；29：14-21.

2) Torrents D, et al. Identification of SLC7A7, encoding y（＋）LAT-1, as the lysinuric protein intolerance gene. Nat Genet 1999；21：293-296.

3) 高橋勉．厚生労働省研究班「リジン尿性蛋白不耐症における最終診断への診断プロトコールと治療指針の作成に関する研究」厚生労働科学研究費補助金難治性疾患克服研究事業平成 22 年度総括分担研究報告書，2011；1-27.

4) Tringham M, et al. Exploring the transcriptomic variation caused by the Finnish founder mutation of lysinuric protein intolerance（LPI）. Mol Genet Metab 2012；105：408-415.

5) Noguchi A, et al. Clinical and genetic features of Japanese patients with lysinuric protein intolerance. Pediatr Int 2016；58：979-983.

6) Simell O. Chapter192 Lysinuric protein intolerance and other cationic aminoacidurias. The Metabolic and Molecular Bases of Inherited Disease. 8th ed, New York：McGraw-Hill, 2001：4933-4956.

7) Sebastio G, et al. Lysinuric protein intolerance：Reviewing concepts on a multisystem disease. Am J Med Genet Part C 2011；157：54-62.

8) Yoshida Y, et al. Immunological abnormality in patients with lysinuric protein intolerance. J Neurol Sci 1995；

134：178-182.
9) Duval M, et al. Intermittent hemophagocytic lymphohistiocytosis is a regular feature of lysinuric protein intolerance. J Pediatr 1999；134：236-239.
10) Valimahamed-Mitha S, et al. Lung involvement in children with lysinuric protein intolerance. J Inherit Metab Dis 2015；38：257-263.
11) Nicolas C, et al. Renal involvement in a French paediatric cohort of patients with lysinuric protein intolerance. JIMD Rep 2016；29：11-17.
12) Riccio E, et al. Fanconi syndrome with lysinuric protein intolerance. Clin Kidney J 2014；7：599-601.
13) Takeda T, et al. Impaired portal circulation resulting from L-arginine deficiency in patients with lysinuric protein intolerance. Gut 2006；55：1526-1527.
14) Baulny HO, et al. Lysinuric protein intolerance（LPI）：A multi organ disease by far more complex than a classic urea cycle disorder. Mol Genet Metab 2012；106：12-17.
15) Tannner LM, et al. Nutrient intake in lysinuric protein intolerance. J Inherit Metab Dis 2007；30：716-721.
16) Barilli A, et al. In lysinuric protein intolerance system y^+L activity is defective in monocytes and in GM-CSF-differentiated macrophages. Orphanet J Rare Dis 2010；5：32.
17) Tanner LM, et al. Carnitine deficiency and L-carnitine supplementation in lysinuric protein intolerance. Metab Clin Exp 2008；57：549-554.
18) Gömez L, et al. Treatment of severe osteoporosis with alendronate in a patient with lysinuric protein intolerance. J Inherit Metab Dis 2006；29：687.
19) Evelina M, et al. Growth hormone deficiency and lysinuric protein intolerance：case report and review of the literature. JIMD Rep 2015；19：35-41.
20) Tanner LM, et al. Nephropathy advancing to end-stage renal disease：a novel complication of lysinuric protein intolerance. J Pediatr 2007；150：631-634.
21) Santamaria F et al. Recurrent fatal pulmonary alveolar proteinosis after heart-lung transplantation in a child with lysinuric protein intolerance. J Pediatr 2004；145：268-272.
22) Lukkarinen M, et al. Varicella and varicella immunity in patients with lysinuric protein intolerance. J Inherit Metab Dis 1998；21：103-111.
23) Tannner LM, et al. Hazards asosiated with pregnancies and deliveries in lysinuric protein intolerance. Metabolism 2006；55：224-231.
24) Mauhin W, et al. Update on lysinuric protein intolerance, a multi-faceted disease retrospective cohort analysis from birth to adulthood. Orphanet J Rare Dis 2017；12：3.
25) Tanner LM, et al. Nephropathy advancing to end-stage renal disease：a novel complication of lysinuric protein intolerance. J Pediatr 2007；150：631-634.
26) Parto K, et al. Pulmonary alveolar proteinosis and glomerulonephritis in lysinuric protein intolerance：case reports and autopsy findings of four pediatric patients. Hum Pathol 1994；25：400-407.
27) DiRocco M, et al. Role of haematological, pulmonary and renal complications in the long-term prognosis of patients with lysinuric protein intolerance. Eur J Pediatr 1993；152：437-440.
28) Parenti G, et al. Lysinuric protein intolerance characterized by bone marrow abnormalities and severe clinical course. J Pediatr 1995；126：246-251.
29) Benninga MA, et al. Renal Fanconi syndrome with ultrastructural defects in lysinuric protein intolerance. J Inherit Metab Dis 2007；30：402-403.
30) Santamaria F, et al. Early detection of lung involvement in lysinuric protein intolerance：role of high-resolution computed tomography and radioisotopic methods. Am J Respir Crit Care Med 1996；153：731-735.
31) Ceruti M, et al. Successful whole lung lavage in pulmonary alveolar proteinosis secondary to lysinuric protein intolerance：a case report. Orphanet J Rare Dis 2007；2：14.
32) Parto K, et al. Pulmonary manifestations in lysinuric protein intolerance. Chest 1993；104：1176-1182.

10 ガラクトース-1-リン酸ウリジルトランスフェラーゼ（GALT）欠損症

疾患概要

1 病態

　ガラクトース-1-リン酸ウリジルトランスフェラーゼ（GALT）欠損症はガラクトース血症Ⅰ型ともよばれ，母乳やミルク由来のガラクトースの代謝が障害される疾患である．ガラクトースおよびガラクトース-1-リン酸の蓄積により消化器症状，低血糖，尿細管障害，白内障，肝機能障害などを呈し，早急に乳糖除去を行わなければ致死的である．*GALT*遺伝子の病的バリアントを原因とする常染色体劣性遺伝性疾患である．

2 代謝経路

　乳糖は乳製品に含まれる主要な糖であり新生児期，乳児期の主要なエネルギー源である．乳糖は小腸上皮の刷子縁にある乳糖分解酵素によってガラクトースとグルコースに分解，吸収され門脈を経由して肝臓へ取り込まれ代謝される．この代謝経路ではガラクトースはガラクトキナーゼ（GALK）によりガラクトース-1-リン酸となったのち，ガラクトース-1-リン酸ウリジルトランスフェラーゼ（GALT）の触媒で，UDP-グルコースとの転移反応によりUDP-ガラクトースとグル

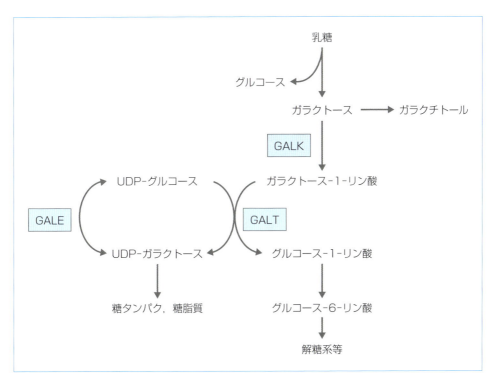

図1　ガラクトース代謝経路
GALK：ガラクトキナーゼ．
GALT：ガラクトース-1-リン酸ウリジルトランスフェラーゼ．
GALE：UDPガラクトース-4-エピメラーゼ．

コース-1-リン酸へと代謝される．これにより生成したUDP-ガラクトースはUDP-ガラクトース-4-エピメラーゼ（GALE）によりUDP-グルコースへと変換される（図1）．GALT欠損症はGALTの先天的な欠損または活性低下により，ガラクトース，ガラクトース-1-リン酸の蓄積が生じる[1]．

3 疫学

日本での発生頻度は約90万人に1人[2]である．

診断の基準

1 臨床病型

先天性高ガラクトース血症の病型として本疾患をⅠ型，GALK欠損症をⅡ型，GALE欠損症をⅢ型と分類する．

2 主要症状および臨床所見

新生児早期から，哺乳開始後，不機嫌，食欲不振，下痢，嘔吐などの消化器症状，体重増加不良，採血後の止血困難などがみられる．低血糖，尿細管障害，白内障，肝障害（黄疸，肝脾腫，肝逸脱酵素上昇など）をきたし，凝固系異常，溶血性貧血の所見を示すこともある．ガラクトース高値が大腸菌発育を促進するため敗血症，髄膜炎などの感染症を併発することが多い．乳糖除去を行わなければ致死的疾患である[1]．

3 参考となる検査所見

病状に応じて肝逸脱酵素の上昇，ビリルビン値の上昇，腎機能異常，易感染性を認める．

4 診断の根拠となる特殊検査

ガラクトース血症は新生児マススクリーニングの対象疾患であり，ろ紙血を用いて酵素法によりガラクトース，ガラクトース-1-リン酸の定量が，またボイトラー法によりGALT活性測定が行われる．GALT欠損症ではボイトラー法で蛍光発色を認めず，酵素法によるガラクトース，ガラクトース-1-リン酸の定量はともに40 mg/dL以上と高値になることが多い[3]．

補記） ガラクトース，ガラクトース-1-リン酸の測定は保険適用となる外注検査法などは存在せず，各自治体での新生児マススクリーニング検査施設による測定に頼らざるを得ない．このため自治体によって測定法やカットオフ値が異なっているのが実情である．酵素法による測定では総ガラクトースの値も記載されるが，これはアルカリフォスファターゼ（ALP）による脱リン酸反応を行った後にガラクトース値を測定したもので，ガラクトース-1-リン酸値を算出するための便宜的なものである．ガラクトース値＋ガラクトース-1-リン酸値が総ガラクトース値とはならないので注意が必要である．

5 鑑別診断

❶ ガラクトース血症Ⅱ型：GALK欠損症

常染色体劣性遺伝疾患で，日本での発生頻度は約100万人に1人．白内障が唯一の症状とされている．体内で過剰となったガラクトースがガラクチトールへ変換され，水晶体混濁を生じる．乳児期早期から乳糖制限（ガラクトース除去）が開始されれば白内障は可逆的であるが，数か月以上経過したのちでは白内障は不可逆的となるため早期治療が望まれる[4]．

❷ ガラクトース血症Ⅲ型：GALE欠損症

常染色体劣性遺伝疾患で，日本での発生頻度は7～16万人に1人[2]．酵素欠損が赤血球や白血球に限られる末梢型と，肝臓を含む他の組織に及ぶ全身型に分類される．全身型はⅠ型と同様の症状を示すが非常にまれで，日本人症例は報告されていない．末梢型の場合は特に症状を呈さず治療は不要とされている．血中ガラクトース値は軽度の増加にとどまり，ガラクトース-1-リン酸が優位に上昇する[5]．

❸ **胆汁うっ滞をきたす疾患**

ガラクトース，ガラクトース-1-リン酸の上昇のほか，胆汁うっ滞，肝機能障害など病状に合わせた種々の症状を認める．

❹ **門脈体循環シャント**

別項（p.106）参照．

❺ **シトリン欠損症**

胆汁うっ滞性肝障害に加え，血中アミノ酸分析においてスレオニン/セリン比の上昇，シトルリン，チロシン，フェニルアラニン，メチオニンの高値などが認められる．

❻ **Fanconi-Bickel 症候群**

汎アミノ酸尿，尿糖，ガラクトース尿などを認める．

❼ **グルコース-6-リン酸脱水素酵素（G6PD）欠損症**

ボイトラー法は GALT に G6PD など3種類の酵素反応を連続させて NADPH を生じさせ，これが発する蛍光を利用する検査であるため G6PD 欠損症はボイトラー法では異常を認めるが，酵素法でガラクトース，ガラクトース-1-リン酸の上昇は認めない．乾燥が不十分など，ろ紙血の検体不良でも同様の所見となるので注意が必要である．

6 診断基準

❶ **疑診**

疑診にあたるものはない．

❷ **確定診断**

ろ紙血を用いた測定で，ガラクトースおよびガラクトース-1-リン酸の異常高値を認め，かつボイトラー法で活性低下（蛍光発色なしまたは低下）を認めるもの．

新生児マススクリーニングで疑われた場合

1 診断確定までの対応

ガラクトース，ガラクトース-1-リン酸の異常高値を認め，かつボイトラー法で活性低下を認めた場合は精査を待たずただちに乳糖制限（ガラクトース除去）を開始する．ボイトラー法が正常な場合は他病型，他疾患の鑑別のため，ガラクトース，ガラクトース-1-リン酸値を再検するとともに，総ビリルビン，直接ビリルビン，総胆汁酸の測定を行う．門脈体循環シャントなどの場合，空腹時では異常値を示さない場合もあるため，必ず哺乳後1〜2時間で採血する[6]．

❶ **胆汁うっ滞所見ありの場合**

総胆汁酸の上昇とともに総ビリルビン，直接ビリルビンの上昇を認める場合は血中アミノ酸分析によりシトリン欠損症の可能性を考慮しつつ胆汁うっ滞の原因検索を行う

❷ **胆汁うっ滞所見なしの場合**

総ビリルビン，直接ビリルビンの上昇を認めず，総胆汁酸値の上昇（＞30 μmol/L）を認める場合は，門脈体循環シャントを考慮しフォローを行う．

2 診断確定後の治療

❶ **食事療法**

診断後ただちに乳糖制限（ガラクトース除去）を開始し，食事療法は生涯続ける．1歳までは3〜4か月に1回，生後1歳以降，各症例での食事内容が確立するまでは半年〜1年に1回の採血でガラクトース-1-リン酸が上昇しないことを確認（ろ紙血で5 mg/dL 以下）する **B**．

急性発作で発症した場合の診療

1 急性期の治療方針

ボイトラー法による GALT の酵素活性低下と，ガラクトース，ガラクトース-1-リン酸高値が確認されたと同時に（精査受診を待たず）乳糖制限（ガラクトース除去）を開始する．新生児期，乳児

期であれば大豆乳か乳糖除去ミルクを使用し，離乳期以降では乳製品，乳糖の除去を行う．凝固異常，肝障害などをきたしている症例には対症療法を行うが，ガラクトース除去によりこれらの症状も改善する．

慢性期の管理[7]

1 食事療法

乳製品，乳糖の除去を行う．くだもの，野菜，豆類，非発酵の大豆食品，熟成したチーズ（ガラクトース含量＜25 mg/100 g），食品添加物のカゼインナトリウム，カゼインカルシウムについては量，種類についても制限しない．発酵大豆食品には多量のガラクトースが含まれるが，通常の調理で少量用いる程度なら許容される **B**．

フォローアップ指針[7]

1 一般的評価と栄養学的評価

❶食事療法

診断後ただちに乳糖制限（ガラクトース除去）を開始し，食事療法は生涯続ける．1歳までは3〜4か月に1回，生後1歳以降，個々の食事内容が確立するまでは半年〜1年に1回の採血でガラクトース-1-リン酸が上昇しないことを確認（ろ紙血で5 mg/dL 以下）する **B**．

乳糖が内服薬の賦形剤として薬剤師の判断で用いられることがあり，処方箋に乳糖禁の記載をするなどの注意が必要である．

2 神経学的評価

2〜3歳時から筋緊張低下，振戦，失調性歩行など神経症状発現の有無を確認する．成人例では年1回，小児例では半年に1回の診察で神経症状発現をチェックする．けいれんやけいれん様症状があった場合の脳波検査は推奨されるが，ルーチンの脳神経系画像検査は推奨しない．神経症状をきたした場合の画像検査はこの限りでない **C**．

3 その他

❶精神発達

成長に伴い，言語発達遅滞や IQ 低下などをきたす症例があるため，幼児期以降は発達検査等を定期的に行い評価する **C**．

発達遅滞のスクリーニング検査は生後7〜12か月，2歳，3歳，5歳時に施行し，発達遅滞が疑われた場合には早期介入を行う **C**．

❷性腺機能不全

女児では高頻度に認める合併症である．女児で12歳時に2次性徴発現が十分でないか，14歳時に未月経の場合は高ゴナドトロピン性性腺機能低下のスクリーニングを行う．スクリーニングにはFSH，17βエストラジオールを含める．内分泌専門医による定期フォローが望ましい．思春期発来，月経周期確立がみられた女性でも，年1回，血清 FSH の測定により卵巣機能不全などの確認を行う **B**．

男性患者には内分泌系のフォローアップは推奨しない **C**．

❸骨病変

8〜10歳以降は骨密度測定を5年毎に行い，−2.5 SD 以下の骨密度低下が認められた場合は栄養評価によりカルシウム摂取量の適正化を行い，運動や骨病変に対する対策を行いながら必要ならビタミン D の補充を行う **C**．

カルシウムとビタミン D の十分な補給とともにビタミン K の補充を行うことは有益かもしれないが，今のところ十分なエビデンスは得られていない．

❹白内障

診断時には白内障の有無を確認すべきである．

診断時に白内障が認められた児は，これが消失するまで眼科フォローを継続する．食事療法のコンプライアンスが低い場合は眼科診察を受ける **Ｂ**．

❺遺伝カウンセリング

本疾患は常染色体劣性の遺伝形式であり，必要に応じて遺伝カウンセリングを行う．

成人期の課題

1 食事療法を含めた治療の継続

食事療法は生涯継続すること．

2 飲酒

特に制限はない．

3 運動

骨密度低下が認められた場合は適切な運動を行う．

4 妊娠・出産

前述した通り，女性では性腺機能不全が高頻度に認められるため，内分泌専門医，産婦人科医による管理を勧める．これまでのところ妊娠，出産にあたり，母体，児に悪影響が及ぶという報告はなされていないが長期フォローの報告はなく，長期の影響に関しては今後の検討が待たれる．

5 医療費の問題

本疾患は指定難病となっており，保険診療内の諸検査および薬物治療については難病制度に即した医療費助成制度が適用される．なお，本疾患に対する遺伝子解析は保険適用となっていない．

📖 文献

1) JB Holton, et al. Galactosemia. In：The metabolic & molecular bases of inherited disease（ed by Scriber CR et al），McGraw-Hill 2001：1807-1820.
2) 青木菊麿．新生児マススクリーニングで発見された疾患の追跡調査．小児内科 1991；23：1887-1891.
3) 佐倉伸夫．ガラクトース血症．小児内科，小児疾患診療のための病態生理 3 2016；48 増刊号：198-203.
4) 岡野善行．ガラクトキナーゼ欠損症　別冊日本臨床新領域別症候群シリーズ 19　先天代謝異常症候群（第 2 版）上 2012：26-28.
5) 岡野善行．UDP ガラクトース-4-エピメラーゼ欠損症　別冊日本臨床新領域別症候群シリーズ 19　先天代謝異常症候群（第 2 版）上 2012：29-31.
6) 佐倉伸夫，ほか．ガラクトース血症における尿中ガラクチトールの変動とその病態生理学的意義─ガラクトース血症の研究　その 6─．日本小児科学会雑誌 1998；102：563-567.
7) Welling L, et al. International clinical guideline for the management of classical galactosemia：diagnosis, treatment, and follow-up. J Inherit Metab Dis 2017；40：171-176.

11 先天性門脈-体循環シャントによる高ガラクトース血症

疾患概要

ガラクトース血症の新生児マススクリーニング（NBS）では，本来の対象疾患であるⅠ型と，付随して発見されうるⅡ型・Ⅲ型の各酵素欠損症は，いずれも国内頻度が極めて低い．一方，これらの酵素活性が正常であるにもかかわらず，ガラクトース高値を呈する新生児は少なからず発見される．「先天性門脈-体循環シャント（congenital portosystemic shunt：CPSS）による高ガラクトース血症」は，そのような症例の原因を究明する取り組みから確立された概念である．ただし，CPSSのすべてがNBSにてガラクトース高値を呈するわけではない[1]．

ガラクトースは肝臓での初回通過効果を顕著に受ける物質の一つであり，肝臓を迂回して体循環系へ流入する血流があれば，ガラクトースが末梢血中に現れることになる．CPSSをもたらす門脈走行異常に関する文献は，古くはAbernethyによる門脈欠損症例の報告（1793年）[2]まで遡るが，肝実質病変を伴わない肝内シャント症例の記載はRaskinらの報告（1964年）が最初である[3]．その後，1980年代から様々な形態のCPSSに関する論文が増加し，時期を同じくしてNBSにおけるガラクトース陽性を背景とする症例の報告例も相次ぐようになった．特にCPSSと高ガラクトース血症との関連性については，わが国から多くの情報が発信されている．

補記）本ガイドラインは新生児期にガラクトース高値を契機として発見されるCPSS症例を対象とし，各種の臨床症状を呈してから診断されるCPSS症例には必ずしも適合するものではない．

1 代謝経路

哺乳類の乳汁中に含まれる主な糖質は乳糖である．経口摂取された乳糖は，腸管内で二糖類分解酵素の作用を受け，六炭糖系の単糖類であるグルコースとガラクトースとして吸収される．門脈を経て肝臓に運ばれたガラクトースは，ガラクトキナーゼ（GALK）→ガラクトース-1-リン酸 ウリジルトランスフェラーゼ（GALT）→UDP-ガラクトース 4-エピメラーゼ（GALE）の3酵素によってUDP-グルコースへと代謝される．したがって，肝静脈-下大静脈以降の体循環血液中にガラクトースは，通常ほとんど検出されない．

2 疫学

CPSSの頻度として新生児3万人に1人という値があげられており[4)-6)]，わが国を含むガラクトース血症NBS実施国からの報告に基づいている．国内からはその後，NBSでのガラクトース高値を機に発見された持続性CPSSの頻度として，新生児約1.8万人に1例という値も報告されている[7)-11)]．ただし，ガラクトース血症のNBS基準値設定は自治体間の相違が大きく，CPSSの発見頻度も影響を受けることになる．

診断の基準

1 臨床病型

CPSSは，シャント血管と肝内門脈の状態に基づいて分類されている．

❶ 肝外門脈-体循環シャント（extrahepatic portosystemic shunt：EHPSS）

様々なシャント形式が報告されているが，そのうち肝内門脈の形成不良を伴うものは，最初の報

告者名を冠してAbernethy malformationとよばれ，さらに肝臓への門脈還流の有無によってⅠa，Ⅰb，Ⅱ型に分類される（Morganの分類）[12]．
- Ⅰ型：肝内への門脈流入を認めないもの（門脈欠損症，end-to-side shunt）
  - Ⅰa型：上腸間膜静脈と脾静脈が別々に下大静脈など体循環系静脈へ流入
  - Ⅰb型：上腸間膜静脈と脾静脈が門脈本幹を形成後に体循環系静脈へ流入
- Ⅱ型：肝内への門脈流入が認められるもの（門脈低形成，side-to-side shunt）

ただし，近年の進歩した画像診断法や，シャント血管閉塞試験などによって，実際にはⅠ型においても微量の肝内門脈への血流が認められる場合が多くなっており，Ⅰ型とⅡ型の厳密な区分はむずかしくなってきている．また，以下に記すようなシャント血管の態様による分類も提案されている（Kobayashiの分類）[13)14)]．
- A型：門脈血が下大静脈に直接流入
- B型：門脈血が腎静脈に流入
- C型：門脈血が下腸管膜静脈を介して腸骨静脈に流入

❷肝内門脈-体循環シャント（intrahepatic porto-systemic shunt：IHPSS）

肝内門脈枝と肝静脈または下大静脈との間にシャント血管が認められるもので，シャント血管の単数・複数や肝内での広がりなどによって分類されている（Parkの分類）[15)]．静脈管開存や肝血管腫も吻合関係としては肝内シャントに含まれる．
- 1型：門脈右枝が下大静脈に吻合
- 2型：門脈末梢枝と肝静脈が一つの肝区域内で吻合
- 3型：門脈末梢枝と肝静脈が血管瘤を介し吻合
- 4型：門脈末梢枝と肝静脈が左右両葉で複数の吻合
- 5型：静脈管開存

2 主要症状および臨床所見

❶高ガラクトース血症

CPSSに高ガラクトース血症が必発するわけではないが，シャント血流量に応じて顕著な上昇も呈しうる．肝障害の原因としての寄与は不明瞭であるが，ガラクチトールの増加が観察されているので，放置すれば白内障は生じうると考えられる[5)]．

❷新生児一過性胆汁うっ滞

新生児肝への血流減少は胆汁うっ滞の要因にあげられており，この機序がCPSSでも関与するものと考えられる．

❸肝障害，肝腫瘍

門脈血の灌流が減少した肝組織には，脂肪変性，萎縮性変化，腫瘍性病変など，様々な病的変化が高率に生じる[16)]．腫瘍性病変は，おもに結節性過形成や腺腫など良性のものであるが，肝芽腫や肝細胞癌の合併例も複数の報告がある[16)17)]．

❹門脈体循環性脳症

腸内細菌が産生するアンモニアが吸収された後，肝初回通過効果を免れるため，血中濃度の上昇が起こる．文献報告例では100～300 μg/dL程度の記載となっており[3)]，尿素サイクル異常症例でみられる制御困難な高度の上昇には至らないことが示唆されるが，様々な程度の意識障害，異常行動，発達退行など，診断までに高アンモニア性脳症の症状を繰り返した症例は数多く報告されている．

❺高マンガン血症

食品中のマンガンは小腸から吸収された後，ほぼすべてが肝初回通過効果を受けて門脈血から除去される．CPSSによって体循環に入ったマンガンは，肝動脈経由で肝臓に入っても同様に血中から除去されるが，その効率は門脈経由の場合の半分程度であり，血中マンガン濃度の上昇が起こる．ただし，新生児～乳児期の血中マンガン濃度は正常児でも著しく高く，CPSS症例で有意な高値が明らかとなるのは1歳以降である[18)]．過剰な血中マンガンは淡蒼球をはじめとして，下垂体前葉・中脳・橋被蓋・脳梁などに蓄積し，MRIにてT1高信号/T2正常という特徴的な所見を呈する[19)]．臨床症状を伴わない場合が多いが，時にパーキンソン症状が出現するとされる．MRIの異常所見はCPSSの治療によって消失したという報告もある[20)]．

❻肝肺症候群

肝硬変をはじめとする慢性肝疾患では，肺内微細動静脈の血管拡張による動静脈シャントが二次的に生じて，換気血流比不均等から低酸素血症を呈することがあり，肝肺症候群（hepatopulmonary syndrome：HPS）とよばれる．肝臓で，何らかの血管拡張物質の産生が増加するか，あるいは除去が減弱するために生じると考えられているが，詳細は解明されていない[21]．CPSSにも合併することが知られており，口唇チアノーゼや労作時呼吸困難の出現がCPSSの診断契機になった症例報告もある．

❼門脈性肺高血圧症

肺高血圧症もまたCPSS患者に呼吸困難を引き起こす原因であり，門脈性肺高血圧症（portopulmonary hypertention：PPH）とよばれている．PPHは心臓カテーテル検査で平均肺動脈圧上昇・肺血管抵抗上昇・肺毛細血管楔入圧正常というパターンを示し，肺動脈性肺高血圧症の範疇に分類されている[22]．肺組織所見では細小動脈の血栓塞栓が認められ，腸間膜循環系で生じた微小血栓が門脈シャントを通過して肺に達することがPPHの成因の一つとして示唆されている[23]．これに加えて，セロトニンをはじめとする肺血管収縮性物質が肝臓で処理されずに肺へ流入し続けることの影響も推測されている．

❽その他

CPSSに伴う症候として，急性肝不全，心不全，直腸出血，糸球体腎炎，膵炎，高インスリン性低血糖症，アンドロゲン過剰症なども報告されている[16]．

3 参考となる検査所見

❶血清総胆汁酸＊

門脈シャント効果によって上昇する血清総胆汁酸（TBA）は，CPSSの最も簡便なスクリーニング項目として有用である[24]．一般的な上限値は10 μmol/L程度となっているが，新生児～乳児期にはより高値であり，40 μmol/L以上が持続する場合はCPSSの可能性が示唆される．シャント量に応じた上昇が認められ，時に300 μmol/Lに達することもある．シャント量の少ない静脈管閉鎖遅延などでは低値にとどまることもあるが，CPSSの可能性とシャントの程度を推測する参考となる．なお，ろ紙血ガラクトースと合わせ，採血は哺乳1～2時間後のタイミングで行う必要がある．

4 診断の根拠となる特殊検査

❶腹部超音波検査，腹部造影CT検査＊

腹部超音波検査を行うことにより，静脈管血流の残存，肝血管腫―その他の肝内シャント血管の有無や，門脈本幹と肝内門脈枝の形成状態などに関する診断的所見が確認できる．さらにCTを行うことで，三次元画像もあわせて血管走行異常の詳細な情報が得られる．

❷門脈血管造影＊

門脈系血管の走行異常に関する最も確定的な所見を明らかにすると同時に，シャント血管の試験的閉塞によって門脈圧上昇の程度を評価し，閉鎖術の実施可能性に関する情報を得ることができる．

❸ ^{123}I-IMP経直腸的門脈シンチグラフィ＊＊＊

CPSSによる血流異常の定量的評価に利用される．正常では描出されない肺へ集積する核種の量からシャント率の算出が可能で，治療の適応や効果を判定するうえで有力な指標となるが，健康保険の適用は認められていない．

❹ ^{99m}Tc-GSA肝臓シンチグラフィ＊

シャントの影響による肝細胞の損傷状態や残存機能レベルを評価することができる．

5 鑑別診断

ガラクトースとTBAの高値を認めた場合の鑑別疾患としては，シトリン欠損症と胆道閉鎖症が重要である．

❶シトリン欠損症

必ずしも新生児期に発症する疾患ではないが，ガラクトース・TBAの高値を伴う場合は，新生児肝内胆汁うっ滞（NICCD）を発症していると考えられ，典型的には直接型優位の高ビリルビン血症・凝固能低下・α-フェトプロテイン著増などが認められる．NBSろ紙血や血漿アミノ酸分析では，シトルリン，フェニルアラニン，メチオニン，チロシン，スレオニンなどのアミノ酸が様々な組

み合わせで高値を示し，有力な鑑別所見となる．診断確定には遺伝子解析が必要である．

❷胆道閉鎖症

胆道閉鎖症は，CPSSを合併している場合の他，肝硬変の進行による門脈圧亢進症としてのシャントを伴う場合があり，腹部超音波検査などで鑑別する必要がある．

6 診断基準

❶疑診

ろ紙血ガラクトース陽性＋血清総胆汁酸高値を認める．

❷確定診断

腹部超音波などの画像検査でシャント血管が描出される．

新生児マススクリーニングで疑われた場合

1 確定診断

総胆汁酸値40 μmol/L以上が継続する場合は腹部超音波検査を行い，静脈管，肝内門脈シャント血管や肝血管腫の有無を確認する．肝内門脈の描出が不良の場合は，門脈欠損症や門脈低形成に伴う肝外門脈シャント血流の存在を積極的に検索する必要がある．肝外門脈シャントは異常血管を容易に検出できない場合もあり，異常所見がなくてもCPSSがただちに否定されるものではない．

2 診断確定までの対応

1) 乳糖・ガラクトース摂取制限 B

血中ガラクトース増加が顕著な場合は，酵素欠損によるガラクトース血症に準じて（いずれの時期においてもガラクトース≧10 mg/dL以上またはガラクトース-1-リン酸≧20 mg/dL以上となる場合），乳糖除去ミルクあるいはガラクトース除去ミルクを用いた乳糖制限を行う．

2) 高アンモニア血症の抑制 B

アンモニア上昇傾向を認める場合は，腸管からのアンモニア吸収を抑えるため，腸内細菌に対する非吸収性抗菌薬（メトロニダゾール・カナマイシンなど）あるいは，腸管内pHを低下させてアンモニアの吸収を抑制するラクツロースの投与を行う．薬剤投与でも高アンモニア血症が持続する場合はタンパク摂取制限も考慮する．

3 診断確定後の治療

1) シャント血管の閉鎖 B

肝内門脈シャントや肝血管腫は，1～2歳頃までに自然消退する可能性がある[3]ので，成長発達状況やアンモニア・肝機能などを監視しながら経過観察する．新生児期の静脈管開存は一過性で自然閉鎖する可能性が高い[11]が，遷延する場合は消退困難とされる[16]．肝外門脈シャントは自然消退しないのが通例である．

持続性CPSSでは，門脈肺高血圧症の合併などによって，若年でも重篤な転帰に至りうる[16]ことから，シャント血管閉鎖の必要性と実施可能性・方法（外科手術または血管カテーテルによる閉鎖）について，早い段階から適応を十分に検討しておく必要がある．

門脈低形成（Morgan分類II型）の場合には，コイル塞栓術や外科手術（一期的もしくは二期的閉鎖）にてシャント血管を閉鎖する B [25)26)]．門脈欠損症（Morgan分類I型）の場合には肝移植を考慮する B [27)-30)]．造影CTなどではI型と思われていたものが，近年の画像診断の進歩（シャント血管閉塞試験を含む血管造影検査など）によりII型と確認された症例もある[13]ため，既診断例においても再確認を考慮する C．

実施時期・対象についての定見はない．多くの症例が長期的に無症状であるため有症例を対象にするという意見[31)32)]や，無症状でも早期に実施すべきとの考えもある[33)]．判断に迷う場合は，小児外科や症例経験の多い他施設の専門家に，早い段

階から意見を求めておくことが望ましい．

シャント率と肝性脳症の関連では，30% 未満では発症はなく，60% を超えるとそのリスクが高まるとされる[3]が，両群にはオーバーラップがあるため，この指標だけで閉塞・結紮術の適応を判断するのは困難である **C**．

シャント血管閉鎖術に先立って，閉塞試験を行う **B**[6)13)34)35)．その場合でも一期的閉鎖できるとする基準は 25 mmHg[13]，30 cmH$_2$O（20 mmHg）[35]，32 mmHg[6]と施設間で統一をみていない．静脈管開存の結紮術後に別の肝外門脈体循環シャントの発達を認めた例がある[26]．

2）肝移植 **B**

門脈欠損ないし高度低形成の症例で，シャント血管の試験的閉塞が門脈圧亢進をきたし閉鎖困難と判断される場合には，肝移植が唯一の治療法となる[6]．

フォローアップ指針

1 一般的評価と栄養学的評価

シャント血流量の程度や，シャントの影響による肝細胞の損傷状態や残存機能レベルを経時的に把握する簡易な指標として，ろ紙血ガラクトース，血清総胆汁酸・血中アンモニア，血液凝固機能，血清アルブミンなどの推移を，月に1回の頻度でフォローする．アンモニアは食前値と食後値を区別して評価する必要がある．

総胆汁酸の軽度高値が持続する場合は，1歳6か月を目処に腹部造影CT検査等を考慮する．総胆汁酸・アンモニアの上昇を認める場合は，生後10か月以降に腹部造影CT検査等を考慮する．シャント閉鎖術を実施した多数例の後方視的検討では，CT による肝容積の減少が全例で観察されており，肝容積の測定が病勢評価に有用と考えられる[13]．総胆汁酸 100 μmol/L 以上が持続する場合は，門脈欠損症などによる重大な CPSS が疑われ，門脈体循環性脳症や門脈性肺高血圧症の評価を行う．

総胆汁酸 20 μmol/L 以下が2回以上続いた場合はフォロー終了とする．

2 神経学的評価

門脈体循環性脳症による中枢神経障害を評価するため，臨床経過に応じて発達検査・知能検査や頭部 MRI などを行う．

3 その他

肝肺症候群（HPS）や門脈性肺高血圧症（PPH）を合併すると，労作時呼吸困難や口唇チアノーゼなどが出現するが，治療に対する反応性は大きく異なる．すなわち，HPS による症状はシャント閉鎖術や肝移植の実施によって解消する可能性が高いのに対し，PPH が改善する可能性は乏しく，死因となる場合も少なくない[16]．このように，特にPPH を併発すると予後が著しく悪化するため，シャント量の多い症例では，心臓超音波検査などを定期的に実施して，徴候の早期把握に努めるとともに，遅滞なく閉鎖術を考慮する必要がある．

成人期の課題

脳症発症例の 1/3 は成人例であり，肝細胞癌のほとんどが成人例である[31)36]．

成人であっても潜在的リスクは生涯あると考えられるため，上記「フォローアップ指針」に従い合併症の早期発見につとめ，適切な時期での閉塞・結紮術，肝移植[28)29]の実施を考慮する **B**．

一般に予後は良好だが，肝性脳症，肺高血圧症，肝肺症候群などの重篤な合併症を有する例に死亡例がある．脳膿瘍は時に致命的な経過をたどる．

高ガラクトース血症で新生児期に発見される症例は，短期間で自然消退しシャント量も少ない予後良好例が多くを占めるが，遷延例は乳児期から

高齢に至るどのタイミングでも重大な症状が顕在化しうると考えておく必要がある.

文献

1) Uchino T, et al. The long-term prognosis of congenital portosystemic venous shunt. J Pediatr 1999；135：254-256.
2) Abernethy J. Account of two instances of uncommon formation in the viscera of the human body. Phil Trans R Soc 1793；83：59-66.
3) Raskin NH, et al. Portal-systemic encephalopathy due to congenital intrahepatic shunts. N Engl J Med 1964；270：225-229.
4) Gitzelmann R, et al. Hypergalactosemia in a newborn：self-limiting intrahepatic portosystemic venous shunt. Eur J Pediatr 1997；156：719-722.
5) Ono H, et al. Clinical features and outcome of eight infants with intrahepatic porto-venous shunts detected in neonatal screening for galactosemia. Acta Paediatr 1998；87：631-634.
6) Franchi-Abella S, et al. Complications of congenital portosystemic shunts in children：therapeutic options and outcomes. J Pediatr Gastroenterol Nutr 2010；51：322-330.
7) Mizoguchi N, et al. Congenital porto-left renal venous shunt as a cause of galactosemia. J Inherit Metab Dis 2001；24：72-78.
8) Nishimura Y, et al. Differential diagnosis of neonatal mild hypergalactosemia detected by mass screening：clinical significance of portal vein imaging. J Inherit Metab Dis 2004；27：11-18.
9) 西村裕, ほか. 新生児マス・スクリーニング検査で高ガラクトース血症を呈した60例の門脈大循環シャントのまとめ. 日スクリーニング会誌 2008；18：232-236.
10) 但馬剛, ほか. 門脈大循環シャントによる高ガラクトース血症. 日スクリーニング会誌 2011；21：139.
11) 但馬剛, ほか. 先天性門脈-体循環シャントによる高ガラクトース血症. 別冊日本臨牀 新領域別症候群シリーズ (19) 先天代謝異常症候群 (上) 第2版. 日本臨牀社 2012；32-39.
12) Morgan G, et al. Congenital absence of the portal vein：two cases and a proposed classification system for portasystemic vascular anomalies. J Pediatr Surg 1994；29：1239-1241.
13) Kanazawa H, et al. The classification based on intrahepatic portal system for congenital portosystemic shunts. J Pediatr Surg 2015；50：688-695.
14) Kobayashi N, et al. Clinical classification of congenital extrahepatic portosystemic shunts. Hepatol Res 2010；40：585-593.
15) Park JH, et al. Intrahepatic portosystemic venous shunt. AJR Am J Roentgenol 1990；155：527-528.
16) Bernard O, et al. Congenital portosystemic shunts in children：recognition, evaluation, and management. Semin Liver Dis 2012；32：273-287.
17) Sharma R, et al. Congenital extrahepatic portosystemic shunt complicated by the development of hepatocellular carcinoma. Hepatobilliary Pancreat Dis Int 2015；14：552-557.
18) Mizoguchi N, et al. Manganese elevations in blood of children with congenital portosystemic shunts. Eur J Pediatr 2001；160：247-250.
19) Uchino A, et al. Manganese accumulation in the brain：MR imaging. Neuroradiology 2007；49：715-720.
20) Takemoto R, et al. Disappearance of globus pallidum lesions in T1-weighted magnetic resonance images after ligation of congenital portosystemic venous shunt. Pediatr Neonatol 2017；58：465-466.
21) Khan AN, et al. Pulmonary vascular complications of chronic liver disease：pathophysiology, imaging, and treatment. Ann Thorac Med 2011；6：57-65.
22) Krowka MJ, et al. Hepatopulmonary syndrome and portopulmonary hypertension：a report of multicenter liver transplant database. Liver Transpl 2004；10：174-182.
23) Ohno T, et al. Pulmonary hypertension in patients with congenital portosystemic venous shunt：a previously unrecognized association. Pediatrics 2008；121：e892-e899.
24) Sakura N, et al. Elevated plasma bile acids in hypergalactosaemic neonates：a diagnostic clue to portosystemic shunts. Eur J Pediatr 1997；156：716-718.
25) 佐藤真一, ほか. 先天性門脈体循環短絡症に対してコイル塞栓術を施行した得た3歳女児例. 日本小児放射線学会雑誌 2014；30：110-115.
26) 山本あゆみ, ほか. 静脈管開存症に対する外科的結紮後に肝外門脈体循環シャントの発達を認めた1例. 日本小児放射線学会雑誌 2013；29：39-43.
27) Shinkai M, et al. Congenital absence of the portal vein and role of liver transplantation in children. J Pediatr Surg 2001；36：1026-1031.
28) Wojcicki M, et al. Orthotopic liver transplantation for portosystemic encephalopathy in an adult with congenital absence of the portal vein. Liver Transpl 2004；10：1203-1207.
29) Takeichi T, et al. Living domino liver transplantation in an adult with congenital absence of portal vein. Liver

Transpl 2005 ; 11 : 1285-1288.
30) Sanada Y, et al. Living donor liver transplantation for congenital absence of the portal vein. Transplant Proc 2009 ; 41 : 4214-4219.
31) Sokollik C, et al. Congenital portosystemic shunt : characterization of a multisystem disease. J Pediatr Gastroenterol Nutr 2013 ; 56 : 675-681.
32) 眞田幸弘, ほか. 先天性門脈体循環シャントに対する外科的治療の効果. 肝臓 2010 ; 51 : 652-663.
33) Nii A, et al. Successful preemptive surgical division of type 2-congenital extrahepatic portosystemic shunt in children. J Med Invest 2009 ; 56 : 49-54.
34) Kamimatsuse A, et al. Surgical intervention for patent ductus venosus. Pediatr Surg Int 2010 ; 26 : 1025-1030.
35) Yagi H, et al. Successful surgical ligation under intraoperative portal vein pressure monitoring of a large portosystemic shunt presenting as an intrapulmonary shunt : report of a case. Surg Today 2004 ; 34 : 1049-1052.
36) Sharma R, et al. Congenital extrahepatic portosystemic shunt complicated by the development of hepatocellular carcinoma. Hepatobiliary Pancreat Dis Int 2015 ; 14 : 552-557.

12 メチルマロン酸血症

疾患概要

メチルマロン酸血症は，メチルマロニルCoA（MM-CoA）ムターゼ（EC 5.4.99.2；MCM）の活性低下によって，メチルマロン酸をはじめとする有機酸が蓄積し，代謝性アシドーシスに伴う各種の症状を呈する疾患である．メチルマロニルCoAの代謝に障害をきたす原因としては，①MCM欠損症と，②ビタミンB_{12}の摂取，小腸での吸収，輸送から，MCMの活性型補酵素アデノシルコバラミン（コバマミド）合成までの諸段階における障害が知られている（図1）[1]．コバラミン代謝異常は相補性解析からcblA〜cblG，cblJ，cblXに分類され，cblA，cblBはアデノシルコバラミン合成だけに障害をきたしてMCM欠損症と同様の症状を呈するのに対し，メチオニン合成酵素に必要なメチルコバラミンの合成に共通する経路の障害であるcblC，cblE，cblF，cblGはホモシステイン増加を伴い，臨床像を異にする．cblDは，責任分子MMADHCがcblCの責任分子MMACHCによる修飾を受けたコバラミン代謝中間体の細胞内局在（ミトコンドリアまたは細胞質）の振り分けを担っており，遺伝子変異の位置によって，メチルマロン酸血症単独型，ホモシスチン尿症単独型，混合

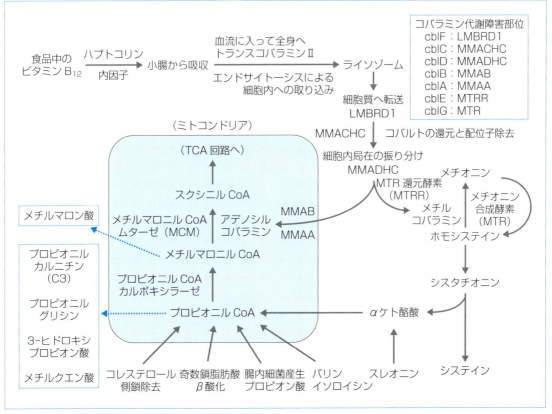

図1 ● メチルマロン酸血症，プロピオン酸血症の関連代謝経路

型に分かれる[2]．本項では，MCM 欠損症，cblA，cblB，および cblD のうちホモシステイン増加を伴わない病型（cblD-variant2）を対象として取り扱う．いずれも常染色体劣性遺伝性疾患である．

典型的には新生児期，授乳開始とともに代謝性アシドーシスと高アンモニア血症が進行して急性脳症を発症するが，成長発達遅延や反復性嘔吐などで発見される遅発例もある．新生児マススクリーニングの一次対象疾患である．

1 疫学

タンデムマス法による新生児マススクリーニングの試験研究（1997 年～2012 年，被検者数 195 万人）による国内での発症頻度は 11 万人に 1 人である．これはプロピオン酸血症の 5 万人に 1 人に次ぐ数字である[3]が，後者には病的意義が乏しいとみられる「最軽症型」が数多く含まれる．発症後診断例の全国調査では，メチルマロン酸血症が国内最多の有機酸代謝異常症と報告されている[4]．

診断の基準

1 臨床病型

❶ 発症前型

新生児マススクリーニングで発見される無症状例を指す．新生児期に軽度の非特異的所見（低血糖・多呼吸など）を一過性に示すこともある．

❷ 急性発症型

呼吸障害・多呼吸・けいれん・意識障害などで急性に発症し，代謝性アシドーシス・ケトーシス・高アンモニア血症・低血糖・高乳酸血症などの検査異常を呈する症例を指す．哺乳によるタンパク負荷のはじまる新生児期と，感染・経口摂取不良などが契機となりやすい乳幼児期に発症のピークがある．

❸ 慢性進行型

乳幼児期から食思不振・反復性の嘔吐などがみられ，身体発育や精神運動発達に遅延が現れる症例を指す．徐々に進行し，特に感染などを契機に症状の悪化がみられる．経過中に急性発症型の症状を呈することもある．

2 主要症状および臨床所見

典型的には新生児期から乳児期にかけて，ケトアシドーシス・高アンモニア血症などが出現し，哺乳不良・嘔吐・呼吸障害・筋緊張低下などから嗜眠～昏睡など急性脳症の症状へ進展する．初発時以降も同様の急性増悪を繰り返しやすく，特に感染症罹患などが契機となることが多い．コント ロール困難例では経口摂取不良が続き，身体発育が遅延する．

❶ 呼吸障害

急性発症型でみられ，おもに多呼吸・努力呼吸を呈する．無呼吸を認めることもある．

❷ 中枢神経障害

急性発症型や，慢性進行型の急性増悪時に意識障害やけいれんがみられる．急性型では傾眠傾向が初発症状として多く，昏睡となる場合もある．急性脳症と診断されることもある．

また，急性代謝不全の後遺症として，もしくは代謝異常が中枢神経系に及ぼす慢性進行性の影響によって，全般的な精神運動発達遅滞を示すことが多い．

急性増悪を契機に，あるいは明らかな誘因なく，両側大脳基底核病変を生じて不随意運動が出現することもある．

❸ 食思不振・嘔吐

急性発症型・慢性進行型とも，食思不振や嘔吐しやすい傾向を示す患者が少なくない．感染などを契機に激しい嘔吐発作を呈することも多い．

❹ 腎障害

尿細管間質性腎炎による腎機能低下が進行し，慢性腎不全から末期腎不全に至りうる．文献により発症平均年齢 6.5 歳で，28～47％ の合併率が報告されている．MCM 完全欠損症で 61％，cblB で 66％ と頻度が高く，cblA で 21％，MCM 部分欠損例では 0％ との報告がある[5][6]．

❺ 骨髄抑制

発症時に汎血球減少を認めることが多く[7]，経過中にも好中球減少，血小板減少を認めることがある．稀ではあるが二次性血球貪食の報告もある[8]．

❻ 視神経萎縮

頻度は低いと考えられていたが，最近の報告によれば，少なくとも11%に認められたと報告されている[9]．

❼ 膵炎

急性膵炎，慢性膵炎どちらも報告がある[10]．

❽ 心筋症

頻度は低いが報告がある[11]．

3 参考となる検査所見

❶ 一般血液・尿検査（頻度は文献による[7][12]）

急性期には，アニオンギャップ開大性の代謝性アシドーシスをはじめ，ケトーシス（80%），高アンモニア血症（70%），汎血球減少（50%），低血糖（40%）などが認められる．高乳酸血症や血清アミノトランスフェラーゼ（AST，ALT）・クレアチンキナーゼの上昇を伴うことも多い．

補記1）参考となる異常値

(1) 代謝性アシドーシス
- 新生児期 HCO_3^- ＜17 mmol/L
- 乳児期以降 HCO_3^- ＜22 mmol/L
- pH＜7.3 かつアニオンギャップ（AG）＞15
  注）AG＝$[Na^+]-[Cl^-+HCO_3^-]$（正常範囲 10〜14）

重度の代謝性アシドーシス（pH＜7.2，AG＞20）の場合，有機酸代謝異常症を強く疑う．

(2) 高アンモニア血症
- 新生児期 NH_3＞200 μg/dL（120 μmol/L）
- 乳児期以降 NH_3＞100 μg/dL（60 μmol/L）

1,000 μg/dL を超える著しい高値を呈することも少なくない．

(3) 低血糖：基準値＜45 mg/dL

補記2）異常値の出現機序[13][14]

ミトコンドリア内にプロピオニル CoA，メチルマロニル CoA が蓄積して（図1参照），これらに由来する不揮発酸の増加が細胞機能を低下させ，代償不全によるケトアシドーシスへ進展する．アシル CoA 類の蓄積はミトコンドリア内の遊離 CoA を減少させる．その補償としてカルニチン抱合によって CoA を遊離させる反応が亢進する結果，血中プロピオニルカルニチン（C3）が増加する．この際にアセチル CoA も動員されて減少し，尿素サイクルのカルバミルリン酸合成酵素（CPS-1）活性化に必要な N-アセチルグルタミン酸の合成が低下するため，急性増悪時に高アンモニア血症が現れる．急性期の低血糖症は，ピルビン酸カルボキシラーゼとリンゴ酸シャトルの阻害による糖新生反応の減弱によって説明される．ケトーシス性高グリシン血症ともよばれるグリシンの増加は，プロピオニル CoA をはじめとするアシル CoA 類の蓄積がグリシン開裂反応を阻害して起こる．

❷ 中枢神経系の画像診断

本疾患ほかいくつかの有機酸代謝異常症に共通する所見として，MRI にて淡蒼球を中心とする大脳基底核の異常像を両側性に認めることが比較的特徴的で，MRS では病変部位の乳酸が増加している．その他，脳室拡大・大脳萎縮・脳室周囲や皮質下の白質病変・脳梁の菲薄化・髄鞘化遅延・小脳萎縮など多彩な異常所見が報告されている[15]．

4 診断の根拠となる特殊検査

❶ 血中アシルカルニチン分析＊＊（タンデムマス法）

これらの検査ができる保険医療機関に依頼した場合に限り，患者1人につき月1回のみ算定できる．

プロピオニルカルニチン（C3）の増加が認められる．非特異的変化でないことを示す所見として C3/C2 比の上昇を伴う．これらの所見はプロピオン酸血症と共通してみられ，本分析だけでは鑑別できない．

NBS のカットオフ（参考）値は C3＞3.5 μmol/L，C3/C2 比＞0.25 とされる[16]が，この基準値は各分析施設で異なることに注意する．

❷ 尿中有機酸分析＊＊

この検査ができる保険医療機関に依頼した場合に限り，患者1人につき月1回のみ算定できる．

メチルマロン酸・3-ヒドロキシプロピオン酸・メチルクエン酸の排泄増加が特徴的で，化学診断

が可能である．これらのうち，メチルマロン酸以外はプロピオン酸血症と共通の所見である．

❸ 血清ビタミンB_{12}＊，血漿総ホモシステインおよびメチオニン濃度＊

原因となる代謝障害部位の鑑別には，血清ビタミンB_{12}欠乏と高ホモシステイン血症の評価を行う必要がある[注1]．ビタミンB_{12}欠乏（栄養性あるいは吸収・輸送障害，母体の胃切除術後や悪性貧血による児の一時的なビタミンB_{12}欠乏）が否定され，血漿総ホモシステイン濃度およびメチオニン濃度が正常であれば，MCM欠損症，cblA，cblB，cblD-variant2のいずれかと考えられる．血漿総ホモシステイン高値・メチオニン低値を伴う場合は，cblC，D，Fによるメチルマロン酸増加を考えることになる．

❹ 酵素活性測定＊＊＊

末梢血リンパ球や培養皮膚線維芽細胞を用いた酵素活性測定にて低下が認められれば，*MUT*遺伝子の異常によるMCM欠損症と確定される．反応系にはアデノシルコバラミンが添加されるため，cblA，cblB，cblDを含むコバラミン代謝障害やビタミンB_{12}欠乏では正常となる[18],[注2]．酵素活性測定可能な施設は，日本先天代謝異常学会精密検査施設一覧（http://jsimd.net/iof.html）を参照．

❺ 遺伝子解析＊＊

メチルマロン酸増加を呈する原因分子は多岐にわたるため，遺伝子診断は化学診断・酵素診断によって目標を絞り込んだうえでの最終確認として行うべきものである．MCM欠損症については*MUT*，cblAは*MMAA*，cblBは*MMAB*，cblDは*MMADHC*の各遺伝子を解析する[注3]．

(1) *MUT*遺伝子：46症例の変異に関する報告をまとめると，55アレル（60%）がc.349G＞T（p.E117X），c.385＋5G＞A（IVS2＋5G＞A），c.1106G＞A（p.R369H），c.1481T＞A（p.L494X），c.2179C＞T（p.R727X）という5種類の変異で占められ，p.R369Hを除く4変異は創始者効果による高頻度変異であることがハプロタイプ解析から示唆されている[19]．

(2) *MMAA*遺伝子：変異が同定された日本人7症例のうち5例8アレルがc.503delCであったと報告されている[20]．

(3) *MMAB*遺伝子：日本人症例はまだ発見されていない[20]．

(4) *MMADHC*遺伝子：日本人症例は2013年に第1例が診断された[21]．

5 鑑別診断

発症例では，AG開大性の代謝性アシドーシス・ケトーシスを主体に，高アンモニア血症・低血糖・高乳酸血症などが様々な組み合わせ・程度で観察されうることから，近縁の分岐鎖アミノ酸～有機酸代謝異常症（プロピオン酸血症・複合カルボキシラーゼ欠損症・メチルクロトニルグリシン尿症・イソ吉草酸血症・メープルシロップ尿症など）をはじめとして，尿素サイクル・ケトン体代謝・糖新生・グリコーゲン代謝・ミトコンドリア呼吸鎖などの各種代謝異常症が鑑別対象となりうるが，尿中有機酸分析・血中アシルカルニチン分析を行えば，罹患例は診断できる．ビタミンB_{12}欠乏や，高ホモシステイン血症を伴う細胞内コバラミン代謝異常症の鑑別には，血清ビタミンB_{12}・血漿総ホモシステイン濃度，血漿および尿中アミノ酸分析が必要である．

新生児マススクリーニングでC3高値となった場合の鑑別診断はC3高値のチャート（図2）を参照．

尿中有機酸分析でメチルマロン酸血症と共通の生化学的異常所見を呈する疾患との鑑別が必要となる．ミトコンドリア呼吸鎖異常症（*SUCLG1*，*SUCLG2*異常によるもの）では，高乳酸血症を伴い，尿中メチルマロン酸・メチルクエン酸の軽度

[注1] 正常基準値[17]：血漿総ホモシステイン濃度＜15 μmol/L．
血清ビタミンB_{12}＞200 pmol/L．

[注2] 個々の症例のビタミンB_{12}反応性については，酵素活性測定結果および投与前後の尿中有機酸分析所見の変化（p.124，図3）をあわせて判断する必要がある．

[注3] 日本人患者での遺伝子変異に関する報告．

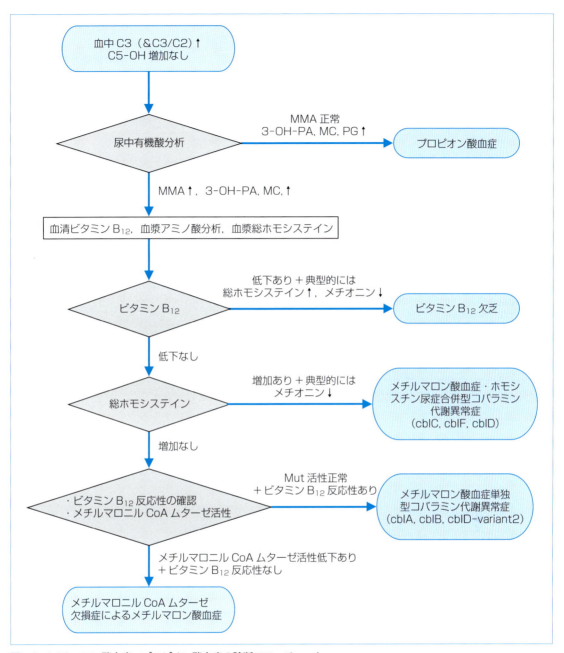

図2 ● メチルマロン酸血症，プロピオン酸血症の診断フローチャート
MC：メチルクエン酸，PG：プロピオニルグリシン．

の排泄増加を認めるため注意が必要である[22]．

6 診断基準

❶疑診

1）急性発症型・慢性進行型
（1）主要症状および臨床所見の項目のうち少なくとも1つ以上があり，
（2）診断の根拠となる検査のうちアシルカルニチン分析が陽性の場合．

2）発症前型（新生児マススクリーニング症例を含む）
　診断の根拠となる検査のうち，アシルカルニチン分析が陽性の場合．

❷確定診断

　上記❶に加えて，「**4 診断の根拠となる特殊検査**」のうち❷にて特異的所見があり，同❸においてビタミン B_{12} 欠乏症とホモシスチン尿症を除外することができれば，メチルマロン酸血症の確定診断とする．

補記）　原因となっている代謝障害（MCM欠損症，cblA，cblB，cblD）の確定には，酵素活性測定と遺伝子解析が必要である．

新生児マススクリーニングで疑われた場合

1 確定診断

　新生児マススクリーニングでろ紙血C3およびC3/C2比の上昇を認めた無症状例は，メチルマロン酸血症またはプロピオン酸血症に罹患している可能性がある．一般検査（末梢血，一般生化学検査）に加え，血糖，血液ガス，アンモニア，乳酸，血中ケトン体分画，および血清ビタミン B_{12} 濃度・血漿総ホモシステインおよびメチオニン濃度を測定し，尿中有機酸分析を行う．それらのデータを参考に必要に応じて酵素活性測定，遺伝子解析による確定診断を行う．

2 確定診断されるまでの対応 Ⓑ

　初診時の血液検査項目で代謝障害の影響を示す異常所見があれば，原則として入院管理として確定検査を進めていく．著変を認めない場合は，診断確定までの一般的注意として，感染症などによる体調不良・食欲低下時には早めに医療機関を受診するよう指示しておく．

3 診断確定後の治療（未発症の場合）

❶薬物療法

1）ビタミン B_{12} 内服
　尿中有機酸分析で化学診断され，かつビタミン B_{12} 欠乏が否定されれば，ビタミン B_{12} 反応性メチルマロン酸血症の可能性を考慮して，ヒドロキソコバラミン＊・シアノコバラミン＊・コバマミド（商品名ハイコバール® ＊ など）のいずれかの内服（5～10 mg/day）を開始する Ⓑ．ビタミン B_{12} の腸管吸収には内因子の飽和現象による限界があり，投与量に比例した効果の増強が得られるわけではないことに留意する．

　投与前後の血中アシルカルニチン分析・尿中有機酸分析所見によって，効果の有無を判定する（図2）．なお，効果判定の方法は文献23)に詳しいので参考にされたい．酵素活性測定・遺伝子解析でコバラミン代謝障害であることが確定した症例でも，生体レベルでは効果が得られない場合もあることが報告されており，注意を要する．

　酵素活性測定・尿中有機酸分析でビタミン B_{12} 反応性が明らかではない場合も，1～2 mg/day の内服継続は試みてもよい Ⓓ．

2）L-カルニチン 50～150 mg/kg/day（分3）
　（エルカルチンFF® 内用液10％ ＊ またはエルカルチンFF® 錠＊）Ⓑ

　血清（またはろ紙血）遊離カルニチン濃度を 50 μmol/L 以上に保つ．

❷食事療法

　軽度の自然タンパク制限：1.5～2.0 g/kg/day Ⓑ
　ビタミン B_{12} 投与による治療効果が得られない場合は，前駆アミノ酸の負荷を軽減するため，母乳や一般育児用粉乳にイソロイシン・バリン・メチオニン・スレオニン・グリシン除去ミルク（雪

印 S-22）を併用して，軽度のタンパク摂取制限を開始する．以後は経過に応じた調整ないし継続必要性の再評価を適宜行う．

❸ sick day の対応 B

感染症などによる体調不良・食欲低下時には早めに医療機関を受診させ，必要によりブドウ糖輸液を実施することで，異化亢進を抑制し急性発作を防ぐ．数日の末梢点滴で嘔吐，食思不振が改善しない場合は，急性発作を起こす可能性があるため，積極的に急性期管理を開始する．

急性発作で発症した場合の診療

1 確定診断

本疾患の典型例は，新生児マススクリーニングの実施前に急性発症型の症状を呈する．一方，乳児期以降に急性発症する遅発型症例については，新生児マススクリーニングで必ずしも発見できないと考えられており，新生児マススクリーニングで異常がなかった児でも，本疾患の可能性を考慮する必要がある．血中アシルカルニチン分析・尿中有機酸分析を中心に鑑別診断を進めつつ，「1．代謝救急診療ガイドライン（p.2）」の記載に沿って治療を開始する．

以下，本項では，メチルマロン酸血症の診断が確定しているまたは強く疑われる場合の診療方針を記載する．

2 急性期の検査

他の有機酸代謝異常症と同様，緊急時には下記の項目について検査を行う．
（1）血液検査（末梢血，一般生化学検査）．
（2）血糖，血液ガス，アンモニア，乳酸・ピルビン酸，遊離脂肪酸，総ケトン体・血中ケトン体分画．
（3）尿検査：ケトン体，pH．
（4）画像検査：頭部 CT・可能な時期に MRI．

3 急性期の治療方針[12]

「1．代謝救急診療ガイドライン」（p.2）も参照．「代謝クライシス」として，下記の治療を開始する．

❶ 状態の安定化（重篤な場合）B
（1）気管内挿管と人工換気（必要であれば）
（2）末梢静脈ルートの確保：血液浄化療法や中心静脈ルート用に重要な右頸静脈や大腿静脈は使わない．

静脈ルート確保困難な場合は骨髄針など現場の判断で代替法を選択する．
（3）必要により昇圧剤を投与して血圧を維持する．
（4）必要に応じて生理食塩水を投与してよいが，過剰にならないようにする．

ただし，生理食塩水投与のために異化亢進抑制策を後回しにしてはならない．
（5）「診断の基準」に示した臨床検査項目を提出する．残検体は破棄せず保管する．

❷ タンパク摂取の中止 B

急性期にはすべてのタンパク摂取を中止する．急性期所見が改善してきたら，治療開始から 24～48 時間以内にタンパク投与を再開する．

❸ 異化亢進の抑制 B
（1）体タンパク異化によるアミノ酸動員の亢進を抑制するため十分なエネルギー補給が必要である．80 kcal/kg/day 以上のエネルギーを確保し，十分な尿量を確保できる輸液を行う．10% 以上のブドウ糖を含む輸液が必要な場合には中心静脈路を確保する．年齢別ブドウ糖必要量は，0～12 か月：8～10 mg/kg/min，1～3 歳：7～8 mg/kg/min，4～6 歳：6～7 mg/kg/min，7～12 歳：5～6 mg/kg/min，思春期：4～5 mg/kg/min，成人期：3～4 mg/kg/min を目安とする．治療開始後の血糖値は 120～200 mg/dL（6.6～11 mmol/L）を目標とする．
（2）高血糖｛新生児＞280 mg/dL（15.4 mmol/L），新生児期以降＞180 mg/dL（9.9 mmol/L）｝を認めた場合は，即効型インスリンの持続投与を開始する．インスリン投与を行っても血液乳酸値が 45 mg/dL（5 mmol/L）を超える場合には，すでに解糖系が動いておらず糖分をエネルギーとして利用

できていないため，糖濃度を下げていく．

(3) グルコース投与のみでは異化亢進の抑制がむずかしい場合は，静注脂肪乳剤を使用する．静注脂肪乳剤は 0.5 g/kg/day（max 2.0 g/kg/day）の投与が推奨されている．また，経腸投与が可能な場合，早期から特殊ミルク（無タンパク乳（雪印 S-23 または S-22）を使用しエネルギー摂取量を増やす．

補記） ブドウ糖の投与はミトコンドリア機能低下状態への負荷となって高乳酸血症を悪化させることもあり，過剰投与には注意が必要である．

❹ L-カルニチン投与 B

有機酸の排泄促進に静注用 L-カルニチン（エルカルチン FF® 静注用 1000 mg＊）100 mg/kg を 1〜2 時間で静脈投与後，維持量として 100〜200 mg/kg/day を投与する．

静注製剤が常備されていない場合，入手まで内服用 L-カルニチン（エルカルチン FF® 内用液 10% ＊またはエルカルチン FF® 錠＊）100〜150 mg/kg/day を投与する．

❺ ビタミン B_{12} 投与 B

ヒドロキソコバラミン＊＊またはシアノコバラミン＊＊（ビタメジン®＊）1 mg/day を静注または筋注する．

・本疾患における二次的なミトコンドリア機能障害に関しては動物実験や *in vitro* で多数の文献的報告がされている[13)14)]．ミトコンドリアレスキューのためのビタミン類（「1. 代謝救急診療ガイドライン（p.2）」の表3ビタミン・カクテル）投与は検討してもよいが，本疾患における有効性に関するエビデンスはない D．

❻ 高アンモニア血症 ｛新生児＞250 μg/dL（150 μmol/L），乳児期以降＞170 μg/dL（100 μmol/L）｝を伴う急性発作時の治療 C

典型例では，著明な代謝性アシドーシスに様々なレベルの高アンモニア血症を伴う．高アンモニア血症を認める場合は 3 時間毎にアンモニア値を確認する．

(1) カルグルミン酸（カーバグル® 分散錠 200 mg＊）100 mg/kg を初回投与し，その後 6 時間毎に 25〜62 mg/kg を経口投与する．経口投与が困難な場合は経鼻胃管等による投与を行う．

補記） カルグルミン酸は N-アセチルグルタミン（NAG）の構造類似体であり，NAG に代わってカルバミルリン酸合成酵素（CPS-1）を活性化し，尿素サイクルを賦活化させることにより血中アンモニア濃度を低下させる．急性期の高アンモニア血症に対する治療として推奨されるが，慢性期管理における使用に関してエビデンスはない．

(2) 安息香酸 Na＊＊＊を 100〜250 mg/kg を 2 時間で静脈投与，その後，維持量として 200〜250 mg/kg/day を投与する．

❼ 代謝性アシドーシスの補正 C

循環不全や呼吸不全を改善させても pH＜7.2 であれば，炭酸水素ナトリウム（以下メイロン®：HCO_3^- 833 mEq/L）を投与する．

メイロン®：BE×体重×0.3 mL の半量（half correct）

緩徐（1 mEq/min 以下）に投与する

目標値は pH＞7.2，PCO_2＞20 mmHg，HCO_3^-＞10 mEq/L とし，改善を認めたら速やかに中止する．アシドーシスが改善しなければ，以下の血液浄化療法を行う必要がある．

❽ 血液浄化療法 B

以上の治療を 2〜3 時間行っても代謝性アシドーシスが改善しない場合，あるいは高アンモニア血症の改善傾向が乏しい（低下が 50 μg/dL 未満にとどまる）場合は，緊急で血液浄化療法を実施する必要がある．有効性および新生児〜乳幼児に実施する際の循環動態への影響の少なさから，持続血液透析（CHD）または持続血液透析ろ過（CHDF）が第一選択となっており，実施可能な高次医療施設へ速やかに搬送することが重要である．腹膜透析は効率が劣るため，搬送までに時間を要する場合などのやむを得ない場合以外には，推奨しない．交換輸血は無効である．

注) 安息香酸 Na は，医薬品添加物として調剤室に備えられていることが一般的であり，これが院内調製により静注製剤として用いられる．最大投与量は 5.5 g/m² または 12 g/day．

慢性期の管理[12]

1 食事療法

❶自然タンパクの制限 B

(1) 急性期所見が改善してきたら，治療開始から24〜48時間以内にアミノ酸製剤の輸液を0.3 g/kg/dayから開始する．一般的にアミノ酸製剤は自然タンパクと比較すると，前駆アミノ酸であるバリン・イソロイシン等の分岐鎖アミノ酸の含有量の割合が高いため，アミノ酸製剤の投与は慎重に行う．

(2) 経口摂取・経管栄養が可能になれば母乳・育児用調製粉乳などへ変更して，自然タンパク摂取量0.5 g/kg/dayから開始し，0.7〜1.5 g/kg/dayまで漸増する（年齢に応じて必要量は異なる）．

(3) 食事療法においては年齢と体格に応じた必要エネルギー量と必要タンパク量の確保が必要となる．FAO/WHO/UNUの推奨している年齢に応じた1日あたりのタンパク摂取量とエネルギー摂取量（p.79 表6参照）を維持することを目標とする．

(4) 患者の重症度により自然タンパク摂取量を調節する必要があり，重症例において前駆アミノ酸の制限が不十分であると，アンモニアが上昇しやすく，感染などを契機とした急性増悪を起こしやすい．

(5) FAO/WHO/UNUの推奨している年齢に応じた必要タンパク量を摂取すると代謝動態が不安定（アンモニア60 μmol/L（100 μg/dL）以上，代謝性アシドーシスBE−5 mmol/L未満）となる場合には，自然タンパク摂取量を減らし，タンパク量の不足分は前駆アミノ酸が含まれていないイソロイシン・バリン・メチオニン・スレオニン・グリシン除去ミルクである特殊ミルク（雪印S-22）で補う．自然タンパクと特殊ミルク（雪印S-22）を合わせた総タンパク摂取量の目安は，乳児期1.5〜2.0 g/kg/day，幼児期1.2〜1.7 g/kg/day，学童期以降1.0〜1.5 g/kg/dayである．必須アミノ酸欠乏，特にバリン・イソロイシン濃度の低下に注意する．

(6) 慢性期の摂取エネルギー確保のために，特殊ミルク（雪印S-22）に加えて，特殊ミルク（雪印S-23），麦芽糖や中鎖脂肪油などを使用することもある．腎機能障害でBUN高値を認める場合は，総タンパク摂取量を制限しながら，総熱量を増やす目的で特殊ミルク（S-23）も使用する．経口摂取がむずかしい場合は経管栄養を検討し，それでもコントロールが困難であれば，入院し輸液療法など急性期管理を再開する．

❷胃瘻造設 C

胃瘻の有無による予後の比較研究はなされていないが，他の先天代謝異常では入院回数減少効果などが認められている．本疾患では乳幼児期から哺乳不良や摂食困難を認めることが多く，そのような場合には経管栄養を併用することで，適切な栄養管理が可能となる．長期的に経管栄養が必要な症例では胃瘻造設が推奨される．

2 薬物療法

❶L-カルニチン補充：100〜200 mg/kg/day 分3 B

（エルカルチンFF®内用液10%＊またはエルカルチンFF®錠＊）

血清（またはろ紙血）遊離カルニチン濃度を50 μmol/L以上に保つ．

❷腸内細菌によるプロピオン酸産生の抑制

一般には，腸内細菌叢では，食物残渣中の多糖類の発酵によって，酢酸・プロピオン酸・酪酸をはじめとする各種の短鎖脂肪酸が産生される．これらのうちプロピオン酸は高率に肝臓へ運ばれ，ほぼすべてが肝臓でプロピオニルCoA→メチルマロニルCoA→スクシニルCoAを経てTCA回路へ入り，オキサロ酢酸から糖新生経路へ進んでグルコースとなる．本症ではこの経路に障害がある．主要なプロピオン酸産生菌はバクテロイデス属で，次いでクロストリジウム属や嫌気性グラム陽性球菌群（ペプトストレプトコッカス属など）があげられ，本疾患の補助療法として，腸管でのプロピオン酸生成・吸収の抑制が有用である．

1) **メトロニダゾール（フラジール®＊など）10～20 mg/kg/day 分3** Ⓑ

耐性菌出現防止のため4日服薬/3日休薬，1週間服薬/3週間休薬 などとする．末梢神経障害などの副作用出現に注意して使用する．

わが国での保険適用は長らく腟トリコモナス症に限られていたが，2012年に適応症追加の公知申請が行われ，各種の嫌気性菌感染症への投与が承認されている．メチルマロン酸血症でも疾患の改善とコントロールに対して使用した場合は原則として認められる．

2 **ラクツロース（商品名 モニラック®＊など）0.3～1.2 g/kg/day 分3** Ⓒ

年齢・体重に見合った量で毎日服用させてよい．

❸ **ビタミン B_{12} 投与**

ビタミン B_{12} への反応性が認められた症例については，ビタミン B_{12} 製剤として，ヒドロキソコバラミン＊・シアノコバラミン＊・コバマミド（ハイコバール®＊など）のいずれかを5～10 mg/dayで内服または1～14 mg/週で筋注する Ⓑ．ビタミン B_{12} 反応性が確認されていない場合も，1～2 mg/dayで内服してみてもよい Ⓓ．

補記）ビタメジン®配合カプセル，ビタダン®配合錠は，シアノコバラミンまたはヒドロキソコバラミン，チアミン，ピリドキシンの合剤であり，投与時にはピリドキシン過剰投与に注意が必要．

以下の薬剤は使用を控える Ⓓ．

・ピボキシル基含有抗菌薬（2次性カルニチン低下のリスク）．
・バルプロ酸（2次性カルニチン低下，アンモニア上昇のリスク）．
・腎毒性の強い薬剤（腎機能障害のリスク）．

3 肝移植・腎移植 Ⓒ

早期発症の重症例を中心に生体肝移植実施例が増えている[24]．多くの例で食欲改善，食事療法緩和，救急受診・入院の大幅な減少などQOLが向上するが，移植後の急性代謝不全や中枢神経病変進行などの報告例もある[25]．

腎機能低下は年長から成人期における最も重大な問題の一つで，肝移植によって全般的な代謝コントロールが改善しても腎組織障害は進行し，末期腎不全に至りうる．腎機能低下例の肝移植は成績不良であり，腎単独移植または肝腎同時移植が選択される．腎単独移植実施後に他の各種症状も著しく改善した症例の報告がある[26]．

フォローアップ指針[12]

1 一般的評価と栄養学的評価 Ⓑ

❶ **身長・体重測定**

栄養制限による体重増加不良，エネルギーの取り過ぎによる肥満をきたさないよう注意する．体重増加不良のときは自然タンパク制限過剰を考慮する．

❷ **血液検査（空腹3～4時間で採血）**

（1）検査間隔：初期は月1回以上，状態が安定すれば最低3か月に1回は行う．
（2）血液ガス分析，血糖，ケトン体，アンモニア，アルブミン，血漿アミノ酸分析，血中アシルカルニチン分析，末梢血液像，一般的な血液生化学検査項目（アミラーゼ，リパーゼは6か月に1回程度）
（3）アルブミン：低値の場合は自然タンパク制限過剰を考慮する．
（4）アンモニア：高値の場合は自然タンパク摂取過剰を考慮する．
（5）血漿アミノ酸分析：イソロイシン・メチオニン・スレオニン・バリンの欠乏，グリシン上昇に注意する．
（6）血中アシルカルニチン分析：プロピオニルカルニチン（C3）の推移を評価するとともに，二次性カルニチン欠乏の有無について，遊離カルニチン（C0）で評価する．

❸ **尿中有機酸分析**

（1）検査間隔：必要に応じて行う．
（2）評価項目：メチルクエン酸・メチルマロン酸．

❹ その他

骨代謝関連指標など，栄養状態に関係するビタミン類，ミネラル類の各種項目についても，病歴・食事摂取・身体発育に鑑みて適宜測定・評価する．

2 神経学的評価 Ⓒ

❶ 発達検査

1回/年程度．

❷ 頭部 MRI（MRS）

急性期とその後の安定期，新たな神経学的所見を認めた場合などに行う．目安は1回/1〜3年であるが，鎮静のリスクもあるため，発達などの状況を鑑み画像検査を検討する．

❸ 脳波検査（てんかん合併例）

1回/年程度．

❹ 運動機能評価

機能障害のある場合は，早期からの理学療法・作業療法・言語療法などの介入が必要である．

3 腎機能評価 Ⓑ

6か月毎の尿検査（尿タンパク，尿中電解質），血液検査（クレアチニン，尿素窒素，電解質，シスタチンC，尿酸），eGFRによる腎機能評価が推奨される．クレアチニンは筋肉量の影響を受けるため，タンパク制限を行う児ではシスタチンCによるeGFR評価を行う．血中メチルマロン酸濃度の上昇が腎障害の原因と考えられており，定期的な尿中・血漿メチルマロン酸濃度測定が推奨される．腎機能低下をきたした後は，尿中メチルマロン酸濃度測定の信頼性は低くなるため血漿での測定を行う．

4 眼科受診 Ⓑ

1年に1回の眼科診察による視神経萎縮の有無の評価が推奨される．乳幼児期は鎮静リスクを伴うため，異常が疑われなければ6歳以降とする．視覚障害を認めた場合は，積極的に眼科診察を行う．

5 心機能評価 Ⓑ

心電図，心臓超音波検査はベースラインに異常がなければ，6歳以降で1回/年行う．

6 膵炎の評価 Ⓑ

嘔吐，腹痛を認めた場合は膵炎発症を疑い血清アミラーゼ，リパーゼの測定が推奨される．

7 その他

本疾患は常染色体劣性の遺伝形式であり，必要に応じて遺伝カウンセリングを行う．

成人期の課題

1 食事療法

肝移植を受けた患者では食欲の改善やタンパク摂取耐容性の向上が観察されているが，そのような症例の一部にアシドーシス発作や大脳基底核病変の出現が報告されている．このような経験から，肝移植実施例も含め，成人期も食事療法を続ける必要があり，自然タンパク制限に加えて，特殊ミルク（雪印S-22）を継続して使用する．慢性腎不全合併例で総タンパク制限が必要な場合は，エネルギー補給の目的で特殊ミルク（雪印S-23）も使用する．

2 飲酒

アルコールは悪心をもたらすなど体調を崩す誘因となりやすいことから，本疾患の罹患者にとっては急性増悪の危険を伴うため避けるべきである．

3 運動

過度の運動は体調悪化の誘因となりやすく，無理のない範囲にとどめる必要がある．

4 妊娠と出産

女性患者の妊娠・出産の報告例は，少数ながら徐々に増えており，最近のレビュー[27]によれば，

妊娠17例中13例が出産に至っている．母体の重大な危機は報告されておらず，児の生後経過も総じて良好とされており，慎重な管理の下で挙児を得ることは可能と考えられている．

5 慢性腎不全

本疾患は慢性進行性の腎障害を伴うため，年長から成人期に腎不全に至りうる腎機能低下が深刻な問題となる．腎移植が必要となる症例も少なくない[26]．

6 医療費の問題

本疾患の罹患者は，多量のカルニチン製剤服用をはじめ，定期的な検査，体調不良時の支持療法，低タンパク食品の購入など，成人期にも少なからぬ額の出費を強いられる．一方，安定した体調で

mini column 1　コバラミン代謝[28]

ビタミン B_{12}（コバラミン）はコバルト原子を含むシアン化合物であることからシアノコバラミン（CNCbl）という化学名が与えられた．コバルト上のシアノ基をヒドロキシ基に置き換えたヒドロキソコバラミン（OHCbl），メチル基に置き換えたメチルコバラミン（MeCbl），アデノシル基に置き換えたアデノシルコバラミン（AdoCbl，別名：コバマミド），スルフィドコバラミンを加えた5種類がビタミン B_{12} と総称されている．これらのうち，ヒト生体内で補酵素として機能する活性型は MeCbl と AdoCbl で，前者はメチオニン合成酵素（MTR），後者はメチルマロニル CoA ムターゼ（MUT）の反応に必要となる．ヒトはコバラミンを生合成することはできず，食事から摂取する必要がある．食品には補酵素型コバラミン（MeCbl，AdoCbl）も含まれているが，主要な天然型ビタミン B_{12} は OHCbl であると考えられている．OHCbl は容易にシアンと結合して安定な CNCbl に置換される．

食事中のビタミン B_{12} は唾液中のハプトコリンと結合して小腸へ送られ，胃内因子と結合して回腸下部から吸収される．腸管壁内でトランスコバラミンIIと結合し血液に入り，全身各組織でエンドサイトーシスによって細胞内に取り込まれる．ライソゾーム内でトランスコバラミンIIから遊離し細胞質内へ転送される．

細胞内のコバラミン代謝経路については近年，急速に解明が進んでいる．図3に示すように体内に投与されたビタミン B_{12}（シアノコバラミン，ヒドロキソコバラミン，アデノシルコバラミン〈別名：コバマミド〉，メチルコバラミン）は細胞内に取り込まれた後，MMACHC の作用によって各種の配位子（〜基）が除去され，Cbl（III）から Cbl（II），Cbl（I）へと還元された後に，各種コバラミンは再合成されていると考えられている．

急性期では注射剤を使用するため，ヒドロキソコバラミンまたはシアノコバラミンを使用するが，配位子処理障害である cblC（ホモシステイン増加を伴う病型のため本ガイドラインでは対象外）では，シアノコバラミンでは効果が乏しいと考えられる．日本ではヒドロキソコバラミン，シアノコバラミン，コバマミドの単剤を常備している病院は少なく，ビタメジン®静注用を使用されることが多い．ビタメジン®静注用は1バイアル中にシアノコバラミン 1 mg，チアミン 100 mg，ピリドキシン 100 mg を含有しており，ビタミン B_6 の過量投与を伴わずビタミン B_{12} を 1 mg/day 静注することが可能である．

ビタミン B_{12} の内服は，吸収効率の問題で静注・筋注より投与量を増やす必要があると考えられている．これまでのガイドラインではヒドロキソコバラミン，シアノコバラミン，コバマミドを 10（〜40）mg/day 内服となっていたが，今回の改訂版では，欧米のガイドライン（内服投与の推奨量：5〜21 mg/week）に準じて 5〜10 mg/day へ変更した[12]．内服薬のビタメジン配合薬を使用してビタミン B_{12} を数 mg/day の投与量にしようとすると，ビタミン B_6 過量投与の危険を伴うことになる．国内で単剤製剤として入手可能なコバマミド（ハイコバール®）を使用するべきであるが，常備していない病院が多いため，ハイコバール® が入手できるまでの間，cblA ではメチルコバラミン（メチコバール®）で代用しても，ある程度の効果が期待できると考えられる．

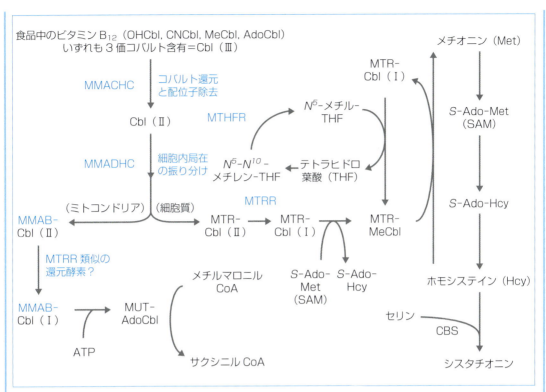

図3● 細胞内コバラミン合成経路

OHCbl：ヒドロキソコバラミン，CNCbl：シアノコバラミン，MeCbl：メチルコバラミン，AdoCbl：アデノシルコバラミン，MTRR：メチオニン合成酵素還元酵素，MTR：メチオニン合成酵素，MUT：メチルマロニル CoA ムターゼ．
MMACHC の作用で各種の配位子（シアノ基，ヒドロキシ基，メチル基，アデノシル基）が除去されて，コバルトが3価の Cbl（Ⅲ）から2価の Cbl（Ⅱ）へと還元される．
MMADHC の作用によって，細胞質で MeCbl 合成へ進むものと，ミトコンドリアへ移送されて AdoCbl 合成へ進むものに分かれる．
細胞質では Cbl（Ⅱ）が MTR 還元酵素の作用でコバルトが1価の Cbl（Ⅰ）に還元され，次いでメチル基の供与を受けて MeCbl となる．MTR は MeCbl のメチル基をホモシステインに転移させてメチオニンを生成する．
ミトコンドリアに入った Cbl（Ⅱ）は Cbl（Ⅱ）アデノシルトランスフェラーゼに受け渡された後，Cbl（Ⅰ）に還元され，次いで MMAB の作用で ATP からアデノシル基を供与されて AdoCbl となる．AdoCbl は MUT へ受け渡され，メチルマロニル CoA をスクシニル CoA へ代謝する反応の補酵素として機能する．

継続的に就業するのは，罹患者にとって容易なことではなく，小児期に引き続いて十分な医療が不安なく受けられるよう，費用の公的補助が強く望まれた．以上の要望を受けて平成27年7月より新たに指定難病の対象疾患となった．

文献

1) Fenton WA, et al. Disorders of propionate and methylmalonate metabolism. The metabolic and molecular basis of inherited disease. 8th ed, McGraw-Hill, 2001, 2165-2193.
2) Coelho D, et al. Gene identification for the cblD defect of vitamin B_{12} metabolism. New Engl J Med 358：1454-64, 2008.
3) 山口清次．タンデムマス等の新技術を導入した新しい新生児マススクリーニング体制の確立に関する研究．厚生労働科学研究費補助金（成育疾患克服等次世代育成基盤研究事業）平成24年度報告書，2013.
4) 高柳正樹．有機酸代謝異常症の全国調査．平成11年度厚生科学研究報告書，2000.

5) Cosson MA, et al. Long-term outcome in methylmalonic aciduria: a series of 30 French patients. Mol Genet Metab 2009; 97: 172-178.

6) Horster F, et al. Long-term outcome in methylmalonic acidurias in influenced by the underlying defect (mut0, mut-, cblA, cblB). Pediatr Res 2007; 62: 225-230.

7) Tanpalboon P. Methylmalonic acidemia (MMA). Mol Genet Metab 2005; 85: 2-6.

8) Gokce M, et al. Secondary Hemophagocytosis in 3 patients with organic academia involving propionate metabolism. Pediatr Hematol Oncol 2012; 29: 92-98.

9) Martinez Alvarez L, et al. Optic neuropathy in methylmalonic academia and propionic academia. Br J Ophthalmol 2016; 100: 98-104.

10) Marquard J, et al. Chronic pancreatitis in branched-chain organic acidurias-a case of methylmalonic aciduria and an overview of the literature. European J Pediatr 2011; 170: 241-245.

11) Prada CE, et al. Cardiac Disease in Methylmalonic academia. J Pediatr 2011; 159: 862-864.

12) Baumgartner MR, et al. Proposed guidelines for the diagnosis and management of methylmalonic and propionic academia. Orphanet J Rare Dis 2014; 9: 130.

13) Chandler RJ, et al. Mitochondrial dysfunction in mut methylmalonic academia. FASEB 2009; 23: 1252-1261.

14) Melo DR, et al. Methylmalonate impairs mitochondrial respiration supported by NADH-linked substrates: Involvement of mitochondrial glutamate metabolism. J Neurosci Res 2012; 90: 1190-1199.

15) Radmanesh A, et al. Methylmalonic acidemia: brain imaging findings in 52 children and a review of the literature. Pediatr Radiol 2008; 38: 1054-1061.

16) 特殊ミルク共同安全開発委員会（編）．タンデムマス導入にともなう新しい対象疾患の治療指針．特殊ミルク情報42（別），2006.

17) Refsum H, et al. Facts and recommendations about total homocysteine determinations: an expert opinion. Clin Chem 2004; 50: 3-32.

18) Kikuchi M, et al. Assay of methylmalonyl CoA mutase with high-performance liquid chromatography. Clin Chim Acta 1989; 184: 307-314.

19) Sakamoto O, et al. Mutation and haplotype analyses of the MUT gene in Japanese patients with methylmalonic acidemia. J Hum Genet 2007; 52: 48-55.

20) Yang X, et al. Mutation analysis of the MMAA and MMAB genes in Japanese patients with vitamin B_{12}-responsive methylmalonic acidemia: identification of a prevalent MMAA mutation. Mol Genet Metab 2004; 82: 329-33.

21) Hara K, et al. An infantile case of vitamin B_{12}-responsive methylmalonic acidemia missed in newborn scereening and diagnosed after presenting metabolic crisis. J Inherit Metab Dis 2013; 36: S173.

22) Landsverk ML, et al. A SUCLG1 mutation in a patient with mitochondrial DNA depletion and congenital anomalies. Molecular Genetics and Metabolism Reports 2014; 1: 451-454.

23) Fowler B1, et al. Causes of and diagnostic approach to methylmalonic acidurias. J Inherit Metab Dis 2008; 31: 350-360.

24) Morioka D, et al. Efficacy of living donor liver transplantation for patients with methylmalonic acidemia. Am J Transplant 2007; 7: 2782-2787.

25) Kasahara M, et al. Current role of liver transplantation for mehylmalonic acidemia: a review of the literature. Pediatr Transplant 2006; 10: 943-947.

26) Morath MA, et al. Renal dysfunction in methylmalonic acidurias: review for the pediatric nephrologist. Pediatr Nephrol 2013; 28: 227-235.

27) Raval DB, et al. Methylmalonic academia (MMA) in pregnancy: a case series and literature review. J Inherit Metab Dis 2015; 38: 839-846.

28) 但馬剛．「コバラミン代謝」日本先天代謝異常学会編集．引いて調べる先天代謝異常症．治療と診断社，2014; 51-52.

13 プロピオン酸血症

疾患概要

　プロピオン酸血症（propionic acidemia：PA）は，プロピオニオニル CoA カルボキシラーゼ（PCC）の活性低下によって，プロピオン酸をはじめとする有機酸が蓄積し，代謝性アシドーシスに伴う各種の症状を呈する常染色体劣性遺伝性疾患である（図1）．

　プロピオニル CoA の代謝に障害をきたす原因としては，①PCC 欠損症，②PCC の補酵素であるビオチンの代謝障害，③ビオチンと PCC のアポタンパクの共有結合を触媒する酵素であるホロカルボキシラーゼ合成酵素（HCS）欠損症がある[1]が，ビオチン代謝障害，HCS 欠損症は複合カルボキシラーゼ欠損症（p.164 参照）として発症するため，本項では PCC 欠損症について取り扱う．

　典型的には，新生児期，授乳開始とともに代謝性アシドーシスと高アンモニア血症が進行し急性脳症様症状を発症するが，成長発達遅延や反復性嘔吐などで発見される遅発型も存在する．新生児マススクリーニングの一次対象疾患である．

1 疫学

　新生児マススクリーニング試験研究（1997～2012 年，被検者数 195 万人）による国内での罹患頻度は約 45,000 人に 1 人と，高頻度に発見され

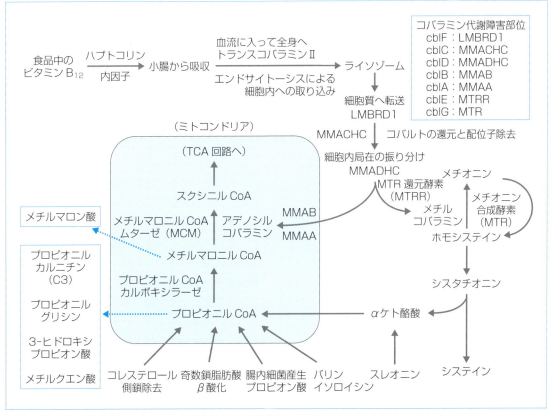

図1　プロピオン酸血症・メチルマロン酸血症の関連代謝経路

た[2]．しかしこのなかには，病的意義が乏しいと考えられている「最軽症型」が多く含まれており，ケトアシドーシス発作のような重篤な症状を発症するPAの発症頻度は40万人に1人とされている[3]．発症後診断例の全国調査では，有機酸代謝異常症ではメチルマロン酸血症が最も発症率が高く，ついでプロピオン酸血症が高いとされている[4]．

診断の基準

1 臨床病型

❶ 発症前型
新生児マススクリーニングで発見される無症状例を指す．新生児期に軽度の非特異的所見（低血糖・多呼吸など）を一過性に示すこともある．

❷ 急性発症型
呼吸障害・多呼吸・意識障害などで急性に発症し，代謝性アシドーシス・ケトーシス・高アンモニア血症・低血糖・高乳酸血症などの検査異常を呈する症例を指す．哺乳によるタンパク負荷のはじまる新生児期と，感染・経口摂取不良などが契機となりやすい乳幼児期に発症のピークがある．

❸ 慢性進行型
乳幼児期からの食思不振・反復性嘔吐などが認められ，身体発育や精神運動発達に遅延が現れる症例を指す．徐々に進行し，特に感染などを契機に症状の悪化がみられる．経過中に急性発症型の症状を呈することもある．

❹ 最軽症型
以下の条件のいずれかに該当するものを指す．
(1) PCCのβサブユニットをコードする*PCCB*遺伝子のp.Y435C変異のホモ接合体．
(2) 前述以外のプロピオン酸血症患者で，新生児期にカルニチン欠乏がない状態（遊離カルニチン＞20 μmol/L）で，血清（血漿）プロピオニルカルニチン（C3）濃度が6 μmol/L以下である場合．
ただし，明らかな代謝性アシドーシスを発症したことがある，あるいは，低血糖，高アンモニア血症などの臨床検査値異常を認めている場合は，この条件を適用しない．

最軽症型は，身体発育や精神運動発達の異常を認めず，重篤なアシドーシス発作を発症しないと考えられているが，長期予後に関してはエビデンスが不十分であり，不明である．

2 主要症状および臨床所見[5)-8)]

典型的には新生児期から乳児期にかけて，重度の代謝性アシドーシス・高アンモニア血症などが出現し，哺乳不良・嘔吐，呼吸障害・筋緊張低下などから嗜眠～昏睡など急性脳症の症状へ進展する．初発時以降も同様の急性増悪を繰り返しやすく，特に感染症罹患などが契機となることが多い．コントロール困難例では経口摂取不良が続き，身体発育が遅延する．

❶ 呼吸障害
急性発症型で認められ，おもに多呼吸・努力呼吸を呈する．無呼吸を認めることもある．

❷ 神経症状
急性発症型や，慢性進行型の急性増悪時に意識障害やけいれんが認められる．急性型では傾眠傾向が初発症状として多く，昏睡となる場合もある．けいれん発症後に持続する意識障害から，急性脳症と診断されることもある．

急性代謝不全の後遺症として，もしくは代謝異常が慢性的に中枢神経系に及ぼす影響によって，全般的な精神運動発達遅滞を呈することが多い．

急性増悪を契機に，あるいは明らかな誘因なく，両側大脳基底核病変（梗塞様病変）を生じて不随意運動が出現することがある．

❸ 食思不振・嘔吐
急性発症型，慢性進行型とも，食思不振や嘔吐しやすい傾向を示す患者が多い．感染などを契機に著しい嘔吐発作を呈することも多い．

❹ 心障害
おもに慢性進行型で認められ，心筋症や不整脈を発症する．心筋症は拡張型，肥大型両方の報告が認められるが，多くは拡張型心筋症として発症

する．文献により9～23%という合併頻度が報告されており[9)10)]，患者の主要な死因ともなっている[10)11)]．

不整脈は，QT時間の延長が本疾患に特徴的であり[12)]，30～70%と高い合併率が報告されている[12)13)]．ほかに心室性異所性拍動，洞性除脈なども出現しうる[13)]．

❺骨髄抑制

汎血球減少，あるいは好中球減少，貧血，血小板減少，免疫不全を認めることがある[10)]．

❻視神経萎縮

精神発達の遅れや運動機能障害の程度に関係なく，視神経萎縮を発症することがある．文献により11～16%の合併率が報告されている[10)14)]．

❼膵炎

最近の文献によれば18%に認められ，うち6割が再発性と報告されている[10)]．

❽感音性難聴

最近の文献によれば13%に認められたと報告されている[15)]．

3 参考となる検査所見

❶一般血液・尿検査

急性期には，アニオンギャップ（AG）開大性の代謝性アシドーシスをはじめ，ケトーシス，高アンモニア血症，汎血球減少，低血糖などが認められる．高乳酸血症や血清アミノトランスフェラーゼ（AST，ALT）・クレアチニンキナーゼの上昇を伴うことも多い．

補記）参考となる異常値

(1) 代謝性アシドーシス
- 新生児期：HCO_3^- < 17 mmol/L
- 乳児期以降：HCO_3^- < 22 mmol/L
- pH < 7.3 かつ AG > 15

注）AG = $[Na^+] - [Cl^- + HCO_3^-]$（正常範 10～14）

重度の代謝性アシドーシス（pH < 7.2，AG > 20）の場合，有機酸代謝異常症を強く疑う．

(2) 高アンモニア血症
- 新生児期：NH_3 > 200 μg/dL（120 μmol/L）
- 乳児期以降：NH_3 > 100 μg/dL（60 μmol/L）
- 1,000 μg/dLを超える著しい高値を呈することも少なくない．

(3) 低血糖：基準値 < 45 mg/dL

補記）異常値の出現機序[1)]

ミトコンドリア内にプロピオニルCoAが蓄積して（図1），これに由来する不揮発酸の増加が細胞機能を低下させ，代償不全によるケトアシドーシスへ進展する．アシルCoA類の蓄積はミトコンドリア内の遊離CoAを減少させる．その補償としてカルニチン抱合によってCoAを遊離させる反応が亢進する結果，血中プロピオニルカルニチン（C3）が増加する．この際にアセチルCoAも動員されて減少し，尿素サイクルのカルバミルリン酸合成酵素（CPS-1）活性化に必要なNアセチルグルタミン酸の合成が低下するため，急性増悪時に高アンモニア血症が現れる．急性期の低血糖症は，ピルビン酸カルボキシラーゼとリンゴ酸シャトルの阻害による糖新生反応の減弱によって説明される．ケトーシス性高グリシン血症ともよばれるグリシンの増加は，プロピオニルCoAをはじめとするアシルCoA類の蓄積がグリシン開裂反応を阻害して起こる．

❷中枢神経系の画像検査[8)]

本疾患ほかいくつかの有機酸代謝異常症に共通する所見として，MRIにて淡蒼球を中心とする大脳基底核の異常像（梗塞様病変）が両側性に認められる．その他，髄鞘化の遅延，脳室拡大，大脳萎縮，脳室周囲や皮質下の白質病変，脳梁の菲薄化，小脳出血など多彩な異常所見が報告されている．MRSでは病変部位の乳酸増加，基底核でのグルタミン，グルタミン酸の増加が認められる．

4 診断の根拠となる特殊検査

❶血中アシルカルニチン分析＊＊（タンデムマス法）

この検査を実施できる保険医療機関に依頼した

場合に限り，患者1人につき月1回のみ算定することができる．

プロピオニルカルニチン（C3）の上昇が認められる．非特異的変化でないことを示す所見としてC3/C2比の上昇を伴う．これらの所見はメチルマロン酸血症と共通してみられ，本分析だけでは鑑別できない．

補記）タンデムマス・スクリーニングのカットオフ値はC3＞3.5 μmol/L，C3/C2比＞0.25とされるが[16]，この基準値は各スクリーニング施設で若干異なることに注意する．

❷ 尿中有機酸分析＊＊

この検査を実施できる保険医療機関に依頼した場合に限り，患者1人につき月1回のみ算定することができる．

メチルクエン酸，3-ヒドロキシプロピオン酸，プロピオニルグリシンなどの排泄増加が特徴的で，化学診断が可能である．これらの有機酸はメチルマロン酸血症と共通の所見であるが，プロピオン酸血症ではメチルマロン酸の排泄増加は認められない（図1）．

❸ 酵素活性測定＊＊＊

末梢血リンパ球や培養皮膚線維芽細胞の破砕液によるPCC酵素活性測定で低下が認められればプロピオン酸血症と確定される[17]．

❹ 遺伝子解析＊＊

PCCは，ミトコンドリアマトリックスに局在する酵素で，2つのサブユニット（αサブユニット，βサブユニット）からなる多量体である．そのため，PAの原因遺伝子はαサブユニットをコードする*PCCA*遺伝子とβサブユニットをコードする*PCCB*遺伝子であり，その2つの遺伝子のいずれかの異常によってプロピオン酸血症を発症する．*PCCA*遺伝子は13q32.3に，*PCCB*遺伝子は3q22.3に局在する．

補記）日本人患者での遺伝子変異に関する報告

（1）*PCCA*

日本人発症患者15症例の変異に関する報告をまとめると，全30アレルのうちc.923dupT変異30%（9/30），c.1196G＞A（p.R399Q）変異17%（5/30），IVS18-6C＞G変異10%（3/30）が多くを占めた[18]．

（2）*PCCB*

日本人発症患者15症例の変異に関する報告をまとめると，全30アレルのうちc.1228C＞T（p.R410W）変異30%（9/30），c.1283C＞T（p.T428I）変異27%（8/30），c.457G＞C（p.A153P）変異13%（4/30）が多くを占めた[18]．

（3）*PCCB* c.1304T＞C（p.Y435C）変異

発症患者の国内頻度が1/465,000人と推計されていた[4]のに対し，タンデムマス・スクリーニング試験研究での発見率は1/4.5万人と，他国に比して非常に高くなっている．その主要な原因となっているのが，日本人にみられる高頻度変異アレル*PCCB* c.1304T＞C（p.Y435C）である[3]．同変異アレルの保因者頻度は1/86.5人と報告されており，ホモ接合体頻度の理論値は1/30,000人となる．実際にマススクリーニング発見例の多くで，同変異が両アレルまたは片アレルに同定されている．

これほど高いアレル頻度にもかかわらず，典型的な急性発症例にp.Y435C変異アレルが見出されていないことから，少なくとも一方のアレルに同変異を有する症例は，軽症にとどまるものと考えられる．

5 鑑別診断

急性発症例では，AG開大性の代謝性アシドーシス・ケトーシスを主体に，高アンモニア血症・低血糖・高乳酸血症などが様々な組み合わせ・程度で観察されうることから，近縁の分枝鎖アミノ酸代謝異常症（メープルシロップ尿症）や有機酸代謝異常症（メチルマロン酸血症・複合カルボキシラーゼ欠損症・メチルクロトニルグリシン尿症・イソ吉草酸血症など）をはじめとして，尿素サイクル・ケトン体代謝・糖新生・グリコーゲン代謝・ミトコンドリア呼吸鎖などの各種代謝異常症が鑑別対象となりうるが，尿中有機酸分析・血中アシルカルニチン分析を行えば，罹患例は診断可能である．

新生児マススクリーニングや血中アシルカルニチン分析でのC3高値や，尿中有機酸分析での3-ヒドロキシプロピオン酸・メチルクエン酸排泄増加所見など，プロピオン酸血症を示唆する所見が得られた場合は，共通の生化学的異常所見を呈する疾患との鑑別が必要となる．p.117, 図2の診断フローチャートを参照のこと．
(1) メチルマロン酸血症
　尿中メチルマロン酸排泄増加を伴う．
(2) ビオチン欠乏症
(3) 複合カルボキシラーゼ欠損症
[3-メチルクロトニル-CoA カルボキシラーゼ活性の低下所見を伴う]
・血中C5-OH 高値
・尿中 3-ヒドロキシイソ吉草酸，メチルクロトニルグリシン排泄増加

　急性発症型の病像を示さないまま，心臓病変の症状・所見が顕在化して，プロピオン酸血症と診断されるケースが報告されており，心筋症・不整脈などの症例に遭遇した場合は，原因として本疾患の鑑別が必要である．

6 診断基準

❶疑診
1) 急性発症型，慢性進行型
　(1) 前述の「診断の基準」の「2｜主要症状および臨床所見」の項目のうち少なくとも1つ以上があり，
　(2) 前述の「診断の基準」の「4｜診断の根拠となる特殊検査」のうち血中アシルカルニチン分析が陽性の場合．

2) 発症前型（新生児マススクリーニング症例を含む）
　前述の「診断の基準」の「4｜診断の根拠となる特殊検査」のうち，血中アシルカルニチン分析が陽性の場合．

❷確定診断
　上記❶に加えて，尿中有機酸分析で特異的所見が得られれば，プロピオン酸血症の確定診断とする．尿中有機酸分析で特異的所見が不十分な場合には，酵素活性，遺伝子解析による確定診断が必要になることもある．

新生児マススクリーニングで疑われた場合

1 確定診断

　新生児マススクリーニングでろ紙血中のC3およびC3/C2比の上昇を認めた無症状例は，メチルマロン酸血症，プロピオン酸血症の可能性がある．一般検査（末梢血，一般生化学検査）に加え，血糖，血液ガス，アンモニア，乳酸，血中ケトン体分画，および血清ビタミンB_{12}濃度・血漿総ホモシステインおよびメチオニン濃度を測定し，尿中有機酸分析を行う．必要に応じて酵素活性測定，遺伝子解析による確定診断を行う．

2 診断確定までの対応

　初診時の血液検査項目で代謝障害の影響を示す異常所見があれば，入院管理として確定検査を進めていく．異常所見が認められない場合は，診断確定までの一般的注意として，感染症などによる体調不良・食欲低下時には速やかに医療機関を受診するように指示しておく❸．

3 診断確定後の治療（未発症の場合）[19]

❶薬物治療
・L-カルニチン内服 50〜150 mg/kg/day（分3）
（エルカルチン$FF^®$内用液10％＊，またはエルカルチン$FF^®$錠＊）❸
　血清（またはろ紙血）遊離カルニチン濃度を50 μmol/L 以上に保つ．

❷食事療法 ❸
・軽度の自然タンパク制限：1.5〜2.0 g/kg/day
　前駆アミノ酸の負荷を軽減するため，母乳や一般育児用粉乳にイソロイシン・バリン・メチオニン・スレオニン・グリシン除去粉乳（雪印S-22）を併用して，軽度のタンパク摂取制限を

開始する．以後は経過に応じた調整ないし継続必要性の再評価を適宜行う．

❸ sick day の対応 Ⓑ

感染症などによる体調不良・食欲低下時には早めに医療機関を受診させ，必要によりブドウ糖輸液を実施することで，異化亢進を抑制し急性発症を防ぐ．

急性発作で発症した場合の診療[19]

1. 確定診断

本疾患の典型例は，新生児マススクリーニングの実施前に急性発症型の症状を呈する．血中アシルカルニチン分析・尿中有機酸分析を中心に鑑別診断を進めつつ，「1. 代謝救急診療ガイドライン」(p.2) の記載に沿って治療を開始する．

以下，本項では，プロピオン酸血症の診断が確定している場合の診療方針を記載する．

2. 急性期の検査

ほかの有機酸代謝異常症と同様，緊急時には下記の項目について検査を行う．
(1) 血液検査（末梢血，一般生化学検査）．
(2) 血糖，血液ガス，アンモニア，乳酸・ピルビン酸，遊離脂肪酸，血中ケトン体分画．
(3) 尿検査：ケトン体，pH．
(4) 画像検査：頭部 CT・MRI．

3. 急性期の治療方針

「1. 代謝救急診療ガイドライン」(p.2) も参照．
「代謝クライシス」として，下記の治療を開始する．

❶ 状態の安定化（重篤な場合）Ⓑ

(1) 気管挿管と人工換気（必要であれば）．
(2) 末梢静脈ルートの確保．
血液浄化療法や中心静脈ルート用に重要な右頸静脈や大腿静脈は使わない．
静脈ルート確保困難な場合は骨髄針など現場の判断で代替法を選択する．
(3) 必要により昇圧薬を投与して血圧を維持する．
(4) 必要に応じて生理食塩水を投与してよいが，過剰にならないようにする．
ただし，生理食塩水投与のために異化亢進抑制策を後回しにしない．

❷ タンパク摂取の中止 Ⓑ

急性期にはすべてのタンパク摂取を中止する．急性期所見が改善してきたら，治療開始から 24～48 時間以内にタンパク投与を再開する．

❸ 異化亢進の抑制 Ⓑ

(1) 体タンパク異化によるアミノ酸動員の亢進を抑制するため，十分なエネルギー補給が必要である．80 kcal/kg/day 以上のカロリーを確保し，十分な尿量を確保できる輸液を行う．10% 以上のブドウ糖を含む輸液が必要な場合には中心静脈路を確保する．年齢別ブドウ糖必要量は，0～12 か月：8～10 mg/kg/min，1～3 歳：7～8 mg/kg/min，4～6 歳：6～7 mg/kg/min，7～12 歳：5～6 mg/kg/min，思春期：4～5 mg/kg/min，成人期：3～4 mg/kg/min を目安とする．治療開始後の血糖は 120～200 mg/dL（6.6～11 mmol/L）を目標とする．ブドウ糖投与はミトコンドリア機能低下状態への負荷となって高乳酸血症を悪化させることもあり，過剰投与には注意が必要である．

(2) 高血糖（新生児＞280 mg/dL（15.4 mmol/L），新生児期以降＞180 mg/dL（9.9 mmol/L））を認めた場合は，即効型インスリンの持続投与を開始する．インスリン投与を行っても血液乳酸値が 45 mg/dL（5 mmol/L）を超える場合には，すでに解糖系が動いておらず糖分をエネルギーとして利用できていないため，糖濃度を下げていく．

(3) ブドウ糖投与のみでは異化亢進の抑制がむずかしい場合は，静注脂肪乳剤を使用する．静注脂肪乳剤は 0.5 g/kg/day（最高 2.0 g/kg/day）の投与が推奨されている．また，経腸投与が可能な場合は，早期から特殊ミルク（無タンパク乳〈雪印 S-23〉または雪印 S-22）を使用してカロリー摂取量を増やす．

❹ L-カルニチン投与 B

有機酸の排泄促進に静注用 L-カルニチン（エルカルチン FF® 静注用 1000 mg＊）100 mg/kg をボーラス投与後，維持量として 100〜200 mg/kg/day を投与する．

静注製剤が常備されていない場合，入手まで内服用 L-カルニチン（エルカルチン FF® 内用液 10%＊またはエルカルチン FF® 錠＊）100〜150 mg/kg/day を投与する．

❺ 高アンモニア血症を伴う急性発作時の治療 C

（新生児＞250 μg/dL（150 μmol/L），乳児期以降＞170 μg/dL（100 μmol/L））

典型例では，著明な代謝性アシドーシスに様々なレベルの高アンモニア血症を伴う．高アンモニア血症を認める場合は，3 時間毎にアンモニア値を確認する．

(1) 安息香酸 Na＊＊＊ 100〜250 mg/kg を 2 時間で静脈投与する．その後，維持量として 200〜250 mg/kg/day を投与する．

補記）安息香酸 Na は，医薬品添加物として調剤室に備えられていることが一般的であり，これが院内調製により静注製剤として用いられる．最大投与量は 5.5 g/m² または 12 g/day．

(2) カルグルミン酸（カーバグル® 分散錠 200 mg＊）100 mg/kg を初回投与し，その後 6 時間毎に 25〜62 mg/kg を経口投与する．経口投与が困難な場合は経鼻胃管等による投与を行う．

補記）カルグルミン酸は，N-アセチルグルタミン（NAG）の構造類似体であり，NAG に代わってカルバミルリン酸合成酵素 I（CPS1）を活性化し，尿素サイクルを賦活化することによって，血中アンモニア濃度を低下させる．急性期の高アンモニア血症に対する治療として推奨されるが，慢性期管理における使用に関するエビデンスはない．

❻ 代謝性アシドーシスの補正 C

循環不全や呼吸不全を改善させても pH＜7.2 であれば，炭酸水素 Na（メイロン®；HCO_3^- 833 mEq/L）を投与する．

メイロン®：BE×体重×0.3 mL の半量（half correct）を緩徐に（1 mEq/min 以下）投与する．

目標値は pH＞7.2，pCO_2＞20 mmHg，HCO_3^-＞10 mEq/L とし，改善を認めたら速やかに中止する．アシドーシスが改善しなければ，以下の血液浄化療法を行う必要がある．

❼ 血液浄化療法 B

以上の治療を 2〜3 時間行っても代謝性アシドーシスが改善しない場合，あるいは高アンモニア血症の改善傾向が乏しい（低下が 50 μg/dL 未満にとどまる）場合は，緊急で血液浄化療法を実施する必要がある．有効性および新生児〜乳幼児に実施する際の循環動態への影響の少なさから，持続血液透析（CHD）または持続血液透析ろ過（CHDF）が第一選択となっており，実施可能な高次医療施設へ速やかに搬送することが重要である．腹膜透析は効率が劣るため，搬送までに時間を要する場合などのやむを得ない場合以外には，推奨しない．交換輸血は無効である．

慢性期の管理 [9)18)20)]

1 食事療法

❶ 自然タンパクの制限 B

急性期所見が改善してきたら，治療開始から 24〜48 時間以内にアミノ酸製剤の輸液を 0.3 g/kg/day から開始する．一般的にアミノ酸製剤は，自然タンパクと比較すると，前駆アミノ酸であるバリン・イソロイシン等の分枝鎖アミノ酸の含有量の割合が多いため，アミノ酸製剤の増量は慎重に行う．

経口摂取・経管栄養が可能になれば母乳・育児用調製粉乳などへ変更して，自然タンパク摂取量 0.5 g/kg/day から開始し，0.7〜1.5 g/kg/day まで漸増する（年齢に応じて必要量は異なる）．

食事療法においては，年齢と体格に応じた必要エネルギーと必要タンパク量の確保が重要とな

る．FAO/WHO/UNU の推奨している年齢に応じた1日当たりのタンパク摂取量とエネルギー摂取量（p.79, 表6 参照）を維持することを目標とする．

患者の重症度に応じて自然タンパク摂取量を調節する必要がある．重症例において前駆アミノ酸の制限が不十分であると，アンモニアが上昇しやすく，感染などを契機とした急性増悪を起こしやすい．

FAO/WHO/UNU の推奨している年齢に応じた必要タンパク量を摂取すると，代謝動態が不安定（アンモニア≧60 μmol/L（100 μg/dL），代謝性アシドーシス BE＜－5 mmol/L）となる場合には，自然タンパク摂取量を減らし，タンパク量の不足分は前駆アミノ酸（イソロイシン・バリン・メチオニン・スレオニン・グリシン）を除去した特殊ミルク（雪印 S-22）で補う．自然タンパクと雪印 S-22 を合わせた総タンパク摂取量の目安は，乳児期 1.5～2.0 g/kg/day，幼児期 1.2～1.7 g/kg/day，学童期以降 1.0～1.5 g/kg/day である．必須アミノ酸欠乏，特にバリン・イソロイシン濃度の低下に注意する．

慢性期の摂取エネルギー確保のために，雪印 S-22 に加えて，雪印 S-23・麦芽糖・中鎖脂肪油などを使用することもある．経口摂取がむずかしい場合は経管栄養を検討し，それでもコントロールが困難であれば入院させて輸液療法など急性期管理を再開する．

❷胃瘻造設 C

胃瘻の有無による予後の比較研究はなされていないが，他の先天代謝異常では入院回数減少効果などが認められている．本疾患では乳幼児期から哺乳不良や摂食困難を認めることが多く，そのような場合には経管栄養を併用することで，適切な栄養管理が可能となる．長期的に経管栄養が必要な症例では，胃瘻造設が推奨される．

2 薬物療法

❶L-カルニチン補充：100～200 mg/kg/day 分3（エルカルチン FF® 内用液 10％ ＊またはエルカルチン FF® 錠＊）B

血清（または濾紙血）遊離カルニチン濃度を50 μmol/L 以上に保つ．

❷腸管由来のプロピオン酸の抑制

一般に腸内細菌叢では，食物残渣中の多糖類の発酵によって，酢酸・プロピオン酸・酪酸をはじめとする各種の短鎖脂肪酸が産生される．これらのうちプロピオン酸は高率に肝臓へ運ばれ，ほぼすべてが肝臓でプロピオニル CoA→メチルマロニル CoA→スクシニル CoA を経て TCA 回路へ入り，オキサロ酢酸から糖新生経路へ進んでブドウ糖となる．主要なプロピオン酸産生菌はバクテロイデス属で，次いでクロストリジウム属や嫌気性グラム陽性球菌群（ペプトストレプトコッカス属など）があげられる．プロピオン酸血症患者では，このような腸管由来のプロピオン酸も病態形成に寄与すると考えられ，腸管でのプロピオン酸産生吸収の抑制が補助療法として有用である．

1）メトロニダゾール内服

フラジール® など．10～20 mg/kg/day 分3 B．

耐性菌出現防止のため4日服薬/3日休薬，1週間服薬/3週間休薬などとする．末梢神経障害などの副作用出現に注意して使用する．

わが国での保険適用は長らく腟トリコモナス症に限られていたが，2012年に適応症追加の公知申請が行われ，各種の嫌気性菌感染症への投与が承認された．プロピオン酸血症については，その改善とコントロールのために処方することが認められている．

2）ラクツロース内服

モニラック® など．

原末 0.33～1.3 g/kg/day，65％シロップ 0.5～2 mL/kg/day C．

年齢・体重に見合った量で毎日服用させてよい．

補記） 以下の薬剤は使用を控える D．

　　ピボキシル基含有抗菌薬：二次性カルニチン低下のリスク．

　　バルプロ酸：二次性カルニチン低下，アンモニア上昇のリスク．

3 肝移植 C

早期発症の重症例を中心に生体肝移植実施例が増えている[21)-23)]．多くの例で食欲改善，食事療法

緩和，救急受診・入院の大幅な減少などQOLが向上するが，移植後の急性代謝不全や中枢神経病変進行などの報告例もある．

フォローアップ指針

1 一般的評価と栄養学的評価 Ⓑ

❶身長・体重測定
不適切な食事療法によって，体重増加不良や肥満をきたさないよう注意する．

体重増加不良のときは，自然タンパク制限過剰を考慮する．

❷血液検査（空腹3～4時間で採血）
・検査間隔：初期は月1回以上，状態が安定すれば最低3か月に1回は行う．

・血液ガス分析，血糖，ケトン体，アンモニア，アルブミン，血漿アミノ酸分析，血中アシルカルニチン分析，末梢血液像，一般的な血液生化学検査項目．

（アミラーゼ，リパーゼは6か月に1回程度）

・アルブミン：低値の場合は自然タンパク制限過剰を考慮する．

・アンモニア：高値の場合は自然タンパク摂取過剰を考慮する．

・血漿アミノ酸分析：イソロイシン・メチオニン・スレオニン・バリンの欠乏，グリシンの上昇に注意する．

・血中アシルカルニチン分析：プロピオニルカルニチン（C3）の推移を評価するとともに，二次性カルニチン欠乏の有無について，遊離カルニチン（C0）で評価する．

❸尿中有機酸分析
・検査間隔：必要に応じて行う．

・評価項目：メチルクエン酸．

❹その他
骨代謝関連指標など，栄養状態に関係するビタミン類，ミネラル類の各種項目についても，病歴・食事摂取・身体発育に鑑みて適宜測定・評価する．

2 神経学的評価 Ⓒ

❶発達検査
1回/年程度．

❷頭部MRI（MRS）
急性期とその後の安定期，新たな神経学的所見を認めた場合などに行う．目安は1回/1～3年であるが，鎮静のリスクもあるため，発達などの状況に鑑みて必要性を検討する．

❸脳波検査（てんかん合併例）
1回/年程度．

❹運動機能評価
機能障害のある場合は，理学療法・作業療法・言語療法などの介入が必要である．

3 心合併症の評価 Ⓑ

少なくとも1年に1回の心臓超音波検査（心筋症発症の有無，心不全発症の有無の評価），安静時心電図およびホルター心電図検査（QT時間の延長の有無の評価）が推奨される[20]．失神様の症状を認めた場合は，積極的にQT延長症候群の発症を疑い，12誘導心電図，ホルター心電図での評価を行う[20]．

4 骨髄機能の評価 Ⓑ

少なくとも1年に1回，血液検査を行い，好中球減少の有無を評価することが推奨される．好中球減少症が持続する場合，あるいは好中球減少による細菌感染症を発症した場合はG-CSF投与を考慮する．

5 眼科的評価 Ⓑ

1年に1回の眼科診察による視神経萎縮の有無の評価が推奨される．

乳幼児期は鎮静リスクを伴うため，異常が疑われなければ6歳以降とする．

視覚障害を認めた場合は，積極的に眼科診察を行う．

6 膵炎の評価 Ⓑ

嘔吐，腹痛を認めた場合は，膵炎発症を疑い血清アミラーゼ，リパーゼの測定が推奨される．

7 遺伝カウンセリング

本疾患は常染色体劣性遺伝形式であり，必要に応じて遺伝カウンセリングを行う．

最軽症型への対応

最軽症型の詳細は「診断の基準」「1 臨床病型」および「mini column 1」を参照．

最軽症型では重篤な代謝性アシドーシス発作を発症しないと考えられており，厳格なタンパク制限を行わない緩和された管理が適当であると考えられる．ただし，最軽症型の長期予後についてはエビデンスが不十分であり，生涯ケトアシドーシス発作を起こさないかは不明である．

1 食事療法 Ⓒ

原則的にタンパク制限は必要としない．ただし，代謝性アシドーシス発作を起こした例については，タンパク制限を考慮する．

2 L-カルニチン投与

遊離カルニチン濃度が 50 μmol/L 以上となるように，L-カルニチン（エルカルチン FF® 50〜150 mg/kg/day）の内服を行う Ⓒ．

3 ブドウ糖輸液

感染症などで経口摂取が一定時間（24 時間以上）困難な場合（sick day）には，積極的にブドウ糖輸液を行う．この場合，血糖値，血中アンモニア値，血中乳酸値を測定しモニターする Ⓑ．

4 フォローアップ

年に数回，血液ガス，血糖，アンモニア，遊離カルニチンの測定と，血中アシルカルニチン分析，尿中有機酸分析を行う Ⓒ．

本病型の長期予後，特に心筋症，大脳基底核病変の出現の可能性については不明なので，1〜3 年に 1 回のペースで心電図，心臓超音波検査，頭部 MRI 検査を行う Ⓒ．ただし MRI については，鎮静を必要とする年齢の間は，発達などの状況に鑑みて必要性を検討する．

成人期の課題

1 食事療法の継続

肝移植を受けた患者では食欲の改善やタンパク摂取耐容性の向上が観察されているが，そのような症例の一部にアシドーシス発作や大脳基底核病変の出現が報告されている．このような経験から，肝移植実施例も含め，成人期も食事療法を続ける必要があるため，雪印 S-22 を継続して使用する．摂取エネルギー確保のために，雪印 S-22 に加えて，雪印 S-23・麦芽糖・中鎖脂肪油などを使用することもある．

2 飲酒

アルコールは悪心をもたらすなど体調を崩す誘因となりやすいことから，本疾患の罹患者にとっては急性増悪の危険を伴うため，避ける．

3 運動

過度の運動は体調悪化の誘因となりやすく，無理のない範囲にとどめる必要がある．

4 妊娠と出産

最近の文献[24]によれば，これまでに女性患者 4

名について6件の妊娠・出産が報告されている．1名2件で妊娠高血圧腎症の合併による早産が記載されているが，6件とも母体の重大な危機は報告されておらず，児の生後経過も総じて良好となっている．まだ少数例の知見ではあるが，代謝動態や心機能など慎重に管理しながら挙児を得ることは可能と考えられる．

5 医療費の問題

本疾患の罹患者は，多量のカルニチン製剤服用をはじめ，定期的な検査，体調不良時の支持療法，低タンパク食品の購入など，成人期にも少なからぬ額の出費を強いられる可能性が高い．その一方，安定した体調で継続的に就業するのは，罹患者にとって容易なことではなく，小児期に引き続いて十分な医療が不安なく受けられるよう，費用の公的補助が強く望まれた．

以上の要望を受けて，平成27年7月より新たに指定難病の対象疾患となっている．

---

mini column 1 新生児マススクリーニングで発見されるプロピオン酸血症例の予後調査

2015年度より，国立研究開発法人日本医療研究開発機構難治性疾患実用化研究事業（課題ID：17824392）「新生児マススクリーニング対象疾患等のガイドライン改訂に向けたエビデンス創出研究」（深尾班）にて国内症例の調査を行っており，新生児マススクリーニング発見87例と発症後診断29例の情報が得られている．

新生児マススクリーニング発見は最年長で20歳までの症例を含むが，これまで有意な症状は認められておらず，そのうち42例が *PCCB* p.Y435Cホモ接合体と確認されている．また，18例がp.Y435C変異と他の病原性変異をもつ複合ヘテロ接合体であり，うち5例が発症患者に多いp.T428Iとの組み合わせであった．これら18例も症状なく経過していたことから，少なくとも一方のアレルがp.Y435C変異であれば，発症を免れることが示唆される．

一方，欧米からの最近の文献によると，新生児マススクリーニングで発見された患者の63%は検査時点ですでに発症しており，発症前に診断された患者も含め，無症状で経過しているのは10%未満であったと報告されている[25]．

このように，わが国の新生児マススクリーニングで発見されるプロピオン酸血症例の多くは，従来知られてきた「患者」とは臨床像が著しく異なっている．その中から，医療管理による発症予防を真に必要とする患児を的確に拾い上げるべく，その指標・基準を確立するために，発見症例の追跡情報をさらに集積していくことが求められている．

文献

1) Fenton WA, et al. Disorders of propionate and methylmalonate metabolism. In：Scriver CR, Beaudet AL, Sly WS, Valle D, eds；The Megatolic and Molecular Bases of Inherited Disease. 8th ed, McGraw-Hill 2011, 2165-2193.

2) 山口清次．タンデムマス等の新技術を導入した新しい新生児マススクリーニング体制の確立に関する研究．厚生労働科学研究費補助金（成育疾患克服等次世代育成基盤研究事業）．平成23年度報告書，2012.

3) Yorifuji T, et al. Unexpectedly high prevalence of the mild form of propionic acidemia in Japan：presence of a common mutation and possible clinical implications. Hum Genet 2002；111：161-165.

4) 高柳正樹．有機酸代謝異常症の全国調査．平成11年度厚生科学研究報告書，2000.

5) Deodato F, et al. Methylmalonic and propionic acidemia. Am J Med Genet C Semi Med Genet 2006；142C：104-112.

6) Grunert SC, et al. Propionic acidemia：neonatal versus selective metabolic screening. J Inherit Metab Dis 2012；35：41-49.

7) Pena L, et al. Natural history of propionic acidemia. Mol Gnet Metab 2012；105：5-9.

8) Schreuber J, et al. Neurologic considerations in propionic acidemia. Mol Gnet Metab 2012；105：10-15.

9) Baumgartner MR, et al. Proposed guidelines for the diagnosis and management of methylmalonic and propionic

acidemia. Orphanet J Rare Dis 2014;9:130-165.
10) Pena L, et al. Survey of health status and complications among propionic acidemia patients. Am J Med Genet A 2012;158A:1641-1646.
11) Romano S, et al. Cardiomyopathies in propionic aciduria are reversible after liver transplantation. J Pediatr 2010;156:128-134.
12) Kölker S, et al. The phenotypic spectrum of organic acidurias and urea cycle disorders. Part 2. the evolving clinical phenotype. J Inherit Metab Dis 2015;38:1059-1074.
13) Baumgartner D. Prolonged QTc intervals and decreased left ventricular contractility in patients with propionic acidemia. J Pediatr 2007;150:192-197.
14) Martinez Alvarez L, et al. Optic neuropathy in methylmalonic acidemia and propionic acidemia. Br J Ophthalmol 2016;100:98-104.
15) Grünert SC, et al. Propionic acidemia: clinical course and outcome in 55 pediatric and adolescent patients. Orphanet J Rare Dis 2013;8:6-14.
16) 特殊ミルク共同安全委員会(編). タンデムマス導入に伴う新しい対象疾患の治療指針. 母子愛育会 特殊ミルク情報（別冊）2007;42:8-10.
17) Gotoh K, et al. Determination of methylmalonyl coenzyme A by ultra high-performance liquid chromatography tandem mass spectrometry for measuring propionyl coenzyme A carboxylase activity in patients with propionic acidemia. J Chromatogr B Analyt Technol Biomed Life Sci 2017;1046:195-199.
18) Yang X, et al. Mutation spectrum of the *PCCA* and *PCCB* genes in Japanese patients with propionic acidemia. Mol Gnet Metab 2004;81:335-342.
19) Chapman KA, et al. Acute management of propionic acidemia. Mol Genet Metab 2012;105:16-25.
20) Sutton VR, et al. Chronic management and health supervision of individuals with propionic acidemia. Mol Gnet Metab 2012;105:26-33.
21) Barshes NR, et al. Evaluation and management of patients with propionic adicemia undergoing liver transplantation: A comprehensive review. Pedatr Tsnsplant 2006;10:773-381.
22) Vara R, et al. Liver transplantation for propionic acidemia in children. Liver Transpl 2011;17:661-667.
23) Nagao M, et al. Improved neurologic prognosis for a patient with propionic acidemia who received early living donor liver transplantation. Mol Genet Metab 2013;108:25-29.
24) Schwoerer JS, et al. Successful pregnancy and delivery in a woman with propionic acidemina from the Amish community. Mol Genet Metab Rep 2016;8:4-7.
25) Grünert SC, et al. Propionic acidemia: neonatal versus selective metabolic screening. J Inherit Metab Dis 2012;35:41-49.

14 イソ吉草酸血症

疾患概要

イソ吉草酸血症（IVA）は，ロイシンの中間代謝過程で働くイソバレリル CoA 脱水素酵素（IVDH）の障害によってイソバレリル CoA の蓄積が生じる常染色体劣性遺伝性の疾患である（図1）．本疾患は，特に発作時に「足の蒸れたような」とか「汗臭い」と形容される特徴的な体臭を呈し，哺乳不良や嘔吐，意識障害で発症する．この悪臭はイソバレリル CoA の中間代謝産物であるイソ吉草酸のにおいである．イソ吉草酸はすぐに 3-ヒドロキシイソ吉草酸などに代謝されるため，尿中への排泄は少なく，尿よりも汗などの分泌物のにおいが強いとされる．本疾患はガスクロマトグラフィ（GC）分析で発見されたはじめての代謝異常症として知られている[1]．

臨床症状からは急性発症型と慢性間欠型とに分類されるが，臨床症状と残存酵素活性には相関がみられず，新生児期の代謝ストレスの重症度が発症に関係しているとされる[2]．

本疾患は尿中有機酸分析や血中アシルカルニチン分析で特徴的な所見がみられ，有症状例に対しては早期診断・治療により健常な発達が見込まれることから，新生児マススクリーニング（NBS）の一次対象疾患となっている．

1 疫学

タンデムマス法による新生児マススクリーニングの試験研究（1997 年〜2012 年，被検者数 195 万人）によると，国内での頻度は約 65 万出生に 1 人と推定されている[3]．NBS が開始されてから無症状の患児や母体が見つかっている．欧米ではこの無症状例と c.932C＞T（p.A282V）変異との関連が報告されている[4]．

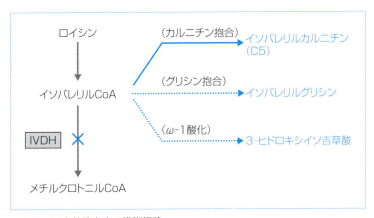

図1 ● イソ吉草酸血症の代謝経路
IVDH：イソバレリル CoA 脱水素酵素，☐：酵素，青字：異常代謝物，┄┄▶：有機酸分析の所見，──▶：アシルカルニチン分析の所見，✕：代謝障害部位．

診断の基準

1 臨床病型

❶発症前型
新生児マススクリーニングや，家族内に発症者がいる場合の家族検索などで発見される無症状例を指す．

❷急性発症型
出生時は無症状だが，通常2週間以内に嘔吐や哺乳不良，意識障害，けいれん，低体温などで発症し，代謝性アシドーシス・ケトーシス・高アンモニア血症・低血糖・高乳酸血症などの検査異常を呈する．出生後早期の発症例が有症状例の約3/4を占めたとする報告がある[5]．また，生後1年以内に感染やタンパクの過剰摂取などを契機に発症する症例もある．

❸慢性進行型
発達遅滞や体重増加不良を契機に診断される症例を指す．経過中に急性発症型の症状を呈することもある．

2 主要症状および臨床所見

❶特有の臭気
急性期に「足の蒸れた」とか「汗臭い」と形容される強烈な体臭がある．

❷呼吸障害
急性発症でみられ，おもに多呼吸や努力呼吸，無呼吸を呈する．

❸中枢神経症状
哺乳不良や嘔吐，意識障害，無呼吸，筋緊張低下，けいれんなどで発症する．血小板減少に伴う頭蓋内出血にも注意が必要である．
急性期以降，もしくは慢性進行性に発達遅滞を認めることもある．

❹哺乳不良・嘔吐，食癖
哺乳不良や嘔吐を急性期に示す患者が多い．また，しばしば高タンパク食品を嫌う食癖がみられる[6]．

❺骨髄抑制
汎血球減少，好中球減少，血小板減少が，しばしば認められる．

❻その他
急性膵炎や不整脈の報告がある[7][8]．

3 参考となる検査所見

❶一般血液・尿検査
急性期にはアニオンギャップの開大した代謝性アシドーシス，高アンモニア血症，高血糖・低血糖，低カルシウム血症を認める．
二次性の高アンモニア血症は，イソバレリルCoAの蓄積に伴う細胞内のアセチルCoAの減少によりN-アセチルグルタミン酸合成酵素活性が阻害され，尿素サイクルを障害するためといった機序が考えられている[9]．

補記）参考となる異常値
(1) 代謝性アシドーシス
・新生児期　HCO_3^- <17 mmol/L，乳児期以降 HCO_3^- <22 mmol/L
・pH<7.3 かつアニオンギャップ（AG）>15
注）AG＝$[Na^+]-[Cl^-+HCO_3^-]$（正常範囲 10〜14）

重度の代謝性アシドーシス（pH<7.2，AG>20）の場合，有機酸代謝異常症を強く疑う．

(2) 高アンモニア血症
・新生児期 NH_3 >200 μg/dL（120 μmol/L）
・乳児期以降 NH_3 >100 μg/dL（60 μmol/L）

1000 μg/dL を超える著しい高値を呈することもある．

(3) 低血糖：基準値<45 mg/dL

❷中枢神経系の画像検査
本疾患ほかいくつかの有機酸代謝異常症に共通するが，MRIで淡蒼球を中心とする大脳基底核の異常像を認めることがある．

4 診断の根拠となる特殊検査

❶ 血中アシルカルニチン分析＊＊（タンデムマス法）

この検査ができる保険医療機関に依頼した場合に限り，患者1人につき月1回のみ算定することができる．イソバレリルカルニチン（C5）の上昇が特徴的である．

ただしC5アシルカルニチンは他にも2-メチルブチリルカルニチンやピバロイルカルニチンも含むため，本分析だけでは鑑別できない．特に児や母体に対してピボキシル基を含む抗菌薬，シベレスタットナトリウム（エラスポール®）などの投与がないか，確認が必要である．

新生児マススクリーニングのカットオフ（参考）値はC5＞0.7 μmol/Lとされる[10]が，この基準値は各分析施設で異なることに注意する．

❷ 尿中有機酸分析＊＊

この検査ができる保険医療機関に依頼した場合に限り，患者1人につき月1回のみ算定することができる．

イソバレリルグリシン，3-ヒドロキシイソ吉草酸の著明な排泄増加がみられ，化学診断が可能である．特にイソバレリルグリシンは急性期にも安定期にも認められる．

なお，イソバレリルグリシンはグルタル酸血症2型で，3-ヒドロキシイソ吉草酸はメチルクロトニルグリシン尿症や複合カルボキシラーゼ欠損症でも認められるが，異常代謝産物の組み合わせで鑑別診断が可能である．

❸ 酵素活性測定＊＊＊

末梢血リンパ球や皮膚線維芽細胞などを用いた酵素活性測定による診断が可能である．

❹ 遺伝子解析＊＊

原因遺伝子である*IVD*遺伝子の解析でも診断可能である．*IVD*遺伝子は15q14-15にコードされている．欧米では特にNBSで診断された患者の約2/3で*IVD*遺伝子にc.932C＞T（p.A282V）変異を認めており，この変異をホモ接合体もしくは複合ヘテロ接合体でもつ場合，無症状例が多い[4]．これらの無症状例が発熱などのストレス時に発症するかどうかの長期的なリスクはいまだ不明である．

補記）日本人患者での遺伝子変異に関する報告

日本人患者8例における*IVD*遺伝子解析では，15アレルに点変異，1アレルにスプライス変異が同定されたが，すべてが異なる変異であった[11)-14)]．欧米における高頻度変異p.A282Vは，これまで報告されていない．

5 鑑別診断

C5アシルカルニチンはイソバレリルカルニチン以外にも2-メチルブチリルカルニチンやピバロイルカルニチンも含むため，下記の鑑別が必要である．

(1) 2-メチル酪酸尿症
(2) ピボキシル基を含む薬剤の使用

イソ吉草酸血症では，尿中有機酸分析でイソバレリルグリシン，3-ヒドロキシイソ吉草酸の排泄増加を認めることで鑑別可能である．

6 診断基準

❶ 疑診

1) 急性発症型・慢性進行型

前述の「**2 主要症状および臨床所見**」の項目のうち少なくとも1つ以上があり，「**4 診断の根拠となる特殊検査**」のうち血中アシルカルニチン分析が陽性の場合．

2) 発症前型（新生児マススクリーニング症例を含む）

前述の「**4 診断の根拠となる特殊検査**」のうち血中アシルカルニチン分析が陽性の場合．

❷ 確定診断

上記❶に加えて，尿中有機酸分析にて特にイソバレリルグリシンと3-ヒドロキシイソ吉草酸の排泄増加を認め，3-メチルクロトニルグリシンやメチルクエン酸などの他の代謝産物がない場合に確定診断とする．尿中有機酸分析で特異的所見が不十分な場合には，酵素活性，遺伝子解析で確定診断が必要な場合もある．

新生児マススクリーニングで疑われた場合

1 確定診断

NBSでC5の上昇で陽性となった場合，ピボキシル基を含む抗菌薬，シベレスタットナトリウムなどの投与がないかの確認が必要である．薬剤性の可能性があれば新生児マススクリーニングの再検を（薬剤内服中止して），それ以外の場合にはただちに尿中有機酸分析を行い，確定診断する．結果によっては酵素活性測定，遺伝子解析を検討する．

なお新生児期に発症する症例も多いため，哺乳状態や体重増加などを確認し，一般検査（末梢血，一般生化学検査）に加え，血糖，血液ガス，アンモニア，乳酸，血中ケトン体分画などを測定し，異常がないかを確認する．

2 確定診断されるまでの対応 B

初診時の血液検査項目で代謝障害の影響を示す異常所見があれば，入院管理として確定検査を進めていく．特に異常のない場合は，確定診断がつくまでの期間，感染症などによる発熱や嘔吐，食欲低下がみられた場合には早めに医療機関を受診するよう指導する．

3 診断確定後の治療（未発症の場合）

治療の最終目的は発症を予防し，正常な発育・発達を獲得することである[2)10)]．

❶薬物療法

1) L-カルニチン内服（100～200 mg/kg/day　分3）＊B

（エルカルチンFF®内用液10％，またはエルカルチンFF®錠）

血清（または濾紙血）遊離カルニチン濃度を50 μmol/L以上に保つ．

体内に蓄積した異常代謝産物の排泄を促進し，遊離カルニチン濃度を保つ以外に，ミトコンドリア内のイソバレリルCoAの蓄積を阻害し，遊離CoAを供給するという働きによって，高アンモニア血症の予防ともなる．

2) グリシン内服（150～250 mg/kg/day　分3）＊＊＊C

イソ吉草酸はグリシン抱合によってイソバレリルグリシンを生成し，排泄を促す．患者の重症度や臨床病期とグリシンの有効性の関係や，至適投与量については，一定の見解が得られていない[2)15)16)]．

❷食事療法：軽度の自然タンパク制限（1.5～2.0 g/kg/day）C

代謝経路上流のロイシンを制限することでイソバレリルCoAの蓄積を防ぐことを目的とする．急性発症を予防するために，母乳や一般粉乳にロイシン除去フォーミュラ（明治8003）を併用して，軽度の自然タンパク摂取制限を行う．しかしイソ吉草酸を生成するのは体タンパク由来のアミノ酸が主体で，食事療法は効果がないとの見解もある[10)]．

❸ sick dayの対処法 B

感染症などによる体調不良，食欲低下時には早めに医療機関を受診させ，必要によりブドウ糖輸液を実施することで，異化亢進を抑制し急性発症を防ぐ．

急性発作で発症した場合の診療

1 確定診断

NBSでの診断前，もしくは未診断例で発症した場合，血中アシルカルニチン分析や尿中有機酸分析を中心に鑑別診断を進めつつ，「1. 代謝救急診療ガイドライン」（p.2）の記載に沿って治療を開始する．

以下，本項では，イソ吉草酸血症の診断が確定している場合の診療方針を記載する．

2 急性期の検査

ほかの有機酸代謝異常症と同様，緊急時には下記の項目について検査を行う．
(1) 血液検査（末梢血，一般生化学検査）．
(2) 血糖，血液ガス，アンモニア，乳酸・ピルビン酸，遊離脂肪酸，総ケトン体・血中ケトン体分画．
(3) 尿検査：ケトン体，pH．
(4) 画像検査：頭部CT・MRI．

3 急性期の治療方針

「1. 代謝救急診療ガイドライン」(p.2) も参照．
ほかの有機酸代謝異常症と同様に代謝クライシスとして下記の治療を開始する．

❶ 状態の安定化（重篤な場合）Ⓑ
(1) 気管挿管と人工換気（必要であれば）．
(2) 静脈ルートの確保：
血液浄化療法や中心静脈ルート用に重要な右頸静脈や大腿静脈は使わない．静脈ルート確保困難な場合は骨髄針など現場の判断で代替法を選択．
(3) 必要により昇圧剤を投与して血圧を維持する．
(4) 必要に応じて生理食塩水を投与してよいが，過剰にならないようにする．
ただし，生理食塩水投与のために異化亢進抑制策を後回しにしない．
(5) 診断基準に示した臨床検査項目を提出する．残検体は破棄せず保管する．

❷ タンパク摂取の中止 Ⓑ
急性期にはすべてのタンパク摂取を中止する．急性期所見が改善してきたら，治療開始から24～48時間以内にタンパク投与を再開する．

❸ 異化亢進の抑制 Ⓑ
体タンパク異化によるアミノ酸動員の亢進を抑制するため，十分なエネルギー補給が必要である．80 kcal/kg/day 以上のカロリーを確保し，十分な尿量を確保できる輸液を行う．10％以上のブドウ糖を含む輸液が必要な場合には中心静脈路を確保する．年齢別ブドウ糖必要量は，0～12か月：8～10 mg/kg/min，1～3歳：7～8 mg/kg/min，4～6歳：6～7 mg/kg/min，7～12歳：5～6 mg/kg/min，思春期：4～5 mg/kg/min，成人期：3～4 mg/kg/min を目安とする．治療開始後の血糖は 120～200 mg/dL（6.6～11 mmol/L）を目標とする．ブドウ糖投与はミトコンドリア機能低下状態への負荷となって高乳酸血症を悪化させることもあり，過剰投与には注意が必要である．

高血糖（新生児＞280 mg/dL（15.4 mmol/L），新生児期以降＞180 mg/dL（9.9 mmol/L））を認めた場合は，速効型インスリンの持続投与を開始する．インスリン投与を行っても血液乳酸値が 45 mg/dL（5 mmol/L）を超える場合には，すでに解糖系が動いておらず糖分をエネルギーとして利用できていないため，糖濃度を下げていく．

ブドウ糖投与のみでは異化亢進の抑制がむずかしい場合は，静注脂肪乳剤を使用する．静注脂肪乳剤は 0.5 g/kg/day（最高 2.0 g/kg/day）の投与が推奨されている．また，経腸投与が可能な場合は，早期から特殊ミルク（明治8003）を使用してカロリー摂取量を増やす．

❹ L-カルニチン投与＊ Ⓑ
有機酸の排泄促進に静注用 L-カルニチン（エルカルチン FF® 静注 1000 mg＊）を 100 mg/kg をボーラス投与後，維持量として 100～200 mg/kg/day を投与する．

静注製剤が常備されていない場合，入手まで内服用 L-カルニチン（エルカルチン FF® 内用液 10％＊またはエルカルチン FF® 錠 100 mg＊）100～150 mg/kg/day を投与する．

❺ グリシン投与＊＊＊ Ⓒ
150～250 mg/kg/day の投与を考慮する．患者の重症度や臨床病期とグリシンの有効性の関係や，至適投与量については，一定の見解が得られていない[2)15)16)]．

❻ 高アンモニア血症〔新生児＞250 μg/dL（150 μmol/L），乳児期以降＞170 μg/dL（100 μmol/L）〕を伴う急性発作時の治療 Ⓒ
典型例では，著明な代謝性アシドーシスに様々なレベルの高アンモニア血症を伴う．高アンモニア血症を認める場合は，3時間毎にアンモニア値

を確認する.

(1) カルグルミン酸（カーバグル®分散錠200 mg＊）100 mg/kg を初回投与し，その後6時間毎に 25～62 mg/kg を経口投与する．経口投与が困難な場合は経鼻胃管等による投与を行う．

補記）カルグルミン酸は，N-アセチルグルタミン（NAG）の構造類似体であり，NAG に代わってカルバミルリン酸合成酵素 I（CPS1）を活性化し，尿素サイクルを賦活化させることによって，血中アンモニア濃度を低下させる．急性期の高アンモニア血症に対する治療として推奨されるが，慢性期管理における使用に関するエビデンスはない．

(2) 安息香酸 Na＊＊＊100～250 mg/kg を 2 時間で静脈投与する．その後，維持量として 200～250 mg/kg/day を投与する．

補記）安息香酸 Na は，医薬品添加物として調剤室に備えられていることが一般的であり，これが院内調製により静注製剤として用いられる．最大投与量は5.5 g/m^{2}または12 g/day.

❼代謝性アシドーシスの補正 C

循環不全や呼吸不全を改善させても pH<7.2 であれば，炭酸水素ナトリウム（メイロン®；HCO$_3^-$ 833 mEq/L）を投与する．

メイロン®：BE×体重×0.3 mL の半量（half correct）を緩徐（1 mEq/min 以下）に投与する．

目標値は pH>7.2，PCO$_2$>20 mmHg，HCO$_3^-$>10 mEq/L とし，改善を認めたら速やかに中止する．アシドーシスが改善しなければ，以下の血液浄化療法を行う必要がある．

❽血液浄化療法 B

以上の治療を 2～3 時間行っても代謝性アシドーシスが改善しない場合，あるいは高アンモニア血症の改善傾向が乏しい（低下が 50 µg/dL 未満にとどまる）場合は，緊急で血液浄化療法を実施する必要がある．有効性および新生児～乳幼児に実施する際の循環動態への影響の少なさから，持続血液透析（CHD）または持続血液ろ過透析（CHDF）が第一選択となっており，実施可能な高次医療施設へ速やかに搬送することが重要である．腹膜透析は効率が劣るため，搬送までに時間を要する場合などのやむを得ない場合以外には，推奨しない．交換輸血は無効である．また新生児期はグリシン抱合が未熟なため重篤化しやすく，早期の導入を検討する．

慢性期の管理

代謝経路上流のロイシンを制限することでイソバレリル CoA の蓄積を防ぐことを目的とするが，イソ吉草酸を生成するのは体タンパク由来のアミノ酸が主体で，食事療法は効果がないとの見解もある[10]．ここでは発症例についての対応として考える．

1 食事療法

❶自然タンパクの制限 B

急性期所見が改善してきたら，治療開始から 24～48 時間以内にアミノ酸製剤投与を 0.3 g/kg/day から開始する．一般的にアミノ酸製剤は自然タンパクと比較すると，前駆アミノ酸であるロイシンなどの分枝鎖アミノ酸の含有量の割合が高いため，アミノ酸製剤の投与は慎重に行う．

経口摂取・経管栄養が可能になれば母乳・育児用調整粉乳などへ変更して，自然タンパク摂取量 0.5 g/kg/day から開始し，1.0～2.0 g/kg/day まで漸増する．（年齢に応じて必要量は異なる）．

食事療法においては，年齢と体格に応じた必要エネルギーと必要タンパク量の確保が重要となる．FAO/WHO/UNU の推奨している年齢に応じた 1 日あたりのタンパク摂取量とエネルギー摂取量（p.79，表6）を維持することを目標とする．

摂取エネルギーやタンパク量の不足はロイシン除去フォーミュラ（明治8003）や麦芽糖・中鎖脂肪酸トリグリセリド（MCT）で補う．

❷ 胃瘻造設 C

胃瘻の有無による予後の比較研究はなされていないが，他の先天代謝異常では入院回数減少効果などが認められている．

2 薬物療法

❶ L-カルニチン内服：100〜200 mg/kg/day　分3 ＊ B

（エルカルチンFF®内用液10%＊またはエルカルチンFF®錠＊）

血清（またはろ紙血）遊離カルニチン濃度を50 μmol/L 以上に保つ．

❷ グリシン内服：150〜250 mg/kg/day　分3 ＊＊＊ C

患者の重症度や臨床病期とグリシンの有効性の関係や，至適投与量については，一定の見解が得られていない[2)15)16)]．

補記）以下の薬剤は使用を控える D

ピボキシル基含有抗菌薬：二次性カルニチン低下のリスク．

バルプロ酸：二次性カルニチン低下，アンモニア上昇のリスク．

フォローアップ指針

フォローアップの目的は治療の効果判定と，合併症や副作用の検討であり，発症予防効果を含む．本疾患は特に急性期に適切な治療が行われれば，比較的予後は良好で，思春期以降に代謝クライシスを生ずることはまれとされる[17)]．一般的に小児では精神運動発達と成長の評価が必要である．

1 一般的評価と栄養学的評価 B

❶ 身長，体重測定

栄養制限による体重増加不良，カロリーの摂りすぎによる肥満に注意する．体重増加不良のときは自然タンパク制限過剰を考慮する．

❷ 血液検査（空腹3〜4時間で採血）

・検査間隔：初期は月1回以上，状態が安定すれば最低3か月に1回は行う．

・血液ガス分析，血糖，ケトン体，アンモニア，アルブミン，血漿アミノ酸分析，血中アシルカルニチン分析，末梢血液像，一般的な血液生化学検査項目，（アミラーゼ，リパーゼは6か月に1回程度）

・アルブミン：低値の場合は自然タンパク制限過剰を考慮する．

・アンモニア：高値の場合は自然タンパク摂取過剰を考慮する．

・血中アシルカルニチン分析：イソバレリルカルニチン（C5）の推移を評価するとともに，二次性カルニチン欠乏の有無について，遊離カルニチン（C0）で評価する．

❸ 尿中有機酸分析

・検査間隔：必要に応じて行う．

・評価項目：イソバレリルグリシン

❹ その他

骨代謝関連指標など，栄養状態に関係するビタミン類，ミネラル類の各種項目についても，病歴・食事摂取・身体発育に鑑みて適宜測定する．

2 神経学的評価 C

❶ 発達検査

1回/年程度．

❷ 頭部MRI（MRS）

急性期とその後の安定期，新たな神経学的所見を認めた場合などに行う．目安は1回/1〜3年であるが，鎮静のリスクもあるため，発達などの状況に鑑みて必要性を検討する．

❸ 脳波検査（てんかん合併時）

年1回程度．

❹ 運動機能障害

運動機能障害がある場合は早期からの理学療法，作業療法，言語療法の介入が必要である．

3 その他

本疾患は常染色体劣性遺伝形式であり，必要に応じて遺伝カウンセリングを行う．

成人期の課題

1 食事療法

本疾患では思春期以降に代謝クライシスを生ずることはまれとされており，思春期以降～成人期におけるタンパク制限食の必要性は小児期に比べて低いと考えられるが，十分なエビデンスは示されていない．ヨーロッパでの調査では，思春期以降の症例の多くにおいてタンパク制限食が指示されていた[18]．食事療法と臨床経過との関連性も含めた検討が必要である．

2 飲酒・運動

飲酒や過度の運動は体調悪化の誘因となりやすく，特に飲酒は急性増悪の危険を伴うため避ける．

3 妊娠・出産

女性患者における妊娠・出産については，いまだ経験が少ない．アシルカルニチンなどの値を十分にモニタリングして正常出産が可能であったとの報告もあるが[19]，今後，症例を重ねて検討する必要がある．

4 医療費の問題

本疾患の罹患者は，小児期と比べると必要性は低いものの，カルニチン製剤服用をはじめ，定期的な検査，体調不良時の支持療法などのために，成人期にも少なからぬ支出を強いられる可能性が高い．このため小児期に引き続いて十分な医療を不安なく受けられるよう，費用の公的補助が強く望まれた．

以上の要望を受けて，平成27年7月より新たに指定難病の対象疾患となっている．

文献

1) Tanaka K, et al. Isovaleric acidemia：a new genetic defect of leucine metabolism. Proc Natl Acad Sci USA 1966；56：236-242.
2) Vockley J, et al. Isovaleric academia：New aspects of genetic and phenotypic heterogeneity. Am J Med Genet C Semin Med Genet 2006；142C：95-103.
3) 山口清次．新生児マススクリーニングのコホート体制，支援体制，および精度向上に関する研究．厚生労働科学研究費補助金（成育疾患克服等次世代育成基盤研究事業）平成27年度　総括・分担研究報告書．2016.
4) Ensenauer R, et al. A common mutation is associated with a mild, potentially asymptomatic phenotype in patients with isovaleric acidemia diagnosed by newborn screening. Am J Hum Genet 2004；75：1136-1142.
5) Tanaka K. Isovaleric acidemia：Personal history, clinical survey and study of the molecular basis. Prog Clin Biol Res 1990；321：273-290.
6) 大浦敏博．イソ吉草酸血症．先天代謝異常症．日本臨床（別）2012；19：365-368.
7) Kahler SG, et al. Pancreatitis in patients with organic acidemias. J Pediatr 1994；124：239-243.
8) Weinberg GL, et al. Malignant ventricular dysrhythmias in a patient with isovaleric acidemia receiving general and local anesthesia for suction lipectomy. J Clin Anesth 1997；9：668-670.
9) Stewart PM, et al. Failure of the normal ureagenic response to amino acids in organic acid-loaded rats. Proposed mechanism for the hyperammonemia of propionic and methylmalonic acidemia. J Clin Invest 1980；66：484-492.
10) 特殊ミルク共同安全委員会（編）．タンデムマス導入に伴う新しい対象疾患の治療指針．母子愛育会　特殊ミルク情報 2006；42（別冊）：12.
11) Sakamoto O, et al. Phenotypic variability and newly identified mutations of the IVD gene in Japanese patients with isovaleric acidemia. Tohoku J Exp Med 2015；236：103-106.
12) 春名秀典，ほか．新生児期に血液浄化療法を用いて救命し得たイソ吉草酸血症の1男児例．特殊ミルク情報 2011；46：14-18.
13) 知念安紹．新生児期に貧血・血小板減少を示した間欠型イソ吉草酸血症の一例．特殊ミルク情報 2011；46：22-25.
14) 吉本順子，ほか．新生児タンデムマススクリーニングで発見されたイソ吉草酸血症の一例．特殊ミルク情報 2011；46：26-29.
15) Fries MH, et al. Isovaleric acidemia：response to a leucine load after three weeks of supplementation with glycine, L-carnitine, and combined glycine-carnitine therapy. J Pediatr 1996；129：449-452.

16) Naglak M, et al. The treatment of isovaleric acidemia with glycine supplement. Pediatr Res 1988；24：9-13.
17) Wendel U, et al. Branched-chain organic acidurias/acidemias. In：Fernandes J, et al. Inborn Metabolic Diseases Diagnosis and Treatment. 4th ed, Springer, 2006；245-265.
18) Pinto A, et al. Dietary practices in isovaleric acidemia：a European survey. Mol Genet Metab Rep 2017；12：16-22.
19) Castelnovi C, et al. Maternal isovaleric acidemia：Observation of distinctive changes in plasma amino acids and carnitine profiles during pregnancy. Clinica Chimica Acta 2010；411：2101-2103.

15 3-メチルクロトニル CoA カルボキシラーゼ欠損症（メチルクロトニルグリシン尿症）

疾患概要

3-メチルクロトニル CoA カルボキシラーゼ欠損症（別名：メチルクロトニルグリシン尿症；MCG）はロイシンの中間代謝過程で働く3-メチルクロトニル-CoA カルボキシラーゼ（MCC）の障害によって生じる，常染色体劣性遺伝の疾患である（図1）．ケトアシドーシス，Reye 症候群などで急性発症したり，精神運動発達遅滞で発症したりするまれな疾患と考えられ，尿中有機酸分析や血中アシルカルニチン分析で特徴的な所見があること，早期診断により発症予防と健常な発達が見込まれることから，新生児マススクリーニング（NBS）の一次対象疾患となっている．しかしながら，新生児マススクリーニングが開始されてから無症状の患児の発見が増加した．さらにマススクリーニング陽性児の母親が無症状の MCC 欠損症患者である場合も報告されている．罹患者間の発症の差は，二次性の低カルニチン血症が発症の誘因になっていると考えられている．

1 疫学

欧米での罹患頻度は3.6万～8.5万人に1人[1)-3)]，有症状者は全体の約10％程度[3)4)]，さらに致死性の重症な患者は1～2％のみと考えられている[1)]．ストレスによる異化亢進の重症度が発症の契機ではないかとされる[5)]．日本での罹患頻度は約15万出生に1人と推定されている[6)]．

MCC はビオチンを補酵素とし，ビオチン代謝異常・欠乏の場合には二次的な MCC の活性低下をきたす．この場合にはビオチンを補酵素とする他のカルボキシラーゼ（プロピオニル CoA カルボキシラーゼ，ピルビン酸カルボキシラーゼ，アセチル CoA カルボキシラーゼ）も同時に活性低下をきたすため，MCC 欠損症ではなく，複合カルボキシラーゼ欠損症とよばれる別の疾患となる．

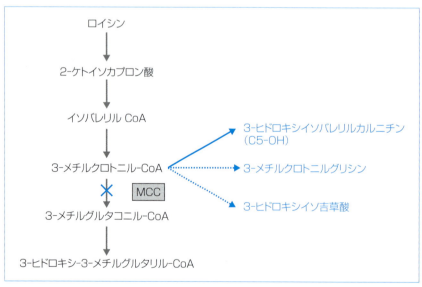

図1 ● MCC 欠損症の代謝マップ
MCC：3-メチルクロトニル-CoA カルボキシラーゼ．
□：酵素，青字：異常代謝物，……▶：有機酸分析の所見，━▶：アシルカルニチン分析の所見，✕：代謝障害部位．

診断の基準

1 臨床病型

❶ 発症前型
NBSや，家族内に発症者がいる場合の家族検索などで発見される無症状例を指す．前述のように，NBSが開始されてから無症状の患児の発見が大半を占める．

❷ 急性発症型
嘔吐や哺乳不良，意識障害，筋緊張低下，けいれんなどで急性に発症する．新生児期発症で致死的な重症例[7]や，乳幼児期に感染やタンパクの過剰摂取を契機として脳症様に発症する例がある[1)8)]．

❸ 慢性進行型
発達遅滞やけいれん，筋緊張低下などで発症するもので，有症状例のうち約2/3を占めたとする報告もある[1)]．感染などを契機に急性発症様の症状を呈して，症状が悪化することもある．

2 主要症状および臨床所見

大半の罹患者は無症状であり，有症状者は全体の約10％程度[3)4)]，さらに致死性の重症な患者は1～2％のみと考えられている[1)]．

❶ 中枢神経症状
急性発症型の場合，タンパクの過剰摂取や感染などのストレスを契機に，哺乳不良や嘔吐が出現し，意識障害，無呼吸，筋緊張低下，けいれんなどで発症する．Reye様症候群や壊死性脳症などとして発症した例もある[1)9)10)]．慢性進行型では退行や運動発達遅延，ジストニア・ジスキネジアなどの不随意運動（錐体外路症状）が緩徐に出現，進行する．注意欠陥・多動性障害（ADHD）の報告もある[1)11)]．

❷ 骨格筋症状
筋緊張低下，筋肉痛を訴えることがある．

❸ 呼吸症状
急性発症型でみられ，おもに多呼吸・努力呼吸を呈する．無呼吸の場合もある．

❹ 心筋症
新生児期に心筋症をきたしたという報告がある[12)]．

3 参考となる検査所見

❶ 一般血液・尿検査
通常は特に異常を認めない．急性期には代謝性アシドーシス，低血糖，および高アンモニア血症を認める．通常，強いケトーシスを認めるが，逆に低ケトン性低血糖を示すこともある．これはしばしば低カルニチン血症をきたすためと考えられている．肝逸脱酵素の上昇を認める場合もある．

補記）参考となる異常値
(1) 代謝性アシドーシス：
　・新生児期 HCO_3^-＜17 mmol/L
　・乳児期以降 HCO_3^-＜22 mmol/L
　・pH＜7.3かつアニオンギャップ（AG）＞15
　注）AG＝$[Na^+]-[Cl^-+HCO_3^-]$（正常範囲10～14）

重度の代謝性アシドーシスでAG＞20の場合，有機酸代謝異常症を強く疑う．

(2) 高アンモニア血症
　・新生児期 NH_3＞200μg/dL（120μmol/L）
　・乳児期以降 NH_3＞100μg/dL（60μmol/L）

(3) 低血糖：基準値＜45 mg/dL

4 診断の根拠となる特殊検査[13)]

❶ 血中アシルカルニチン分析＊＊（タンデムマス法）
これら検査ができる保険医療機関に依頼した場合に限り，患者1人につき月1回のみ算定することができる．通常は保険外検査として実施される．C5-OH（3-ヒドロキシイソバレリルカルニチン）の上昇を認める．これは3-ヒドロキシ-3-メチルグルタル酸血症，複合カルボキシラーゼ欠損症，3-メチルグルタコン酸血症やビオチン欠乏症でも上昇するため，本分析だけでは鑑別できない．児がMCC欠損症のヘテロ接合体である場合や，母体がMCC欠損症患者の場合にも児のC5-

OHの上昇を認めることがある[14]．また2-メチル-3-ヒドロキシブチリルカルニチンも C5-OH と表記されるため，βケトチオラーゼ欠損症や2-メチル-3-ヒドロキシ酪酸血症との鑑別も困難である．C0（遊離カルニチン）の低下が，症状の有無にかかわらず，しばしば認められる．

補記） NBS の cut off 値は，1.0 μmol/L とされるが，この基準値は各スクリーニング施設で若干異なることに注意する．

❷尿中有機酸分析＊＊

この検査ができる保険医療機関に依頼した場合に限り，患者1人につき月1回のみ算定することができる．通常は保険外検査として実施される．

通常 3-メチルクロトニルグリシン，3-ヒドロキシイソ吉草酸の著明な上昇がみられ，化学診断が可能である．特に3-メチルクロトニルグリシンの排泄増加が本疾患に特徴的であり，安定期にも認められる．

ヘテロ接合体でも軽度の排泄増加が認められることがある．

上記の有機酸のほかに，メチルクエン酸や 3-ヒドロキシプロピオン酸，乳酸の上昇を同時に認める場合には複合カルボキシラーゼ欠損症と判断されるが，安定期やビオチン欠乏のごく初期にはこれらを認めないこともあり，注意が必要である．

❸酵素活性測定＊＊

リンパ球や培養細胞などを用いた酵素活性測定による診断が可能であるが，現在国内に酵素活性測定を行っている施設はない．なお，リンパ球の酵素活性が正常の場合でも，皮膚線維芽細胞では低下が認められた例がある．

❹遺伝子解析＊＊

責任遺伝子である MCCC1（MCCA）遺伝子および MCCC2（MCCB）遺伝子の解析が可能である．MCCC1（MCCA）遺伝子は 3q27.1 に，MCCC2（MCCB）遺伝子は 5q13.2 にそれぞれコードされている．欧米では MCCC2（MCCB）遺伝子の変異が MCCC1（MCCA）遺伝子の変異よりも 1.7 倍多かったとの報告があるが[1]，高頻度変異は知られていない．日本と韓国で MCCC2（MCCB）p.D280Y が共通して認められている．遺伝子-表現型の関連は認められていない．

5 鑑別診断

血中アシルカルニチン分析で C5-OH が上昇する疾患は下記のようなものがある．前5者は尿中有機酸分析で鑑別が可能である（図2参照）．

- 3-ヒドロキシ-3-メチルグルタル酸尿症
- 複合カルボキシラーゼ欠損症
- 3-メチルグルタコン酸血症
- βケトチオラーゼ欠損症
- 2-メチル-3-ヒドロキシ酪酸血症
- MCC 欠損症母体から出生した児
- ビオチン欠乏症（特に低出生体重児）

6 診断基準

❶疑診

1) 急性発症型・慢性進行型

- 前述の「**2 主要症状および臨床所見**」の項目のうち少なくとも1つ以上があり，「**4 診断の根拠となる特殊検査**」のうち血中アシルカルニチン分析が陽性の場合．

2) 発症前型（新生児マススクリーニング症例を含む）

- 前述の「**4 診断の根拠となる特殊検査**」のうち，血中アシルカルニチン分析が陽性の場合．

❷確定診断

以下の（1），（2），（3）のいずれかを満たした場合，確定診断とする．

(1) 「❶疑診」であることに加えて，尿中有機酸分析にて著明な 3-メチルクロトニルグリシンと 3-ヒドロキシイソ吉草酸の排泄増加を認め，メチルクエン酸や 3-ヒドロキシプロピオン酸などの他の代謝産物の排泄増加がない．
(2) 酵素活性測定において活性低下が認められる．
(3) 遺伝子解析にて MCCC1 もしくは MCCC2 に有意な病因変異が二つ存在する．

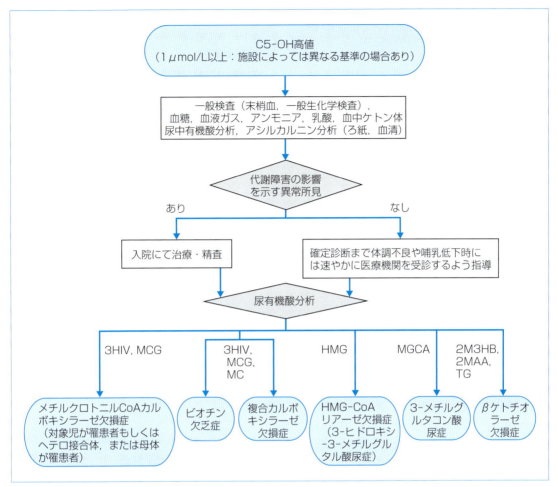

図2 ● C5-OH 高値の際の診断フローチャート
3HIV：3-ヒドロキシイソ吉草酸，MCG：3-メチルクロトニルグリシン，
MC：メチルクエン酸，HMG：3-ヒドロキシ-3-メチルグルタル酸，
MGCA：3-メチルグルタコン酸，2M3HB：2-メチル-3-ヒドロキシ酪酸，
2MAA：2-メチルアセト酢酸，TG：チグリルグリシン．

新生児マススクリーニングで疑われた場合

1 確定診断

NBSでC5-OHの上昇で陽性となった場合には前記の鑑別を行う必要がある．一般検査（末梢血，一般生化学検査）に加え，血糖，血液ガス，アンモニア，乳酸，血中ケトン体分画を測定し，尿中有機酸分析を行う．マススクリーニングのC5-OH値が必ずしもMCC欠損症の予後を判断するものではない．尿中有機酸分析で異常がなければ本症は否定的である．

2 診断確定までの対応 B

初診時の血液検査項目で代謝障害の影響を示す異常所見があれば，原則として入院管理として確定検査を勧めていく．異常所見が認められない場合は，確定診断までの一般的な注意として感染症などによる体調不良や哺乳・食欲低下時には速やかに医療機関を受診するよう指導する．

3 診断確定後の治療（未発症の場合）[13)15)]

治療の最終目的は発症を予防し，正常な発育・発達を獲得することである．

ただし本疾患では多くが無症状のため，治療の必要性については議論も多い．

❶薬物療法

1）L-カルニチン（エルカルチン）：50〜150 mg/kg/day Ⓑ

（エルカルチン FF® 内用液 10%，またはエルカルチン FF® 錠）

本疾患では遊離カルニチンの低下をきたしていることが多い．脂肪酸代謝異常症と同様に重度の低血糖や急性脳症様発症の原因となるため，遊離カルニチンの低値を認めた場合には補充を行い，血清（またはろ紙血）遊離カルニチン濃度を $50\,\mu$ mol/L 以上に保つ．

❷食事療法

1）自然タンパク制限：1.5〜2.0 g/kg/day Ⓓ

無症状例に対しては推奨されていない．前駆アミノ酸の負荷軽減を目的としたロイシン制限食の有効性は確立したものではないが，血中ロイシン上昇を認めた例では行われている．年齢別の目標量程度の摂取が望ましく，過剰なタンパク摂取を控えることが必要である．

❸sick day の対応 Ⓑ

発熱や経口摂取不良時には異化亢進により発症の危険性がある．症状が続く場合には速やかに専門医を受診させ，上記の治療を開始するよう家族に指導する．

急性発作で発症した場合の診療

1 確定診断

MCC 欠損症で生後早期に代謝クライシスをきたすことはまれであると考えられるが，新生児期に急性発作で発症した場合，新生児マススクリーニングの結果が出ていないことも多い．他の有機酸血症（プロピオン酸血症，メチルマロン酸血症など）も念頭に入れて，血中アシルカルニチン分析や尿中有機酸分析を中心に鑑別診断を進めつつ，「1. 代謝救急診療ガイドライン」（p.2）の記載に沿って治療を開始する．乳児期以降に，低血糖や急性脳症様など，脂肪酸代謝異常症と類似した臨床像で発症することがある[15)]．

以下，本項では，MCC 欠損症の診断が確定している場合の診療方針を記載する．

2 急性期の検査

ほかの有機酸代謝異常症と同様に緊急時には下記の項目について検査を行う．

・血液検査（末梢血，一般生化学検査）
・血糖，血液ガス，アンモニア，乳酸・ピルビン酸，遊離脂肪酸，総ケトン体・血中ケトン体分画
・尿検査：ケトン体，pH
・画像検査：頭部 CT・MRI

3 急性期の治療方針[13)15)]

「1. 代謝救急診療ガイドライン」（p.2）も参照．

他の有機酸代謝異常症と同様に代謝クライシスとして下記の治療を開始する．

❶状態の安定化（重篤な場合）Ⓑ

(1) 気管内挿管と人工換気（必要であれば）．
(2) 静脈ルートの確保：

血液浄化療法や中心静脈ルート用に重要な右頸静脈や大腿静脈は使わない．

静脈ルート確保困難な場合は骨髄針など現場の判断で代替法を選択．
(3) 必要により昇圧剤を投与して血圧を維持する．
(4) 必要に応じて生理食塩水を投与してよいが，過剰にならないようにする．

ただし，生理食塩水投与のために異化亢進抑制策を後回しにしてはならない．
(5) 診断基準に示した臨床検査項目を提出する．残検体は破棄せず保管する．

❷**タンパク摂取の中止** Ⓑ

急性期にはすべてのタンパク摂取を中止する．急性期所見が改善してきたら，治療開始から24～48時間以内にタンパク投与を再開する．

❸**異化亢進の抑制** Ⓑ

体タンパク異化によるアミノ酸動員の亢進を抑制するため十分なエネルギー補給が必要である．80 kcal/kg/day 以上のカロリーを確保し，十分な尿量を確保できる輸液を行う．10％以上のブドウ糖を含む輸液が必要な場合には中心静脈路を確保する．年齢別ブドウ糖必要量は，以下を目安とする．

- 0～12か月：8～10 mg/kg/min
- 1～3歳：7～8 mg/kg/min
- 4～6歳：6～7 mg/kg/min
- 7～12歳：5～6 mg/kg/min
- 思春期：4～5 mg/kg/min
- 成人期：3～4 mg/kg/min

治療開始後の血糖は 120～200 mg/dL（6.6～11 mmol/L）を目標とする．

高血糖｛新生児＞280 mg/dL（15.4 mmol/L），新生児期以降＞180 mg/dL（9.9 mmol/L）｝を認めた場合は，即効型インスリンの持続投与を開始する．インスリン投与を行っても血液乳酸値が 45 mg/dL（5 mmol/L）を超える場合には，すでに解糖系が動いておらず糖分をエネルギーとして利用できていないため，糖濃度を下げていく．

ブドウ糖投与のみでは異化亢進の抑制がむずかしい場合は，静注脂肪乳剤を使用する．静注脂肪乳剤は 0.5 g/kg/day（max 2.0 g/kg/day）の投与が推奨されている．また，経腸投与が可能な場合，早期からロイシン除去フォーミュラ（明治 8003）やタンパク除去粉乳（雪印 S-23）を使用しカロリー摂取量を増やす．

補記） ブドウ糖の投与はミトコンドリア機能低下状態への負荷となって高乳酸血症を悪化させることもあり，過剰投与には注意が必要である．

❹**L-カルニチン投与** Ⓑ

有機酸の排泄促進に静注用 L-カルニチン（エルカルチン FF® 静注 1000 mg＊）を 100 mg/kg をボーラス投与後，維持量として 100～200 mg/kg/day を投与する．

静注製剤が常備されていない場合，入手まで内服用 L-カルニチン（エルカルチン FF® 内用液 10％＊またはエルカルチン FF® 錠＊）100～150 mg/kg/day を投与する．

❺**高アンモニア血症｛新生児＞250 μg/dL（150 μmol/L），乳児期以降＞170 μg/dL（100 μmol/L）｝を伴う急性発作時の治療** Ⓒ

典型例では，著明な代謝性アシドーシスに様々なレベルの高アンモニア血症を伴う．高アンモニア血症を認める場合は 3 時間毎にアンモニア値を確認する．

（1）安息香酸 Na＊＊＊を 100～250 mg/kg を 2 時間で静脈投与，その後，維持量として 200～250 mg/kg/day を投与する．

補記） 安息香酸 Na は試薬を院内調整して静注製剤として用いられている．最大投与量は 5.5 g/m²/day または 12 g/day．

❻**代謝性アシドーシスの補正** Ⓒ

循環不全や呼吸不全を改善させても pH＜7.2 であれば，炭酸水素ナトリウム（以下メイロン®；HCO_3^- 833 mEq/L）を投与する．

メイロン®：BE×体重×0.3 mL の半量（half correct）を緩徐（1 mEq/min 以下）に投与する．

目標値は pH＞7.2，PCO_2＞20 mmHg，HCO_3^-＞10 mEq/L とし，改善を認めたら速やかに中止する．アシドーシスが改善しなければ，以下の血液浄化療法を行う必要がある．

❼**血液浄化療法** Ⓑ

以上の治療を 2～3 時間行っても代謝性アシドーシスや高アンモニア血症の改善傾向が乏しい（低下が 50 μg/dL 未満にとどまる）場合は，速やかに血液浄化療法を実施する必要がある．有効性および新生児～乳幼児に実施する際の循環動態への影響の少なさから，持続血液透析（CHD）または持続血液透析濾過（CHDF）が第一選択となっており，実施可能な高次医療施設へ速やかに搬送することが重要である．腹膜透析については，搬送までに時間を要する場合などのやむを得ない場合以外には，推奨しない．また新生児期はグリシ

ン抱合が未熟なため重篤化しやすく，早期の導入を検討する．

慢性期の管理[13)15)]

1 食事療法

❶自然タンパクの制限 C

本疾患に対するロイシン摂取制限の有効性は確立されていない．ロイシン制限が精神発達遅滞や行動異常といった症状への改善効果があるかどうかも明らかではない．心筋障害や急性脳症様の症状はカルニチン不足が原因とも考えられており，有症状例については個別に反応性などを評価しながら治療を行う．

有症状例でタンパク制限を行う場合には，急性期所見が改善してきたら，治療開始から24～48時間以内にアミノ酸製剤の輸液を0.3 g/kg/dayから開始する．一般的にアミノ酸製剤は自然タンパクと比較すると，前駆アミノ酸であるロイシン等の分枝鎖アミノ酸の含有量の割合が高いため，アミノ酸製剤の投与は慎重に行う．

経口摂取・経管栄養が可能になれば母乳・育児用調製粉乳などへ変更して，自然タンパク摂取量0.5 g/kg/dayから開始し，0.7～1.5 g/kg/dayまで漸増する（年齢に応じて必要量は異なる）．

年齢・体格相当のエネルギーおよびタンパク量の不足分はロイシン除去フォーミュラ（明治8003）・タンパク除去粉乳（雪印S-23）・麦芽糖などで補い，血中ロイシン値は正常範囲内でコントロールする．

2 薬物療法

❶L-カルニチン 100～200 mg/kg/day 分3 B

（エルカルチンFF®内用液10%＊またはエルカルチン®錠＊）

血清（または，ろ紙血）遊離カルニチン濃度を50 μmol/L以上に保つ．

3 sick dayの対応 B

発熱や経口摂取不良時には異化亢進により発症の危険性がある．症状が続く場合には速やかに専門医を受診させ，上記の治療を開始するよう家族に指導する．

フォローアップ指針

罹患者のうち発症するのは10%程度と考えられるが，現時点ではどのような児が発症するかについての知見はなく，確定診断例については無症状でもフォローしていくことが必要と考えられる．

フォローアップの目的は治療の効果判定と，合併症や副作用の検討であり，発症予防効果を含む．小児では精神運動発達と成長の評価も必要である．前述のように表現型と遺伝型の相関はなく，新生児マススクリーニング時のC5-OHだけでは予後を予測することはできない．

ろ紙血C5-OHが1.0～2.0 μmol/L程度で持続し，尿中有機酸分析で異常のない場合や，2～3年のフォローで症状を認めない場合には，ヘテロ接合体の可能性も考えられる．その場合はフォローオフとしてよい C．

早産・低出生体重児において，初回C5-OH正常で，退院・体重増加に伴う再検でC5-OH高値（多くは1.0～2.0 μmol/Lの場合）であり，尿中有機酸分析で異常がない，もしくは3-メチルクトロニルグリシンの上昇を伴わない3-ヒドロキシイソ吉草酸の軽度上昇のみを示す場合，または血清のアシルカルニチン分析の精検でC5-OH値が正常の場合には，潜在性のビオチン欠乏と考えられる．皮膚症状などがない場合には，特にビオチン投与などの治療を要しない B．潜在性ビオチン欠乏と考えられる場合フォローオフとしてよい C．

1 一般的評価と栄養学的評価 Ⓑ

栄養制限により体重増加不良を発症しないよう注意する．

❶ **身長，体重測定**
❷ **血液ガス分析，血糖，ケトン体，アンモニア，アルブミン，血漿アミノ酸分析，末梢血液像，一般的な血液生化学検査項目**

採血は食後3～4時間で行う．初期は月1回以上，状態が安定すれば最低3か月に1回は行う．アルブミンが低い場合はタンパク制限過剰，アンモニア高値の場合はタンパク摂取過剰を考える．
血漿アミノ酸分析では，ロイシンの値が正常範囲にあることを目標とする．

❸ **血中アシルカルニチン分析**

C5-OHの値と二次性カルニチン欠乏の有無についての評価．アミノ酸分析と同様の間隔で行う．

❹ **尿中有機酸分析**

必要に応じて行う．

❺ **その他**

上記以外の骨代謝を含めた栄養学的評価に関係する一般的項目も，病歴・食事摂取・身体発育に鑑みて適宜測定する．

2 神経学的評価 Ⓒ

本疾患は無症状が多いとされているが，発達や発育などには十分に注意する．
・年1回程度の発達チェック．
・てんかん合併時：脳波検査も年1回程度行う．
・運動機能障害：早期からの理学療法，作業療法，言語療法の介入が必要である．

3 その他

本疾患は常染色体劣性の遺伝形式であり，必要に応じて遺伝カウンセリングを行う．

成人期の課題[15]

確定診断がつき，小児期からフォローしている児については，前述の「慢性期の管理」，「フォローアップ指針」に従ってフォローを続ける．患者の判断により加療を中止した際にも，著明な低カルニチン血症のため低血糖に陥る可能性があり，十分なモニタリングが必要である．また，カルニチン欠乏状態においては突然死が多いとの報告があり，心機能の定期的な検査が必要である．

また一般的に有機酸代謝異常症では，飲酒や過度の運動は体調悪化の誘因となりやすく，特に飲酒は急性増悪の危険を伴うため避けるべきである．

NBS陽性例に，本疾患の罹患母体から異常代謝産物が胎児に移行したことによる児のC5-OH上昇例が少なくないことが明らかとなっている．マススクリーニング陽性例は尿中有機酸分析で診断が可能だが，児に異常がなかった場合に，無症状の母に対して検査をするべきかについては対象が成人のため本人からの十分なインフォームドコンセントが必要である．検査をする場合には母体の血中アシルカルニチン分析および尿中有機酸分析を行う．

MCC欠損症である母への治療の目安は下記のように提示されている[15]．

❶ **本疾患に起因すると考えられる症状がみられる場合 Ⓑ**

血中の遊離カルニチン濃度にかかわらず，カルニチン補充が勧められる

❷ **無症状だが，遊離カルニチン低下がみられる場合 Ⓑ**

心筋障害などの合併症を生じる可能性があり，カルニチン補充が勧められる．

❸ **無症状で，遊離カルニチンの低下がない場合 Ⓓ**

投与によるbenefitを示すスタディはなく，現時点では投与を勧めるコンセンサスはない．

mini column 1　C5-OHの軽度上昇持続を認めたら

　全身状態良好で血中C5-OHの軽度上昇（1.0〜2.0 μmol/L程度）持続を認めた場合の対応について記す．
　C5-OH上昇を認めた場合は，尿中有機酸分析を行う．その結果，異常有機酸の排泄増加がないときには，MCC欠損症をはじめとした先天代謝異常症は否定的であり，フォローアップは中止できる．この場合には，MCC欠損症のヘテロ接合体（保因者）や，児の母親がMCC欠損症であるケース，早産・低出生体重児のためのビオチン欠乏などの可能性を考える．特に陽性児が早産・低出生体重児の場合は，初回検査時のC5-OH値を確認する．それが基準値内であり，再検時にはじめてC5-OH上昇を指摘されたような経過では，急激な体重増加に伴う潜在性のビオチン欠乏症によるC5-OH上昇が考えられる．

文献

1) Grünert SC, et al. 3-Methylcrotonyl-CoA carboxylase deficiency : clinical, biochemical, enzymatic and molecular studies in 88 individuals. Orphanet J Rare Dis 2012 ; 7 : 31-54.
2) Koeberl DD, et al. Evaluation of 3-methylcrotonyl-CoA carboxylase deficiency detected by tandem mass spectrometry newborn screening. J Inherit Metab Dis 2003 ; 26 : 25-35.
3) Stadler SC, et al. Newborn screening for 3-methylcrotonyl-CoA carboxylase deficiency : population heterogeneity of MCCA and MCCB mutations and impact on risk assessment. Hum Mutat 2006 ; 27 : 748-759.
4) Morscher RJ, et al. A single mutation in MCCC1 or MCCC2 as a potential cause of positive screening for 3-methylcrotonyl-CoA carboxylase deficiency. Mol Genet Metab 2012 ; 105 : 602-606.
5) Ficicioglu C, et al. 3-Methylcrotonyl-CoA carboxylase deficiency : metabolic decompensation in a noncompliant child detected through newborn screening. Pediatrics 2006 ; 118 : 2555-2556.
6) 山口清次．タンデムマス導入による新生児マススクリーニング体制の整備と質的向上に関する研究．厚生労働科学研究費補助金 成育疾患克服等次世代育成基盤研究事業 平成23年度総括・分担研究報告書，2012.
7) Bannwart C, et al. Isolated biotin-resistant deficiency of 3-methylcrotonyl-CoA carboxylase presenting as a clinically severe form in a newborn with fatal outcome. J Inherit Metab Dis 1992 ; 15 : 863-868.
8) Uematsu M, et al. Novel mutations in five Japanese patients with 3-methylcrotonyl-CoA carboxylase deficiency. J Hum Genet 2007 ; 52 : 1040-1043.
9) Layward EM, et al. Isolated biotin-resistant 3-methylcrotonyl-CoA carboxylase deficiency presenting as a Reye syndrome-like illness. J Inherit Metab Dis 1989 ; 12 : 339-340.
10) Baykal T, et al. Consanguineous 3-methylcrotonyl-CoA carboxylase deficiency : early-onset necrotizing encephalopathy with lethal outcome. J Inherit Metab Dis 2005 ; 28 : 229-233.
11) Arnold GL, et al. Outcome of infants diagnosed with 3-methyl-crotonyl-CoA-carboxylase deficiency by newborn screening. Mol Genet Metab 2012 ; 106 : 439-441.
12) Visser G, et al. 3-methylcrotonyl-CoA carboxylase deficiency in an infant with cardiomyopathy, in her brother with developmental delay and in their asymptomatic father. Eur J Pediatr 2000 ; 159 : 901-904.
13) 特殊ミルク共同安全開発委員会（編）．タンデムマス導入にともなう新しい対象疾患の治療指針．特殊ミルク情報 2006 ; 42 : 28-53.
14) 長谷川有紀，ほか．C5-OH値高値症例における遺伝子解析 〜 軽度上昇持続例の遺伝学的背景 〜．日本マススクリーニング学会誌 2017 ; 27 : 194.
15) Arnold GL, et al. A Delphi-based consensus clinical practice protocol for the diagnosis and management of 3-methylcrotonyl-CoA carboxylase deficiency. Mol Genet Metab 2008 ; 93 : 363-370.

16 HMG-CoA リアーゼ欠損症，3-ヒドロキシ-3-メチルグルタル酸尿症

疾患概要

ミトコンドリアにおいてロイシン異化過程とケトン体産生に重要な HMG-CoA リアーゼの欠損症であり（図1），常染色体劣性の遺伝形式をとる．脂肪酸 β 酸化系からとロイシン代謝系からのケトン体産生がともに障害される．本酵素の欠損ではロイシン代謝経路における障害により，3-ヒドロキシ-3-メチルグルタル酸（HMG）などの特徴的な有機酸が蓄積，尿中排泄されるため，尿中有機酸分析は診断的価値が高い．

世界で 100 例程度の報告があり，サウジアラビアやイベリア半島に報告例が多い．わが国では，約 197 万人を対象としたタンデムマス・スクリーニングのパイロット研究で発見されず，また 2014 年から全国ではじまった新しい新生児マススクリーニングにおいても本症は発見されておらず，疾患頻度は不明であるが，非常に稀と考えられる．わが国では 2017 年までに 9 例の報告がある．

約半数が新生児期に，そのほかの症例も乳幼児期に高アンモニア血症，代謝性アシドーシス，肝機能障害などを伴う非ケトン性低血糖発作をきたす．乳幼児期における Reye 様症候群の原因の 1 つとなる．特徴的な尿中有機酸，血液アシルカルニチン所見があり，これらの特殊分析で本症を疑うことができ，早期診断による発症予防・障害予防が可能と考えられる．そのため新生児マススクリーニングの一次対象疾患となっている．本症と診断がついた後は，重篤な低血糖発作をきたさぬよう注意深いフォローが必要である．

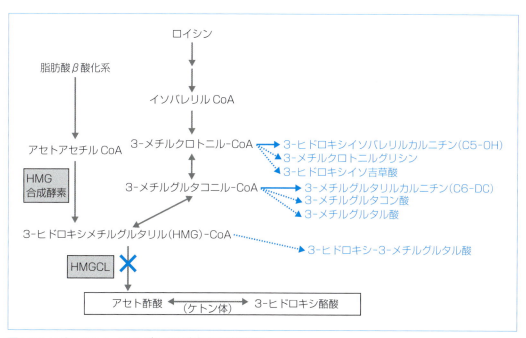

図1 3-ヒドロキシ-3-メチルグルタル酸血症の代謝経路
HMG-CoA；3-ヒドロキシ-3-メチルグルタリル-CoA，HMGCL；HMG-CoA リアーゼ，✗；代謝障害部位，☐；酵素，青字；異常代謝産物，┈▶；有機酸分析の所見，━▶；アシルカルニチン分析の所見．

診断の基準

1 臨床病型

❶発症前型
新生児マススクリーニングで発見される無症状例を指す．本疾患では，適切な対応がなされなければ全例が乳幼児期に発症すると考えられる．

❷急性発症型
約半数が新生児期，特に生後1週までに，その他の症例もほとんどが1歳までに低血糖発作をきたしており[1]，2歳を超えての発症は例外的である．新生児期には異化状態で，その後は空腹や感染，タンパク負荷などを契機にReye様症候群として発症する．

2 主要症状および臨床所見

❶低血糖発作
嘔吐，意識障害，多呼吸などを認める．多呼吸は代謝性アシドーシスの代償と考えられる．

❷肝腫大
肝機能障害を伴うことも多い．脂肪肝を呈する可能性が高い．

❸神経症状
低血糖による後遺症として，てんかんや知的障害の合併を認める．

3 参考となる検査所見

❶一般血液・尿検査
急性期の非ケトン性低血糖が最も重要である．また代謝性アシドーシスや高アンモニア血症，肝逸脱酵素の上昇を認めることが多い．

❷頭部画像検査（MRI）
脳深部白質障害を生じ，T2強調画像で高信号を示す．疾患特異的な所見ではない．

4 診断の根拠となる特殊検査

❶血中アシルカルニチン分析＊＊
C5-OH（3-ヒドロキシイソバレリルカルニチン）の上昇が特徴的である．これは3-メチルクロトニルCoAカルボキシラーゼ欠損症や複合カルボキシラーゼ欠損症，β-ケトチオラーゼ欠損症などでも上昇するため，生化学的な確定診断には次の尿中有機酸分析が必須である．C0（遊離カルニチン）の低下も認められることが多い．

❷尿中有機酸分析＊＊
3-ヒドロキシ-3-メチルグルタル酸，3-メチルグルタコン酸，3-メチルグルタル酸，3-メチルクロトン酸，3-ヒドロキシイソバレリン酸などの上昇がみられ，生化学診断が可能である．特に3-ヒドロキシ-3-メチルグルタル酸が特徴的である．

❸酵素活性＊＊＊
リンパ球や培養皮膚線維芽細胞などを用いた酵素活性測定による診断が可能である（現在活性測定を実施している施設は日本にはない）．

❹遺伝子解析＊＊
原因遺伝子である*HMGCL*遺伝子の解析による．なおサウジアラビアとイベリア半島ではR41Q，E37Xがそれぞれ87％，94％の症例で認められるが[2]，日本人症例のうち遺伝子変異が報告されている6例では，遺伝子変異は家系毎に異なり，現時点では日本人の好発変異は存在しない[3)-5)]．

現時点では，本症における遺伝子型-表現型の相関は明らかではない．むしろ臨床像には低血糖発作の原因，持続などが大きく関与すると考えられている．しかし，わが国における遺伝子型，およびそれらと表現型の相関を検討できるように遺伝子解析結果の蓄積が望まれる．

5 鑑別診断

(1) C5-OHの上昇（p.151，図2）からは3-メチルクロトニルCoAカルボキシラーゼ欠損症や複合カルボキシラーゼ欠損症，β-ケトチオラーゼ欠損症などがあげられる．

(2) 非ケトン性低血糖症をきたす面からはHMG-CoA合成酵素欠損症，脂肪酸β酸化系異常症があげられる．

6 診断基準

❶疑診
検査所見のうち血中アシルカルニチン分析が陽性のみの場合は疑診．

❷確定診断
上記に加えて，尿中有機酸分析にて3-ヒドロキシ-3-メチルグルタル酸を含む代謝産物を認めたもの，もしくは遺伝子変異が2アレルに認められたものを確定診断とする．

新生児マススクリーニングで本症を疑われた場合

本症では生後1週間までに約半数が発症するため，新生児マススクリーニングの結果判明時にすでに多呼吸，意識障害などをきたしている可能性もある．

1 無症状の場合（発症前診断）

❶確定診断
ただちに受診を促し，できるだけ早く尿中有機酸分析による生化学診断を行う．C5-OHの高値ではチャートのように有機酸分析で異常があるのか，どの疾患が疑われるのかが明らかになるため，初回の尿有機酸分析は非常に重要である．

❷確定診断されるまでの対応
尿中有機酸分析以外に血糖，血液ガス，アンモニア，乳酸，遊離脂肪酸，血中ケトン体分画，トランスアミナーゼ等を検査する．これらの検査にて低血糖や代謝性アシドーシス，高アンモニア血症などの異常所見があれば，入院のうえ治療（後述の「急性発作で発症した場合の診療」を参照）と診断を急ぐ．上記一般検査にて異常がなく，体重増加良好で母乳，ミルクが飲めていれば，食事間隔に注意すること，何か体調に変化があれば，ただちに受診するように指示をして外来でフォローする．

❸診断確定後の治療
本疾患における治療の最終目標は，発症予防により，正常な発育・発達を獲得することである．特に非ケトン性低血糖症による神経障害を抑えることが重要である．このため空腹を避け，食事間隔に注意する（後述の「慢性期の管理」を参照）．

2 新生児マススクリーニング結果判明前に多呼吸，意識障害，肝腫大などで発症した場合

❶確定診断
新生児マススクリーニングに提出しているろ紙血の分析を早急に確認し，C5-OH上昇がみられれば，できるだけ早く尿中有機酸分析による化学診断を行う．

❷急性期の検査
1) 血液検査
血糖，血液ガス，アンモニア，AST，ALT，LDH，Na，K，Cl，BUN，Crea，UA，末梢血，乳酸，ピルビン酸，遊離脂肪酸，血中ケトン体分画，（血清保存）．

2) 尿検査
ケトン体，（尿保存）．

❸治療
後述の「急性発作で発症した場合の診療」を参照．

急性発作で発症した場合の診療

新生児マススクリーニング異常を指摘されなかった児がReye様症候群，多呼吸，意識障害などをきたした場合は，本症である可能性は少ないが，最終的には発作時の尿有機酸分析で否定することが重要である．緊急検査は上記と同じである．また発作時のアシルカルニチン分析，尿中有機酸分析を至急行い，鑑別を行う．

本症と診断されていない段階での急性発症につ

いては，「1．代謝救急診療ガイドライン」(p.2)を参照のこと．ここでは本症と診断された児の急性発作時の診療について記載する．

タンパク異化を防ぎ，ロイシン中間代謝産物の排泄をうながし，脂肪酸β酸化系の利用を抑制する必要がある．本症における非ケトン性低血糖症は，低血糖時の脳への代替エネルギーであるケトン体も著しく低値であることから，中枢神経系に与える影響は強い．十分なブドウ糖の含まれる輸液により低血糖補正をただちに行う．

1 ブドウ糖投与による十分なカロリー補給 B

(1) ただちに20%ブドウ糖を1 mL/kgで静注する．
(2) ブドウ糖濃度が10%以上の輸液を，GIR 8～10 mg/kg/minを目安として投与する．高血糖を認める場合は，インスリン併用（0.025～0.05単位/kg/hrから開始）を考慮する C．

2 L-カルニチンの投与 B

L-カルニチンは，細胞内に蓄積した有機酸の排泄に重要である．発作時には静注用L-カルニチン（エルカルチンFF®静注1000 mg＊）50～100 mg/kg/回×3回/dayを投与する．

静注製剤が常備されていない場合，入手まで内服用L-カルニチン（エルカルチンFF®内用液10%＊またはエルカルチンFF®錠100 mg＊）100～150 mg/kg/dayを投与する．

3 代謝性アシドーシスの補正 B

代謝性アシドーシスが高度の場合は炭酸水素ナトリウム投与による補正も考慮するが，補正は最小限にとどめる．具体的な補正の一例は以下の通りである．

循環不全，呼吸不全を安定させたうえで，なおpH＜7.2の場合には，炭酸水素ナトリウム（メイロン®は833 mmol/L）BE×体重×0.3 mLの半量（half correct）を緩徐に投与（1 mEq/min以下）する．その後持続的に炭酸水素ナトリウムを投与する．目標値はpH＞7.2，PCO_2＞20 mmHg，HCO_3^-＞10 mEq/Lとし，改善を認めたら速やかに減量していく．

4 血液浄化療法 C

高アンモニア血症，アシドーシスのコントロールに有用である．本症における高アンモニア血症は2次性であるが，発作時1,000 μg/dLを超えることもある．その場合は速やかに浄化療法を行う必要がある．有効性および新生児～乳幼児に実施する際の循環動態への影響の少なさから，持続血液透析（CHD）または持続血液ろ過透析（CHDF）が第一選択となっており，これらが実施可能な高次医療施設へ速やかに搬送することが重要である．搬送までに時間を要する場合は，腹膜透析の実施を考慮する．

5 人工呼吸管理等 B

急性期管理に人工呼吸管理を必要とすることがある．

慢性期の管理

まずは一般的注意として空腹を避けることが必要である．食事間隔の目安は脂肪酸酸化異常症に準ずる．いかに重篤な低血糖発作をきたさないかが重要で，1回の発作でも後遺症を残しうるため注意を要する．本症では年齢とともに発作をきたしにくくなるものの，低血糖発作を29歳ではじめて起こした症例も報告されており[6]，わが国でも15歳で低血糖発作をきたした例の報告もあるため[7]，年齢によらない注意が必要である．

1 食事療法

❶ 空腹を避ける

特に乳幼児において，夕食をとらないで朝まで寝ることは，異化防止の観点から考えて危険であ

る．起こして食事やブドウ糖の摂取を行う必要がある．夜間の最大絶食時間については表1を参照する．

❷タンパク制限食 C

ロイシンの負荷を軽減するために，軽度の自然タンパク制限（1.5〜2.0 g/kg/day）を行う．必要なカロリーはタンパク除去ミルク（雪印S-23）もしくはロイシン除去ミルク（明治8003）によって補う．

補記）自然タンパク摂取量の計算

母乳100 mLあたりタンパク1.1 g，普通ミルク100 mLあたりタンパク1.5〜1.6 gとして計算する．たとえば自然タンパクを1.5 g/kg/day以内で抑えるとすると6 kg患児では9 g/dayまでの自然タンパクが許容される．母乳800 mL飲むと8.8 g/6 kg＝1.47 g/kg/dayでこの範囲内である．これ以上のエネルギーはタンパク除去ミルクもしくはロイシン除去ミルクで補う．

一方，普通ミルク800 mLでは12 g/6 kg＝2.0 g/kg/dayとなって目標とする自然タンパクを超える．この場合，たとえば1.5 g/kg/day×6 kg＝9 g/dayの自然タンパクをとるには普通ミルクを600 mLとし，残り200 mLはタンパク除去ミルクもしくはロイシン除去ミルクでとることになる．

2　L-カルニチン投与 B

カルニチンの2次欠乏を予防するためL-カルニ

表1　許容される食事間隔（間食含む）の目安

	日中	睡眠時
新生児期	3時間	
6か月まで	4時間	4時間
1歳まで	4時間	6時間
4歳未満	4時間	8〜10時間
4歳以上7歳未満	4時間	10時間

安定期の目安であり，臨床経過や患者の状況により変更が必要な場合もある．

チン30〜100 mg/kg/dayの投与を行う．（エルカルチンFF®内用液10%＊またはエルカルチンFF®錠＊）

3　sick dayの対応

感染症などに伴う発熱，胃腸炎罹患時などの異化亢進時にいかに発作をきたさないかが最も重要である．少なくとも10歳ぐらいまでは，異化亢進が懸念されるときは，7.5%程度のブドウ糖を含む輸液（ブドウ糖投与量が6〜8 mg/kg/min）を行うことが推奨される．

❶チェック項目

血糖，血液ガス，アンモニア，AST，ALT，LDH，Na，K，Cl，BUN，Crea，UA，血算，遊離脂肪酸，血中ケトン体分画．

フォローアップ指針

安定していても3か月に1回程度の受診が奨められる．本疾患は初回の発作で致死的あるいは重度の後遺症を残す場合も多いので，安定している場合でも保護者等には十分な説明を繰り返すことが重要である．また，連携する医療機関等とも十分な意識の共有を行うことが望まれる．

1　一般的評価と栄養学的評価 B

栄養制限により体重増加不良を発症しないよう注意する．

❶身長，体重測定
❷血液ガス分析，血糖，ケトン体，アンモニア，アルブミン，血漿アミノ酸分析，末梢血液像，一般的な血液生化学検査項目

採血は食後3〜4時間で行う．

検査は初期は月1回以上，状態が安定すれば3か月に1回は行う．

❸その他

上記以外の栄養学的評価に関係する骨代謝を含めた一般的項目も，病歴・食事摂取・身体発育に鑑みて適宜測定する．

❹ 血中アシルカルニチン分析

C5-OH，および C0（二次性カルニチン欠乏の有無）についての評価．

アミノ酸分析と同様の間隔で行う．

❺ 尿中有機酸分析

必要に応じて行う．

2 神経学的評価 C

❶ 年 1 回程度の発達チェックや 1 回/1～3 年程度の頭部 MRI（MRS）の評価

頭部 MRI（大脳深部白質障害が生じ，T2 高信号病変となる）．

診断時には MRI 検査をしておくことが望ましい．また発作が重篤であった場合はその後の変化をMRI でフォローする．

本症における白質病変は，発作後遺症として生じると考えられるが，発作をきたしていない症例でも起こりうるかは明らかでない．MRI, MRS 所見については文献8）に詳細な報告がある．

❷ てんかん合併時

脳波検査も年 1 回程度行う．

❸ 運動機能障害

早期からの理学療法，作業療法，言語療法の介入が必要である．

3 心臓超音波検査

本疾患で心筋症の報告があり，年 1 回は検査することが望ましい．

4 運動制限の有無

本症では骨格筋症状はまれであり，十分なカロリー摂取があれば通常の運動等の制限は不要と考えられる．

5 その他

本疾患は常染色体劣性の遺伝形式であり，必要に応じて遺伝カウンセリングを行う．

成人期の課題

1 食事療法を含めた治療の継続

低血糖発作を成人期以降に生じた症例も報告されており[6,7]，治療は継続して行う必要がある．

2 飲酒

アルコールは悪心をもたらすなど体調を崩す誘因となりやすいことから，本疾患の罹患者にとっては急性増悪の危険を伴い，避けるべきである．最近飲酒によって低血糖，高アンモニア血症，昏睡状態となった症例の報告がある[9]．

3 運動

過度の運動は体調悪化の誘因となりやすく，無理のない範囲にとどめる必要がある．

4 妊娠・出産

妊娠初期に異化亢進により急性発作をきたし死亡した症例，胎児死亡をきたした症例が報告されており，ハイリスクである[10]-[14]．妊娠中の管理については症例報告を参照のこと[11]-[14]．

5 医療費の問題

本疾患の罹患者は，生涯カルニチン製剤服用をはじめ，定期的な検査，体調不良時の支持療法が必要となる．その一方，安定した体調で継続的に就業するのは，罹患者にとって容易なことではなく，小児期に引き続いて十分な医療が不安なく受けられるよう，費用の公的補助が強く望まれる．

文献

1) Mitchell GA, et al. Chapter102 Inborn errors of ketone body metabolism. In：Scriver CR, Beaudet AL, Sly WS, Valle D editors. Metabolic and Molecular Bases of Inherited Disease. 8th ed, McGraw-Hill 2001；2327-2356.

2) Pié J, et al. Molecular genetics of HMG-CoA lyase deficiency. Mol Genet Metab 2007；92：198-209.

3) Muroi J, et al. Molecular and clinical analysis of Japanese

patients with 3-hydroxy-3-methylglutaryl CoA lyase（HL）deficiency. Hum Genet 2000；107：320-326.
4) 高橋朋子，ほか．生後3か月で発症した3-ヒドロキシ-3-メチルグルタリル-CoAリアーゼ欠損症の1例．日本小児科学会雑誌 2008；112：1249-1254.
5) Aoyama Y, et al. Application of multiplex ligation-dependent probe amplification, and indentification of a heterozygous Alu-associated deletion and a uniparental disomy of chromosome 1 in two patients with 3-hydroxy-3-methylglutarl-CoA lyase deficiency. Int J Mol Med 2015；35：1554-1560.
6) Reimão S, et al. 3-Hydroxy-3-methylglutaryl-coenzyme A lyase deficiency：Initial presentation in a young adult. J Inherit Metab Dis 2009；32 Suppl 1：S49-S52.
7) 深尾敏幸，ほか．日本人HMG-CoAリアーゼ欠損症の臨床像：研究班におけるアンケート調査結果から．日本先天代謝異常学会雑誌 2011；27：151.
8) Yalçinkaya C, et al. MRI and MRS in HMG-CoA lyase deficiency. Pediatr Neurol 1999；20：375-380.
9) Munoz-Bonet JI, et al. Management and long-term evolution of a patient with 3-hydroxy-3-methylglutaryl-coenzyme A lyase deficiency. Itali J Pediatr 2017；43：12.
10) Fukao T, et al. Ketone body metabolism and its defects. J Inherit Metab Dis 2014；37：541-551.
11) Langendonk JG, et al. A series of pregnancies in women with inherited metabolic disease. J Inherit Metab Dis 2012；35：419-424.
12) Pipitone A, et al. The management of pregnancy and delivery in 3-hydroxy-3-methylglutaryl-CoA lyase deficiency. Am J Med Genet A A 2016；170：1600-1602.
13) Santosa D, et al. Favourable Outcome in Two Pregnancies in a Patient with 3-Hydroxy-3-Methylglutaryl-CoA Lyase Deficiency. JIMD reports 2017.
14) Sulaiman RA, et al. Successful Management of Pregnancies in Patients with Inherited Disorders of Ketone Body Metabolism. JIMD reports 2017.

17 複合カルボキシラーゼ欠損症

疾患概要

ヒトには4種類のカルボキシラーゼの存在が知られている．プロピオニルCoAカルボキシラーゼ（PCC），メチルクロトニルCoAカルボキシラーゼ（MCC）は分枝鎖アミノ酸代謝経路，ピルビン酸カルボキシラーゼ（PC）は糖新生経路，アセチルCoAカルボキシラーゼ（ACC）は脂肪酸合成経路の重要な酵素である．これらは水溶性ビタミンであるビオチンを補酵素とする．先天性ビオチン代謝異常ではこれらの活性が同時に低下する複合カルボキシラーゼ欠損症（マルチプルカルボキシラーゼ欠損症，MCD）と称される病態を呈する[1)2)]．

先天性ビオチン代謝異常症は，①ホロカルボキシラーゼ合成酵素（HCS）欠損症[3)]と②ビオチニダーゼ欠損症[4)5)]の2種類に大別される．HCSはPCC，MCC，PC，ACCのアポ体にビオチンを共有結合させる反応を触媒し，アポ体をホロ体（ホロカルボキシラーゼ，活性体）とする酵素である．

ビオチニダーゼはビオチンが結合しているタンパクからビオチンを遊離させる酵素であり，ビオチニダーゼ欠損症はビオチンの再利用の障害をきたす（図1）．

従来はMCDを臨床的に新生児早発型と乳幼児遅発型に大別し，おもに前者がHCS欠損症，後者がビオチニダーゼ欠損症にあたるとされたが，HCS欠損症でも乳幼児発症例もあり，臨床病型分類と原因分類は必ずしも一致しない．

いずれの疾患も常染色体劣性遺伝形式をとり，薬理量のビオチン（10〜100 mg/day）の経口投与により臨床的，生化学的に軽快する．新生児マススクリーニングの一次対象疾患である．

1 疫学

わが国でのHCS欠損症の発症頻度は100万人に1人である[6)]．ビオチニダーゼ欠損症は欧米では6

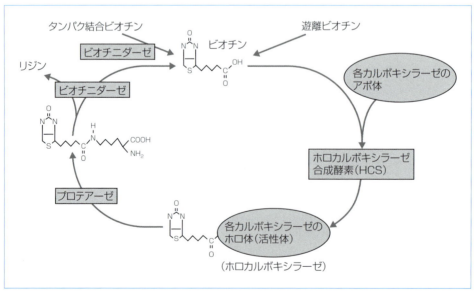

図1 ● ビオチン代謝とカルボキシラーゼとの関係
HCS：ホロカルボキシラーゼ合成酵素，□：酵素．

万人に1人の頻度[7]であるが，わが国ではこれまで確認されたのは数例のみであり[8)9]，わが国のMCDではHCS欠損症の診断が優先される．さらにわが国のHCS欠損症においては高頻度変異 {c.710T＞C (p.L237P), c.780delG (p.G261Vfs*20)}が存在するため，この検出が診断に有用である[10)-13]．

診断の基準

1 臨床病型

❶発症前型
新生児マススクリーニング（NBS）で発見される無症状例を指す．

❷急性発症型
呼吸障害・多呼吸・けいれん・意識障害などで急性に発症し，代謝性アシドーシス・ケトーシス・高アンモニア血症・低血糖・高乳酸血症などの検査異常を呈する症例を指す．哺乳によるタンパク負荷のはじまる新生児期と，感染・経口摂取不良などが契機となりやすい乳幼児期に発症のピークがある．

❸慢性進行型
食思不振・反復性の嘔吐などがみられ，特に感染などを契機に症状の悪化がみられる．難治性の湿疹がしばしば認められる．経過中に急性発症型の症状を呈することもある．

2 主要症状および臨床所見

急性期の症状は非特異的なため，重症感染症や他の有機酸代謝異常・尿素サイクル異常症などとの鑑別を要する．

❶呼吸障害
おもに急性発症でみられ，多呼吸や努力呼吸，無呼吸を呈する．

❷中枢神経障害
急性期に意識障害，無呼吸，筋緊張低下，けいれんなどを認めることがある．また，急性代謝不全の後遺症として，もしくは代謝異常が慢性的に中枢神経系に及ぼす影響によって，全般的な精神運動発達遅滞を呈することが多い．

❸哺乳不良・嘔吐
急性期に哺乳不良や嘔吐を示す患者が多い．

❹難治性の湿疹
膿痂疹，乾癬様の皮疹を呈する．

3 参考となる検査所見

❶血液・尿検査
急性期には，他の有機酸血症（メチルマロン酸血症，プロピオン酸血症）と同様に代謝性アシドーシス・ケトーシス・高アンモニア血症・低血糖・高乳酸血症などの検査異常を呈する．

補記）参考となる異常値
（1）代謝性アシドーシス
・新生児期 HCO_3^- ＜17 mmol/L
　乳児期以降 HCO_3^- ＜22 mmol/L
・pH＜7.3 かつアニオンギャップ（AG）＞15
　注）AG＝$[Na^+]-[Cl^-+HCO_3^-]$（正常範囲 10～14）

重度の代謝性アシドーシスでAG＞20の場合，有機酸代謝異常症を強く疑う．

（2）高アンモニア血症
・新生児期 NH_3＞200 μg/dL（120 μmol/L）
・乳児期以降 NH_3＞100 μg/dL（60 μmol/L）

（3）低血糖：基準値＜45 mg/dL

❷中枢神経系の画像検査
重症例では，胎児期より脳室拡大，囊胞形成を認めることがある[14]．

4 診断の根拠となる特殊検査

❶血中アシルカルニチン分析＊＊（タンデムマス法）
これらの検査ができる保険医療機関に依頼した場合に限り，患者1人につき月1回のみ算定することができる．

3-ヒドロキシイソバレリルカルニチン（C5-

OH）と同時にプロピオニルカルニチン（C3）が上昇している場合は，MCDが強く疑われる．

C5-OH上昇のみを呈するMCDもある．ただし，C5-OHの上昇はメチルクロトニルグリシン尿症やβケトチオラーゼ欠損症でも共通してみられ，これだけでは鑑別は困難である．

補記） NBSのC5-OHのカットオフ値は1.0 μmol/Lとされるが，スクリーニング施設で若干異なることに注意する．

❷尿中有機酸分析＊＊

これらの検査ができる保険医療機関に依頼した場合に限り，患者1人につき月1回のみ算定することができる．

3-ヒドロキシプロピオン酸，メチルクエン酸，3-ヒドロキシイソ吉草酸，3-メチルクロトニルグリシン，乳酸などの排泄増加が同時にみられる，MCDに特徴的なパターンを示し，化学診断が可能である．特に3-メチルクロトニルグリシンとメチルクエン酸の排泄増加が同時に認められることが重要である．

❸遺伝子解析＊＊

わが国のHCS欠損症においては高頻度変異{c.710T>C（p.L237P），c.780delG（p.G261Vfs*20）}が存在するため，この検出が診断に有用である[10)-13)]．症例の80％がc.710T>C（p.L237P）かc.780delG（p.G261Vfs*20）のいずれかの変異をもち，両者の組み合わせで両アレルが決定する率は症例の30％である．これらの変異を有する日本人患者では酵素活性の著明な低下が示されており，大量のビオチン投与を要するとされている[10)12)]．

❹酵素活性測定＊＊＊

ビオチニダーゼ活性測定がごく限られた施設で実施されている．

5 鑑別診断

尿中有機酸分析では本疾患に特異的な所見が得られるが，NBSや血清アシルカルニチン分析でのC5-OH増加が診断の糸口である場合は，以下の諸疾患を鑑別する必要がある（p.151, 図2参照）．

- 3-メチルクロトニルCoAカルボキシラーゼ欠損症（メチルクロトニルグリシン尿症）
- 対象児の母が3-メチルクロトニルCoAカルボキシラーゼ欠損症罹患者
- 3-ヒドロキシメチルグルタル酸尿症（HMG-CoAリアーゼ欠損症）
- ビオチン欠乏症（早産低出生体重児の潜在性ビオチン欠乏症も含む）
- 3-メチルグルタコン酸血症
- βケトチオラーゼ欠損症

6 診断基準

❶疑診

1) 急性型・慢性進行型

- 主要症状および臨床所見の項目のうち少なくとも1つ以上があり，
- 診断の根拠となる検査のうち血中アシルカルニチン分析が陽性の場合．

2) 発症前型（NBS症例を含む）

- 診断の根拠となる検査のうち，血中アシルカルニチン分析が陽性の場合．

❷確定診断

上記❶に加えて，尿中有機酸分析で特に3-メチルクロトニルグリシンやメチルクエン酸の排泄増加を同時に認め，かつ栄養性ビオチン欠乏症（後述）を否定できる場合に確定診断とする．

さらにHCS欠損症，ビオチニダーゼ欠損症の確定診断にはそれぞれ遺伝子解析もしくは酵素活性測定を要する．

新生児マススクリーニングで疑われた場合

1　確定診断

新生児マススクリーニングで C5-OH の高値を認めた場合，以下の可能性を考えて鑑別を行う．
- 複合カルボキシラーゼ欠損症
- 3-メチルクロトニル CoA カルボキシラーゼ欠損症（メチルクロトニルグリシン尿症）
- 対象児の母が 3-メチルクロトニル CoA カルボキシラーゼ欠損症罹患者
- 3-ヒドロキシメチルグルタル酸尿症（HMG-CoA リアーゼ欠損症）
- ビオチン欠乏症（早産低出生体重児の潜在性ビオチン欠乏症も含む）
- 3-メチルグルタコン酸血症
- βケトチオラーゼ欠損症

一般検査（末梢血，一般生化学検査）に加え，血糖，血液ガス，アンモニア，乳酸，血中ケトン体分画などを測定し，尿中有機酸分析を行う．

MCD のうち，HCS 欠損症かビオチニダーゼ欠損症かの確定診断は，遺伝子解析もしくは酵素活性測定により行う．

2　診断確定までの対応

初診時の血液検査項目で代謝障害の影響を示す異常所見があれば，入院管理として確定検査を進めていく．特に異常のない場合は，確定診断がつくまでの期間，胃腸炎など感染症の罹患や哺乳・食欲低下に注意し，発熱や嘔吐，哺乳低下がみられた場合にはただちに医療機関を受診するよう指導する．

3　診断確定後の治療（未発症の場合）

(1) ビオチン＊＊大量投与 B

HCS 欠損症，ビオチニダーゼ欠損症とも薬理量のビオチンの経口投与により臨床的，生化学的にも軽快する．尿中有機酸分析で MCD に特徴的なパターン（3-ヒドロキシプロピオン酸，メチルクエン酸，3-ヒドロキシイソ吉草酸，3-メチルクロトニルグリシン，乳酸などの排泄増加）を呈した場合には，ビオチン投与（10 mg/day から）を行う．処方箋医薬品として承認されているビオチン®製剤は，0.1％製剤（1 g 中ビオチン 1 mg）もしくは 0.2％製剤（1 g 中ビオチン 2 mg）である．

なお MCD のうち，わが国の HCS 欠損症には重症型 c.710T>C（p.L237P），c.780delG（p.G261Vfs*20）の複合ヘテロ接合体など が多く[12]，コントロールのため 100 mg/day に及ぶ超大量のビオチンを要する場合がある．この際にはビオチン原末＊＊＊（DSM 株式会社など）の使用を考慮する．

急性発作で発症した場合の診療

1　確定診断

HCS 欠損症の典型例では，生後数日から呼吸不良，嘔吐，筋緊張低下，嗜眠，けいれんなどで発症することがある[15)16)]．この場合には新生児マススクリーニングの結果が出ていないことも多く，他の有機酸血症（プロピオン酸血症，メチルマロン酸血症など）も念頭において，血中アシルカルニチン分析や尿中有機酸分析を中心に鑑別診断を進めつつ，「1. 代謝救急診療ガイドライン」（p.2）の記載に沿って治療を開始する．

以下，本項では，複合カルボキシラーゼ欠損症の診断が確定している場合の診療方針を記載する．

2　急性期の検査

他の有機酸代謝異常症と同様，緊急時には下記の項目について検査を行う．
- 血液検査（末梢血，一般生化学検査）．
- 血糖，血液ガス，アンモニア，乳酸・ピルビン酸，遊離脂肪酸，総ケトン体・血中ケトン体分画．
- 尿検査：ケトン体，pH．

・画像検査：頭部 CT・MRI．

尿中有機酸分析で前述の MCD パターンが認められれば，治療をビオチン大量療法に切り替える．

3 診急性期の治療方針

「1．代謝救急診療ガイドライン」(p.2) も参照．

本症では，ビオチン内服中断がなければ急激な代謝クライシスに陥ることはあまりないと考えられるため，ビオチン内服中断の有無を確認しながら，下記の治療を開始する．

❶ 状態の安定化（重篤な場合）Ⓑ

(1) 気管内挿管と人工換気

必要があれば気管内挿管を行い，鎮静をして人工呼吸管理を導入する．

(2) 静脈ルートの確保：血液浄化療法や中心静脈ルート用に重要な右頸静脈や大腿静脈は使わない．

静脈ルート確保困難な場合は骨髄針など現場の判断で代替法を選択する．

(3) 必要により昇圧薬を投与して血圧を維持する．

(4) 必要に応じて生理食塩水を投与してよいが，過剰にならないようにする．

ただし，生理食塩水投与のために異化亢進抑制策を後回しにしてはならない．

(5) 診断基準に示した臨床検査項目を提出する．残検体は破棄せず保管する．

❷ ビオチンの投与 Ⓑ

ビオチン投与を速やかに開始する（10 mg/day〜）．重症型ではコントロールのため 100 mg/day に及ぶ超大量のビオチンを要する場合がある．

❸ タンパク摂取の中止 Ⓑ

急性期にはすべてのタンパク摂取を中止する．急性期所見が改善してきたら，治療開始から 24〜48 時間以内にタンパク投与を再開する．

❹ 異化亢進の抑制 Ⓑ

(1) 体タンパク異化によるアミノ酸動員の亢進を抑制するため十分なエネルギー補給が必要である．80 kcal/kg/day 以上のカロリーを確保し，十分な尿量を確保できる輸液を行う．10% 以上のブドウ糖を含む輸液が必要な場合には中心静脈路を確保する．年齢別ブドウ糖必要量は，0〜12 か月：8〜10 mg/kg/min，1〜3 歳：7〜8 mg/kg/min，4〜6 歳：6〜7 mg/kg/min，7〜12 歳：5〜6 mg/kg/min，思春期：4〜5 mg/kg/min，成人期：3〜4 mg/kg/min を目安とする．治療開始後の血糖は 120〜200 mg/dL（6.6〜11 mmol/L）を目標とする．

(2) 高血糖（新生児＞280 mg/dL（15.4 mmol/L），新生児期以降＞180 mg/dL（9.9 mmol/L））を認めた場合は，即効型インスリンの持続投与を開始する．インスリン投与を行っても血液乳酸値が 45 mg/dL（5 mmol/L）を超える場合には，すでに解糖系が動いておらず糖分をエネルギーとして利用できていないため，糖濃度を下げていく．

(3) ブドウ糖投与のみでは異化亢進の抑制がむずかしい場合は，静注脂肪乳剤を使用する．静注脂肪乳剤は 0.5 g/kg/day（max 2.0 g/kg/day）の投与が推奨されている．また，経腸投与が可能な場合，早期から特殊ミルク（雪印 S-23 または S-22）を使用しカロリー摂取量を増やす．

補記）ブドウ糖の投与はミトコンドリア機能低下状態への負荷となって高乳酸血症を悪化させることもあり，過剰投与には注意が必要である．

❺ L-カルニチン投与 Ⓑ

有機酸の排泄促進に静注用 L-カルニチン（エルカルチン FF® 静注 1000 mg＊）を 100 mg/kg をボーラス投与後，維持量として 100〜200 mg/kg/day を投与する．

静注製剤が常備されていない場合，入手まで内服用 L-カルニチン（エルカルチン FF® 内用液 10%＊またはエルカルチン FF® 錠＊）100〜150 mg/kg/day を投与する．

❻ 高アンモニア血症 ｛新生児＞250 μg/dL（150 μmol/L），乳児期以降＞170 μg/dL（100 μmol/L）｝を伴う急性発作時の治療 Ⓒ

典型例では，著明な代謝性アシドーシスに様々なレベルの高アンモニア血症を伴う．高アンモニア血症を認める場合は 3 時間毎にアンモニア値を確認する．

(1) 安息香酸 Na＊＊＊を 100〜250 mg/kg を 2 時間で静脈投与，その後，維持量として 200〜250 mg/kg/day を投与する．

補記）安息香酸 Na は試薬を院内調整して静注製剤として用いられている．最大投与量は 5.5 g/m² または 12 g/day．

❼ 代謝性アシドーシスの補正 Ⓑ

循環不全や呼吸不全を改善させても pH＜7.2 であれば，炭酸水素ナトリウム（以下メイロン®；HCO_3^- 833 mEq/L）を投与する．

メイロン®：BE×体重×0.3 mL の半量（half correct）を緩徐（1 mEq/min 以下）に投与する．

目標値は pH＞7.2，PCO_2＞20 mmHg，HCO_3^-＞10 mEq/L とし，改善を認めたら速やかに中止する．アシドーシスが改善しなければ，以下の血液浄化療法を行う必要がある．

❽ 血液浄化療法 Ⓑ

以上の治療開始後も代謝性アシドーシスや高アンモニア血症の改善傾向が乏しい場合は，速やかに血液浄化療法を実施する．

持続血液透析（CHD）または持続血液透析ろ過（CHDF）が第一選択となっており，実施可能な高次医療施設へ速やかに搬送する Ⓑ．腹膜透析については，搬送までに時間を要する場合などのやむを得ない場合以外には，推奨しない．

慢性期の管理

1 食事療法

ほかの有機酸血症と異なり，ほとんどの症例でビオチン投与により通常食での管理が可能となる．

2 薬物療法

❶ ビオチン投与 Ⓑ

急性期を離脱したあともビオチン投与を継続する（5〜10 mg/day）．重症型ではコントロールのため 100 mg/day に及ぶ超大量のビオチンを要する場合がある[17]．

また HCS 欠損症，ビオチニダーゼ欠損症ともに乳幼児期に難治性の湿疹として経過するものもある．いずれもビオチン投与による管理が必要である．

難治性の湿疹の診断において，尿中有機酸分析やアシルカルニチン分析で MCD と診断された場合，栄養性ビオチン欠乏症との鑑別を要する．ビオチンが添加されていない，食物アレルギーなどの治療のための加水分解乳やアミノ酸乳の使用例で栄養性ビオチン欠乏症が報告されたことから[18)-21)]，現在は母乳代替食品へのビオチン添加が認められるようになった．そのため，栄養性ビオチン欠乏症は減少している．しかしビオチンを含まない一部の特殊ミルクのみによる栄養や，ビオチンの入っていない中心静脈栄養管理，抗菌薬投与による腸内細菌からの合成低下に伴う栄養性ビオチン欠乏症には引き続き注意が必要である．

ビオチンの摂取目安量は成人で 50 μg（「日本人の食事摂取基準（2015 年版）」）である．栄養性ビオチン欠乏症と先天性ビオチン代謝異常症の鑑別のために，ビオチン 100 μg/day で内服投与を行い，皮膚所見の改善および尿中 3-ヒドロキシイソ吉草酸の消失が得られれば，栄養性ビオチン欠乏症と考えられる．

なお，日本小児アレルギー学会からは「治療は経験的にビオチン 1 mg/day」が推奨されているが，生理的なビオチン必要量や HCS 欠損症・ビオチニダーゼ欠損症との鑑別を考慮し，当ガイドラインではビオチン 100 μg/day を推奨する[22)]．

尿中 3-ヒドロキシイソ吉草酸が消失しない場合には，HCS 欠損症・ビオチニダーゼ欠損症を考えビオチン 10 mg/day に増量し，両者の鑑別を行う．

❷ L-カルニチン投与　100〜200 mg/kg/day＊分3 Ⓑ

（エルカルチン FF® 内用液 10%＊またはエルカルチン FF® 錠＊）

血清（またはろ紙血）遊離カルニチン濃度を 50 μmol/L 以上に保つ．

フォローアップ指針

1 一般的評価と栄養学的評価 B

評価は初期には月1回以上，状態が安定すれば最低3か月に1回は行う．

❶身長，体重測定
❷末梢血液像，一般的な血液生化学検査項目，血液ガス分析，血糖，乳酸，ケトン体，アンモニア
❸血中アシルカルニチン分析
C5-OH，C3などの特徴的なアシルカルニチンの値および二次性カルニチン欠乏の有無についての評価．
❹尿中有機酸分析
必要に応じて行う．
❺その他
上記以外の栄養学的評価に関係する骨代謝を含めた一般的項目も，病歴・食事摂取・身体発育に鑑みて適宜測定する．

2 神経学的評価 C

❶発達チェック
年1回程度．
❷頭部MRI（MRS）の評価
1回/1〜3年程度．
❸てんかん合併時
脳波検査を年1回程度行う．
❹運動機能障害を認める場合
早期からの理学療法，作業療法，言語療法の介入が必要である．

3 その他

HCS欠損症，ビオチニダーゼ欠損症ともに常染色体劣性の遺伝形式であり，必要に応じて遺伝カウンセリングを行う．

成人期の課題

1 食事療法を含めた治療の継続

ビオチン内服は生涯継続する必要があり，ビオチン内服を怠ると成人でも急性増悪からアシドーシス発作を発症する可能性がある．

2 飲酒

アルコールは悪心をもたらすなど体調を崩す誘因となりやすいことから，本疾患の罹患者にとっては急性増悪の危険を伴い，避けるべきである．

3 運動

過度の運動は体調悪化の誘因となりやすく，無理のない範囲にとどめる必要がある．

4 妊娠・出産

他の有機酸代謝異常症の成人女性患者の妊娠・出産に関する報告例が出てきているが，個別の疾患については少数例にとどまっているのが現状である．悪阻・食思不振などでビオチン内服が困難になることも想定されるため，極めて慎重な対応が必要である．

5 医療費の問題

カルニチン製剤服用をはじめ，定期的な検査，体調不良時の支持療法など，成人期にも少なからぬ額の支出を強いられる可能性が高い．その一方，安定した体調で継続的に就業するのは罹患者にとって容易なことではなく，小児期に引き続いて十分な医療が不安なく受けられるよう，費用の公的補助が強く望まれた．これを受けて，平成27年7月から指定難病の対象となった．

6 その他

❶参考となる周産期情報
出生前治療として母体へのビオチン投与[14)15)23)]が試みられることがある D．

mini column 1　ビオチン大量投与と HCS 欠損症

　ビオチンは別名ビタミン H とよばれる水溶性ビタミンである．必要量の一部は腸内細菌叢により作られるが，それのみでは不足するため食事からの摂取も要する．一日あたりの食事摂取基準の目安量は，乳児期 0～5 か月 4 μg，6～11 か月 10 μg，幼児期 20 μg，12 歳以降は 50 μg である（厚生労働省「日本人の食事摂取基準（2015 年版）」より）．ビオチンが不足すると，難治性皮膚炎を呈する．そのほか食欲不振やうつ症状，舌炎，知覚過敏など多彩な症状が起こりうる．

　ホロカルボキシラーゼ合成酵素欠損症では，ビオチンを 4 種類のカルボキシラーゼのアポ体に結合させる酵素（ホロカルボキシラーゼ合成酵素）が障害され，呼吸障害・けいれん・意識障害，反復性の嘔吐，難治性皮膚炎などの症状や，代謝性アシドーシス・ケトーシス・高アンモニア血症・低血糖・高乳酸血症などの検査異常を呈する．ビオチン投与によりこれらの症状や検査異常の改善が得られる．特に日本人のホロカルボキシラーゼ欠損症では，残存酵素活性が著明に低い場合が多く，上述の生理的な必要量を大幅に超えた 10～100 mg/day の大量のビオチン投与を要することが多い．

文献

1) Wolf B. Disorders of biotin metabolism. In：The Metabolic and Molecular Basis of Inherited Disease. 8th ed., McGraw-Hill, 2001：3935-3962.
2) Pacheco-Alvarez D, et al. Biotin in metabolism and its relationship to human disease. Arch Med Res 2002；33：439-447.
3) 鈴木洋一．ホロカルボキシラーゼ合成酵素欠損症（早発型（新生児型）マルチプルカルボキシラーゼ欠損症）　先天代謝異常症候群（第 2 版）下．日本臨牀別冊（新領域別症候群）2012：295-298.
4) 鈴木洋一．ビオチニダーゼ欠損症（遅発型マルチプルカルボキシラーゼ欠損症）　先天代謝異常症候群（第 2 版）下．日本臨牀別冊（新領域別症候群）2012：299-301.
5) Wolf B. Biotinidase deficiency. GeneReviews：http://www.ncbi.nlm.nih.gov/books/NBK1322/
6) 厚生労働省．厚生労働科学研究補助金難病性疾患克服研究事業「ビオチン代謝異常症の鑑別診断法と治療法の開発」平成 22 年度～23 年度（研究代表者　鈴木洋一）
7) Wolf B. Worldwide survey of neonatal screening for biotinidase deficiency. J Inher Metab Dis 1991；14：923-927.
8) Oizumi J, et al. Partial deficiency of biotinidase activity. J Pediatr 1987；110：818-819.
9) Pomponio RJ, et al. Mutation in a putative glycosylation site (N489T) of biotinidase in the only known Japanese child with biotinidase deficiency. Mol Genet Metab 1998；64：152-154.
10) Suzuki Y, et al. Mutations in the holocarboxylase synthetase gene HLCS. Hum Mutat 2005；26：285-290.
11) Suzuki Y, et al. Isolation and characterization of mutations in the human holocarboxylase synthetase cDNA. Nat Genet 1994；8：122-128.
12) Aoki Y, et al. Molecular analysis of holocarboxylase synthetase deficiency：a missense mutation and a single base deletion are predominant in Japanese patients. Biochim Biophys Acta 1995；1272：168-174.
13) Yang X, et al. Haplotype analysis suggests that the two predominant mutations in Japanese patients with holocarboxylase synthetase deficiency are founder mutations. J Hum Genet 2000；45：358-362.
14) Yokoi K, et al. A case of holocarboxylase synthetase deficiency with insufficient response to prenatal biotin therapy. Brain Dev 2014；31：775-778.
15) Slavin TP, et al. Clinical presentation and positive outcome of two siblings with holocarboxylase synthetase deficiency caused by a homozygous L216R mutation. JIMD Reports 2014；12：109-114.
16) Narisawa K, et al. Clinical and biochemical findings on a child with multiple biotin-responsive carboxylase deficiencies. J Inherit Metab Dis 1982；5：67-68.
17) Wilson CJ, et al. Severe holocarboxylase synthetase deficiency with incomplete biotin responsiveness resulting in antenatal insult in samoan neonates. J Pediatr 2005；147：115-118.
18) 鈴木洋一，ほか．栄養性ビオチン欠乏症と先天性ビオチン代謝異常症の疫学　ビタミン 2012；86：499-507.
19) Higuchi R, et al. Biotin deficiency in an infant fed with amino acid formula and hypoallergenic rice. Acta Paediatrica 1996；85：872-874.
20) Fujimoto W, et al. Biotin deficiency in an infant fed with

amino acid formula. J Dermatol 2005；32：256-261.
21) 野口篤子, ほか. 補酵素・ビタミン療法. 小児科臨床 2013；86：129-136.
22) 日本小児アレルギー学会. ミルクアレルギー児におけるビオチン欠乏症に関する注意喚起　http://www.jspaci.jp/modules/important/index.php?page=article&storyid=7
23) Packman S, et al. Prenatal treatment of biotin responsive multiple carboxylase deficiency. Lancet 1982；1：1435-1438.

18 βケトチオラーゼ欠損症

疾患概要

ミトコンドリア・アセトアセチルCoAチオラーゼ（T2）の欠損症で，反復性の重篤なケトアシドーシスをきたす疾患である．常染色体劣性遺伝形式をとる．イソロイシンの中間代謝のステップとケトン体の肝外組織での利用ステップが障害される（図1）．世界で100例以上，わが国で9家系の報告がある[1-3]．生後数か月から2歳頃に飢餓，発熱，感染などのストレス時に，著しいケトアシドーシスで発症することが多い．イソロイシン中間代謝の障害を反映して尿中有機酸分析にて化学診断されるが，残存活性をもつ変異の症例では典型的な所見でない場合があり注意が必要である[4,5]．

本症では，空腹を避けること，軽度のタンパク制限，カルニチン投与で急性発作の予防が可能であり，10歳を超えると重篤な発作をきたしにくくなる[6]．そのため新生児マススクリーニングで新生児期に診断できれば，重篤な発作を予防することで正常発達が期待できる．アメリカ，オーストラリアなどではタンデムマス・スクリーニングによって無症状で患者が診断されており，実際に重篤な発作の予防が報告されている．しかし，アメリカでも偽陰性例が報告されており[7]，新生児マススクリーニングですべての患者を発見することは困難であると考えられることから，二次対象疾患となっている．

1 わが国での発生頻度

197万人を対象とした新生児マススクリーニングパイロット研究では本疾患は同定されておらず，頻度は不明であるが，これまで9家系の報告がある．アメリカのタンデムマス・スクリーニン

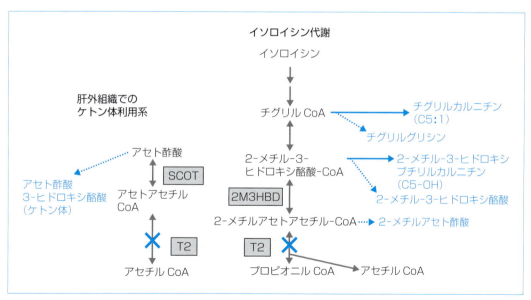

図1 β-ケトチオラーゼ欠損症の代謝経路
2M3HBD：2-メチル-3-ヒドロキシブチリル-CoA 脱水素酵素，SCOT：スクシニル CoA：3-ケト酸-CoA トランスフェラーゼ，T2：ミトコンドリア・アセトアセチル CoA チオラーゼ，□：酵素，✕：代謝障害部位，青字：異常代謝産物，┈▶：有機酸分析の所見，─▶：アシルカルニチン分析の所見．

グでは26万人に1人の頻度との報告もある[7]が，上述のようにタンデムマスによるスクリーニングですべての症例は同定できないため，正確な頻度は不明である．最近，ベトナムの41症例[8]（発症頻度19万人に1人．高頻度変異としてp.R208X，p.V336fs.）や，インドの10症例[9]（高頻度変異としてp.M193R）の症例報告があったが，わが国における高頻度変異は報告されていない．

診断の基準

1 臨床病型

❶発症前型
新生児マススクリーニングや，家族内に発症者がいる場合の家族検索などで発見される無症状例を指す．

❷急性発症型
通常生後数か月から2歳頃に，90%が上気道炎，胃腸炎等の感染症を契機に，嘔吐，多呼吸，意識障害を伴う初発ケトアシドーシス発作をきたす．非発作時は無症状である．

❸慢性進行型
一度もケトアシドーシス発作を起こしていなくても，錐体外路症状等の神経学的障害をきたしうる症例が複数報告されている[10]．それらの症例の多くは基底核病変を伴うが，基底核病変を認めなくても神経学的障害をきたした症例も報告されている．イソロイシン中間代謝物の神経学的毒性に起因すると考えられている．

2 主要症状および臨床所見

ケトアシドーシス発作（飢餓や感染を契機に嘔吐，多呼吸，意識障害をきたす）間欠期は無症状で一般検査所見も正常であるが，一部の症例で前述のような神経学的障害をきたすことがある．本疾患では基本的に骨格筋症状や心筋症状は生じない．

3 参考となる一般検査・画像所見

❶代謝性アシドーシス
本症では急性期のケトアシドーシスが強い．したがって，アニオンギャップ開大性の代謝性アシドーシスとなる．典型例ではpH<7.2，HCO_3^-<10 mmol/Lを示す．

❷強いケトーシス
(1) 総ケトン体>7 mmol/L．
(2) 遊離脂肪酸<<総ケトン体，遊離脂肪酸/総ケトン体比は0.3を切ることが多い．

❸高アンモニア血症
軽度の高アンモニア血症（200〜400 μg/dL程度）を呈することがある．

❹低血糖
基準値<45 mg/dL，本症では高血糖から低血糖まで様々であるが，著しい低血糖はまれである．

4 診断の根拠となる特殊検査

❶血中アシルカルニチン分析（タンデムマス法）＊＊
C5:1かつC5-OHの上昇が特徴的である．しかし本検査は有機酸代謝異常症においては確定診断ではなく，スクリーニング検査である．また本疾患では典型的なアシルカルニチン上昇パターンを示さない症例が多い．

❷尿中有機酸分析＊＊
典型例ではチグリルグリシン，2-メチル-3-ヒドロキシ酪酸，2-メチルアセト酢酸の排泄増加がみられる．2-メチルアセト酢酸は不安定で検出されないこともある．

❸酵素活性測定＊＊＊
リンパ球や皮膚線維芽細胞，臓器を用いた酵素活性測定で，ミトコンドリア・アセトアセチルCoAチオラーゼ（T2）の著しい低下（正常の20%以下）が認められれば確定診断となる．

❹遺伝学的検査＊＊＊
ACAT1遺伝子の2アレルに病因となる変異が同定される．わが国では高頻度変異はない．わが国における遺伝子変異の特徴は，残存活性をもつ軽症変異が多いことである．このことがわが国の

症例ではイソロイシン中間代謝産物の蓄積，排泄が軽度であり，化学診断のむずかしい症例も存在する理由となっている．明確な遺伝子型-表現型の相関は見出されていない[3]．

5 鑑別診断

❶ サクシニル CoA：3-ケト酸 CoA トランスフェラーゼ（SCOT）欠損症

本症と同様のケトアシドーシス発作をきたす疾患である．尿中有機酸分析，血中アシルカルニチン分析所見は非特異的である．酵素活性，遺伝子解析で最終的に鑑別する．

❷ 2-メチル-3-ヒドロキシブチリル-CoA デヒドロゲナーゼ（2M3HBD，HSD10）欠損症

チグリルグリシン，2-メチル-3-ヒドロキシ酪酸の異常排泄が認められ，2-メチルアセト酢酸は検出できないという有機酸分析所見をとり，鑑別が必要となる．こちらは典型例では急激に進行する精神，運動機能の退行，けいれん，失明，進行性心筋症を示す X 染色体劣性遺伝性疾患であり，β-ケトチオラーゼ欠損症と異なり予後不良の疾患である．臨床的多様性があり，退行などの神経症状が明らかでない症例も存在する．わが国では低血糖やケトアシドーシスをきたして尿中有機酸分析にて β ケトチオラーゼ欠損症を疑われた症例から本症が同定されている．鑑別は酵素活性，遺伝子解析を行う．

6 診断基準

❶ 疑診

前述の「**2｜主要症状および臨床所見**」に加え，「**4｜診断の根拠となる検査**」の❶を満たすもの．新生児マススクリーニング症例においては，「**4｜診断の根拠となる検査**」の❶のみを満たすもの．

❷ 確定診断

前述の「**2｜主要症状および臨床所見**」に加え，「**4｜診断の根拠となる検査**」の❷もしくは❸もしくは❹のいずれかを満たすもの．

新生児マススクリーニング症例においては，前述の「**4｜診断の根拠となる検査**」の❶を満たし，❷もしくは❸もしくは❹のいずれかを満たすもの．

新生児マススクリーニングで疑われた場合

1 確定診断

❶ 新生児マススクリーニングで C5：1 かつ C5-OH が高値で疑われた場合（p.151，図 2 参照）

一般検査（末梢血，一般生化学検査）に加え，血糖，血液ガス，アンモニア，乳酸，遊離脂肪酸，血中ケトン体分画を測定し，さらに尿中有機酸分析を行い確定診断する．

尿中有機酸分析にて特徴的所見が不十分な場合は，遺伝子診断による確定診断を行う．酵素活性測定による確定診断が望ましいが，現在のアッセイ法ではヘパリン血が最低でも 5 mL～10 mL 必要であり，溶血の影響で確定的な結果が得られないこともあるので，酵素診断は生後数か月以降が現実的である．そのため新生児期のマススクリーニングで疑われ，尿中有機酸分析においても特徴的所見が不十分な症例の確定診断は遺伝子解析が現実的である．

❷ C5：1 のみが高く，本症の疑いがあるとされた場合

C5：1 のみが高い場合でも本症を否定できない．血中アシルカルニチン分析の再検と尿中有機酸分析を行う．

❸ C5-OH のみが高く，本症を含めた有機酸代謝異常症の疑いがあるとされた場合

他の疾患鑑別のため，血糖，血液ガス，アンモニア，乳酸，遊離脂肪酸，血中ケトン体分画，AST，ALT，LDH，CK 等を検査し，尿中有機酸分析を行う．

このような場合，β ケトチオラーゼ欠損症よりも複合カルボキシラーゼ欠損症，HMG-CoA リアーゼ欠損症（ヒドロキシメチルグルタル酸血症），メチルクロトニルグリシン尿症を優先的に考える必要があり，尿中有機酸分析により鑑別し

なくてはならない．複合カルボキシラーゼ欠損症，HMG-CoA リアーゼ欠損症（ヒドロキシメチルグルタル酸血症）では新生児期に発症する症例があり，血液ガス検査でアニオンギャップ開大性の代謝性アシドーシス等の異常を示す場合はこれらの疾患の可能性が高い．

2 診断確定までの対応

上記の血液ガス，一般生化学検査が異常なく，かつ哺乳良好で，体重増加もよければ，外来で経過観察とする．発熱や哺乳不良などがあればただちに受診するように伝える．

3 診断確定後の治療方針

後述の「慢性期の管理」を参照．

急性発作で発症した場合の診療

本症は新生児マススクリーニングですべての症例を発見することはできない．新生児マススクリーニングで問題なかったからといって本症を否定できない．飢餓，感染症に伴う嘔吐，多呼吸，意識障害を伴う重篤な代謝性アシドーシスをきたした症例においては本症の可能性を考慮に入れる必要がある．

1 確定診断

診断前に発症した場合，ただちに発作時の検体を用いて血中アシルカルニチン分析や尿中有機酸分析による化学診断を行う．

2 急性期の検査

他の有機酸代謝異常症と同様に緊急時には下記の項目について検査を行う．

・血液検査：血糖，血液ガス，電解質，Ca，IP，アンモニア，AST，ALT，LDH，BUN，Cre，CK，UA，末梢血，アミノ酸，乳酸，ピルビン酸，遊離脂肪酸，総ケトン体
・尿検査：ケトン体，pH
・画像検査：頭部 CT・MRI
・確定診断のための検査のために，血清保存（冷凍），尿保存（冷凍）を行う．

AG 開大 $[Na^+]-[Cl^-+HCO_3^-]>14$ では何らかの有機酸蓄積が疑われ，乳酸が高くない場合，かつ尿ケトン強陽性であればケトン体の蓄積が疑われる．本症ではアンモニア 400 μg/dL 以上の著しい高アンモニア血症はまれであり，著しい高アンモニア血症があれば他の疾患を考慮すべきである．

3 急性期の治療方針

「1．代謝救急診療ガイドライン」(p.2) も参照．
代謝クライシスとして下記の治療を開始する．

❶ ブドウ糖投与による十分なカロリー補給 Ⓑ

ケトン体産生，脂肪酸β-酸化系を完全に抑制することが必要であり，それに見合うだけのブドウ糖を輸液することが必要である．
(1) 10％濃度以上のブドウ糖を含む電解質輸液で，ブドウ糖投与速度（GIR）8～10 mg/kg/min のブドウ糖を必要とすることが多い．そのため中心静脈を確保することが望ましい．
(2) 高血糖を認めた場合：ブドウ糖投与量を減らすのではなく，インスリン併用（0.05 単位/kg/hr から開始）を考慮する．インスリンの併用で低血糖となる場合は，ブドウ糖投与量を増やして対応する．

❷ 代謝性アシドーシスの補正

ケトン体産生が抑制されればアシドーシスは改善に向かう．

補正における最小限のガイドラインとしては以下のようである．循環不全や呼吸不全を改善させても pH<7.2 であれば，炭酸水素ナトリウム（以下メイロン®）を投与する．

・メイロン®：BE×体重×0.3 mL の半量（half correct）を 10 分以上かけて静注
目標値は pH>7.2，PCO_2>20 mmHg，HCO_3^-

>10 mEq/L とし，改善を認めたら速やかに中止する．過剰投与による高ナトリウム血症で脳出血をきたした症例もあり，注意が必要である．

❸ 血液浄化療法 C

診断が確定していれば，必要とすることはほとんどない．しかし診断が確定していない初回発作においては，代謝性アシドーシスや高アンモニア血症の改善のために血液浄化療法が行われる場合がある．持続透析の準備などで，糖質投与というケトン産生抑制の治療が遅れてしまわないように注意が必要である．

❹ 人工呼吸管理等 B

急性期管理に人工呼吸器管理を必要とすることがある．

慢性期の管理

10歳を超えると，重篤な発作をきたしにくくなる．それまで飢餓を防ぎ，感染症などの誘因時に，重篤なケトアシドーシス発作をきたさないようにすることが目標となる．

1 食事療法

1) 空腹の回避

本症のほとんどは生後5〜6か月から2歳頃に感染症や飢餓に伴って重篤なケトアシドーシスで発症する．新生児マススクリーニングで陽性の場合，確定診断のための検査を行うとともに，一般的注意として空腹を避けることが必要である．

空腹時間は脂肪酸代謝異常症の原則に従う（表1）B．感染症，特に胃腸炎は発作を誘発するので，早期の受診とブドウ糖輸液を行う B．

2) 自然タンパク制限

イソロイシンの負荷を軽減するために，軽度のタンパク制限（1.5〜2.0 g/kg/day）を行う D．本症のタンパク制限は厳しくする必要はない．母乳栄養児では多くの場合，制限なく哺乳して問題はない．人工栄養の場合はタンパク負荷軽減のため，タンパク除去ミルク（S23）の併用を考慮する D．本症では，通常生後6か月以降の感染等に伴う初回発作までは無症状であり，乳児期初期のタンパク制限の必要性についてのエビデンスはない．ただし，ラットを用いた解析では，イソロイシンの中間代謝物が好気的エネルギー代謝を阻害し，神経学的な機能不全に部分的に関与している可能性を示す報告があり[11]，イソロイシンの過負荷を避けるためのタンパク制限がどの程度必要になるか，今後のエビデンス蓄積が必要である．

表1 ● 許容される食事間隔（間食含む）の目安

	日中	睡眠時
新生児期	3 時間	
6か月まで	4 時間	4 時間
1歳まで	4 時間	6 時間
4歳未満	4 時間	8〜10 時間
4歳以上7歳未満	4 時間	10 時間

安定期の目安であり，臨床経過や患者の状況により変更が必要な場合もある．

2 薬物療法

二次性のカルニチン欠乏を予防するため L-カルニチン 30〜100 mg/kg/day の投与を行う．

3 sick day の対応

日常管理として，尿ケトン体測定用試験紙で健常時の尿ケトン体量を確認しておき，嘔吐時，食欲低下時，発熱時等の場合は，自宅で尿ケトン体測定用試験紙を用いて尿ケトン体量をチェックし，1+なら母乳やミルク，ブドウ糖液，ジュースなどを飲ませ，飲めなければ来院，2+以上であればただちに来院する，などの指標をもつことが推奨される C．

フォローアップ指針

安定していても10歳までは1年に数回程度の受診を勧める．その後も1年に1回程度の確認のための受診が望ましい．

1 一般的評価と栄養学的評価 B

栄養制限により体重増加不良を発症しないよう注意する．

❶ 身長，体重測定

❷ 血液ガス分析，血糖，ケトン体，アンモニア，アルブミン，血漿アミノ酸分析，末梢血液像，一般的な血液生化学検査項目

採血は食後3～4時間で行う．
検査は初期には月1回以上，状態が安定すれば最低3～6か月に1回は行う．

❸ 血中アシルカルニチン分析

各疾患に特徴的なアシルカルニチンの値，および二次性カルニチン欠乏の有無についての評価を，アミノ酸分析と同様の間隔で行う．

❹ 尿中有機酸分析

必要に応じて行う．

2 神経学的評価 C

❶ 年1回程度の発達評価や1～3年に1回程度の頭部MRI（MRS）の評価

発作が重篤であった場合はその後，確認のためMRIを実施することが望ましい．本症では，基底核病変が重篤な発作の後遺症として生じることがある．またまれではあるが重篤な発作以前から基底核病変が認められたという報告もある．
小学校入学前には一度発達テストを行う．

❷ てんかん合併時

脳波検査も年1回程度行う．

❸ 運動機能障害

早期からの理学療法，作業療法，言語療法の介入が必要である．

3 その他

本疾患は常染色体劣性の遺伝形式であり，必要に応じて遺伝カウンセリングを行う．

成人期の課題

1 食事療法，薬物療法

本症では10歳以降ケトアシドーシス発作の危険性は低下すると考えられており[6]，食事制限は成人期には不要と考えられる．
L-カルニチン投与に関しては，カルニチン欠乏にならないように投与継続することが望ましい C．

2 飲酒

糖新生系を抑制し低血糖を惹起する可能性があるため避けることが望ましい．

3 運動等

本症では骨格筋症状は稀であり，十分なカロリー摂取があれば通常の運動等の制限は不要と考えられる．

4 妊娠，出産

女性においては正常出産が報告されている[5)12)]．経腟分娩が推奨[13]されており，グルコース補液を出産前後に十分投与することが必要である．つわりの強い時期には異化状態にならないように注意することは必要である．

5 医療費の問題

平成29年4月1日施行の指定難病で新規に登録された．

文献

1) 深尾敏幸. ケトン体代謝異常症：特にアセトン血性嘔吐症と鑑別すべきサクシニル-CoA：3-ケト酸CoAトランスフェラーゼ欠損症を中心に. 日本小児科学会雑誌 2007；111：723-739.

2) 深尾敏幸. 脂肪酸代謝異常症, ケトン体代謝異常症の最近の進歩. 日本小児科学会雑誌 2012；116：1801-1812.

3) Mitchell GA, et al. Chapter102 Inborn errors of ketone body metabolism. In：Scriver CR, et al, eds. Metabolic and Molecular Bases of Inherited Disease. 8th ed, McGraw-Hill, 2001：2327-2356.

4) Fukao T, et al. The mitochondrial acetoacetyl-CoA thiolase deficiency in Japanese patients：urinary organic acid and blood acylcarnitine profiles under stable conditions have subtle abnormalities in T2-deficient patients with some residual T2 activity. J Inherit Metab Dis 2003；26：423-431.

5) Fukao T, et al. Three Japanese patients with beta- ketothiolase deficiency who share a mutation, c.431A＞C（H144P）in ACAT1：subtle abnormality in urinary organic acid analysis and blood acylvcarnitine analysis using tandem mass spectrometry. JIMD reports 2012；3：107-115.

6) Fukao T, et al. The clinical phenotype and outcome of mitochondrial acetoacetyl-CoA thiolase deficiency（beta-ketothiolase or T2 deficiency）in 26 enzymatically proved and mutation-defined patients. Mol Genet Metab 2001；72：109-114.

7) Sarafoglou K, et al. Siblings with mitochondrial acetoacetyl-CoA thiolase deficiency not identified by newborn screening. Pediatrics 2011；128：e246-e250.

8) Nguyen K, et al. Characterization and outcome of 41 patients with beta-ketothiolase deficiency：10 years' experience of a medical center in northern Vietnam. J Inherit Metab Dis 2017；40：395-401.

9) Abdelkreem E, et al. Clinical and Mutational Characterizations of Ten Indian Patients with Beta-Ketothiolase Deficiency. JIMD reports 2017；35：59-65.

10) Paquay S, et al. Mitochondrial acetoacetyl-CoA thiolase deficiency：basal ganglia impairment may occur independently of ketoacidosis. J Inherit Metab Dis 2017；40：415-422.

11) Rosa R, et al. Inhibition of energy metabolism by 2-methylacetoacetate and 2-methyl-3-hydroxybutyrate in cerebral cortex of developing rats. J Inherit Metab Dis 2005；28：501-515.

12) Sewell AC, et al. Mitochondrial acetoacetyl-CoA thiolase（beta- ketothiolase）deficiency and pregnancy. J Inherit Metab Dis 1998；21：441-442.

13) Kayani R, et al. Beta-ketothiolase deficiency and pregnancy. Int J Obstet Anesth 2013；22：260-261.

19 グルタル酸血症 1 型

疾患概要

グルタル酸血症 1 型（GA1）はリジン，ヒドロキシリジン，トリプトファンの中間代謝過程で働くグルタリル CoA 脱水素酵素（GCDH）の障害によって生じる，常染色体劣性遺伝の疾患である（図1）．中間代謝産物であるグルタル酸，3-ヒドロキシグルタル酸などが神経細胞内に蓄積し（図2）[1]，特に線条体の尾状核や被殻の障害をきたす．神経興奮を引き起こす GA や 3-OH-GA の濃度は，動物実験などから脳内で血中の 10～1,000 倍にもなると考えられている．

典型例では乳児期以降，2 歳までに感染や予防接種などを契機に急激な筋緊張低下や意識障害などの急性症状をきたし[2)3)]，その後軽快と増悪を繰り返して進行する．その他，出生時より頭囲拡大をきたす症例や発達遅滞に気づかれる症例もある．

本疾患は尿中有機酸分析や血中アシルカルニチン分析で特徴的な所見があり，早期診断による発症予防や健常な発達が見込まれるため，新生児マススクリーニングの一次対象疾患となっている．

1 疫学

頻度は約 10 万人に 1 人とされ[4)]，わが国では約 21 万人に 1 人と推定されている[5)]．同じアジアで

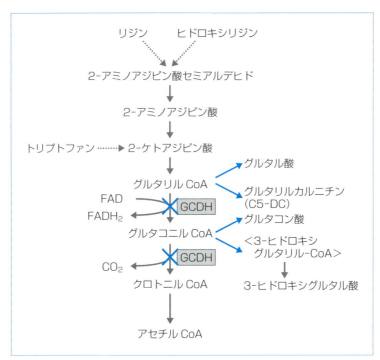

図1 ● グルタル酸血症 1 型の代謝経路
FAD：フラビンアデニンジヌクレオチド，$FADH_2$：還元型フラビンアデニンジヌクレオチド．
■：酵素，青字：異常代謝産物，┈▶：有機酸分析の所見，──▶：アシルカルニチン分析の所見，✕：代謝障害部位．

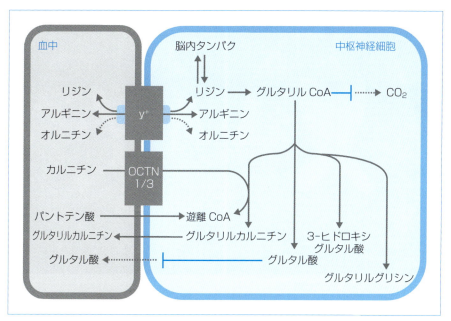

図2 ● グルタル酸血症1型における脳内でのリジン代謝

〔Strauss KA, et al. Safety, efficacy and physiological actions of a lysine-free, arginine-rich formlura to treat glutaryl-CoA dehydrogenase deficiency：Focua on cerebral amino acid influx. Mol Genet Metab 2011；104：93-106. より引用〕

も，台湾での頻度は約10万人に1人であり，common mutation(c.IVS10-2 A＞C)を認めている[6]．

そのほかにアメリカ・ペンシルバニア州のAmishや，カナダのFirst Nationsなど，患者が300人に対し1人以上と非常に頻度の高い地域も知られている[7)8]．

診断の基準

1 臨床病型

❶発症前型

新生児マススクリーニングや，家族内に発症者がいる場合の家族検索などで発見される無症状例を指す．適切に治療されなければ，経過中に約90％が神経障害をきたす[3)9)10]．

❷急性発症型

生後3～36か月（特に6～18か月）の間に，胃腸炎や発熱を伴う感染，予防接種などを契機に急性脳症様発作で発症する[9)-11]．いったん発症すると軽快，増悪を繰り返して神経症状が進行することが多い．

❸慢性進行型

退行や錐体外路症状が徐々に進行するもので，発症例の10～20％を占める[12)13]．

2 主要症状および臨床所見

❶頭囲拡大

出生時より頭囲拡大を認める，あるいは乳児期以降に頭囲拡大を示してくる．

❷中枢神経障害

急性発症型の場合，典型的には，発熱後1～3日後より嘔吐が出現し，急激な筋緊張低下がみられ，頸定の消失や，けいれん，硬直，ジストニアなどの錐体外路症状が認められる．その後，いったんはゆるやかな改善を認めるが，感染時などに同様の発作を反復しながら症状は進行し，不可逆的な変化を示すことが多い．

慢性進行型では退行や運動発達遅延，筋緊張低

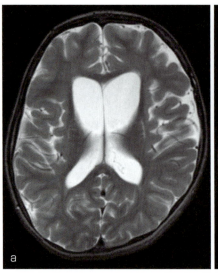
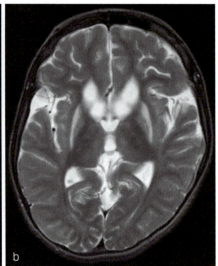

図3 ● MRI画像所見（T2強調）

下，ジストニア・ジスキネジアなどの不随意運動（錐体外路症状）が緩徐に出現，進行する．

また経過中に硬膜下血腫や水腫，網膜出血などをきたすこともある[2]．

3 参考となる検査所見

❶ 一般血液・尿検査

通常は特に異常を認めない．急性期には代謝性アシドーシスや高アンモニア血症，低血糖，肝逸脱酵素の上昇を認める場合もある．

補記）参考となる異常値

(1) 代謝性アシドーシス
- 新生児期 HCO_3^- ＜17 mmol/L，乳児期以降 HCO_3^- ＜22 mmol/L
- pH＜7.3 かつアニオンギャップ（AG）＞15

  注）$AG = [Na^+] - [Cl^- + HCO_3^-]$（正常範囲10〜14）

  重度の代謝性アシドーシス（AG＞20）の場合，有機酸代謝異常症を強く疑う．

(2) 高アンモニア血症
- 新生児期 NH_3＞200 μg/dL（120 μmol/L）
- 乳児期以降 NH_3＞100 μg/dL（60 μmol/L）

(3) 低血糖：基準値＜45 mg/dL

❷ 中枢神経系の画像所見

Sylvius裂や側脳室の拡大を伴う前頭葉と側頭葉の脳萎縮様変化を示すのが特徴である（図3）．これは子宮内の脳発達障害を反映しており，萎縮というよりむしろ低形成といえる[11]．この画像所見は発症前型でも認められる．遺伝子変異と臨床症状との相関についてはいまだに明らかではない．

また急性期には基底核，特に線条体（被殻，尾状核）の障害を反映し，萎縮性変化とMRIでの異常信号（T1強調で低信号，T2強調やDWで高信号）を示す．視神経萎縮を表す症例もある．時間が経過すると同部位の神経脱落により，T2強調で永続的な高信号を示す．

無治療例だけでなく十分な治療を行っている場合でも，白質障害や硬膜下出血・硬膜下水腫，網膜出血を伴うことがある．架橋静脈が引き延ばされている影響で出血を生じやすいと考えられているが，動物実験で静脈還流圧の上昇がみられるために出血や水腫が生じるという報告もある[14]．特に硬膜下出血や水腫，網膜出血の存在は虐待と診断されることもある[15]ので注意を要する．

4 診断の根拠となる特殊検査

❶血中アシルカルニチン分析＊＊（タンデムマス法）

これらの検査ができる保健医療機関に依頼した場合に限り，患者1人につき月1回のみ算定できる．

グルタリルカルニチン（C5-DC）の上昇が特徴的である．また消費に伴う遊離カルニチン（C0）の低下もしばしば認められる．

C0が極度に低下している症例では，相対的にC5-DCも低下し見かけ上基準値内を示すこともある．急性期の血中アシルカルニチン分析でC5-DCは基準値以下であったが，尿中有機酸分析で著明なグルタル酸や3-ヒドロキシグルタル酸の増加を認めたという報告もある[16]．このため，特にC0＜10 μM を示すようなC0低値の場合にはC5-DCのデータの解釈に注意する．

なお，タンデムマス法によるスクリーニングのカットオフ値は，C5-DC＞0.25 μmol/L とされるが，この基準値は各スクリーニング施設で異なることに注意する．

❷尿中有機酸分析＊＊

これらの検査ができる保健医療機関に依頼した場合に限り，患者1人につき月1回のみ算定することができる．

通常，3-ヒドロキシグルタル酸，グルタル酸およびグルタコン酸の有意な上昇がみられ，化学診断が可能である．特に3-ヒドロキシグルタル酸の排泄増加は本疾患に特徴的である．グルタル酸の尿中への排泄量によって，①高排泄型（グルタル酸≧100 mmol/mol creatinine）と②低排泄型（グルタル酸＜100 mmol/mol creatinine）に分類されるが，これら2つの間に臨床的な違いは認められない[17]．

❸酵素活性測定＊＊＊

末梢血リンパ球や培養皮膚線維芽細胞などを用いたGCDH酵素活性測定による診断が可能である．酵素活性測定可能な施設は，日本先天代謝異常学会精密検査施設一覧（http://jsimd.net/iof.html）を参照．

❹遺伝子解析＊＊

原因遺伝子であるGCDH遺伝子の解析が可能で，98～99％の感度がある[18]．なお，p.R227P や p.V400M といった mild mutation を少なくとも1つのアレルにもつ場合には，低排泄型を示すという報告がある[19]．

日本人症例ではp.S305Lが最も高頻度だが，それでも12％にすぎず，その他も欧米の報告とは全く異なる変異を示す[20]．

5 鑑別診断

血中アシルカルニチン分析でのC5-DC上昇をきたすものとしては，グルタル酸血症1型以外に，異化亢進や，腎の低形成・腎不全が知られている．ただし，尿中有機酸分析におけるグルタル酸，3-ヒドロキシグルタル酸の排泄パターンは本疾患に特徴的であり，鑑別は容易である．

6 診断基準

❶疑診

1) 急性発症型・慢性進行型

・主要症状および臨床所見の項目のうち少なくとも1つ以上があり，診断の根拠となる検査のうち血中アシルカルニチン分析が陽性の場合．

2) 発症前型（新生児マススクリーニング症例を含む）

・診断の根拠となる検査のうち，血中アシルカルニチン分析が陽性の場合．

❷確定診断

❶に加えて，尿中有機酸分析で，特に3-ヒドロキシグルタル酸とグルタル酸の排泄増加を認めた例を確定診断とする．低排泄型の場合には，酵素活性や遺伝子解析での確定診断が必要となる場合もある．

新生児マススクリーニングで疑われた場合

1 確定診断

新生児マススクリーニングでC5-DCの上昇を認めた場合，グルタル酸血症1型に罹患している可能性がある．一般検査（末梢血，一般生化学検査）に加え，血糖，血液ガス，アンモニア，乳酸，血中ケトン体分画を測定し，あわせて尿中有機酸分析を行う．必要に応じて酵素活性測定，遺伝子解析によって確定診断を行う．

2 確定診断されるまでの対応 Ⓑ

初診時の血液検査項目で代謝障害の影響を示す異常所見があれば，原則として入院管理として確定検査を進める．本疾患は通常，生後3か月以降に感染や予防接種を契機に発症するため，確定診断がつくまでの期間は胃腸炎など感染症の罹患や食欲低下に注意し，速やかに医療機関を受診するよう指導する．

3 診断確定後の治療（未発症の場合）

治療の最終目的は正常な発育・発達を獲得することであり，急性脳症様発作と線条体変性の予防が重要である．そのためには食事療法とカルニチン投与に加えて，sick dayの対応を家族が知ることも重要である．また線条体の障害は6歳までに生じるため，それまでの治療は特に厳格に行うことも必要である[10)21)]．

表1 低リジン食の投与例：体重5 kgの乳児の場合

	1日摂取量 (体重当たり kg/day)	母乳 (540 g)	雪印 S-30* (285 mL)
エネルギー (kcal)	548 (110)	351	197
アミノ酸 (g)	11.9 (2.4)	5.9	6.0
炭水化物 (g)	65.3	38.9	27.4
脂質 (g)	27.7	18.9	7.4
アミノ酸含有量 (mg)			
リジン	356.4 (71.3)	356.4	0
トリプトファン	81 (16.2)	81	0
アルギニン	592.6 (118.5)	172.8	419.8
リジン/アルギニン比	0.6	2.1	—

＜参考＞母乳と雪印S-30*の成分比較

成分	母乳 (100 g 中)	雪印 S-30* (15％液 100 mL 中)
カロリー (kcal)	65	68.9
タンパク質 (g)	1.1	2.1
炭水化物 (g)	7.2	9.6
脂質 (g)	3.5	2.6
アミノ酸含有量 (mg)		
リジン	66	0
トリプトファン	15	0
アルギニン	32	147.3
リジン/アルギニン比	2.1	—

＊：リジン・トリプトファン除去ミルク

❶ 薬物療法

1) L-カルニチン投与＊　100 mg/kg/day
（エルカルチンFF®内用液10％，またはエルカルチンFF®錠）Ⓑ

体内に蓄積した異常代謝産物の排泄を促進する．遊離カルニチン濃度が60～100 μmol/Lと高めに維持するように調整する．

2) リボフラビン＊　10 mg/kg/day Ⓓ

GCDHの補酵素であり，生化学的なパラメータが改善したという症例報告はあるが，神経学的な予後を改善するというエビデンスはなく[3)10)]，欧米の治療プロトコールでも投与については記載されていない．

❷ 食事療法：自然タンパク制限　1.0～1.5 g/kg/day Ⓐ

前駆アミノ酸の負荷を軽減し，カロリーを補うために，母乳や一般粉乳にリジン・トリプトファン除去ミルク（雪印S-30）を併用する．特にリジンは血液脳関門にあるカチオントランスポーター（y^+システム）を通じて脳内に取り込まれグルタリルCoAへ変換されるが，GCDHの機能低下により神経細胞内にグルタリルCoAの代謝産物であるグルタル酸や3-ヒドロキシグルタル酸が蓄積し不可逆的な神経障害をきたすため（図2）[1)]，低リジン食が最も重要である．

この低リジン食に関して，海外ではリジン除去アルギニン強化ミルクを用いた栄養管理が，リジン除去ミルクに比べてジストニアなどの症状の発現頻度が低いなどの有効性を示している[1)10)22)]．これはリジンの量的制限とともに，アルギニンがリジンとy^+システムで競合してリジンの脳内への取り込みを減らすためとされ，摂取タンパク中のリジン/アルギニン比は0.5～0.8を目指す．アメリカのプロトコールはリジンの摂取を65～85 mg/kg/day，アルギニンを100～150 mg/kg/day，トリプトファンは15～25 mg/kg/dayの摂取を目安としている[1)]．

わが国のリジン・トリプトファン除去ミルク（雪印S-30）のアルギニン量は海外のリジン除去アルギニン強化ミルクに近い組成だが，トリプトファンの量が少ないことに注意する．このタンパク摂取に沿ったミルクの投与方法の1例を表1に示す．

なお，リジンやトリプトファンを含む必須アミノ酸の欠乏は易刺激性や睡眠リズムの障害といった神経学的異常を引き起こすリスクがある．このため血中リジン濃度の目安を正常下限（60～90 μmol/L）で維持し，トリプトファンも極端な欠乏を避ける．発達や体重増加が順調に得られるか，アルブミンが保たれているかなどは全身状態の把握に重要である．

❸ sick dayの対処法 Ⓑ

発熱や経口摂取不良時には異化亢進による脳症様症状発症の危険性があるため，早めに専門医を受診させ，必要によりブドウ糖輸液を実施することで異化亢進を抑制し，急性発症を防ぐ．

また発熱に対してはアセトアミノフェンやイブプロフェンを6時間毎に使用し，積極的に解熱を図る．

急性発作で発症した場合の診療

1 確定診断

グルタル酸血症1型は新生児マススクリーニング診断前に代謝クライシスで発症することは稀と考えられるが，出生時より頭囲拡大がみられるような場合，もしくは未診断例では，血中アシルカルニチン分析や尿中有機酸分析を中心に鑑別診断を進めながら「1. 代謝救急診療ガイドライン（p.2）」の記載に沿って治療を開始する．

以下，本項では，グルタル酸血症1型の診断が確定している場合の診療方針を記載する．なお，他の有機酸代謝異常と異なり，血液浄化療法が必要になるほどの著明な高アンモニア血症や高乳酸血症をきたすことはほとんどない．

2 急性期の検査

他の有機酸代謝異常症と同様に緊急時には下記の項目について検査を行う．ただし本疾患では，血液検査は特に異常を認めないこともあり，画像検査が特徴的である．

(1) 血液検査（末梢血，一般生化学検査）．
(2) 血糖，血液ガス，アンモニア，乳酸・ピルビン酸，遊離脂肪酸，総ケトン体・血中ケトン体分画．
(3) 尿検査：ケトン体，pH．
(4) 画像検査：頭部CT・可能な時期にMRI．

3 急性期の治療方針[1)10)21)]

「1. 代謝救急診療ガイドライン（p.2）」も参照．「代謝クライシス」として下記の治療を開始する．

❶ 状態の安定化（重篤な場合）B

(1) 気管内挿管と人工換気：必要であれば
(2) 末梢静脈ルートの確保

血液浄化療法や中心静脈ルート用に重要な右頸静脈や大腿静脈は使用しない．静脈ルート確保困難な場合は骨髄針など現場の判断で代替法を選択する．

(3) 必要により昇圧剤を投与して血圧を維持する．
(4) 必要に応じて生理食塩水を投与してよいが，過剰にならないようにする．ただし生理食塩水投与のために異化亢進抑制策を後回しにしてはならない．
(5)「診断の基準」に示した臨床項目を提出する．残検体は破棄せずに保管する．

❷ タンパク摂取の中止 B

急性期にはすべてのタンパク摂取を中止する．急性期所見が改善してきたら，治療開始から24〜48時間以内にタンパク投与を開始する．

❸ 異化亢進の抑制 B

(1) 体タンパク異化によるアミノ酸動員の亢進を抑制するため，十分なエネルギー補給が必要である．80 kcal/kg/day以上のカロリーを確保し，十分な尿量が確保できる輸液を行う．10％濃度以上のブドウ糖輸液が継続的に必要な場合は中心静脈路を確保する．年齢別グルコース必要量（GIR）は0〜12か月：8〜10 mg/kg/min，1〜3歳：7〜8 mg/kg/min，4〜6歳：6〜7 mg/kg/min，7〜12歳：5〜6 mg/kg/min，思春期：4〜5 mg/kg/min，成人期：3〜4 mg/kg/minを目安とする．治療開始後の血糖は120〜200 mg/dL（6.6〜11 mmol/L）を目標とする．ブドウ糖の投与はミトコンドリア機能低下状態への負荷となって高乳酸血症を悪化させることもあり，過剰投与には注意が必要である．

なお本疾患は発熱時や胃腸炎などに伴って発症することから，治療開始時より80 kcal/kg/dayを維持するためにGIRを10〜14 mg/kg/minでの開始を推奨するものもあるが，実際にここまで必要かは議論が残る．

(2) 高血糖（新生児＞280 mg/dL（15.4 mmol/L），新生児期以降＞180 mg/dL（9.9 mmol/L）を認めた場合は，速効型インスリンの持続投与を開始する．インスリン投与を行っても血中乳酸値が45 mg/dL（5 mmol/L）を超える場合には，すでに解糖系が動いておらず，糖分をエネルギーとして利用できていないため，糖濃度を下げていく．

- 速効型インスリンの持続投与は0.01〜0.02単位/kg/hrから開始し，血糖が正常範囲に維持できるようになればインスリン投与を中止する．

(3) ブドウ糖投与のみでは異化亢進の抑制がむずかしい場合は，静注用脂肪乳剤を使用する．静注用脂肪乳剤は0.5 g/kg/day（Max 2.0 g/kg/day）の投与が推奨されている．経腸栄養が可能な場合は，早期から特殊ミルク（雪印S-30）を使用してカロリー摂取量を増やす．

❹ L-カルニチン投与＊ B

有機酸の排泄促進に静注用L-カルニチン（エルカルチンFF®静注1000 mg＊）100 mg/kgをボーラス投与後，維持量として100〜200 mg/kg/dayを投与する．

静注製剤が常備されていない場合，入手まで内服用L-カルニチン（エルカルチンFF®内用液10％＊またはエルカルチン®錠100 mg＊）100〜150 mg/kg/dayを投与する．

❺ **発熱時の対策** Ⓑ

38.5℃以上の場合には，積極的にイブプロフェンやアセトアミノフェンを 6 時間毎に使用し，体温の上昇を抑える[7]．

❻ **高アンモニア血症を伴う急性発作時の治療** Ⓒ

（新生児＞250 μg/dL（150 μmol/L），乳児期以降＞170 μg/dL（100 μmol/L））

本疾患では，著明な代謝性アシドーシスや高アンモニア血症を伴うことは少ないが，高アンモニア血症を認める場合は 3 時間毎にアンモニア値を確認する．

(1) 安息香酸 Na＊＊＊100〜250 mg/kg を 2 時間で静脈投与，その後，維持量として 200〜250 mg/kg/day を投与する．

補記） 安息香酸 Na は試薬を院内調整して静注製剤として用いられている．最大投与量は 5.5 g/m^2 または 12 g/day．

❼ **代謝性アシドーシスの補正** Ⓒ

循環不全や呼吸不全を改善させても pH＜7.2 であれば，炭酸水素ナトリウム（以下メイロン®；HCO$_3^-$ 833 mEq/L）を投与する．

メイロン®：BE×体重×0.3 mL の半量（half correct）を緩徐（1 mEq/min 以下）に投与する．

目標値は pH＞7.2，PCO$_2$＞20 mmHg，HCO$_3^-$＞10 mEq/L とし，改善を認めたら速やかに中止する．アシドーシスが改善しなければ，以下の血液浄化療法を行う必要がある．

❽ **血液浄化療法** Ⓑ

以上の治療を 2〜3 時間行っても代謝性アシドーシスが改善しない場合，あるいは高アンモニア血症の改善傾向が乏しい（低下が 50 μg/dL 未満にとどまる）場合は，緊急で血液浄化療法を実施する必要がある．有効性および新生児〜乳幼児に実施する際の循環動態への影響の少なさから，持続血液透析（CHD）または持続血液ろ過透析（CHDF）が第一選択となっており，実施可能な高次医療施設へ速やかに搬送することが重要である．腹膜透析は効率が劣るため，搬送までに時間を要する場合などのやむを得ない場合以外には，推奨しない．交換輸血は無効である．

慢性期の管理

1 食事療法

❶ 自然タンパクの制限 Ⓑ

(1) 急性期所見が改善すれば，治療開始から 24〜48 時間以内にアミノ酸製剤の投与を 0.3 g/kg/day から開始する．一般的にアミノ酸製剤はリジンの含有量の割合が高いため，アミノ酸製剤の投与は慎重に行う．なお，ネオアミュー® 200 mL 中，アミノ酸 12.2 g で，うちリジン 1.4 g，トリプトファン 0.5 g，アルギニン 0.6 g（Lys/Arg 比 2.3）が含まれている．体重 10 kg で 0.3 g/kg/day なら 3 g/day で，うちリジン 0.35 g（35 mg/kg），トリプトファン 0.12 g（12 mg/kg），アルギニン 0.15 g（15 mg/kg）となる．

(2) 経口・経管摂取が可能となれば，リジン・トリプトファン除去ミルク（雪印 S-30）と母乳・ミルクを併用し，自然タンパク摂取量を 0.5 g/kg/day から開始し，1.0〜1.5 g/kg/day を目標に増量する．さらにグルタル酸血症 1 型では，血中リジン濃度（60〜90 μmol/L）と摂取タンパク中のリジン/アルギニン比 0.5〜0.8 の維持が重要である．リジン/アルギニン比を保つために，必要に応じた L-アルギニンの使用も予後の改善につながる可能性がある[21]．

(3) 食事療法においては年齢と体格に応じた必要エネルギーと必要タンパク量の確保が重要である．FAO/WHO/UNU の推奨する年齢に応じた 1 日当たりのタンパク摂取量とエネルギー摂取量を維持することが目標である（p.79 表6 参照）．

(4) 慢性期の摂取エネルギーの確保のために，リジン・トリプトファン除去ミルク（雪印 S-30）に加えてタンパク除去ミルク（雪印 S-23）・麦芽糖・中鎖脂肪油などを使用することもある．経口摂取が難しい場合には経管栄養を検討し，それでもコントロールが困難であれば入院させて輸液療法など，急性期管理を再開する．

(5) 6歳以降にも食事療法が効果的であるかはまだ体系的には評価されていない．しかし6歳以降も錐体外路の画像変化が進むとされ，その変化についてはまだ不明な点も多い．症状の進行を防ぐためにも，生涯にわたり特殊ミルクを用い栄養所要量の1/3～1/4程度のタンパク量を摂取するなど，ゆるやかなリジン制限食の継続が必要と考えられている[10]．

❷ 胃瘻造設 C

胃瘻の有無による予後の比較検討はなされていないが，他の先天代謝異常では入院回数減少効果などが認められている．本疾患では一度発症すると徐々に神経症状が増悪することが知られており，長期的に経管栄養が必要な症例では胃瘻造設が推奨される．

2 薬物療法

❶ L-カルニチン補充* 100 mg/kg/day 分3 B

（エルカルチンFF®内用液10%＊またはエルカルチンFF®錠＊）

血清（またはろ紙血）遊離カルニチン濃度を60～100 μmol/Lに維持する[10]．

❷ リボフラビン* 10 mg/kg/day D

GCDHの補酵素であり，生化学的なパラメータが改善したという報告もあるが，神経学的な予後を改善するというエビデンスはなく[3]，欧米のプロトコールでも投与については記載されていない．

❸ 神経症状に対する薬物 C

筋緊張や錐体外路症状などの神経障害に対して，GABAアナログ（バクロフェン）やベンゾジアゼピン系薬物を第一選択とし，これらで効果がなければ，抗コリン作用をもつ塩酸トリヘキシフェニジルの使用を検討する．

バルプロ酸やビガバトリンはほとんど効果がなく，逆に避けるべきである[10]．

なお，ボツリヌス毒素の使用は関節拘縮に有用とされる[23]．

フォローアップ指針

フォローアップの目的は治療の効果判定と，合併症や副作用の検討であり，発症予防効果を含む．小児では精神運動発達と成長の評価も必要だが，現時点で本疾患の予後を規定するマーカーはない．

1 一般的評価と栄養学的評価 B

❶ 身長，体重測定

栄養制限により体重増加不良や肥満をきたさないように注意する．体重増加不良のときは自然タンパク制限が過剰ではないか考慮する．

❷ 血液検査（食後3～4時間で採血）

検査間隔：当初は月1回以上，状態が安定した場合には最低3か月に1回は確認する．

血液ガス分析，血糖，ケトン体，アンモニア，アルブミン，血漿アミノ酸分析，血中アシルカルニチン分析．

末梢血液像，一般的な血液生化学検査項目（アミラーゼ，リパーゼは6か月に1回程度）

・アルブミン：低値の場合は自然タンパク制限の行き過ぎを考慮する．
・アンモニア：高値の場合は自然タンパク摂取過剰を考慮する．
・血漿アミノ酸分析：リジン・トリプトファンの欠乏に注意する．リジンは血中濃度60～90 μMに維持し，リジン・アルギニンのモル比が0.5～1.0程度に保たれ，トリプトファンの欠乏がない状態が望ましいとされる．
・血中アシルカルニチン分析：C5-DCの推移を評価するとともに，二次性カルニチン欠乏の有無についてC0も確認する．なお，カルニチン欠乏の有無はカルニチン分画が保険適用にもなっており，C0よりも適切ではあるが，C5-DCと連動して確認できる点がC0のメリットである．

❸ 尿中有機酸分析

検査間隔：必要に応じて行う．

評価項目：グルタル酸，3-ヒドロキシグルタル酸．

❹ その他

骨代謝関連指標など，栄養状態に関係するビタミン類，ミネラル類の各種項目についても，病歴・食事摂取・身体発育に鑑みて適宜測定・評価する．

2 神経学的評価 Ⓑ

- 発達検査：年1回程度．
- 頭部MRI（MRS）の評価：急性期とその後の安定期，また新たな神経学的所見を認めた場合などに行う．目安は1〜3年に1回であるが，鎮静のリスクもあるため，発達などの状況を鑑み必要性を検討する．なお，画像で異常を認めても，それが予後に直接関係しているかは不明とされる．
- 脳波検査（てんかん合併例）：年1回程度．
- 運動機能障害：早期からの理学療法，作業療法，言語療法の介入が必要である．

3 眼科受診

網膜出血などの有無もある．眼科的異常を疑った場合，および6歳以降は年に1回程度確認する．

4 その他

本疾患は常染色体劣性の遺伝形式であり，必要に応じて遺伝カウンセリングを行う．

成人期の課題

1 特殊ミルクによる食事療法を含めた治療の継続

6歳以降の食事療法の有効性については体系的に評価されておらず，成人期でも同様である．しかし錐体外路の画像変化はすすむとされ，また成人以降に神経症状で発症した症例の報告もあることから[24]，症状の進行を防ぐためにも生涯にわたり特殊ミルク（雪印S-30）を用い，栄養所要量の1/3〜1/4程度のタンパク量を摂取するといった，ゆるやかなリジン制限食の継続が必要と考えられる[1)10)]．

なお，思春期から青年期にかけては患者本人の協力が得られにくかったり，一人暮らしに伴う生活スタイルの変化などから食事療法の継続が困難になることが多い．家族だけでなく，患者本人への継続した栄養教育を行うことなども発症を予防するために必要である．

2 飲酒

基本的にアルコール摂取による悪心など，体調を崩す誘因となりやすく，有機酸代謝異常症では急性増悪の危険性を伴うため避ける．

3 運動

過度の運動は体調悪化の誘因となりやすく，無理のない範囲にとどめる必要がある．

4 妊娠と出産

有機酸代謝異常症の成人女性患者の妊娠・出産に関する報告例が出てきているが，個別の疾患については少数例にとどまっているのが現状であり，慎重な対応が必要である．

5 医療費の問題

早期に診断され，発症予防による健常な発達が得られても，治療に必須な低タンパク食品の購入や多量のL-カルニチン服用，検査や特殊ミルク（雪印S-30）処方のための定期的な受診，体調不良時の支持療法など，成人期にも少なからぬ支出を強いられる．安定した体調で継続的に就業できるためにも，小児期に引き続いて十分な医療が不安なく受けられるような公的な費用負担が強く望まれていた．これらの要望を受け，平成27年7月より新たに指定難病の対象疾患となり，支援が受けられるようになった．

文献

1) Strauss KA, et al. Safety, efficacy and physiological actions of a lysine-free, arginine-rich formlura to treat glutaryl-CoA dehydrogenase deficiency：Focua on cerebral amino acid influx. Mol Genet Metab 2011；104：93-106.
2) Strauss KA, et al. TypeⅠglutaric aciduria, part 1：natural history of 77 patients. Am J Med Genet C Semin Med Genet 2003；121C：38-52.
3) Kölker S, et al. Natural history, outcome, and treatment efficacy in children and adults with glutaryl-CoA dehydrogenase deficiency. Pediatr Res 2006；59：840-847.
4) Lindner M, et al. Neonatal screening for glutaryl-CoA dehydrogenase deficiency. J Inherit Metab Dis 2004；27：851-859.
5) 重松陽介，ほか．タンデムマスによる新生児マス・スクリーニング．小児内科 2010；42：1200-1204.
6) Tsai FC, et al. Experiences during newborn screening for gluratic aciduria type 1：Diagnosis, treatment, genotype, phenotype, and outcome. J Chinese Med Assoc 2017；80：253-261.
7) Morton DH, et al. Glutaric aciduria typeⅠ：a common cause of episodic encephalopathy and spastic paralysis in the Amish of Lancaster County, Pennsylvania. Am J Med Genet 1991；41：89-95.
8) Greenberg CR, et al. A G-to-T transversion at the +5 position of intron 1 in the glutaryl CoA dehydrogenase gene is associated with the Island Lake variant of glutaric acidemia typeⅠ. Hum Mol Genet 1995；4：493-495.
9) Hoffmann GF, et al. Glutaryl-CoA dehydrogenase deficiency：a distinct encephalopathy. Pediatrics 1991；88：1194-1203.
10) Boy N, et al. Proposed recommendations for diagnosing and managing individuals with glutaric aciduria typeⅠ：second version. J Inherit Metab Dis 2017；40：75-101.
11) Hedlund GL, et al. Glutaric acidemia type 1. Am J Med Genet C Semin Med Genet 2006；142C：86-94.
12) Hoffmann GF, et al. Clinical course, early diagnosis, treatment, and prevention of disease in glutaryl-CoA dehydrogenase deficiency. Neuropediatrics 1996；27：115-123.
13) Külkens S, et al. Late-onset neurologic disease in glutaryl-CoA dehydrogenase deficiency. Neurology 2005；64：2142-2144.
14) Zinnanti WJ, et al. A diet-induced mouse model for glutaric aciduria typeⅠ. Brain 2006；129：899-910.
15) Kafil-Hussain NA, et al. Ocular findings in glutaric aciduria type 1. J Pediatr Ophthalmol Strabismus 2000；37：289-293.
16) 原口康平，ほか．急性期にアシルカルニチン分析で異常を示さなかったグルタル酸血症1型の1例．日本小児科学会雑誌 2015；119：595-599.
17) Christensen E, et al. Correlation of genotype and phenotype in glutaryl-CoA dehydrogenase deficiency. J Inherit Metab Dis 2004；27：861-868.
18) Zschocke J, et al. Mutation analysis in glutaric aciduria typeⅠ. J Med Genet 2000；37：177-181.
19) Pineda M, et al. Glutaric aciduria typeⅠwith high residual glutaryl-CoA dehydrogenase activity. Dev Med Child Neurol 1998；40：840-842.
20) Mushimoto Y, et al. Clinical and molecular investigation of 19 Japanese cases of glutaric acidemia type 1. Mol Genet Metab 2011；102：343-348.
21) 特殊ミルク共同安全開発委員会（編）．タンデムマス導入にともなう新しい対象疾患の治療指針．特殊ミルク情報 2006；42.
22) Kölker S, et al. Complementary dietary treatment using lysine-free, arginine-fortified amino acid supplements in glutaric aciduria typeⅠ—A decade of experience. Mol Genet Metab 2012；107：72-80.
23) Burlina AP, et al. Management of movement disorders in glutaryl-CoA dehydrogenase deficiency：anticholinergic drugs and botulinum toxin as additional therapeutic options. J Inherit Metab Dis 2004；27：911-915.
24) Bahr O, et al. Adult onset glutaric aciduria typeⅠpresenting with a leukoencephalopathy. Neurology 2002；59：1802-1804.

20 脂肪酸代謝異常症：総論

脂肪酸代謝異常症（fatty acid oxidation disorders：FAODs）とは，ミトコンドリア内での脂肪酸β酸化が障害されることでエネルギー産生不全をきたす疾患群で，エネルギー需要の多い脳や，脂肪酸β酸化がさかんな臓器である心臓，骨格筋，肝臓などが障害されやすい．典型的には，発熱や運動などのエネルギー需要が増大したときや，下痢・嘔吐などのエネルギー供給が低下した際に，重篤な低血糖や横紋筋融解症などをきたすが，近年は成人期に慢性的な筋痛や筋力低下などを契機に診断される例の報告も増えてきており，従来考えられていたよりも幅広い臨床像を呈することが明らかになりつつある．FAODsには，タンデムマススクリーニング対象疾患以外にも，近年Leigh脳症の重要な原因として注目されているECHS1（Enoyl-CoA hydratase short-chain-1）異常症など臨床的に重要な疾患が含まれることもあるが，ここでは対象疾患についてのみ概説する．

新生児マススクリーニング（NBS）の対象疾患にみられる臨床像を表1にまとめた．原則として筋症状がみられないMCAD欠損症やCPT1欠損症を除くといずれも類似した臨床像を呈する．

1 脂肪酸代謝異常症に共通した病態生理

FAODsではβ酸化にかかわる酵素などの機能喪失によって，生理的なエネルギーのバックアップシステムが働かないためにエネルギー障害をきたす．欠損酵素の違いはあっても最終的にはエネルギー枯渇がその病態の中心であることから，それらの臨床像にも共通項が多いことが特徴である．また，エネルギー需要において脂肪酸の重要性が大きくなる飢餓時や感染症罹患時，運動時などが急激な発症の契機になることが多いのも重要な共通点である．FAODsではCPT2欠損症やMCAD欠損症の臨床像に代表されるように，平時は一般検査所見や身体所見に異常を認めないにもかかわらず，ひとたび発症すると初回の発作で致死的経過をとりうることも少なくない．加えて急性発作は一般生化学検査や身体所見から予測不能であることから，未発症のスクリーニング発見例であっても十分な注意が必要である．本ガイドラインの各項では，急性発症を予防するためのsick dayにおける対応についても強調している．

表1 ● 脂肪酸代謝異常症の主な症状

疾患名	遺伝子	代表的な臨床症状			
		低血糖・Reye様症候群	心筋障害	骨格筋障害	その他
カルニチンサイクルの異常					
全身性カルニチン欠乏症	*SLC22A5*	●	●	●	
CPT1欠損症	*CPT1*	●			尿細管性アシドーシス
CPT2欠損症	*CPT2*	●	●	●	
CACT欠損症	*SLC25A20*	●	●	●	腎奇形など
β酸化経路の異常					
TFP欠損症	*HADHA, HADHB*	●	●	●	網膜症，神経障害
VLCAD欠損症	*ACADVL*	●	●	●	
MCAD欠損症	*ACADM*	●			
電子伝達系の異常					
グルタル酸血症2型	*ETFA, ETFB, ETFDH*	●	●	●	腎奇形など

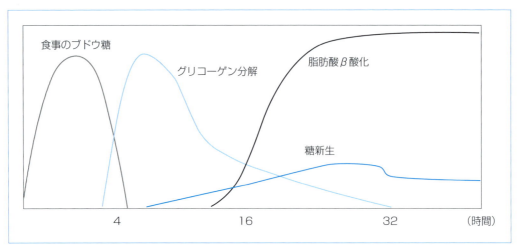

図1● 食後におけるエネルギー供給源の経時的変化
成人における目安となる時間．一般に，低年齢になるほど各要素が必要とされるまでの時間が短くなる傾向がある．また，発熱等の異化亢進時も同様に時間が短くなる傾向がある．

各疾患のガイドラインをご参照いただきたい．

2 脂肪酸β酸化系の役割（図1）

脂肪酸はブドウ糖やグリコーゲンとならんでエネルギー代謝における根幹を担うエネルギー源である．糖質やグリコーゲンによるエネルギー供給が充足している状態ではグリセロールとパルミチン酸（C16）などの脂肪酸が結合してトリグリセリドとして貯蔵されるが，糖質やグリコーゲンによるエネルギーが不足すると再度脂肪酸に分解された脂肪酸はβ酸化を受け大量のエネルギーを供給する．ブドウ糖1分子から20のATPが産生されるのに対してパルミチン酸1分子からは129ものATPが産生される．

脂肪酸の利用状況（エネルギー代謝におけるβ酸化の重要度）は臓器によっても異なる．心筋においては常に主要なエネルギー源として利用され，肝臓や骨格筋においても積極的にエネルギー源として利用される．β酸化経路ではブドウ糖が生成されないが，健常人では脂肪酸β酸化経路から豊富なエネルギーが供給されることで，ブドウ糖の消費量が抑制され，ここにアミノ酸などから少量のブドウ糖を産生する糖新生系が一緒に働くことで低血糖という重篤なエネルギー障害を巧妙に回避している．また，ブドウ糖とケトン体しかエネルギー源として利用できない脳では，肝臓でのβ酸化によって産生されるケトン体が血流を介して脳へ供給されることで間接的に脳を低血糖から守る仕組みもある．

異化亢進とは　mini lecture 1

本書における"異化"とは，体内のタンパク，脂質，グリコーゲンなどを分解し，エネルギーを産生することとイメージしてよい．通常ヒトでは，食事摂取不良や飢餓，あるいは感染や運動などによりエネルギー需要が増すと，食事からの糖質だけではエネルギー不足に陥る．このような場合，"異化亢進"することで必要なエネルギーを得る仕組みになっている．

本来「異化亢進」は生体に必要なエネルギーを産生するための合理的なシステムであるが，その代謝過程のいずれかに異常を有する先天代謝異常症では「異化亢進」は急性増悪をもたらすことがある．たとえば，グルコース不足時に体脂肪（トリグリセリド）から動員された遊離脂肪酸のβ酸化は代替エネルギーとして非常に重要となるが，脂肪酸代謝異常症ではこの過程が障害されるためβ酸化由来のエネルギー（ATP）が枯渇するため重篤な低血糖に陥る．

Reye 様症候群とは　mini lecture 2

　Reye 症候群とは，インフルエンザや水痘など感染が先行し，脳浮腫による嘔吐，けいれん，意識障害を発症する症候群（肝性急性脳症）であり，AST・ALT・CK の上昇，凝固障害，高アンモニア血症などがみられ，肝臓をはじめとする諸臓器に脂肪沈着を伴うことが特徴である．これらはミトコンドリア機能不全に起因し，その原因は多様である．狭義にはアスピリン（アセチルサリチル酸）による病態を指していた．

　臨床的に Reye 症候群と区別がつかず，先天代謝異常症（尿素サイクル異常症，有機酸代謝異常症，脂肪酸代謝異常症，ミトコンドリア呼吸鎖異常症など）が原因となるものは Reye 様症候群と呼ばれる．また，臨床的に Reye 症候群と区別がつかず，肝の病理学的検査が行われていない症例も，Reye 様症候群や臨床的 Reye 症候群などと呼ぶこともある．背景にある病態・原因が明らかになるにつれ，最終病名として Reye 症候群，Reye 様症候群をつける意義は薄れつつある．こうした症例に遭遇した際は，先天代謝異常症の鑑別を中心とした原因検索を進めていくことが重要である．

生涯発症しない症例もある？　mini lecture 3

　わが国でのNBS開始後，病的意義の乏しいと推測される最軽症例が発見されるようになった．よく知られているのはプロピオン酸血症における PCCB 遺伝子の p.Y435C 変異を有する症例であるが，脂肪酸代謝異常症においても，VLCAD 欠損症やMCAD欠損症，全身性カルニチン欠乏症などでは，病的意義がはっきりしない軽症例と思われる症例が見つかっている．脂肪酸代謝異常症では，非発作時には無症状の場合も多い．また NBS で発見された症例は sick day の対応がなされ発症自体を予防するため，一部の軽症例と推測される症例では，臨床病型を判断することがむずかしいこともある．

　しかし，最軽症例と考えられている症例の長期予後に関する十分なエビデンスはなく，これから長期的に評価していく必要がある．

非（低）ケトン性低血糖，非（低）ケトン性ジカルボン酸尿症　mini lecture 4

　ヒトでは，エネルギー不足時に，中枢神経系のエネルギー源として利用可能なケトン体を産生しようとする仕組みがある．

　血中の脂肪酸はミトコンドリア内のβ酸化を介してアセチル CoA を産生し，これが TCA 回路に運ばれて糖新生および ATP 産生に利用される．脂肪酸β酸化が亢進するときは，肝臓でアセチル CoA からケトン体（3-ヒドロキシ酪酸やアセト酢酸）が産生され，これが血流を介して中枢神経系へエネルギー源として供給される．これが健常児で時にみられるケトン性低血糖である．β酸化障害を有する脂肪酸代謝異常症では，脂肪酸由来のケトン体が産生されないため，低血糖があるにもかかわらずケトン体が上昇しない，または低血糖の程度に比しケトーシスの程度が軽い非（低）ケトン性低血糖症となる．

　また，β酸化が何らかの理由で機能しなくなった場合，脂肪酸はω酸化という経路を経てジカルボン酸となり，これが尿中有機酸分析では非（低）ケトン性ジカルボン酸尿の所見となる．

　非（低）ケトン性低血糖，非（低）ケトン性ジカルボン酸尿症は，脂肪酸代謝異常症を示唆する重要な所見である．一方で，これだけで脂肪酸代謝異常症と診断できるわけではないので，これらの所見が認められた場合には，血清アシルカルニチン分析を行うべきである．なお，全身性カルニチン欠乏症，CPT1 欠損症ではジカルボン酸尿は認めないことが多い．CACT 欠損症でもほとんど認めない．

アシルカルニチン分析とカルニチン分画　mini lecture 5

　アシルカルニチンとはカルニチンとアシル基が結合したものである．アシル基はカルボン酸（R-COOH）から OH 基が外れたもので，有機酸（アミノ酸からアミノ基がはずれたもの）や脂肪酸はカルボン酸の一種である．つまり，大まかには有

機酸・脂肪酸とカルニチンが結合したものがアシルカルニチンであると理解してよい．脂肪酸には炭素鎖数に応じて短鎖から極長鎖まであるが，アシルカルニチン分析では炭素鎖数が2〜18の脂肪酸・有機酸が結合したアシルカルニチン（C2〜C18）の値と，遊離カルニチン（C0，つまりアシル基が結合していないもの）を定量する．一方，カルニチン分画とは，様々な炭素鎖長のアシルカルニチンの総和と遊離カルニチン値の2項目だけを測定する．したがってカルニチン分画でアシルカルニチン（の総和）が上昇していても，どの炭素鎖長のアシルカルニチンが増えているのかはわからず，診断を特定する情報は得られない．確定診断が済んだ症例で遊離カルニチンをモニターするうえでは，迅速に結果が得られやすいという利点はあるものの，特に精査時にはアシルカルニチン分析のほうが情報が多いといえる．

ろ紙血と血清アシルカルニチンの基準値 mini lecture 6

現在利用されているアシルカルニチン分析では，施設毎に少しずつ分析法が異なることや，そもそもの分析方法の特徴から使用するタンデムマス分析計によっても測定値のばらつきが出ることが避けられない．精密検査における生化学診断では，検査施設毎の基準値が必要となる．ここでは一例としてNPO法人タンデムマス・スクリーニング普及協会で用いられていた分析法での基準値（表2）を提示するが，あくまで参考値とされたい．

トリヘプタノイン（triheptanoin） mini lecture 7

トリヘプタノインは中性脂肪の一種で，炭素数7（C7）の脂肪酸，3分子から構成される．長鎖脂肪酸代謝異常症（LC-FAODs：Long-chain fatty acid oxidation disorders）の治療として，通常は偶数鎖の中鎖脂肪酸（C6，C8，C10）であるMCTオイルなどが利用される．トリヘプタノイン由来の炭素数7（C7）の脂肪酸は，2つのアセチルCoA

表2 タンデムマス・スクリーニング普及協会における基準値（誘導体化法）

	ろ紙血（nmol/mL）	血清（nmol/mL）
C0	20〜70	25〜100
C2	5〜45	4〜60
C3	<3.5	<3.5
C4	<1.4	<1.0
C5	<0.7	<0.7
C5-OH	<0.8	<0.25
C5-DC	<0.25	<0.25
C6	<0.15	<0.15
C8	<0.3	<0.3
C10	<0.25	<0.3
C12	<0.3	<0.2
C14	<0.4	<0.2
C14：1	<0.3	<0.2
C14-OH	<0.1	<0.05
C16	0.4〜3.0	<0.3
C16-OH	<0.1	<0.07
C18	<2.0	<0.3
C18：1	<2.8	<0.4
C18-OH	<0.08	<0.05

（C2）と1つのプロピオニルCoA（C3）となり，プロピオニルCoAはさらに代謝されてサクシニルCoAとなる．これらのアセチルCoAとサクシニルCoAが同時にTCAサイクルの基質として供給可能であることから，よりスムーズに代謝が回転することが期待される．現在，欧米でVLCAD，TFP，CPT2，CACTに対して臨床治験が行われている．

後方視的研究ではあるが，トリヘプタノイン使用前後で，横紋筋融解症，低血糖，入院の頻度等が有意に減少したとする報告がなされている（Vockley J. et al. MGM, 2015）．また，LC-FAODsに合併した急性の心筋症の治療に有効であったとする報告（Vockley, J. et al. MGM, 2016）や，ランダム化コントロールスタディでトリヘプタノインが左室収縮能や心筋肥厚の改善に有用であったとする報告がなされている（Gillingham, MB. et al. JIMD 2017）．

21 極長鎖アシル CoA 脱水素酵素（VLCAD）欠損症

疾患概要

1 病態

極長鎖アシル CoA 脱水素酵素（VLCAD）欠損症は脂肪酸代謝異常症の代表的な疾患の一つである．脂肪酸代謝異常症はミトコンドリアでの脂肪酸β酸化が障害されることでエネルギー産生不全をきたす疾患群で，エネルギー需要の多い脳，心臓，肝臓，骨格筋などが障害されやすい．発熱や運動などのエネルギー需要が増大した時や，下痢・嘔吐・飢餓などのエネルギー摂取が低下した際に重篤な低血糖や横紋筋融解症などをきたす．

VLCAD 欠損症は常染色体劣性遺伝性疾患で，その臨床像は幅広い．新生児期もしくは乳児期早期から重度の心筋症や低血糖をきたし，生命予後の改善が困難である症例から，乳幼児期に Reye 様症候群や乳幼児突然死症候群（SIDS）様症状で

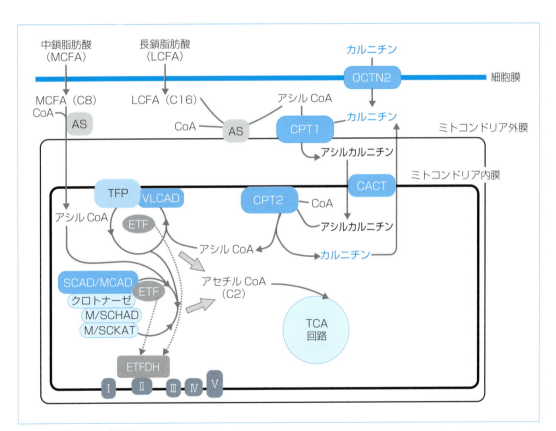

図1 ● β酸化経路の概略図

OCTN2；カルニチントランスポーター，CPT1；カルニチンパルミトイルトランスフェラーゼⅠ，CPT2；カルニチンパルミトイルトランスフェラーゼⅡ，CACT；カルニチンアシルカルニチントランスロカーゼ，TFP；ミトコンドリア三頭酵素，VLCAD；極長鎖アシル CoA 脱水素酵素，MCAD；中鎖アシル CoA 脱水素酵素，ETF；電子伝達フラビンタンパク，ETFDH；電子伝達フラビンタンパク脱水素酵素，SCAD；短鎖アシル CoA 脱水素酵素，SCHAD；短鎖 3-ヒドロキシアシル-CoA 脱水素酵素，M/SCHAD；中鎖/短鎖 3-ヒドロキシアシル-CoA 脱水素酵素，M/SCKAT；中鎖/短鎖 3-ケトアシル-CoA チオラーゼ，AS；アシル CoA 合成酵素．

発症する症例，幼児期以降に横紋筋融解症を呈する症例，成人期における筋痛，筋力低下のみの症例もある[1)2)]．また，新生児マススクリーニング（NBS）では発見されない症例もありうるので[3)4)]，本疾患を示唆する臨床像がみられた場合はNBSで異常を認めなかった場合でも，鑑別から除外しない．非発作時は一般検査所見で明らかな異常はみられない場合が多いが，急性期の非〜低ケトン性の低血糖症，肝逸脱酵素の上昇，高CK血症，心筋症所見などが診断の手がかりとなる．

なお，NBSで発見された例のなかには，発症後診断では見つからなかった遺伝子変異をもつ，極めて軽症と思われる症例が多く見つかっている．このような患者がいつ頃，どのような症状で発症するのかは明らかでない（p.193「mini lecture 3／生涯発症しない症例もある？」参照）．

2 代謝経路

VLCADはミトコンドリア内膜の内側に存在する酵素であり，三頭酵素とともに長鎖脂肪酸（C18〜C12付近）のβ酸化を担う（図1）．具体的には，脂肪酸β酸化における4つのステップ（酸化→水和→酸化→開裂）の最初の酸化にかかわる酵素である．アシルカルニチン分析においてはC14：1の上昇が特徴とされ，診断マーカーの一つになっている．

3 疫学

わが国におけるNBSのパイロット研究（1997〜2012年）の結果によると，約16万人に1人の発見頻度であり[5)]，脂肪酸代謝異常症では，MCAD欠損症に次いで頻度が高い．

診断の基準

1 臨床病型

❶発症前型

NBSや家系内検索で発見される無症状の症例が含まれる．以下のどの病型かに分類されるまでの暫定的な病型であるが，NBSで本疾患が同定されても生涯にわたって発症しない可能性も含まれている[6)]．

❷新生児期発症型

新生児期からの重篤な心筋症，心不全，非ケトン性低血糖を呈する症例が多い．心機能のコントロールが困難な場合も多く，生命予後は不良である[7)]．

❸乳幼児期発症型

哺乳間隔が長くなり始める乳児期後期から4歳までの発症が多い[4)7)8)]．発作時の非〜低ケトン性低血糖や肝機能障害が主要な症状となる．低血糖による意識障害や，肝機能障害，高アンモニア血症を合併したReye様症候群を呈することもあるため「肝型」ともよばれる．発症の契機は他の脂肪酸代謝異常症と同様に，長時間の絶食や発熱，嘔吐・下痢に伴う異化亢進であり，時に乳幼児突発性危急事態（ALTE）やSIDSをきたす場合もある．本病型では急性期に骨格筋症状を呈することも多く，著しい高CK血症，横紋筋融解症を伴うことも少なくない．適切な治療によってコントロールされれば生命・知的予後も良好である．本病型で発症した患児が，年齢とともに次に説明する骨格筋症状を呈する病型に変化することもしばしば経験される．

❹遅発型（骨格筋型）

学童期以降に横紋筋融解やミオパチーといった筋症状を主要な症状として発症する軽症型である[9)10)]．成人期に発症する症例には，血清アシルカルニチン分析でも特徴的な所見を認めない場合がある．年長になるにつれ，空腹よりも運動負荷で発作が誘発される傾向がある．

2 主要症状および臨床所見

本疾患はNBSで全例を発見することはできないと考えられている．また，NBS陰性例においても，乳幼児期以降に急性発症もしくは骨格筋症状を呈し発症する可能性があることを念頭におく必要がある．発症形態は他の脂肪酸代謝異常症と同様で上記の通り，乳幼児期に低血糖やReye様症候群として発症する場合と，学童期以降に横紋筋

融解症やミオパチーなどの骨格筋症状として発症する場合の大きく2つに分けられる．

❶ 意識障害，けいれん

低血糖によって起こる．急激な発症形態からSIDSや急性脳症と診断される場合や，肝機能障害を伴いReye様症候群と臨床診断される場合もある．

❷ 心筋症状

心筋症は新生児期発症例でみられることがあり，治療に難渋する．

❸ 不整脈

心筋症に伴うことが多く，しばしば致死的となる．

❹ 肝腫大

病勢の増悪時には腫大を認めることもあるが，発作間欠期には明らかではないことが多い．

❺ 骨格筋症状

ミオパチー，筋痛，易疲労性を呈することが多い．本疾患ではしばしば横紋筋融解症をきたす．筋型糖原病が短時間の強い運動後に発作を起こすことが多いのに対し，本疾患では長時間の中等度の運動後に発作が起こりやすい．幼少期には肝型の臨床像であっても，加齢に伴い骨格筋症状が中心となる症例が多い．

❻ 消化器症状

乳幼児期発症型において，低血糖時に嘔吐が主訴になることがある．

❼ 発達遅滞

原則的には知的予後は良好であるが，未診断例で急性発症を呈した症例や，低血糖発作が予防できない場合には発達遅滞を呈することもある．

3 参考となる検査所見

❶ 非〜低ケトン性低血糖

低血糖の際に血中および尿中ケトン体が上昇しない，または血糖値のレベルに比してケトン体の上昇が乏しい．低ケトン性の目安は低血糖時に本来産生されると推定されるケトン体量を明らかに下回る場合をいう（p.193「mini lecture 4／**非（低）ケトン性低血糖，非（低）ケトン性ジカルボン酸尿症**」参照）．血中ケトン体分画と同時に血中遊離脂肪酸＊を測定し，遊離脂肪酸/総ケトン体モル比＞2.5，遊離脂肪酸/3ヒドロキシ酪酸モル比＞3.0であれば，脂肪酸代謝異常症が疑われる．なお，血中遊離脂肪酸値はブドウ糖投与後には速やかに下がるため，治療前の検体で検査する必要がある．

❷ 肝逸脱酵素上昇

急性期には肝逸脱酵素の上昇と脂肪肝を合併していることが多く，画像診断も参考になる．

❸ 高CK血症

非発作時には正常〜軽度高値でも，急性期には著明な高値となることがある．

❹ 高アンモニア血症

急性発作時にアンモニアが上昇することはあるが，薬物療法を必要とするような高値となることはまれで，ほとんどの場合中等度までの上昇にとどまる．

❺ 筋生検

診断に筋生検は必須ではないが，筋生検でオイルレッド染色による脂肪滴を認める場合には脂肪酸代謝異常症を強く疑う所見となる．

4 診断の根拠となる特殊検査

本疾患を疑った場合，ろ紙血アシルカルニチン分析の再検査を繰り返すのではなく，診断の根拠となる特殊検査を迅速に行う必要がある（図2参照）．特に本症のような長鎖脂肪酸代謝異常症の検査においては，ろ紙血アシルカルニチン分析では異常な生化学所見を検出できないことが多い．

❶ 血清アシルカルニチン分析＊＊

アシルカルニチン分析における本疾患のマーカーはC14：1の上昇およびC14：1/C2比の上昇が最も重要な所見である[7)11)]．C14：1を含む長鎖アシルカルニチンは出生後しばらくは生理的にも高めであるが，哺乳確立後は低下する．この時期には罹患者であっても，ろ紙血での検査ではC14：1が正常化することがある[12)]．したがって，NBSで本疾患が疑われた場合には，速やかに血清アシルカルニチン分析を行ったほうがよい[13)]．

一方，哺乳確立が遅れた場合には本疾患の偽陽性となることも多い．これについては新たな診断マーカー（C14：1/C12比，C14：1/C12：1比など）が検討されている．なお，他の長鎖脂肪酸代謝異常症でもC14：1などが上昇することもあり，

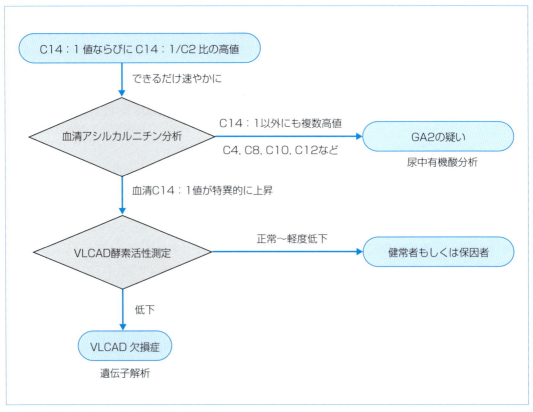

図2● 極長鎖アシルCoA脱水素酵素欠損症診断フローチャート
VLCAD：very long chain acyl-CoA dehydrogenase，極長鎖アシルCoA脱水素酵素欠損症．
GA2：glutaric acidaemia type2，グルタル酸血症2型．

アシルカルニチン全体のプロファイルを俯瞰することが重要である．また母親が無症候VLCAD欠損症の場合に，その児が非罹患者ながらNBSで異常値を指摘された例も報告されている[14]．さらに本疾患の保因者でも，C14：1やC14：1/C2比が上昇することもあるため，血清アシルカルニチン分析のみでは本疾患を生化学診断することはできない．血清C14：1上昇が続く場合には，漫然と再検査を繰り返さず，早い段階で下記の酵素活性測定や遺伝子解析が必要となる．

❷遺伝子解析＊

本疾患の責任遺伝子である*ACADVL*の解析は確定診断の有力な手段である．本疾患では遺伝子型と表現型が比較的良好な相関を示す[2]．新生児期発症型ではナンセンス変異やフレームシフトなど残存酵素活性をもたない変異が多く，残存酵素活性をもつミスセンス変異は乳幼児期以降に発症する場合が多い．p.K264Eは日本人に多くみられる残存活性の高い変異で骨格筋型を示すことが多い[9)10)]．海外では，NBSで異常を呈するものの，生涯発症しないことがわかっている無症候型の変異が報告されている[6]．国内でこのような無症候型の変異は同定されておらず，遺伝子解析で異常があれば確定診断となるが，実際には無症候型の変異の存在が疑われている．

❸脂肪酸代謝能検査（酵素活性や*in vitro*プローブアッセイ）＊＊＊

末梢血リンパ球を用いた酵素活性測定によって，罹患者と健常者，保因者を区別することが可能である[15]．比較的簡便かつ迅速に結果を得られることから，罹患が疑われれば遺伝子解析よりも酵素活性測定が優先される．VLCADの酵素活性測定を行っている施設は日本先天代謝異常学会のホームページで検索可能である．

In vitro プローブアッセイは，特殊な培地で培養した被験者のリンパ球や皮膚線維芽細胞培養液中のアシルカルニチン分析を行って，間接的に脂肪酸代謝能を評価する方法である[16)17)]．他の長鎖脂肪酸代謝異常症との鑑別や臨床病型を予測することが可能であるが，結果を得るまでに皮膚線維芽細胞では2～3か月，リンパ球でも2週間程度を要するため，確定診断には補助的な役割と位置づけられる．

5 鑑別疾患

①他の脂肪酸代謝異常症，②（インフルエンザ脳症などを含むウイルス性の）急性脳症など，③ミトコンドリア異常症，④筋型糖原病 などが鑑別にあがる．

6 診断基準

❶疑診

発症前型を除いて，「2 | 主要症状および臨床所見」の❶～❼のうち少なくとも一つ以上，または急性期に低血糖やCK上昇，肝逸脱酵素上昇といった検査所見を認めて，血中アシルカルニチン分析で疾患特異的なプロファイルを認める場合を疑診とする．発症前型に関しては，タンデムマス・スクリーニングの血中アシルカルニチン分析で疾患特異的なプロファイルを認めるときに疑診とする．

❷確定診断

前述に加え，「4 | 診断の根拠となる特殊検査」のうち，❷か❸のうちの少なくとも一つで疾患特異的所見を認める時，確定診断とする．

新生児マススクリーニングで疑われた場合

1 確定診断

新生児マススクリーニング陽性例は速やかに検査可能施設で血清アシルカルニチン分析を測定する．

上記診断基準において疑診となった場合には末梢血リンパ球を用いた酵素活性測定，*ACADVL*遺伝子解析を行い確定診断を行う．尿中有機酸分析や脂肪酸代謝能評価（培養皮膚線維芽細胞などを用いた *in vitro* プローブアッセイ）は診断に必須ではない．

NBSで陽性となった場合の精密検査でも，可能な限り経験のある専門家が行うべきであるが，タンデムマス・スクリーニング普及協会のコンサルテーションセンター（http://tandem-ms.or.jp/）を介して，先天代謝異常症の専門家の意見を聞くことが可能である．

2 診断確定までの対応

❶検査

上記の確定診断に必須な検査に加えて少なくとも以下の検査を行う．

一般生化学検査（CKを含む），血糖，血液ガス，アンモニア，乳酸，ピルビン酸，遊離脂肪酸，血中/尿中ケトン体，心臓超音波，腹部超音波を行い，他疾患との鑑別や，新生児型でないかを確認する．臨床症状または検査異常を認めた場合には入院の上，ブドウ糖を含んだ維持輸液を行いながら経過観察を行うことが望ましい．無症状で検査に異常がなければ外来フォローとする．

❷対応

検査に加えて下記の対応を並行して行う．

1) 食事間隔の指導 B

飢餓に伴う低血糖発作を防ぐためには，3時間以内の授乳間隔を厳守し，体重増加傾向が保てていることを確認する．表1に新生児期以降も含めた食事，授乳間隔の目安を示す．

表1 ● 脂肪酸代謝異常症における食事間隔の目安

	日中	睡眠時
新生児期	3時間	
6か月まで	4時間	4時間
1歳まで	4時間	6時間
4歳未満	4時間	8～10時間
4歳以上7歳未満	4時間	10時間

安定期の目安であり，臨床経過や患者の状況により変更が必要な場合もある．

2) 発熱や胃腸炎症状を伴う感染症罹患時の指導 B

発熱，哺乳不良，嘔吐，下痢などを認めた場合は，即座に医療機関の受診をするように指示し，罹患児に準じて「**慢性期の管理**」の「**5 | sick day の対応**」を行う．

3) 栄養管理

臨床所見，一般生化学的所見に異常を認めない症例では母乳あるいは普通ミルクを与えてよい．いずれかに異常を認める症例では，診断確定までの間であっても，MCT ミルクによる栄養管理を積極的に考慮する B．

急性期の治療方針

「1 代謝救急診療ガイドライン」(p.2) も参照．
脂肪酸代謝異常症の診療で最も重要なことは，代謝不全の予防である．「**慢性期の管理**」の「**5 | sick day の対応**」「**❶患者家族への説明**」にもあるように，脂肪酸代謝異常症の急性発作・代謝不全は重篤な転帰に至ることが多い．日常の診療時から十分な説明が必要である．急性発作・代謝不全の際には集中治療を要する．

1 | 急性発作時の救命処置

(1) 呼吸不全に対する人工呼吸管理．
(2) 低血圧性ショック，心原性ショックに対する適切な輸液・薬物療法．

2 | 代謝異常に対する対処

❶ブドウ糖を含む補液 B

まず低血糖を補正する（血糖 100 mg/dL を目標に）．異化状態をさけて同化の方向に向けることが重要である．細胞内に十分なブドウ糖を補充し，脂肪酸の分解を抑制することにより，有害な脂肪酸代謝産物の生成を抑える．
(1) 血糖値，血液ガス，血中アンモニア値をモニターしながら行う．
(2) 血糖が維持できない場合には，GIR 7〜10 mg/kg/min を目安に中心静脈カテーテルを留置して輸液する．
(3) 高血糖を認めた場合は，インスリンを 0.01〜0.05 単位/kg/hr で開始することを考慮する．インスリンは細胞内へのブドウ糖の移行を促すことにより，代謝を改善させる働きがあるとされている．

1) 経鼻栄養の併用 B

経口摂取が乏しい時や，すでに意識障害をきたしているにもかかわらず即座にルート確保できない場合には，ブドウ糖やMCTミルク/オイルを経鼻から投与してもよい．ただし点滴加療を回避する目的では使用は推奨されない．

❷代謝性アシドーシスに対する適切な輸液・薬物療法 B

ほかの有機酸代謝異常などに比べ，一般に脂肪酸代謝異常症では代謝性アシドーシスは重篤ではないが，必要に応じて対応する．

❸高アンモニア血症 B

アルギニン＊＊，安息香酸Na＊＊＊，フェニル酪酸Na＊＊などの投与を行うこともある．脂肪酸代謝異常症では輸液のみで改善が得られる場合もある．

❹体温管理 B

NSAIDs（メフェナム酸，ジクロフェナクなど）はβ酸化酵素の活性低下を引き起こす可能性があり使用すべきでないが，アセトアミノフェンは安全に使用できる．高体温は避けたほうがよく38℃以下で管理すべきだが，脳低温療法に関してのコンセンサスはない．

3 | 急性期の評価項目

❶一般検査

血算，血液凝固系検査，一般生化学検査（電解質，AST，ALT，Cre，BUN，LDH，CK，血糖など），血液ガス分析，アンモニアに加え，乳酸，ピルビン酸，遊離脂肪酸，血中/尿中ケトン体，血清アシルカルニチン分析（ろ紙血でのアシルカルニチン分析よりはるかに優先される），尿中有機酸分析，尿中ミオグロビンを測定する（即日検査ができない場合は保存検体を−20℃に冷凍保存する）．

❷ 心機能の評価

脂肪酸代謝異常症では経過中に心筋症を発症することがあり（肥大型・拡張型ともにみられる）超音波検査による評価が必要となる．また重篤な伝導障害，不整脈が突然出現することもあり心電図でのモニタリングは必須である．しかしながら入念な管理を行っていても重篤な転帰が防げない場合がある．

❸ 腹部臓器の評価

脂肪肝・肝腫大の有無の評価を行う．

4 栄養療法および治療薬 B

十分なエビデンスとなる報告はないが，長鎖脂肪酸の摂取制限や十分量のブドウ糖補充は本疾患の病態から有用だと思われる．

脂肪酸代謝異常症に対して特異的に有効性を示した治療薬として，欧米ではトリヘプタノインの有効性が報告されているが，現在のところ国内で入手不可能である．L-カルニチンの投与は議論が分かれるが，少なくとも急性期における経静脈的投与は禁忌と考えられている．状態が安定した後は，特殊ミルクや糖質を中心とする食事を開始する．

5 横紋筋融解症に対する治療 B

代謝不全を伴わない横紋筋融解を主症状とする場合がある．CKの値は100,000 U/L以上となることも珍しくない．その場合は上記のような集中治療を要さない場合が多いが，急性腎不全予防のための治療が必要となる．他疾患でもみられる横紋筋融解症と同様に糖分を含む大量輸液，尿のアルカリ化を行う．輸液の糖濃度に関してのコンセンサスはなく，個々の症例ごとに血糖値をモニタリングしつつ輸液を行うことが望ましいと考えられる．

慢性期の管理

本疾患の治療原則は食事指導・生活指導により異化亢進のエピソードを回避すること，骨格筋，心筋への過度の負荷を避けることにある．慢性期の管理は経験豊富な専門家が行うか，もしくは専門家と併診することが望ましい．

1 食事療法

❶ MCTミルクの使用 B

表1を目安とした頻回の哺乳，食事により異化亢進を予防することが最も重要である[6)18)]．以下の食事療法・栄養管理指針は欧米で推奨されたものを基準としているが，日本では通常の食事内容でも脂肪摂取量が全摂取カロリーの30％未満となることが多く，実際には高脂肪食にならない程度に気をつけるだけ十分な症例も多い．

新生児・乳児例で，頻回の哺乳・食事摂取のみでは何らかの臨床症状・一般生化学所見の異常がみられる場合には，必須脂肪酸強化MCTフォーミュラ（明治721）を用いることも考慮する．臨床症状が比較的軽微である場合は，母乳と明治721を1：1で混ぜて使用することもある．一方，低血糖や心筋症，CK上昇などがみられた場合には生後6か月までは，母乳または普通ミルクを中止し，全量明治721での栄養とする．明治721には脂質が全カロリーの45％（そのうち全カロリーに占めるMCTの割合は37％）含まれており，厳格な脂質摂取制限が必要な重症例では明治721に低脂肪ミルク（森永ML-1）を併用する．生後半年を超えれば，全摂取カロリー中の脂質を25～30％とする．そのうちMCTは全摂取カロリーの20～25％，必須脂肪酸は3～4％程度を目標とする．重症例ではこのような食事療法が生涯にわたって必要な場合もある．

発症前型で生化学的な異常も認められない場合には，生後半年まで母乳栄養（もしくは普通ミルク）でよい[19)]．生後半年以降で乳児期以降の発症が懸念される場合には，全摂取カロリー中の脂質を30～40％までとし，そのうちMCTを全カロリーの10～15％とする．離乳後はMCTオイルの併用も可能である．5歳を越えても発症しない場合には厳格な食事療法は不要となることが多いが，そうであっても低脂質食を心がけるべきである．

また，運動後の筋発作を予防するために，運動の20分前に0.5 g/kgのMCTを追加投与すること

が有益という報告もある[20]．

❷ LCT の制限 B

何らかの症状がみられるときは，MCT の投与のみならず LCT の制限が必要になることもある．6か月未満の場合，母乳や通常のミルクは中止し，前述の明治 721 だけを使用する．生後半年以降については，1日の脂質摂取量が 25〜30％ になるように制限し，特に LCT は全カロリーの 10％ までに収まるようにする．

なお，低血糖を呈する場合には食事内容よりも食事間隔を調整することが重要である．

2 L-カルニチン（エルカルチン FF®）投与 D

本疾患に対する L-カルニチン補充の是非については結論が得られていない．VLCAD ノックアウトマウスを用いた検討では，L-カルニチン投与によって代謝能の低下が報告されている[21)22)]．ヒトにおいてもおもに心筋症や骨格筋症状を増悪する可能性が指摘されており，L-カルニチン投与後に横紋筋融解症発作を繰り返した兄弟例が報告された[23]．海外では L-カルニチン補充は推奨されていない[18]．

一方，L-カルニチン投与による抗酸化作用を強調する報告もある[24]．国内での統一した意見としては得られていないが，少なくとも過剰量の L-カルニチン投与は必要ないと考えられている．L-カルニチンを投与する際は少量から開始し，臨床症状やアシルカルニチンプロファイルをモニターする．この場合，血清遊離カルニチン値は正常下限（20 μmol/L）程度を目安とする．

3 ベザフィブラート ** C

長鎖脂肪酸代謝異常症である VLCAD 欠損症や CPT2 欠損症においてベザフィブラートの投与により症状が改善したという報告がある一方，デンマークでの RCT では効果を認めなかったとする報告があり議論が分かれている[25]．日本でのオープンラベル非ランダム化試験においては患者 QOL の改善が示されている[26]．

4 運動制限

症例によりどの程度制限が必要かは異なるが，症状，検査所見を確認しながら患者に合わせた制限を考慮する．登山やマラソンなどの長時間の激しい運動は避けるべきであるが B，骨格筋型や発症前型に対する過度な運動制限は不要なことが多い．軽度〜中等度の運動によっても症状の増悪がみられることがあり，個別の対応が必要である[1)9)10)27)]．運動前の MCT 追加投与によって運動制限が不要となる場合もある[19]．

5 sick day の対応

本疾患の場合，sick day の対応がとりわけ重要となるため独立して記載する．以下の対応は確定診断後はもちろんのこと，確定診断前であっても sick day であれば適応される．

38℃ を超える発熱や嘔吐，下痢などを認めた場合は sick day として扱い，代謝不全を予防する目的で原則入院して，モニター管理のもと厳重に管理を行う必要がある．哺乳可能であっても重篤な代謝不全を起こした症例があり，sick day 時には安易に外来診察においてブドウ糖輸液のみで帰宅・経過観察とするのではなく，入院加療を考慮する C．そのため，緊急時には 24 時間対応可能な医療施設の協力も重要となるため，平時より救急病院とも連携をとりながら診療にあたる必要がある．

❶ 患者家族への説明

脂肪酸代謝異常症は代謝不全を一度でも起こすと救命が難しい，あるいは重篤な後遺症を残す症例が多いため，活気や機嫌など身体所見で異常を認めなくてもブドウ糖輸液や入院が必要となることを，繰り返し説明することが重要である．旅行時など，かかりつけ以外を受診する場合には，担当医に詳しく病気を伝えられるよう患者・家族への教育を行う（旅先では紹介状を持参させておくほうが望ましい）．

❷ 輸液 B

全身状態が良好であっても，発熱，嘔吐，下痢時にはブドウ糖輸液を十分量行う．
例）1号輸液（糖濃度 2.6％）200 mL＋50％ ブドウ

糖 20 mL＝6.9％糖濃度輸液で初期輸液を行う．維持輸液はGIR 5〜10 mg/kg/minを目安とするが，同じブドウ糖濃度（6.9％）を水分量100 mL/kg/dayに投与するとGIR 4.8 mg/kg/minとなる．点滴開始後も，異化亢進を示唆する所見（CK上昇など）が強い場合や全身状態が悪化する場合には，急性期の管理に準じて迅速に対応する．

❸ カルニチンの補充 D

普段よりカルニチン補充を行っている症例では中止する必要はないものの，急性期に大量のカルニチン補充は控えたほうがよいとされており，L-カルニチンの静脈投与は禁忌である D．急速な長鎖アシルカルニチンの増加に伴う神経障害，心筋障害などの可能性が報告されている[28]．

❹ その他

1) MCT ミルク/オイル B

乳幼児で普通ミルクまたは母乳栄養児であっても，sick dayは全量MCTミルクとした方が安全である．卒乳している患者であれば，できるだけ低脂肪食（全エネルギー量の脂質に占める割合を30％未満とする）とMCTオイル併用を心がける．

2) 体温管理 B

本疾患では体温を38℃以下で管理することが重要である．NSAIDs（メフェナム酸，ジクロフェナクなど）はβ酸化酵素の活性低下を引き起こす可能性があり使用すべきでないが E，アセトアミノフェンは安全に使用できる C．

3) 抗菌薬 C

カルニチンを下げる作用を有するピボキシル基をもつ抗菌薬は原則使用しないよう，外来診療を行う他科の医師との間で意思統一が必要である．

4) 経鼻栄養の併用 B

経口摂取が乏しい時や，すでに意識障害をきたしているにもかかわらず即座にルート確保できない場合には，ブドウ糖やMCTミルク/オイルを経鼻から投与してもよい．ただし，長期的に経鼻栄養を行ったり，点滴加療を回避する目的では使わない．

6 その他

1) 非加熱コーンスターチの使用 C

夜間低血糖の予防を目的に非加熱コーンスターチ1〜2 g/kg/回程度を就寝前に内服を行っている症例もあるが，海外の報告では積極的に推奨はされていない[18]．離乳後食間隔が空いた場合のセーフティネットとして推奨してもよい．

内服開始時は0.25〜1.0 g/kgからとする．腹部膨満，鼓腸，下痢に注意しながら調整する．

2) トリヘプタノイン（p.194「mini lecture 7／トリヘプタノイン」参照）

奇数鎖脂肪酸から構成される中鎖アシルグリセリンである．日本では2019年6月現在は使用できない．

フォローアップ指針

急性増悪を予防するために飢餓状態の回避，長鎖脂肪酸の制限，運動負荷の制限が重要である．飢餓の予防，発熱時や感染症罹患時の対応，薬物療法に関しては，前述の「**5 sick dayの対応**」や「**慢性期の管理**」に従ってフォローしていく．感染症に伴い発症，症状の増悪を認めることが多いため，予防接種については可能な限り積極的に推奨する．以下は基本的なフォロー方針であり，症状，重症度にあわせて適宜行う．

●安定期の受診間隔
・乳幼児期：1〜2か月ごとの外来での診療
・学童期以降：年3回ほどの定期フォロー

1 フォロー項目

❶ 身長，体重，頭囲

成長曲線を評価しながら，肥満や急激な増減に注意する．

❷ 発達検査

受診ごとにマイルストーンのチェックを行う．1歳半，3歳，6歳時には新版K式またはWISC（ウィスクラー式知能検査）を用いての評価を行う．

❸ 栄養評価

1回/年，現状把握のために栄養評価，栄養指導を行う．

❹血液検査

治療開始後は定期的に血液検査でフォローする．採血のタイミングは必ずしも空腹時に行う必要はない．乳児期は1か月に1度，以降は2～3か月に1度の検査が望ましい．
- AST，ALT，CK
- 血糖，血液ガス，アンモニア
- 血清アシルカルニチン分析：ろ紙血よりも血清のほうが軽微な変化が捉えやすい．一方で食事のタイミングなどの影響を受けやすいため，食後3～4時間後での採血が望ましい．必ずしも空腹時でなくともよい．
- 遊離脂肪酸，ケトン体，アミノ酸分析は適宜検査を行う．

❺画像検査

1) 心臓超音波検査，心電図

脂肪酸代謝異常症では，肥大型心筋症，拡張型心筋症ともに報告があるため定期的な心臓超音波検査を行う．無症状であっても最低1回/年，異常所見がある場合は症例に応じて適宜追加．心室性頻拍（心室細動，心室粗動）をはじめとする不整脈の報告があるため，心電図も定期的に行う．無症状であっても最低1回/年，異常所見がある場合は症例に応じて適宜追加する．

2) 腹部超音波検査

脂肪肝や肝腫大がみられることがあるため，肝機能異常がみられる場合は適宜行う．

3) 筋肉 MRI

T1強調像やSTIR（short inversion time inversion recovery）での異常高信号がみられる場合がある．
脂肪酸代謝異常症でも疾患によって異常が検出される部位が若干異なる．VLCAD欠損症では大腿筋，大臀筋といった近位筋に異常高信号を認めやすいとの報告がある[29]．

4) 頭部 MRI

小児期は1回/1～3年程度に考慮する．

❻遺伝カウンセリング

本疾患は常染色体劣性遺伝形式で遺伝する疾患で，症例によっては極めて予後不良な症例も存在する．確定診断後には，適切な時期に遺伝カウンセリングを行うことが望ましい．

成人期の課題

脂肪酸代謝異常症全般について長期的な自然歴は明らかになっていない部分が多く，特に成人期，遠隔期についての病態は定見が得られていない．乳幼児期に低血糖やReye様症候群として発症した乳幼児発症型の症例が年齢とともに次第に筋型の表現型を呈することはしばしば経験される．近年では，成人期の発症例が報告されつつあるが，やはり明らかになっていない部分が多い．成人期においても運動や飢餓を契機に横紋筋融解症やミオパチー，筋痛発作などをきたすことは報告されている．また，心筋症などの心筋障害をきたすことも報告されており，生涯にわたる経過観察および治療が必要である．一方で，成人期発症に多いとされる筋型では食事指導や運動制限が不要な症例もある．治療の原則は上述の通り，MCTオイルの服用などを中心とする食事療法と，過度な運動の回避などを継続することであるが，筋痛などの症状は治療によっても改善が乏しいとされる．成人期においては飲酒，運動，妊娠，外科手術などは代謝不全を惹起する要因になりうるので，以下のような注意が必要である．なお，平成31年6月時点で，指定難病の対象疾患とはなっていない．

1 特殊ミルクの使用

成人期に特殊ミルク（明治721）が必要になることはほとんどない．低血糖などの全身症状がある場合や，筋痛発作が頻回，程度が強い場合には低脂肪食（脂質は全摂取カロリーの30％まで）に加えてMCTの強化ならびにLCT摂取の制限が必要となることがある．それでも，成人期におけるMCTの強化には一般的に特殊ミルク（明治721）ではなく，MCTオイル/パウダーが用いられることが多い．

2 飲酒

本疾患と直接的な関係ははっきりしないが，飲酒自体が脂肪酸代謝能を低下させる，という報告もある[30]．また飲酒による不適切な食事内容（欠食含む）や悪心の誘発は代謝不全発作を引き起こす可能性がある．実際に，MCAD欠損症の成人例においては飲酒後の死亡例が報告されており，飲酒は勧められない．

3 運動

上述の通り，運動負荷によって急性発症・増悪するリスクがある．ただし，いつから，どの程度厳格に管理するかは不明である．学童以降では運動会や登山，持久走といった持続的な運動後はリスクが高いと考えられている．ただし，軽症例や発症前型では運動制限を行わなくてもよい症例がある．また，成人例では，運動制限を行っていなくても患者自身が発作を予見して，自主的に休んだり，運動強度を弱めることで，筋痛発作を回避することも経験される．

4 妊娠・出産

VLCAD欠損症では妊娠中は胎盤あるいは胎児由来のβ酸化によって妊婦の症状が改善することが報告されているが，出生後には逆に横紋筋融解症発作が起きやすくなる[31]．一方，妊娠中に急性妊娠脂肪肝（AFLP）を呈した三頭酵素（TFP）欠損症の報告もあるが，上記の慢性期の管理を適切に行うことで問題なく妊娠・出産に至った報告が多い．なお，母体が脂肪酸代謝異常症であっても産科的な問題がない限り必ずしも帝王切開は必要ない，とされるが，実際には妊娠経過中の管理が不十分な場合には帝王切開が選択されることもある．

5 外科手術

手術そのものが代謝不全発作を誘発させるかどうかは一定の見解がないものの，術前術後（や鎮静）の絶食時間が長ければ発作を誘発する可能性があるため，術前〜術後は十分なブドウ糖輸液が必要である．また，揮発性の麻酔薬やプロポフォールは脂肪酸代謝を抑制し，内因性長鎖脂肪酸が増加する可能性があるため避けるべきと考えられていたが，近年では周術期に十分なブドウ糖輸液を行ったうえで，持続的な血糖とCKのモニタリングを行っていれば，特に禁忌とすべき麻酔薬はないとされる[32)33]．

6 医療費の問題

本疾患は難病指定されておらず医療費の助成はない．L-カルニチンが症例によっては必要になる．他にも，MCTオイルの購入や，筋症状の程度によっては就労にも影響が出ることがあり，成人期における医療費の問題は小さくない．

文献

1) Spiekerkoetter U, et al. Management and outcome in 75 individuals with long-chain fatty acid oxidation defects：results from a workshop. J Inherit Metab Dis 2009；32：488-497.
2) Spiekerkoetter U. Mitochondrial fatty acid oxidation disorders：clinical presentation of long-chain fatty acid oxidation defects before and after newborn screening. J Inherit Metab Dis 2010；33：527-532.
3) Sahai I, et al. A near-miss：very long chain acyl-CoA dehydrogenase deficiency with normal primary markers in the initial well-timed newborn screening specimen. J Pediatr 2011；158：172；author reply 172-173.
4) Ficicioglu C, et al. Very long-chain acyl-CoA dehydrogenase deficiency in a patient with normal newborn screening by tandem mass spectrometry. Journal of Pediatrics 2010；156：492-494.
5) Yamaguchi S, et al. 日本におけるMS/MS新生児マススクリーニングの拡大と中鎖acyl-CoA脱水素酵素（MCAD）欠損症（Expanded newborn mass screening with MS/MS and medium-chain acyl-CoA dehydrogenase（MCAD）deficiency in Japan）．日本マススクリーニング学会誌 2013；23：270-276.
6) Evans M, et al. VLCAD deficiency：Follow-up and outcome of patients diagnosed through newborn screening in Victoria. Mol Genet Metab 2016；118：282-287.
7) Baruteau J, et al. Clinical and biological features at diagnosis in mitochondrial fatty acid beta-oxidation defects：a French pediatric study of 187 patients. J Inherit Metab Dis 2012.
8) Kobayashi H, et al. A retrospective ESI-MS/MS analysis of newborn blood spots from 18 symptomatic patients

with organic acid and fatty acid oxidation disorders diagnosed either in infancy or in childhood. J Inherit Metab Dis 2007；30：606.

9) Takusa Y, et al. Identification and characterization of temperature-sensitive mild mutations in three Japanese patients with nonsevere forms of very-long-chain acyl-CoA dehydrogenase deficiency. Mol Genet Metab 2002；75：227-234.

10) Fukao T, et al. Myopathic form of very-long chain acyl-coa dehydrogenase deficiency：evidence for temperature-sensitive mild mutations in both mutant alleles in a Japanese girl. Pediatr Res 2001；49：227-231.

11) Spiekerkoetter U, et al. Tandem mass spectrometry screening for very long-chain acyl-CoA dehydrogenase deficiency：the value of second-tier enzyme testing. J Pediatr 2010；157：668-673.

12) Fingerhut R, et al. Stability of acylcarnitines and free carnitine in dried blood samples：implications for retrospective diagnosis of inborn errors of metabolism and neonatal screening for carnitine transporter deficiency. Anal Chem 2009；81：3571-3575.

13) 虫本雄一，ほか．経過中血液ろ紙分析でカットオフ値を下回った極長鎖アシル-CoA 脱水素酵素欠損症の 2 例　血清分析の必要性．日本マス・スクリーニング学会誌 2009；19：255-259.

14) McGoey RR, Marble M. Positive newborn screen in a normal infant of a mother with asymptomatic very-long-chain Acyl-CoA dehydrogenase deficiency. J Pediatr 2011；158：1031-1032.

15) Tajima G, et al. Development of a new enzymatic diagnosis method for very-long-chain Acyl-CoA dehydrogenase deficiency by detecting 2-hexadecenoyl-CoA production and its application in tandem mass spectrometry-based selective screening and newborn screening in Japan. Pediatr Res 2008；64：667-672.

16) Endo M, et al. In vitro probe acylcarnitine profiling assay using cultured fibroblasts and electrospray ionization tandem mass spectrometry predicts severity of patients with glutaric aciduria type 2. J Chromatogr B Analyt Technol Biomed Life Sci 2010；878：1673-1676.

17) Li H, et al. Effect of heat stress and bezafibrate on mitochondrial beta-oxidation：Comparison between cultured cells from normal and mitochondrial fatty acid oxidation disorder children using in vitro probe acylcarnitine profiling assay. Brain Dev 2010；32：362-370.

18) Spiekerkoetter U, et al. Treatment recommendations in long-chain fatty acid oxidation defects：consensus from a workshop. J Inherit Metab Dis 2009；32：498-505.

19) Spiekerkoetter U, et al. Current issues regarding treatment of mitochondrial fatty acid oxidation disorders. J Inherit Metab Dis 2010；33：555-561.

20) Behrend AM, et al. Substrate oxidation and cardiac performance during exercise in disorders of long chain fatty acid oxidation, Mol Genet Metab 2012；105：110-105.

21) Liebig M, et al. Carnitine supplementation induces long-chain acylcarnitine production--studies in the VLCAD-deficient mouse. J Inherit Metab Dis 2006；29：343-344.

22) Primassin S, et al. Carnitine supplementation induces acylcarnitine production in tissues of very-long-chain acyl-CoA dehydrogenase-deficient mice, without replenishing low free carnitine. Pediatr Res 2008；63：632-637.

23) 渡邊健二，ほか．L-カルニチン投与後に横紋筋融解症を発症した極長鎖アシル CoA 脱水素酵素（VLCAD）欠損症の兄弟例．特殊ミルク情報 2014；50：28-32.

24) Ribas GS, et al. l-carnitine supplementation as a potential antioxidant therapy for inherited neurometabolic disorders. Gene 2014；533：469-476.

25) Houten SM, et al. The Biochemistry and Physiology of Mitochondrial Fatty Acid beta-Oxidation and Its Genetic Disorders, Annu Rev Physiol 2016；78：23-44.

26) Yamada K, et al. Open-label clinical trial of bezafibrate treatment in patients with fatty acid oxidation disorders in Japan, MGM rep 2018；15：55-63.

27) Yamaguchi S, et al. Identification of very-long-chain acyl-CoA dehydrogenase deficiency in three patients previously diagnosed with long-chain acyl-CoA dehydrogenase deficiency. Pediatr Res 1993；34：111-113.

28) Spiekerkoetter U, et al. Peripheral neuropathy, episodic myoglobinuria, and respiratory failure in deficiency of the mitochondrial trifunctional protein. Muscle Nerve 2004；29：66-72.

29) Diekman EF, et al. Muscle MRI in patients with long-chain fatty acid oxidation disorders. J Inherit Metab Dis 2014；37：405-413.

30) Donohue TM Jr. Alcohol-induced steatosis in liver cells, World J Gastroenterol 2007；13：4974-4978.

31) Mendez-Figueroa H, et al. Clinical and biochemical improvement of very long-chain acyl-CoA dehydrogenase deficiency in pregnancy, J Perinatol 2010；30：558-562.

32) Welsink-Karssies MM, et al. Very Long-Chain Acyl-Coenzyme A Dehydrogenase Deficiency and Perioperative Management in Adult Patients, JIMD Rep 2017；34：49-54.

33) Allen C, et al. A etrospective review of anesthesia and perioperative care in children with medium-chain acyl-CoA dehydrogenase deficiency, Paediatr Anaesth 2017；27：60-65.

22 三頭酵素（TFP）欠損症

疾患概要

1 病態

　三頭酵素（Trifunctional protein：TFP）欠損症は，脂肪酸代謝異常症の一つであり，長鎖脂肪酸のβ酸化が障害される．脂肪酸代謝異常症はミトコンドリアでの脂肪酸β酸化が障害されることでエネルギー産生不全をきたす疾患群であり，エネルギー需要の多い脳，心臓，肝臓，骨格筋などが障害されやすい．発熱や運動などのエネルギー需要が増大した時や，下痢・嘔吐・飢餓などのエネルギー摂取が低下した際に，重篤な低血糖，横紋筋融解症，突然死などをきたす．TFP欠損症では，新生児期〜乳幼児期の死亡例もみられ，脂肪酸代謝異常症の中でも重症と考えられる．より慎重な対応が必要となるが，治療の基本は飢餓を避け，エネルギーが欠乏しないように対応すること

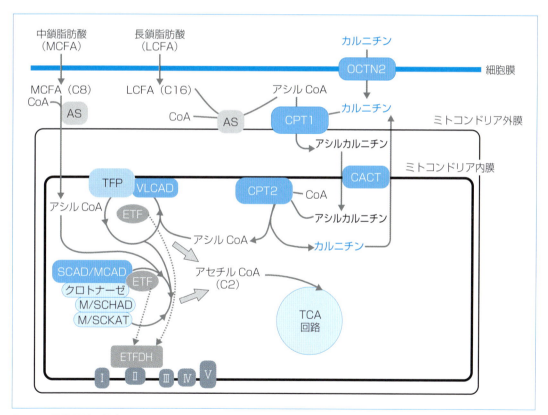

図1 ● β酸化経路の概念図

OCTN2；カルニチントランスポーター，CPT1；カルニチンパルミトイルトランスフェラーゼⅠ，CPT2；カルニチンパルミトイルトランスフェラーゼⅡ，CACT；カルニチンアシルカルニチントランスロカーゼ，TFP；ミトコンドリア三頭酵素，VLCAD；極長鎖アシルCoA脱水素酵素，MCAD；中鎖アシルCoA脱水素酵素，ETF；電子伝達フラビンタンパク，ETFDH；電子伝達フラビンタンパク脱水素酵素，SCAD；短鎖アシルCoA脱水素酵素，SCHAD；短鎖3-ヒドロキシアシル-CoA脱水素酵素，M/SCHAD；中鎖/短鎖3-ヒドロキシアシル-CoA脱水素酵素，M/SCKAT；中鎖/短鎖3-ケトアシル-CoAチオラーゼ，AS；アシルCoA合成酵素．

である．常染色体劣性遺伝性疾患である．

2 代謝経路

TFPはミトコンドリア内膜に存在し，極長鎖アシル-CoA脱水素酵素（very long-chain acyl-CoA dehydrogenase：VLCAD）とともに，長鎖脂肪酸のβ酸化を担う（図1）．長鎖脂肪酸β酸化回路の第2の酵素 enoyl-CoA hydratase（LCEH），第3の酵素 3-hydroxyacyl-CoA dehydrogenase（LCHAD），第4の酵素 3-ketoacyl-CoA thiolase（LCKAT）の3つの機能をもったタンパクであるためTFPとよばれる．TFP欠損症では，これら3つの酵素活性がすべて欠損している．一方，欧米からの報告が多いIsolated LCHAD欠損症ではLCHAD活性が特異的に欠損し，他の2酵素の活性はある程度保たれる．

TFPはαサブユニットとβサブユニットがそれぞれ4つずつ組み合わさった8量体からなる．αサブユニットにLCEHとLCHAD活性があり，βサブユニットにLCKAT活性がある．αβサブユニットをそれぞれコードする*HADHA*遺伝子と*HADHB*遺伝子は染色体2p23.3にhead to headで近接して存在している．

3 疫学

わが国のタンデムマススクリーニングのパイロット研究（1997〜2012年：約196万人）での診断例はなかった．2013年以降，新生児マススクリーニング（NBS）により2例が発見され，そのうち1例が乳幼児期に死亡したと報告されている．また，わが国ではこれまでに，10数例の発症後診断例の報告があり，新生児期発症型が最も多く約半数を占める[1)2)]．

欧米においては，Isolated LCHAD欠損症も多いが，わが国の症例ではこのタイプの報告はなく，これまで診断された症例はすべてTFP欠損症である．両者は臨床的には軽微な差があるものの生化学的には区別できないこともあり，本ガイドラインでは両者を区別しない．

診断の基準

1 臨床病型

❶ 発症前型

新生児マススクリーニングや，家族内に発症者または保因者がいて家族検索で発見される無症状の症例が含まれる．以下のどの病型かに分類されるまでの暫定的な分類とする．

❷ 新生児期発症型

新生児期にけいれん，意識障害，呼吸障害，心不全などで急性発症し，著しい低血糖や高アンモニア血症，肝逸脱酵素の上昇，高CK血症，心筋症などをきたす．新生児期・乳児期早期の致死率が高い重症型である．わが国でも，生後数日〜数か月で死亡した症例が報告されている．

❸ 乳幼児期発症型

乳幼児期発症型は，感染や飢餓を契機に意識障害，けいれん，筋緊張低下，呼吸障害などを呈し，低ケトン性低血糖症，高アンモニア血症，高乳酸血症，肝機能障害，高CK血症などを伴う，いわゆるReye様症候群として発症する．診断後も感染などに伴って横紋筋融解発作を繰り返すことが多い．低血糖発作の後遺症として発達障害をきたすことも多い．

❹ 遅発型

筋症状が主体であり，ミオパチー型ともいわれる．幼児期から思春期，成人期に，間欠的な横紋筋融解症，筋痛，筋力低下で発症することが多い．運動だけでなく，立ち作業や飢餓，精神的ストレスでも筋症状が誘発される．ミオグロビン尿，高CK血症を認める．本疾患では長期経過のなかで末梢神経障害（80％）をきたす[3)]．末梢神経障害が前景に立ちシャルコー・マリー・トゥース病（Charcot-Marie-Tooth病）と類似した症状を呈した報告や，神経障害および筋症状のために歩行不能となった症例もみられる[4)]．また，網膜障害（5〜13％）や副甲状腺機能低下症の合併も報告さ

れている[1)3)]．これらは新生児マススクリーニング，早期治療においても防げない可能性がある[3)]．

2 主要症状および臨床所見

各病型で高頻度に認められる所見は以下の症状があげられる．

❶ 意識障害，けいれん

新生児期発症型，乳幼児期発症型でみられる．急激な発症形態から急性脳症，Reye様症候群と診断される場合も多い．

❷ 骨格筋症状

おもに遅発型でみられる．横紋筋融解症や筋力低下，筋痛，易疲労性，運動不耐性を呈する．感染や飢餓，運動，飲酒などを契機に発症することが多く，症状が反復することも特徴である．

❸ 心筋症状

新生児期発症型，乳幼児期発症型，遅発型にもみられる[5)]．新生児期発症型では，重度の肥大型心筋症とそれに伴う心不全，致死的な不整脈などがみられる．

❹ 呼吸器症状

新生児期発症型を中心として多呼吸，無呼吸，努力呼吸などの多彩な表現型を呈する．

❺ 消化器症状

特に乳幼児期発症型において，嘔吐を主訴に発症することがある．

❻ 肝腫大

新生児期発症型，乳幼児期発症型で多くみられる．病勢の増悪時には著しい腫大を認めることもあるが，間欠期には明らかでないことも多い．

❼ その他

胎児が本疾患であるとき，ヘテロ保因者である母親が急性妊娠脂肪肝（acute fatty liver of pregnancy：AFLP）やHELLP（hemolytic anemia, elevated liver enzymes, and low platelet）症候群をきたすことがある．これは脂肪酸代謝異常症の中でも，本疾患に特徴的な病態である[6)]．

3 参考となる検査所見

❶ 非～低ケトン性低血糖

低血糖の際に血中や尿中ケトン体が低値となる．ただし，低ケトン性とはケトン体値が正常や軽度上昇という意味ではなく，低血糖，全身状態の程度から予想される範囲を下回るという意味である．つまり，強い低血糖の際に尿ケトン体定性で±～1+程度，血中ケトン体が1,000 μmol/L程度であれば，低ケトン性低血糖と考える．血中ケトン体分画と同時に血中遊離脂肪酸を測定し，遊離脂肪酸/総ケトン体モル比＞2.5，遊離脂肪酸/3-ヒドロキシ酪酸モル比＞3.0であれば脂肪酸β酸化異常が疑われる（p.193「**mini lecture 4／非（低）ケトン性低血糖，非（低）ケトン性ジカルボン酸尿症**」参照）．なお，血中遊離脂肪酸値はブドウ糖投与後には速やかに下がるため，治療前の検体で検査する必要がある．

❷ 肝逸脱酵素上昇

種々の程度で肝逸脱酵素の上昇を認める．非発作時には正常な場合もある．脂肪肝を合併していることが多く，画像診断も参考になる．

❸ 高CK血症

急性期には著明高値（＞10,000 U/L）になることがある．

❹ 高アンモニア血症

急性発作時に高値となることがある．輸液のみで改善することが多い．

❺ 筋生検

診断に必須ではないが，筋生検の組織学的所見（脂肪滴沈着）から脂肪酸代謝異常症が疑われることがある．

4 診断の根拠となる特殊検査

本疾患を疑った場合，ろ紙血アシルカルニチン分析の再検査を繰り返すのではなく，診断の根拠となる特殊検査を迅速に行う必要がある．特に本症のような長鎖脂肪酸代謝異常症の検査においては，ろ紙血アシルカルニチン分析では異常な生化学所見を検出できないことが多い．まず血清アシルカルニチン分析を優先して行い，本疾患が疑われた場合は遺伝子解析にて確定診断を行う（図2参照）．

❶ 血清アシルカルニチン分析＊＊

長鎖アシルカルニチン，C16，C16：1，C18，

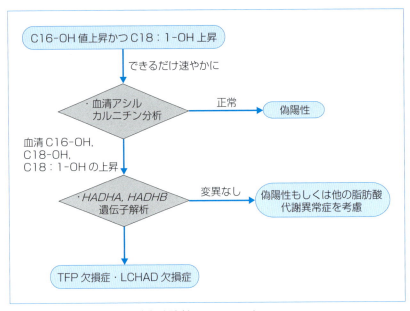

図2 ● TFP欠損症，LCHAD欠損症診断フローチャート

C18：1とそのヒドロキシ体C16-OH，C18：1-OH等の上昇が特徴である．新生児マススクリーニングでの診断指標は，ろ紙血においてC16-OHの上昇かつC18：1-OH上昇である．長鎖脂肪酸代謝異常症では，血清での検査のほうがろ紙血での検査より感度が高いため，血清での精密検査を行うべきである．NBSで本疾患が疑われた場合でも，ろ紙血での再検査では見逃し例が発生する可能性があるため推奨されない．遅発型の一部症例では，安定期には血清アシルカルニチン分析所見でもアシルカルニチンプロフィールの異常所見が乏しい場合もあるため注意が必要である．

❷遺伝子解析＊

本疾患の責任遺伝子である*HADHA*，*HADHB*遺伝子の解析を行う．わが国でこれまで診断された症例では，*HADHA*遺伝子変異，*HADHB*遺伝子変異ともに報告されている．どちらの遺伝子の変異であっても臨床症状に明らかな違いはみられない[7]．白人のLCHAD欠損症では*HADHA*遺伝子のc.1528G＞Cが高頻度変異として知られているが，わが国ではTFP欠損症の症例数自体が少ないため，高頻度変異の有無や表現型との相関は明らかではない．

現在，国立研究開発法人日本医療研究開発機構難治性疾患委託事業「新生児タンデムマススクリーニング対象疾患の診療ガイドライン改定，診療の質を高めるための研究（深尾班）」として，NBS対象先天代謝異常症については，遺伝子パネルを用いて遺伝子変異を同定してフォローするという事業を行なっている．実施状況についてホームページで確認可能である（http://www.jsiem.com/）．本疾患の遺伝子解析は保険適用となっている．

❸酵素学的診断＊＊＊

培養皮膚線維芽細胞などを用いたLCHAD活性，チオラーゼ活性測定がなされる．確定診断には補助的な役割と位置付けられる．なお，平成30年3月現在で，国内では酵素活性を測定している施設はない．

❹脂肪酸代謝能検査（*in vitro* プローブアッセイ）＊＊＊

培養リンパ球や培養皮膚線維芽細胞を用いた*in vitro*プローブアッセイでは，培養上清のアシルカルニチンを分析することによって，細胞の脂肪酸代謝能を評価できる．疾患特異的なアシルカルニチンプロファイルを確認できるものの，確定診断

には補助的な役割と位置付けられている．

❺イムノブロッティング＊＊＊

酵素に対する抗体を用いたイムノブロッティングでタンパクの欠損や明らかなタンパク量の減少により診断する．確定診断には補助的な役割と位置付けられる．

❻尿中有機酸分析＊＊

低血糖発作時には非もしくは低ケトン性ジカルボン酸尿（特に3-ヒドロキシジカルボン酸を含む）を示す（p.193参照）．間欠期などは所見がない場合が多いと思われる．本疾患における特異的な所見は乏しく，重要度は高くない．

5 鑑別診断

極長鎖アシルCoA脱水素酵素欠損症，グルタル酸血症2型，カルニチンパルミトイルトランスフェラーゼⅡ欠損症，カルニチンアシルカルニチントランスロカーゼ欠損症などのほかの長鎖脂肪酸代謝異常症や，ミトコンドリア異常症など．

6 診断基準

❶疑診

「2｜主要症状および臨床所見」の❶〜❼のうち少なくとも一つ以上，または急性期に低血糖やCK上昇，肝逸脱酵素上昇といった検査所見を認め，「4｜診断の根拠となる特殊検査」のうち❶血清アシルカルニチン分析で疾患特異的なプロファイルを認めるとき，疑診とする．新生児マススクリーニングなどによる発症前型に関しては，血清アシルカルニチン分析で疾患特異的なプロファイルを認めるとき，疑診とする．

❷確定診断

上記に加え，「4｜診断の根拠となる特殊検査」のうち❷〜❺の少なくとも一つを認めるとき，確定診断とする．実際には❷遺伝子解析（保険適用）により確定診断を行うことが多く，❸から❺は遺伝子解析で診断がむずかしい場合，もしくは補助的検査として用いられることが多い．

新生児マススクリーニングで疑われた場合

1 確定診断

できるだけ速やかに血清アシルカルニチン分析を測定経験のある施設へ依頼する．ろ紙血での分析では見逃し例が発生する可能性があるため，ろ紙血の再検は行わず，速やかに血清アシルカルニチン分析を行うべきである．血糖，血液ガス，アンモニア，AST，ALT，LDH，CK，（遊離脂肪酸，ケトン体分画）の検査を行う．心臓超音波検査にて心筋症，腹部超音波検査にて肝腫大や脂肪肝がないかの確認を行う．

血清でのアシルカルニチン分析が陰性であれば，一般的にはマススクリーニング結果が偽陽性と考えて対処する．

アシルカルニチン分析精査結果が陽性であれば，診断確定のための検査として遺伝子解析が推奨される．酵素活性測定，皮膚生検（線維芽細胞による in vitro プローブアッセイによる確定診断のため）は補助的な検査と位置づけられる．

NBS陽性例の対応は，可能な限り経験のある専門家が行うべきである．タンデムマス・スクリーニング普及協会のコンサルテーションセンター（http://tandem-ms.or.jp/consultation-center）を介して，先天代謝異常症の専門家の意見を聞くことが可能である．

2 診断確定までの対応

3時間ごとの授乳を厳守し，体重増加傾向が保てていることを確認する．

新生児期〜乳幼児期に死亡した症例が報告されているため，NBSの結果から本疾患が強く疑われる場合には，アシルカルニチン分析の精査結果が判明するまで入院のうえ管理するのが望ましい C．また可能であればMCTミルクへ変更することが望ましい．発熱，哺乳不良，嘔吐，下痢などを認めた場合は，罹患児に準じて「**慢性期の管理**」の「6｜sick dayの対応」を行う．

急性期の治療方針

急性期の治療方針は「1．代謝救急診療ガイドライン（p.2）」も参照．

脂肪酸酸化異常症の診療で最も重要なことは，代謝不全の予防である．「**慢性期の管理**」の「**6｜sick day の対応**」「❶**患者家族への説明**」にもある通り，脂肪酸酸化異常症の急性発作・代謝不全は重篤な転帰に至ることが多い．日常の診療時から十分な説明が必要である．急性発作・代謝不全の際には集中治療を要する．

1 急性発作時の救命処置

(1) 呼吸不全に対する人工呼吸管理．
(2) 低血圧性ショック，心原性ショックに対する適切な輸液・薬物療法．

2 代謝異常に対する対処

❶ ブドウ糖含む補液 B

まず低血糖を補正する（血糖 100 mg/dL を目標に）．異化状態をさけて同化の方向に向ける．細胞内に十分なブドウ糖を補充し，脂肪酸の分解を抑制することにより，有害な脂肪酸代謝産物の生成を抑える．

(1) 血糖値，血液ガス，血中アンモニア値をモニターしながら行う．
(2) GIR が 7〜10 mg/kg/min を目安に中心静脈カテーテルを留置して輸液する．
(3) 高血糖を認めた場合は，インスリンを 0.01〜0.05 単位/kg/hr で開始することを考慮する．インスリンは細胞内へのブドウ糖の移行を促すことにより，代謝を改善させる働きがあるとされる．

経口摂取が乏しい場合や即時にルート確保できない場合は，ブドウ糖や MCT ミルク/オイルを投与してもよい B．ただし長期の使用や点滴加療を回避する目的では使用は推奨されない．

❷ 代謝性アシドーシスに対する適切な輸液・薬物療法 B

他の有機酸代謝異常などに比べ，一般に脂肪酸酸化異常症では代謝性アシドーシスは重篤ではないが，必要に応じて対応する．

❸ 高アンモニア血症に対する治療 B

脂肪酸酸化異常症では輸液のみで改善が得られる場合も少なくない．アンモニア値によっては，アルギニン＊＊，安息香酸 Na＊＊＊，フェニル酪酸 Na＊＊＊などの投与を行うこともある．

❹ 体温管理 B

NSAIDs（メフェナム酸，ジクロフェナクなど）はβ酸化酵素の活性低下を引き起こす可能性があり使用すべきでないが，アセトアミノフェンは安全に使用できる．高体温は避けたほうがよいが，脳低温療法に関してのコンセンサスはない．

3 急性期の評価項目

❶ 一般検査

血算，血液凝固系検査，一般生化学検査（電解質，AST，ALT，Cre，BUN，LDH，CK，血糖など），血液ガス分析，アンモニアに加え，乳酸，ピルビン酸，遊離脂肪酸，血中/尿中ケトン体，血清アシルカルニチン分析（ろ紙血でのアシルカルニチン分析よりはるかに優先される），尿中有機酸分析，尿中ミオグロビンを測定する．（即日検査ができない場合は検体を冷凍保存する）

❷ 心機能の評価

脂肪酸酸化異常症では経過中に心筋症を発症することがあり（肥大型・拡張型ともに報告がある）超音波検査による評価が必要となる．また重篤な伝導障害，不整脈が突然出現することもあり心電図でのモニタリングは必須であるが，入念な管理を行っていても重篤な転帰が防げない場合もある．

❸ 腹部臓器の評価

脂肪肝・肝腫大の有無および程度の評価を行う．

4 栄養療法および治療薬 B

長鎖脂肪酸トリグリセリド（LCT）の摂取制限や十分量のブドウ糖補充は本疾患の病態から有用だと思われる．

脂肪酸酸化異常症に対して有効性を示した治療薬は，欧米ではトリヘプタノインの有効性が報告

されているが，2019年6月現在国内で入手不可能である．L-カルニチンの投与は議論が分かれるが，少なくとも急性期における経静脈的投与は禁忌と考えられている．状態が安定した後は，特殊ミルクや糖質を中心とする食事を開始する．

5 横紋筋融解症に対する治療 Ⓑ

代謝不全を伴わない横紋筋融解を主症状とする場合がある．CKの値は100,000 U/L以上となることも珍しくない．その場合であっても上記のような集中治療を要さない場合が多いが，急性腎不全予防のための治療は必要となる．糖分を含む大量輸液，尿のアルカリ化を行う．輸液の糖濃度に関してのコンセンサスはなく，個々の症例ごとに血糖値をモニタリングしつつ輸液を行うことが望ましい．

慢性期の管理

本疾患の治療原則は食事指導・生活指導により異化亢進のエピソードを回避すること，骨格筋，心筋への過度の負荷を避けることにある．慢性期の管理は経験豊富な専門家が行うか，もしくは専門家と併診することが望ましい．

1 食事生活指導 食事間隔の指導 Ⓑ

飢餓時間を長くしないことが治療法の基本である．食事間隔の目安を表1に示す．

2 MCTミルク，オイルの使用 Ⓑ

表1を目安とした頻回の哺乳，食事により異化亢進を予防することが最も重要である[8]．以下の食事療法・栄養管理指針は欧米で推奨されたものを基準としているが[8)9)]，日本では通常の食事内容でも脂肪摂取量が全摂取カロリーの30%未満となることが多く，実際には高脂肪食にならない程度に気をつけるだけで十分な症例も多い．

全年齢を通じてLCTの摂取は最小限にする（全摂取カロリーの10%まで）．新生児は普通ミルクや母乳を中止し，中鎖脂肪酸（MCT）が高くLCTの低いミルクに変更する．必須脂肪酸の添加が必要であるが，わが国では必須脂肪酸強化MCTフォーミュラ（明治721）が必須脂肪酸をほぼ満たしているため明治721での栄養が推奨される．重症例では，低脂肪ミルク（森永ML-1）を併用しさらに厳格な脂肪制限を必要とする場合もある．全摂取カロリーのうち脂質は25～30%とし，MCTが20～25%，必須脂肪酸が3～4%程度を目標とする[8]．離乳食開始後は，MCTオイルが利用できる．実際には，離乳食開始後はLCTの厳格な制限はむずかしくMCTとLCTが1：1程度になることが多い．

3 L-カルニチン投与 Ⓓ

本疾患におけるL-カルニチン投与の是非については議論が残る．長鎖脂肪酸酸化異常症への長期投与が有効というエビデンスはない．重篤な発作時における投与は避けるべきといわれている[8]．一般的には遊離カルニチンが低下していれば，補充も考慮し，遊離カルニチンが20 μmol/L以下にならないようにモニターする．

急性期のL-カルニチン静注は禁忌である．急速な長鎖アシルカルニチンの増加に伴う神経障害，心筋障害などの可能性が報告されている．

4 ベザフィブラート＊＊ Ⓒ

長鎖脂肪酸代謝異常症であるVLCAD欠損症やCPT2欠損症においてベザフィブラートの投与により症状が改善したという報告がある一方，デン

表1 脂肪酸酸化異常症における食事間隔の目安 Ⓑ

	日中	睡眠時
新生児期	3時間	
6か月まで	4時間	4時間
1歳まで	4時間	6時間
4歳未満	4時間	8～10時間
4歳以上7歳未満	4時間	10時間

安定期の目安であり，臨床経過や患者の状況により変更が必要な場合もある．

マークでの RCT では効果を認めなかったとする報告があり議論が分かれている[10]．日本でのオープンラベル非ランダム化試験においては患者 QOL の改善が示されている[11]．

5 運動制限

過剰な運動は横紋筋融解を引き起こすので避けることが望ましい B．運動 20 分前に，MCT 0.5 g/kg を摂取すると運動後の代謝も改善し，通常の運動による筋痛，横紋筋融解が抑えられるという報告もある[9)12]．

6 sick day の対応

本疾患の場合，sick day の対応がとりわけ重要となるため独立して記載する．以下の対応は確定診断後，および確定診断前であっても sick day であれば適応される．

38℃を超える発熱や嘔吐，下痢などを認めた場合は sick day として扱い，代謝不全を予防する目的で原則入院し，モニター管理のもと厳重に管理を行う必要がある．外来受診時には哺乳可能で生化学的検査に異常所見を認めなくても，その後急に重篤な代謝不全（低血糖発作，突然死）を起こした症例もあるため，sick day 時には原則入院管理を行うことが強く推奨される．緊急時には 24 時間対応可能な医療施設の協力も重要となるため，平時より救急病院とも連携をとりながら診療にあたる必要がある．

❶患者家族への説明

脂肪酸代謝異常症は代謝不全を一度でも起こすと救命がむずかしい，あるいは重篤な後遺症を残す症例が多く，活気や機嫌など身体所見で異常を認めない軽微な症状であっても，ブドウ糖輸液や入院は必要となることを繰り返し説明することが極めて重要である．旅先などでかかりつけ以外を受診する場合には，軽微な症状であってもブドウ糖輸液や入院が必要となることを担当医に家族が伝えられるよう患者・家族への教育を行う（旅先などでは紹介状を持参させておくほうが望ましい）．

❷輸液 B

全身状態が良好であっても，発熱，嘔吐，下痢時にはブドウ糖輸液を十分量行う．
例）1 号輸液（ブドウ糖濃度 2.6%）200 mL＋50% ブドウ糖 20 mL＝6.9% ブドウ糖濃度輸液で初期輸液を行う．維持輸液は GIR 5～10 mg/kg/min を目安とするが，同じブドウ糖濃度（6.9%）を水分量 100 mL/kg/day で投与すると，GIR 4.8 mg/kg/min ほどとなる．点滴開始後も，異化亢進を示唆する所見（CK 上昇）が強い場合や全身状態が悪化する場合には，急性期の管理に準じて迅速に対応する．

❸L-カルニチン D

普段よりカルニチン補充を行っている症例では中止する必要はないものの，急性期に大量のカルニチン補充は控えた方がよいとされており，L-カルニチンの静脈投与は禁忌である．急速な長鎖アシルカルニチンの増加に伴う神経障害，心筋障害などの可能性が報告されている[13]．

❹その他

1) MCT ミルク/オイル B

卒乳している患者であれば，できるだけ低脂肪食（全エネルギー量の脂質に占める割合を 25～30% 未満とする）と MCT オイル併用を心がける．

2) 体温管理 B

異化亢進を抑えるためには体温管理を行い，38℃以下におさえることが重要である．NSAIDs（メフェナム酸，ジクロフェナクなど）はβ酸化酵素の活性低下を引き起こす可能性があり使用すべきでないが E，アセトアミノフェンは安全に使用できる C．

3) 抗菌薬

カルニチンを下げる作用を有するピボキシル基をもつ抗菌薬は原則使用すべきではない．他科の医師も含め診療に携わる医師間で意思統一が必要である E．

4) 経鼻経管栄養 B

経口摂取が乏しい場合や即時にルート確保できない場合は，ブドウ糖や MCT ミルク/オイルを投与してもよい．ただし長期の使用や点滴加療を回避する目的では使用は推奨されない．

7 その他

❶ 非加熱コーンスターチ C

厳密に食事間隔があかないようにすることが原則であるが，離乳後食事間隔がどうしても延びてしまう場合などに使用する場合がある．消化管からの吸収が緩除な糖質であり，常温の水で懸濁し飲用する．内服開始時は0.25〜1.0 g/kgからとする．腹部膨満，鼓腸，下痢に注意しながら調整する．

補記）1歳未満の乳児では膵アミラーゼの活性が不十分であるため非加熱のコーンスターチは乳児期以降に開始する．摂取しにくいことが多いので，しばしば各種フレーバー等を用いる．

❷ ドコサヘキサエン酸（DHA）補充 C

効果は限定的で，網膜機能の低下を防げなかったが，視力の非特異的改善がみられたという報告がある[14]．副作用はみられなかったことから欧米では推奨されている[8]．

・60 mg/day（体重20 kg以下）
・120 mg/day（体重20 kg以上）

❸ トリヘプタノイン（p.194，「mini lecture 7／トリヘプタノイン」を参照）

奇数鎖脂肪酸から構成される中鎖アシルグリセロールである．日本では2019年6月現在は使用できない．

フォローアップ指針

急性増悪を予防するために飢餓状態の回避，長鎖脂肪酸の制限，運動負荷の制限が重要である．飢餓の予防，発熱時や感染症罹患時の対応，薬物療法に関しては，前述の「**慢性期の管理**」に従ってフォローしていく．感染症に伴い発症，症状の増悪を認めることが多いため，予防接種については可能な限り積極的に推奨する．以下は基本的なフォロー方針であり，症状，重症度にあわせて適宜行う．

●安定期の受診間隔

乳幼児期：1〜2か月ごとの外来での診療
学童期以降：年3回ほどの定期フォロー

1 フォロー項目

❶ 身長，体重，頭囲

成長曲線を評価しながら，急激な増減に注意する．

❷ 発達検査

受診毎にマイルストーンのチェックを行う．1歳半，3歳，6歳時には新版K式やWISCなどを用いて評価を行う．

❸ 栄養評価

1回/年，現状把握のために栄養評価，栄養指導を行う．

❹ 血液検査

治療開始後は定期的に血液検査でフォローする．乳児期は1か月に1度，以降は2〜3か月に1度の検査が望ましい．

(1) AST，ALT，CK．
(2) 血糖，血液ガス，アンモニア．
(3) 血清アシルカルニチン分析：ろ紙血よりも血清のほうが軽微な変化が捉えやすい．一方で食事のタイミングなどの影響を受けやすいため，食後3〜4時間後での採血が望ましい．必ずしも空腹時でなくともよい．
(4) 遊離脂肪酸，ケトン体は適宜検査を行う．

❺ 画像検査

1) 心臓超音波検査，心電図

脂肪酸代謝異常症では，肥大型心筋症，拡張型心筋症ともに報告があるため定期的な心臓超音波検査を行う．無症状であっても最低1回/年，異常所見がある場合は症例に応じて適宜追加する．

心室性頻拍（心室細動，心室粗動）をはじめとする不整脈の報告があるため，心電図も定期的に行う．無症状であっても最低1回/年は実施し，異常所見がある場合は症例に応じて適宜追加する．

2) 腹部超音波

脂肪肝や肝腫大がみられることがあるため，肝逸脱酵素の上昇がみられる場合は適宜行う．

3) 筋肉MRI

T1強調像やSTIRでの異常高信号がみられる場

合がある．

脂肪酸代謝異常症でも疾患によって異常が検出される部位が若干異なる．三頭酵素欠損症では上下肢ともに異常高信号を認める報告がある．

4) 頭部 MRI

三頭酵素欠損症では副甲状腺機能低下に伴う石灰化を認めることがある．

小児期は1回/1〜3年程度に考慮する．

5) 眼科診察，網膜電図　1回/年
6) 神経伝達速度　1回/年

❻ 遺伝カウンセリング

本疾患は常染色体劣性遺伝疾患であり，確定診断後には，適切な時期に遺伝カウンセリングを行うことが望ましい．同胞のスクリーニングも必要に応じて行う．

成人期の課題

特に乳幼児期発症でその後に骨格筋症状が主となった症例や遅発型の症例の長期予後，合併症については報告が少なく，成人期の情報が乏しい．10代後半での発症例も報告されている[1]．

三頭酵素欠損症では末梢神経障害を高頻度に合併し，遠隔期には慢性的な末梢神経障害による筋力低下が問題となる．また色素性網膜症の合併もある．これらは一般に進行性であり，成人期ではよりいっそう問題になると思われる．さらに，運動もしくは感染によって引き起こされる横紋筋融解症とその合併症，心筋症の悪化，成人期での心筋症発症，患者本人の妊娠，出産の安全性なども問題となる．そのため本症は成人期になっても，注意深い対応が必要な疾患である．平成29年4月より本疾患は指定難病の対象疾患となった（指定難病317）．

成人期においては飲酒，運動，妊娠，外科手術などは代謝不全を引き起こす要因になりうる．成人期における管理上のおもな注意点について以下に記載する．

1 食事療法

MCTオイルを使用しできるだけLCT摂取を制限する食事療法を生涯継続する必要がある．

2 飲酒

本疾患と直接的な関係ははっきりしないが，飲酒自体が脂肪酸代謝能を低下させるという報告もある[15]．また飲酒による不適切な食事内容（欠食含む）や悪心の誘発は代謝不全発作を引き起こす可能性がある．MCAD欠損症の成人例においては飲酒後の死亡例が報告されている．

3 運動

前述の通り，運動負荷によって急性発症・増悪するリスクがある．学童以降では運動会や登山，持久走といった持続的な運動後はリスクが高いと考えられている．実際には，筋症状のため患者自体が運動を避けることが多い．神経症状と骨格筋症状の進行により歩行不能となり，日常生活にも支障が生じる場合が少なくない．

4 妊娠・出産

これまで報告が乏しく明らかではないが，慎重な管理が必要と考えられる．妊娠悪阻や周産期のストレスによる代謝不全を考慮し，十分な糖質の補充が重要となる．なお，母体が脂肪酸代謝異常症であっても産科的な問題がない限り必ずしも帝王切開は必要ないとされるが，実際には妊娠経過中の管理が不十分な場合には帝王切開が選択されることもありうる．

5 外科手術

手術そのものが代謝不全発作を誘発させるかどうかは一定の見解がないものの，術前術後（や鎮静）の絶食時間が長ければ発作を誘発する可能性があるため，周術期には十分なブドウ糖輸液が必要である．また，揮発性の麻酔薬やプロポフォールは，脂肪酸代謝を抑制し，内因性長鎖脂肪酸が増加する可能性があるため避けるべきと考えられ

ていたが，近年では周術期に十分なブドウ糖輸液を行ったうえで，持続的な血糖と CK のモニタリングを行っていれば，特に禁忌とすべき麻酔薬はないとされる[16)17)]．

6 医療費の問題

MCT オイルの購入，体調不良時の支持療法，定期フォローが生涯必要であり，成人期における医療費の問題は小さくない．また，安定した体調で継続的に就業するのは，罹患者にとって容易なことではないため，小児期に引き続いて十分なサポートが必要となる．

引用文献

1) Bo R, et al. Clinical and molecular investigation of 14 Japanese patients with complete TFP deficiency : a comparison with Caucasian cases. J Human Genet 2017；62：809-814.

2) Purevsuren J, et al. Clinical and molecular investigations of 5 Japanese patients with mitochondrial trifunctional protein deficiency. Mol Genet Metab 2009；98：372-377.

3) Spiekerkoetter U. Mitochondrial fatty acid oxidation disorders : clinical presentation of long-chain fatty acid oxidation defects before and after newborn screening. J Inherit Metab Dis 2010；33：527-532.

4) 山本雄貴，ほか．シャルコー・マリー・トゥース病に類似した三頭酵素欠損症の成人例．臨床神経学 2017；57：82-87.

5) den Boer ME, et al. Mitochondrial trifunctional protein deficiency : a severe fatty acid oxidation disorder with cardiac and neurologic involvement. J Pediatr 2003；142：684-689.

6) Spiekerkoetter U. Mitochondrial fatty acid oxidation disorders : clinical presentation of long-chain fatty acid oxidation defects before and after newborn screening. J Inherit Metab Dis 2010；33：527-532.

7) Spiekerkoetter U, et al. General mitochondrial trifunctional protein (TFP) deficiency as a result of either alpha- or beta-subunit mutations exhibits similar phenotypes because mutations in either subunit alter TFP complex expression and subunit turnover. Pediatr Res 2004；55：190-196.

8) Spiekerkoetter U, et al. Treatment recommendations in long-chain fatty acid oxidation defects : consensus from a workshop. J Inherit Metab Dis 2009；32：498-505.

9) Spiekerkoetter U, et al. Current issues regarding treatment of mitochondrial fatty acid oxidation disorders. J Inherit Metab Dis 2010；33：555-561.

10) Houten SM, et al. The Biochemistry and Physiology of Mitochondrial Fatty Acid beta-Oxidation and Its Genetic Disorders, Annu. Rev. Physiol 2016. 78：23-44.

11) Yamada K, et al. Open-label clinical trial of bezafibrate treatment in patients with fatty acid oxidation disorders in Japan. MGM rep 2018；15：55-63.

12) Gillingham MB, et al. Metabolic control during exercise with and without medium-chain triglycerides (MCT) in children with long-chain 3-hydroxy acyl-CoA dehydrogenase (LCHAD) or trifunctional protein (TFP) deficiency. Mol Genet Metab 2006；89：58-63.

13) Spiekerkoetter U, et al. Peripheral neuropathy, episodic myoglobinuria, and respiratory failure in deficiency of the mitochondrial trifunctional protein. Muscle Nerve 2004；29：66-72.

14) Gillingham MB, et al. Effect of optimal dietary therapy upon visual function in children with long-chain 3-hydroxyacyl CoA dehydrogenase and trifunctional protein (TFP) deficiency. Mol Genet Metab 2005；86：58-63.

15) Donohue TM Jr. Alcohol-induced steatosis in liver cells, World J Gastroenterol 2007；13：4974-4978.

16) Welsink-Karssies MM, et al. Very Long-Chain Acyl-Coenzyme A Dehydrogenase Deficiency and Perioperative Management in Adult Patients, JIMD Rep 2017；34：49-54.

17) Martin JM, et al. Use of propofol for short duration procedures in children with long chain 3-hydroxyacyl-CoA dehydrogenase (LCHAD) or trifunctional protein (TFP) deficiencies. Mol Genet Metab 2014；112：139-142

23 中鎖アシル CoA 脱水素酵素（MCAD）欠損症

疾患概要

1 病態

中鎖アシル CoA 脱水素酵素（medium-chain acyl-CoA dehydrogenase；MCAD）欠損症は，アシル CoA のなかでも中鎖（炭素数 4〜10）の直鎖脂肪酸を代謝する MCAD の欠損であり，エネルギー産生障害を疾患の主体とする．

典型例は，急性発症までは何ら特徴的所見や既往をもたない小児が，感染や飢餓を契機に急性脳症様，あるいは Reye 様症候群の症状を呈する．3〜4歳以下で発症することが多い．いったん発症すると死亡率が高く，乳幼児突然死症候群（SIDS）の一因としても知られている．しかしながら，無症状で成人に達する例も存在する．タンデムマスを用いた新生児マススクリーニング（NBS）で発見されれば，飢餓を避ける食事指導でほぼ完全に

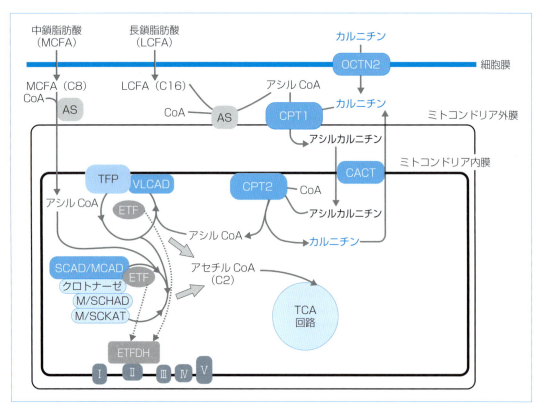

図1 ● β酸化経路の概略図
OCTN2；カルニチントランスポーター，CPT1；カルニチンパルミトイルトランスフェラーゼⅠ，CPT2；カルニチンパルミトイルトランスフェラーゼⅡ，CACT；カルニチンアシルカルニチントランスロカーゼ，TFP；ミトコンドリア三頭酵素，VLCAD；極長鎖アシル CoA 脱水素酵素，MCAD；中鎖アシル CoA 脱水素酵素，ETF；電子伝達フラビンタンパク，ETFDH；電子伝達フラビンタンパク脱水素酵素，SCAD；短鎖アシル CoA 脱水素酵素，SCHAD；短鎖 3-ヒドロキシアシル-CoA 脱水素酵素，M/SCHAD；中鎖/短鎖 3-ヒドロキシアシル-CoA 脱水素酵素，M/SCKAT；中鎖/短鎖 3-ケトアシル-CoA チオラーゼ，AS；アシル CoA 合成酵素．

発症予防が期待できる．わが国での検討[1]でも，諸外国での10年以上にわたるスクリーニングにおいても[2]，突然死を含む重大な障害を防止できることが示されている．常染色体劣性遺伝性疾患である．

2 代謝経路

細胞内に取り込まれた長鎖脂肪酸は，アシルCoAとなり，さらにカルニチンと結合してミトコンドリア内に取り込まれる．ここで脂肪酸の炭素長に応じた各脱水素酵素で順次代謝され，1ステップごとに炭素鎖が2個ずつ短くなり最終的にアセチルCoAに至り，これがTCA回路に入ってエネルギー産生に用いられる（図1）．極長鎖アシルCoA脱水素酵素（VLCAD）により代謝され炭素数10，8となった中鎖アシルCoAは，MCADにより代謝されアセチルCoAへと代謝されていく．またMCTミルクや母乳などには中鎖脂肪酸が多く含まれるが，この中鎖脂肪酸はアシルカルニチンを経由せず，中鎖アシルCoAとして直接ミトコンドリア内に入りMCADによりアセチルCoAへと代謝されていく．脂肪酸β酸化はミトコンドリアで行われるが，MCAD欠損症ではミトコンドリア機能との関連性に関する研究が進んでおり，MCADタンパク自体の損失がミトコンドリア呼吸鎖複合体の安定性・機能に影響をあたえることが報告されている[3]．

3 疫学

脂肪酸代謝異常症では，最も頻度が高いとされる．欧米白人では頻度が高い（1万人に1人）が，わが国での頻度は約11万人に1人と推定されている[4]．

診断の基準

1 臨床病型

❶発症前型
NBSや，家族内に発症者または保因者がいて家族検索で発見される無症状の症例が含まれる．以下のどの病型に分類されるまでの暫定的な分類とする．

❷新生児期発症型
新生児期にけいれん，意識障害，呼吸障害，心不全などで急性発症し，著しい低ケトン性低血糖や高アンモニア血症，肝逸脱酵素の上昇，高CK血症，不整脈などをきたす．極めてまれで，乳児期早期の致死率が高い．

❸乳幼児発症型
乳児期以降に，感染や長時間の飢餓を契機に体タンパクの異化が亢進し急性発症する．急性期の症状は急性脳症様/Reye様症候群様発作，SIDS，筋力低下などである．急性期の検査所見としては，非〜低ケトン性低血糖症，高アンモニア血症，肝逸脱酵素高値などがみられる．肝腫大（脂肪肝）を示すことが多い．また新生児期の状況を聴取すると，一過性低血糖をきたしていた例が多い．

❹遅発型
学童期以降に発症することはまれであるが，以前に考えられていたよりも，多彩な症状で発症することが明らかになってきた[5]．急性脳症様の中枢神経障害，骨格筋障害，肝障害，心筋障害などが報告されている．乳幼児期は，心筋，骨格筋の障害はみられないが，遅発型ではほかの脂肪酸代謝異常症の急性発作に共通にみられるような心筋，骨格筋の症状を呈する．

2 主要症状および臨床所見

病型で高頻度に認められる急性期の所見は以下の症状があげられる．

❶意識障害，けいれん
新生児期発症型，乳幼児期発症型でみられる．急激な発症形態から急性脳症，Reye様症候群と診断される場合も多い．

❷骨格筋症状
おもに遅発型でみられる．横紋筋融解症やミオパチー，筋痛，易疲労性を呈する．感染や飢餓，

運動，飲酒などを契機に発症することが多く，症状が反復することも特徴である．また一部には妊娠中に易疲労性などがみられる症例もある．

❸心症状
おもに遅発型にみられる．新生児期発症型で，心不全，致死的な不整脈などがみられることがある[6]．

❹呼吸器症状
新生児期発症型を中心として多呼吸，無呼吸，努力呼吸などの多彩な表現型を呈する．

❺消化器症状
特に乳幼児期発症型において，嘔吐を主訴に発症することがある．

❻肝症状
肝腫大が新生児期発症型，乳幼児期発症型で多くみられる．病勢の増悪時には著しい腫大を認めることもあるが，間欠期には明らかでないことも多い．

3 参考となる検査所見

❶非（低）ケトン性低血糖
低血糖の際に血中/尿中ケトン体が低値となる．ただし，完全に陰性化するのではなく，低血糖，全身状態の程度から予想される範囲を下回ると考える．強い低血糖の際にインスリン低値にもかかわらず，尿ケトン体定性で±〜1＋程度，血中ケトン体が1,000 μmol/L 程度であれば，低ケトン性低血糖と考える．血中ケトン体分画と同時に血中遊離脂肪酸＊を測定し，遊離脂肪酸/総ケトン体モル比＞2.5，遊離脂肪酸/3-ヒドロキシ酪酸モル比＞3.0であれば脂肪酸β酸化異常が疑われる．

❷肝逸脱酵素上昇
種々の程度で肝逸脱酵素の上昇を認めるが，脂肪肝を合併していることが多く，画像診断も参考になる．

❸高 CK 血症
おもに遅発型において，骨格筋症状に伴い高値となることがある．

❹高アンモニア血症
急性発作時に高値となることがあるが，輸液のみで改善することが多い．高アンモニア血症の程度によって，アルギニン＊＊，安息香酸Na＊＊＊，フェニル酪酸Na＊＊＊などの投与を行うこともある．

4 診断の根拠となる特殊検査

脂肪酸代謝異常症では疾患を疑った場合，ろ紙血アシルカルニチンの分析の再検査を繰り返すのではなく，診断の根拠となる特殊検査を迅速に行う必要がある（図2参照）．

❶血清アシルカルニチン分析＊＊（タンデムマス法）
ろ紙血を用いた新生児マススクリーニングにて，C8高値かつC8/C10比高値がスクリーニング指標として用いられる．ろ紙血では，罹患者であってもアシルカルニチンプロフィールが正常化する可能性があり，生化学診断には血清を用いたアシルカルニチン分析が推奨される．

❷尿中有機酸分析＊
ジカルボン酸および，ヘキサノイルグリシン，スベリルグリシンの増加がみられる．ジカルボン酸尿はほかの脂肪酸代謝異常症やその他の病態でも認められ，特異的ではない．（尿所見は間接的な所見なので❶が優先される）

❸酵素学的検査＊＊＊
末梢血リンパ球や培養皮膚線維芽細胞などを用いてC8-CoA（オクタノイルCoA）を基質に酵素活性測定が行われる．またイムノブロッティングにてMCADタンパクの欠損を証明する．

❹遺伝子解析＊
責任遺伝子は，染色体1p31.1に局在する*ACADM*である．1990年に，欧米白人のMCAD欠損症の90％を占める変異（c.985A＞G，p.K329E）が明らかにされた[7]．日本人の約半数にc.449-452delCTGAという4塩基欠失が認められており[8]，全国的にタンデムマス・スクリーニングが普及した後の但馬らの報告でもc.449-452delCTGAが最も高頻度である一方，c.985A＞Gはいまだに日本人では報告されていない[9]．2019年現在，国立研究開発法人日本医療研究開発機構（AMED）難治性疾患委託事業「新生児タンデムマススクリーニング対象疾患の診療ガイドラ

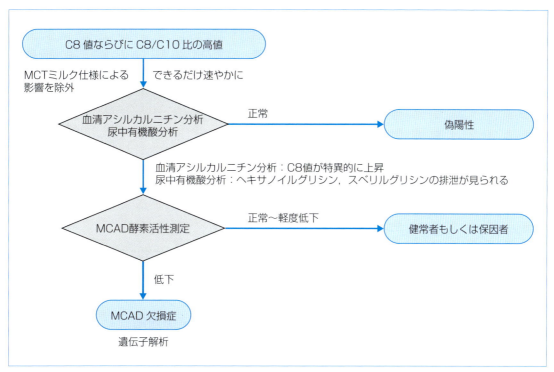

図2● 中鎖アシルCoA脱水素酵素欠損症診断フローチャート
MCAD：medium chain acyl CoA dehydrogenase（中鎖アシルCoA脱水素酵素）．
鑑別チャートはおおきな考え方の流れを示したもので，例外もある．

イン改訂，診療の質を高めるための研究（深尾班）」として，マススクリーニング対象先天代謝異常症については，遺伝子パネルを用いて遺伝子変異を同定してフォローするという事業を行っている．実施状況について以下のホームページで参照可能である（http://www.jsiem.com/）．

❺脂肪酸代謝能検査（*in vitro* プローブアッセイ）＊＊＊

In vitro プローブアッセイは，特殊な培地で培養した被験者のリンパ球や皮膚線維芽細胞培養液中のアシルカルニチン分析を行って，間接的に脂肪酸代謝能を評価する方法である．培養皮膚線維芽細胞もしくはリンパ球を用いて行う．MCAD欠損症ではC6，C8アシルカルニチンの増加がみられる．

5 鑑別診断

他の脂肪酸代謝異常症，筋型糖原病，Reye様症候群，ミトコンドリア異常症，劇症肝炎などが鑑別にあがる．

6 診断基準

❶疑診

発症前型を除き，前述の「2｜主要症状および臨床所見」のうち少なくとも一つを認め，「4｜診断の根拠となる特殊検査」のうち，❶または❷で疾患特異的なプロファイルを認めるとき，疑診とする．NBSなどによる発症前型に関しては，タンデムマス・スクリーニングの血中アシルカルニチン分析で疾患特異的なプロファイルを認めるとき，疑診とする．

❷確定診断

上記に加え，「**診断の基準**」の「**4｜診断の根拠となる特殊検査**」のうち❸〜❻の少なくとも一つで疾患特異的所見を認めるとき，確定診断とする．

新生児マススクリーニングで疑われた場合

1 確定診断

　マススクリーニング陽性で，要精密検査となれば，可能な限り早く最初の診察を行う[10]．血清アシルカルニチン分析等の確定診断につながる検査を施行し，結果からMCAD欠損症が強く疑われた場合，末梢血リンパ球や培養皮膚線維芽細胞などを用いた酵素活性測定，遺伝子解析などを行う．以上の手順で，診断基準に照らしあわせて確定診断を行う．なるべく早期に確定診断が行われることが望ましい[8]．

2 診断確定までの対応

　NBSの前にすでに発症したMCAD欠損症例の報告がある[11]．そのため，最初の受診時に，一般生化学検査，血糖，血液ガス，アンモニア，乳酸，ピルビン酸，遊離脂肪酸，血中/尿中ケトン体を測定し，他の疾患との鑑別を行うとともに，現在の状態を把握し，新生児発症例ではないことを確認する．基本的には入院管理が望ましいが，いずれの症状もみられず，一般検査においてもまったく異常が認められない場合には，夜間を含めて哺乳間隔を3時間以上は空けないことを十分に説明し，外来フォローが可能である．新生児期以降も含めた食事間隔の目安を表1に示す[12]．

表1 ● 脂肪酸代謝異常症における食事間隔の目安 B

	日中	睡眠時
新生児期	3時間	
6か月まで	4時間	4時間
1歳まで	4時間	6時間
4歳未満	4時間	8〜10時間
4歳以上7歳未満	4時間	10時間

安定期の目安であり，臨床経過や患者の状況により変更が必要な場合もある．

3 sick dayの対応

　診断が確定するまでの間に，38℃を超える発熱や嘔吐，下痢，not doing wellなどを認めた場合は，sick dayとして後述の「**慢性期の管理**」における「**6 ❙ sick dayの対応**」に準じた対応を迅速に行う．この場合，原則入院管理としたうえで細心の注意を払って管理を行う必要がある．

急性期の治療方針

　「1．代謝救急診療ガイドライン」(p.2)も参照．
　脂肪酸代謝異常症の診療で最も重要なことは，代謝不全の予防である．「**慢性期の管理**」の「**6 ❙ sick dayの対応**」「❶**患者家族への説明**」にある通り，脂肪酸代謝異常症の急性発作・代謝不全は重篤な転帰に至ることが多い．日常の診療時から十分な説明が必要である．急性発作・代謝不全の際には集中治療を要する．

1 急性発作時の救命処置 A

(1) 呼吸不全に対する人工呼吸管理．
(2) 低血圧性ショック，心原性ショックに対する適切な輸液・薬物療法．

2 代謝異常に対する対処

❶ブドウ糖輸液 B

　まず，低血糖を補正し，100 mg/dLを目安に維持する．細胞内に十分なグルコースを補充し，脂肪酸の分解を抑制することにより，有害な脂肪酸代謝産物の生成を抑える．

(1) 血糖値，血液ガス，血中アンモニア値をモニターしながら行う．
(2) 血糖の維持ができない場合は，GIR 7〜10 mg/kg/minを目安に中心静脈カテーテルを留置して輸液する．
(3) 高血糖を認めた場合は，速効型インスリンを0.01〜0.05単位/kg/hrで持続静注することを

考慮する．インスリンは細胞内へのグルコースの移行を促すことにより，代謝を改善させる働きがあるとされている．（高血糖（新生児 >280 mg/dL（15.4 mmol/L），新生児期以降 >180 mg/dL（9.9 mmol/L））

また経口摂取が乏しい時や，すでに意識障害をきたしているにもかかわらず即座にルート確保できない場合には，ブドウ糖を含んだジュースなどを鼻注から投与してもよい．ただし，長期的な鼻注栄養や，点滴加療を回避する目的では使わない．なお MCAD 欠損症に対しては MCT ミルクの使用は禁忌である．

❷代謝性アシドーシスに対する適切な輸液・薬物療法 B

他の有機酸代謝異常などに比べ，一般に脂肪酸代謝異常症では代謝性アシドーシスは重篤ではないが，必要に応じて対応する．

❸高アンモニア血症に対する治療 B

アルギニン＊＊，安息香酸 Na＊＊＊，フェニル酪酸 Na＊＊などの投与を行うこともある．脂肪酸代謝異常症では輸液のみで改善が得られる場合もある．

❹体温管理 B

異化亢進をおさえるために体温管理を行い，38℃以下に抑えるのが望ましい．NSAIDs（メフェナム酸，ジクロフェナクなど）は β 酸化酵素の活性低下を引き起こす可能性があり使用すべきでないが，アセトアミノフェンは安全に使用できる．脳低温療法に関してのコンセンサスはない．

3 急性期の評価項目

❶一般検査

血算，血液凝固系検査，一般生化学検査（電解質，AST，ALT，Cre，BUN，LDH，CK，血糖など），血液ガス分析，アンモニアに加え，乳酸，ピルビン酸，遊離脂肪酸，血中および尿中ケトン体，血清アシルカルニチン分析（ろ紙血でのアシルカルニチン分析より優先される），尿中有機酸分析，尿中ミオグロビンを測定する．

なお即日検査ができない場合は保存検体を確保する．血清アシルカルニチン分析用に血清に分離後 0.5～1 mL 程度，有機酸分析用の尿を 1～3 mL 程度，それぞれ－20℃で凍結保存する．

❷心機能の評価

脂肪酸代謝異常症では経過中に心筋症を発症することがあり（肥大型・拡張型ともに報告がある）超音波検査による評価が必要となる．また重篤な伝導障害，不整脈が突然出現することもあり心電図でのモニタリングは必須であるが，入念な管理を行っていても重篤な転帰が防げない場合もある．

❸腹部臓器の評価

脂肪肝・肝腫大の有無及び程度の評価を行う．

4 栄養療法および治療薬 B

十分なエビデンスとなる報告はないが，十分量のグルコース補充は本疾患の病態から有用だと思われる．脂肪制限は病態生理から有効であると考えられるが，他の脂肪酸代謝異常症で行われる LCT の制限は本疾患には不要である．また一般にわが国での食事内容は欧米に比べ脂肪摂取量が少なく，さらなる脂肪制限に関してコンセンサスはない．経口摂取が乏しい時や，すでに意識障害をきたしているにもかかわらず即座にルート確保できない場合には，ブドウ糖を含んだジュースなどを経鼻胃管から投与してもよい．ただし，点滴加療を回避する目的では使わない．

現在のところ，本疾患に対して特異的に有効性を示した治療薬はないが，食事生活指導で極めて良好な治療効果が報告されており，これらが重要といえる．L-カルニチンの投与は議論が分かれるが，少なくとも急性期における経静脈的投与は禁忌と考えられている．状態が安定した後は，糖質を中心とする食事を開始する．飢餓の予防，薬物療法，安定期に入ってからの飢餓の予防，薬物療法に関しては，NBS 発見例と同様である．

5 横紋筋融解症に対する治療 B

代謝不全を伴わない横紋筋融解を主症状とする場合がある．CK の値は 100,000 U/L 以上となることもまれではない．その場合は上記のような集中治療を要さない場合が多いが，急性腎不全予防のための治療が必要となる．通常時にみられる横紋

筋融解症と同様に糖分を含む大量輸液，アルカリ化を行うが輸液の糖濃度に関してのコンセンサスはなく，個々の症例ごとに血糖値をモニタリングしつつ輸液を行うことが望ましいと考えられる．

慢性期の管理

本疾患の治療原則は食事指導・生活指導により異化亢進のエピソードを回避すること，骨格筋，心筋への過度の負荷を避けることにある．慢性期の管理は専門家もしくは専門家と併診することが望ましい．

1 食事療法 B

頻回哺乳などによる上記の低血糖の防止などが主であり，食事間隔の指導で，重度の中枢神経障害や突然死を防ぐことができる．特に乳幼児においては飢餓状態を防ぐことが重要である．食事間隔の目安を下に示す[12]（表1）．これらは安定期の目安であり，臨床経過や患者の状況により変更が必要な場合もある．脂質摂取制限や特殊ミルクなどを用いた食事療法などの必要はない．なお他の脂肪酸代謝異常症でよく用いられるMCTミルクは本疾患に対しては禁忌である．

なお人工乳に比べ母乳は一般的に中鎖脂肪酸の含有率が高い．新生児マススクリーニングで発見されたMCAD欠損症の患児の検討で，完全母乳栄養の児は，そうでない児と比較して予後が悪いというアメリカからの報告がある[13]．しかし重篤な経過を辿った患児たちはc.985A＞Gという重症型とされる遺伝子変異のホモ接合体であり，わが国ではこの遺伝子変異の報告がない．よって日本では積極的に母乳は否定されるものではないと考えられる．

2 飢餓時の対応を指導 B

発熱を伴う感染症や消化器症状（嘔吐・口内炎など）の際は，糖分を十分に摂るように指導し，経口摂取ができないときには，医療機関を救急受診し，血糖値をモニターしながらグルコースを含む補液を行う

3 L-カルニチン投与

MCAD欠損症に対するカルニチン投与は不要である E．ただし，栄養状態などによってはカルニチンが低下する場合があるため，遊離カルニチン，アシルカルニチン値をモニターし，カルニチン投与によって正常下限程度まで血中遊離カルニチン値を上昇させることが推奨される．血中遊離カルニチンが20 μmol/L以下にならないようにコントロールすることが目安である B．

4 非加熱コーンスターチの使用 C

夜間低血糖の予防を目的に非加熱コーンスターチ1〜2 g/kg/回程度を就寝前に内服をおこなっている症例もあるが，海外の報告で積極的に推奨はされていない．離乳後食間隔が空いた場合のセーフティネットとして推奨してもよい．

内服開始時は0.25〜1.0 g/kgからとする．腹部膨満，鼓腸，下痢に注意しながら調整する．

5 ビタミン・カクテル C

MCAD欠損症のミトコンドリア機能への影響が報告されており[3]，ミトコンドリア病に一般的に用いられるビタミンカクテル療法は考慮してもよい．

6 sick dayの対応

本疾患の場合，sick dayの対応がとりわけ重要となるため独立して記載する．以下の対応は確定診断後はもちろんのこと，確定診断前であってもsick dayであれば適応される．

38℃を超える発熱や嘔吐，下痢などを認めた場合はsick dayとして扱い，代謝不全を予防する目的で原則入院して厳重に管理を行う必要がある．重篤な代謝不全（低血糖発作，突然死）を起こした症例の中には，哺乳可能であっても重篤な代謝

不全を起こした症例があり，sick day 時には外来でのブドウ糖輸液のみで安易に帰宅させるべきではない．そのため，緊急時には 24 時間対応可能な医療施設の協力も重要となるため，平時より救急病院とも連携をとりながら診療にあたる必要がある．

❶ 患者家族への説明

脂肪酸代謝異常症は代謝不全を一度でも起こすと救命がむずかしい，あるいは重篤な後遺症を残す症例が多い．活気不良や不機嫌など身体所見で異常を認めない軽微な症状のみであっても，ブドウ糖輸液や入院が必要となることを，繰り返し説明することが極めて重要である．旅先など，主治医を受診できない場合には，軽微な症状であってもブドウ糖輸液や入院が必要なことを，その時の担当医に家族がしっかり伝えられるように患者，家族への教育を行っていく（旅先などでは紹介状を事前に用意しておく方が望ましい）．

❷ 初期輸液 B

全身状態が良好であっても，発熱，嘔吐，下痢時には十分なブドウ糖輸液（目安：GIR 5～10 mg/kg/min）を行う．
例）1 号輸液（糖濃度 2.6％）200 mL ＋ 50％ ブドウ糖 20 mL＝6.9％ 糖濃度輸液で初期輸液を行う．維持輸液は GIR 5～10 mg/kg/min を目安とするが，同じブドウ糖濃度（6.9％）を水分量 100 mL/kg/day で投与すると，GIR 4.8 mg/kg/min ほどとなる．点滴開始後も，異化亢進を示唆する所見（CK上昇）が強い場合や全身状態が悪化する場合には，急性期の管理に準じて迅速に対応する．中心静脈確保も考慮する必要がある．

❸ 体温管理 B

異化亢進をおさえるためには体温管理を行い，38℃以下に抑えるのがのぞましい．NSAIDs（メフェナム酸，ジクロフェナクなど）はβ酸化酵素の活性低下を引き起こす可能性があり使用すべきでないが E，アセトアミノフェンは安全に使用できる C．

❹ その他

1）抗菌薬

血中カルニチン低下をきたしうるピボキシル基をもつ抗菌薬は原則使用しないよう，外来診療を行う他科の医師との間で意思統一が必要である E．

2）経鼻経管栄養 B

経口摂取が乏しい時や，すでに意識障害をきたしているにもかかわらず即座にルート確保できない場合には，ブドウ糖（医療機関到着前であればブドウ糖を含んだジュース等）を経鼻から投与してもよい．ただし，長期的な経鼻栄養や，ブドウ糖輸液を回避する目的では使用は推奨されない．

フォローアップ指針

急性増悪を予防するために飢餓状態の回避が重要である．飢餓の予防，発熱時や感染症罹患時の対応，薬物療法に関しては，NBS 発見例と同様であり，それに従ってフォローしていく．感染症が契機となり発症，症状の増悪を認めることが多いため，予防接種については可能な限り積極的に推奨する．

以下は基本的なフォロー方針であり，症状，重症度にあわせて適宜行う

● 安定期の受診間隔
・乳幼児期：1～2 か月毎の外来受診
・学童期以降：年 3，4 回程度の定期受診

1 観察項目

❶ 身長，体重，頭囲，成長曲線の作成 B
❷ 発達検査（3 歳以降）
　自閉症の有無も含める C．
　1 歳半，3 歳，6 歳時には新版 K 式や WISC などを用いての評価を行う．
❸ 血液検査
（1）乳幼児期は 1 か月に 1 回，以降は 2～3 か月に 1 回の検査が望ましい B．
（2）学童期以降：状態が安定していれば年 3 回ほどの定期フォロー B．
（3）AST，ALT，CK，血糖，血液ガス，アンモ

ニア，血清アシルカルニチン分析．
❹ **予防接種を積極的に勧める** Ⓑ
❺ **心臓超音波検査**：無症状の場合は1回/1〜3年程度 Ⓒ．
❻ **筋肉 MRI，DEXA**
T1強調像やSTIRでの異常高信号がみられる場合がある．筋症状がある場合はDEXAで筋肉量を評価する．無症状の場合は1回/数年程度 Ⓒ．
❼ **頭部 MRI 検査（小児期は1回/1〜3年程度）** Ⓒ
❽ **遺伝カウンセリング**
本疾患は常染色体劣性遺伝性疾患であり，必要に応じて遺伝カウンセリングを行う Ⓑ．

成人期の課題

脂肪酸代謝異常症全般について長期的な自然歴は明らかになっていない部分が多い．学童期以降に発症することはまれであるが，以前に考えられていたよりも，中枢神経障害，骨格筋障害，肝障害，心筋障害など多彩な症状で成人期に発症することがわかってきた[5]．乳幼児期は，ほかの脂肪酸代謝異常症と異なり，心筋，骨格筋の障害はみられない．遅発型ではほかの脂肪酸代謝異常症の急性発作に共通にみられるような症状を呈する．

近年，成人診断例が報告されつつあるが，遅発型として発症しており，新生児期/乳児期発症型とはやや病型が異なる部分がある．小児期以降の症例では，低血糖を伴わない脳症，筋症状が多く報告されている．（ただし大部分が c.985A＞G のホモ接合体である）また，飲酒を機会に発症していることが圧倒的に多い．

MCAD 欠損症では他の脂肪酸代謝異常症とは異なり，MCTオイルの服用は禁忌であり特異的な食事療法や治療薬がない．

日常的に症状がなくとも酵素欠損は持続しており，生涯にわたる経過観察および治療が必要である．成人期においては飲酒，運動，妊娠，外科手術などは代謝不全を惹起する要因になりうるので，以下のような注意が必要である．なお，2019年6月時点で，指定難病の対象疾患とはなっていない．

1 飲酒

飲酒は嘔吐，低体温，低血糖を誘発し，非常に危険である．ストレスがあっても飲酒に依存しないようなカウンセリングも重要である．

2 ダイエット

糖質の摂取が多くなるため，本疾患の患児は肥満に傾くことが多い．そのため，過度なダイエットを試みることが多く，注意が必要である．肥満の悩みなどがあれば，栄養士による厳密な管理の下，少しずつ減量を行う．

3 運動

過度な運動は避けるように指導する．運動時は，運動前，中，後，それぞれの状態で，適切に炭水化物を摂取する．

4 妊娠・出産

妊娠中は糖の消費量が増え，正常女性でも低血糖，高ケトン体血症に傾きやすい．MCAD 欠損症の女性が妊娠した場合は，絶食時間を短くする．出産時もブドウ糖を含む輸液の静注を行い，採血検査で状態をモニターする必要がある．

文献

1) Pur vsuren J, et al. Clinical and molecular aspects of Japanese children with medium chain acyl-CoA dehydrogenase deficiency. Mol Genet Metab 2012；107：237-240.
2) Wilcken B, et al. Outcome of neonatal screening for medium-chain acyl-CoA dehydrogenase deficiency in Australia：a cohort study. Lancet 2007；369（9555）：37-42.
3) Lim SC, et al. Loss of the Mitochondrial Fatty Acid β-Oxidation Protein Medium-Chain Acyl-Coenzyme A Dehydrogenase Disrupts Oxidative Phosphorylation Protein Complex Stability and Function. Sci Rep. 2018.
4) 山口清次．新しい新生児マススクリーニング タン

デムマス Q & A．タンデムマス等の新技術を導入した新生児マススクリーニング体制の確立に関する研究．厚生労働科学研究費補助金（成育疾患克服等次世代育成基盤研究事業）．2000．

5) Schatz UA, et al. The clinical manifestation of MCAD deficiency：challenges towards adulthood in the screened population. J Inherit Metab Dis 2010；33：513-520.

6) Rice G, et al. Medium chain acyl-coenzyme A dehydrogenase deficiency in a neonate. N Engl J Med 2007；357：1781.

7) Matsubara Y, et al. Prevalence of K329E mutation in medium-chain acyl-CoA dehydrogenase gene determined from Guthrie cards. Lancet 1991；338：552-553.

8) Purevsuren J, et al. A novel molecular aspect of Japanese patients with medium-chain acyl-CoA dehydrogenase deficiency（MCADD）：c. 449-452delCTGA is a common mutation in Japanese patients with MCADD. Mol Genet Metab 2009；96：77-79.

9) Tajima G, et al. Screening of MCAD deficiency in Japan：16years' experience of enzymatic and genetic evaluation. Mol Genet Metab. 2016 Dec；119（4）：322-328.

10) MCADD Clinical Management Protocol, 2nd ed. NHS Newborn Blood Spot Screening Programme 2010.

11) Hsu HW, et al. Spectrum of medium-chain acyl-CoA dehydrogenase deficiency detected by newborn screening. Pediatrics 2008；121：e1108-1114.

12) Spiekerkoetter U, et al. Treatment recommendations in long-chain fatty acid oxidation defects：consensus from a workshop. J Inherit Metab Dis 2009；32：498-505.

13) Ahrens-Nicklas RC, et al. Morbidity and mortality among exclusively breastfed neonates with medium-chain acyl-CoA dehydrogenase deficiency. Genet Med 2016；18：1315-1319.

24 全身性カルニチン欠乏症（OCTN2異常症）

疾患概要

1 病態

　全身性カルニチン欠乏症は脂肪酸代謝異常症（fatty acid oxidation disorders：FAODs）の一つである．脂肪酸代謝異常症はミトコンドリアでの脂肪酸β酸化が障害されることでエネルギー産生不全をきたす疾患群であり，その臨床像は共通する部分が多い．典型的には，脂肪酸β酸化がさかんな臓器である心臓，骨格筋，肝臓などや，エネルギー需要が多いにもかかわらずケトン体産生がされないことでエネルギー枯渇に陥りやすい脳などが障害されやすい．FAODsでは発熱や運動などエネルギー需要が増大する時や，下痢・嘔吐・飢餓などのエネルギー供給が低下した際に，通常であれば利用される脂肪酸をエネルギー源として利用できないため，重篤な低血糖などをきたす．

　全身性カルニチン欠乏症は細胞膜上に局在するカルニチントランスポーター（OCTN2）の機能低下が原因で，細胞内カルニチンが欠乏し，結果として長鎖脂肪酸代謝異常症と類似した臨床像を呈する[1]．典型的には無治療のまま放置されると，乳幼児期に低血糖，肝機能障害，心筋障害，不整脈などをきたし，突然死あるいは重篤な後遺症を残しうる．新生児マススクリーニング（NBS）により早期診断できた場合，L-カルニチン内服のみで著しく予後改善が期待できる．一方，採血時の低栄養や母体のカルニチン欠乏などを反映した二次性カルニチン欠乏による偽陽性例が多いことや，罹患者であっても現状では見逃し例が生じうる事から，わが国では二次対象疾患として分類されている．また，タンデムマス・スクリーニングの普及に伴い，母体の罹患者が診断されることも増えてきた．NBSを契機に診断された症例の中には母体例も含めて無症状で経過する例もあり，従来考えられていたよりも幅広い臨床スペクトラムがあると考えられる．

2 代謝経路（図1）

　パルミチン酸（C16）に代表される長鎖脂肪酸はそれ単独ではミトコンドリア内に移動することが出来ないため，カルニチン抱合を受けることで能動的に長鎖脂肪酸を輸送する仕組みが存在する（カルニチンサイクル）．長鎖脂肪酸は細胞内でアシルCoAとなったのち，これがカルニチンパルミトイルトランスフェラーゼⅠ（CPT1）によってアシルカルニチンに変換され，カルニチンアシルカルニチントランスロカーゼ（CACT）でミトコンドリア内に輸送され，カルニチンパルミトイルトランスフェラーゼⅡ（CPT2）によって再度アシルCoAになることでβ酸化の基質となるアシルCoAを供給する．本疾患ではこの一連の流れに必須であるカルニチンを細胞内に能動的に取り込むトランスポーター（OCTN2）の先天的な機能喪失により細胞内のカルニチン濃度が低下し，結果としてミトコンドリアβ酸化が著しく障害される．OCTN2は腎尿細管上にも発現しており血中カルニチン濃度を適正に保つために再吸収をしているが，本疾患では尿中へのカルニチン喪失により，血中カルニチン値も著しく低値となる．本症患者ではカルニチンの経口大量投与によってある程度の血中遊離カルニチン濃度上昇が期待できる．カルニチンは小腸粘膜上皮から吸収されるが，そこではOCNT2による能動的な吸収以外にOCTN2に依らない受動的な吸収や他のトランスポーターによる吸収が関与しているためと考えられている．

3 疫学

　約196万人を対象としたパイロット研究の結果によると約26万人に1人の発見頻度であった

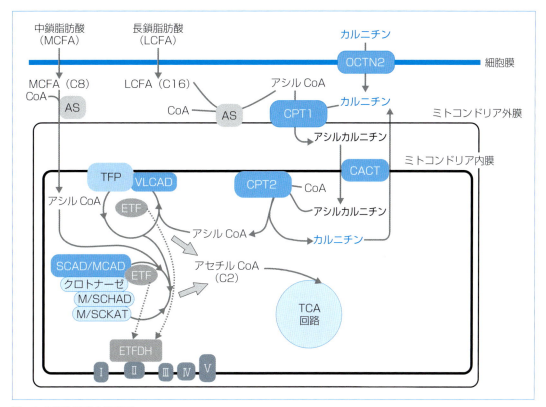

図1 ● β酸化経路の概略図

OCTN2；カルニチントランスポーター，CPT1；カルニチンパルミトイルトランスフェラーゼⅠ，CPT2；カルニチンパルミトイルトランスフェラーゼⅡ，CACT；カルニチンアシルカルニチントランスロカーゼ，TFP；ミトコンドリア三頭酵素，VLCAD；極長鎖アシルCoA脱水素酵素，MCAD；中鎖アシルCoA脱水素酵素，ETF；電子伝達フラビンタンパク，ETFDH；電子伝達フラビンタンパク脱水素酵素，SCAD；短鎖アシルCoA脱水素酵素，SCHAD；短鎖3-ヒドロキシアシル-CoA脱水素酵素，M/SCHAD；中鎖/短鎖3-ヒドロキシアシル-CoA脱水素酵素，M/SCKAT；中鎖/短鎖3-ケトアシル-CoAチオラーゼ，AS；アシルCoA合成酵素．

が[2]，秋田県で行われた保因者の解析では約4万人に1人の有病率と試算されており[1]，NBSでは発見されない症例もあると考えられている．

診断の基準

1 臨床病型

❶発症前型

NBSや，家系内検索で発見される無症状の症例が含まれる．以下のどの病型かに分類されるまでの暫定的な分類とする．

❷乳幼児期発症型

低血糖や心筋症，筋力低下が主要な症状である．哺乳間隔が長くなり始める乳児期後期から4歳までの発症が多い[3]．低血糖で発症する場合は，他の脂肪酸代謝異常症と同様に，長時間の絶食や感染に伴う異化亢進が発症の契機になることが多い．心筋症として発症する場合は，肥大型，拡張型のいずれの臨床像もとり得る[4,5]．骨格筋症状は筋力低下や筋痛が主体となることが多く，横紋筋融解症を呈することは他の長鎖脂肪酸代謝異常症に比べて少ない．

❸ 遅発型

成人期を中心に診断される症例が含まれる．無症状であり偶然発見される例から，妊娠を契機に易疲労性が出現したり急性発症したりする症例，ミオパチーや易疲労性から心筋症や不整脈を契機に診断される症例まで，幅広い臨床像が報告されている[6]．

2 臨床所見

本疾患は NBS で全例を発見できない可能性が指摘されている．タンデムマス・スクリーニングが新生児期に行われていても，乳幼児期に急性発症する症例はあると考えられる．また，現時点では二次対象疾患として位置づけられており，地域によってはスクリーニング対象とされていない場合もあり注意が必要である．

発症形態は大きく3つに分けることができる．すなわち，a）低血糖症状・急性脳症として発症する場合，b）心筋症として発症する場合，c）学童期～成人期に筋症状や倦怠感を呈する場合，である[3]．低血糖などの症状は，他の脂肪酸代謝異常症と同様，感染や飢餓が契機となる事が多い．好発時期は5か月頃から4歳までに多く，急激な発症形態から急性脳症や Reye 様症候群と臨床診断されることもある．心筋症として発症する場合は，肥大型心筋症の報告が多いが，一部では拡張型心筋症の臨床像もとりうると報告されている．1歳以降に発症することが多く，心筋症に引き続き致死的不整脈も報告されている[1)2)]．近年は QT 短縮症候群の合併も報告されている．学童期以降にも，筋痛や筋力低下，心筋症状，易疲労性，持久力低下などを契機に診断される症例がある．その他，まれな症状として貧血や近位筋の筋力低下，発達遅滞，心電図異常などを契機として診断された症例も存在する．発症年齢は幅広く，学童期から成人期まで，広く分布する．本症罹患女性は，妊娠によって易疲労性や不整脈の顕在化，増悪を認める場合がある．また，タンデムマスによる NBS で新生児の遊離カルニチン低値を契機に母体の全身性カルニチン欠乏症が診断される事も少なくない．このような母体例も約半数は妊娠中に易疲労性などの何らかの症状を認めると報告されている．

❶ 意識障害，けいれん

低血糖，二次性高アンモニア血症によって起こる．急激な発症形態から急性脳症，肝機能障害を伴う場合は Reye 様症候群と臨床診断される場合も多い．

❷ 心筋症状

心筋症は1歳以降に発症することが多い．成人期にも発症が報告されており，肥大型・拡張型のいずれの病像も呈し得る[7)-10)]．

❸ 不整脈

心筋症に伴うことが多い．心筋症を認めない場合であっても致死的な不整脈の報告がある．近年，QT 短縮症候群の合併が報告されている[11)12)]．

❹ 肝腫大

病勢の増悪時には著しい腫大を認めることもあるが，間欠期には明らかでないことも多い．

❺ 骨格筋症状

ミオパチー，筋痛，易疲労性を呈することが多い．症状が反復することも特徴である．本疾患ではほかの長鎖脂肪酸代謝異常症に比べて横紋筋融解症に至る症例は少ない．

❻ 消化器症状

乳幼児期発症型において，低血糖時に嘔吐が主訴になることがある．

❼ 発達遅滞

発達遅滞を契機に診断に至る場合もある．診断に至らなかった急性発作からの回復後や繰り返す低血糖発作が要因の1つと考えられる．

3 参考となる検査所見

❶ 非～低ケトン性低血糖

低血糖の際であっても，血中および尿中ケトン体が上昇しない，または血糖値に比してケトン体の上昇が乏しい．低ケトン性の目安は低血糖時に本来産生されると推定されるケトン体量を明らかに下回る場合をいう．血中ケトン体分画と同時に血中遊離脂肪酸を測定し，遊離脂肪酸/総ケトン体モル比>2.5，遊離脂肪酸/3ヒドロキシ酪酸モル比>3.0 であれば脂肪酸β酸化異常が疑われる．

❷肝逸脱酵素上昇

肝逸脱酵素の上昇を認め，急性期には脂肪肝を合併していることが多く，画像診断も参考になる．

❸高CK血症

非発作時に軽度高値であっても，急性期には著明高値となることもある．

❹高アンモニア血症

急性発作時に高値となる．通常は中等度までの上昇にとどまる事が多い（300 μg/dL（180 μmol/L）程度）．無治療安定期では軽度の上昇がみられることも多い．

❺筋生検

診断に筋生検が必須ではないが，筋生検の病理学的所見から脂肪酸代謝異常症が疑われることがある．

4 診断の根拠となる特殊検査

❶血清アシルカルニチン分析＊＊

遊離カルニチン（C0）の低下が最も重要な所見である．ろ紙ではなく血清アシルカルニチン分析が推奨される（図2参照）．一方，C0値のみでは本疾患の鑑別はできない．本疾患では，C0以外のアシルカルニチンも全般に低値を示す．遊離カルニチン低値はCPT2欠損症やCACT欠損症，その他有機酸代謝異常症などに伴う二次性カルニチン欠乏症，哺乳確立が遅れた場合の低栄養，Fanconi症候群，母体のカルニチン欠乏症，ピボキシル基を含む抗菌薬の長期内服，バルプロ酸内服症例の一部などでもみられることがあるので鑑別が必要である[13)14)]．CPT2欠損症やCACT欠損症，いくつかの有機酸代謝異常症については，アシルカルニチン分析における特徴的なプロフィールが全身性カルニチン欠乏症との鑑別に有用である．ピボキシル基を含む抗菌薬内服時にはC5（イソバレリルカルニチン）の上昇がみられる．

ろ紙血では，採血条件が悪い場合は遊離カルニチン値が高く測定される場合もあり注意である[15)注1)]．

❷カルニチン分画（血清）＊

本疾患では遊離カルニチン低値（20 μmol/L以下）を認める．

補記） 血清カルニチンは年齢や採血時間などにより変動がみられる．参考基準値としては，遊離カルニチン45〜91 μmol/L，アシルカルニチン6〜23 μmol/Lとされる[14)]．

❸尿中遊離カルニチン分画排泄率＊

二次性カルニチン欠乏症との鑑別には尿中遊離カルニチン排泄率が有用であり，同時期に採取した血清および尿を用いる[16)注2)]．本疾患では2〜10%を超える[17)]．保因者の一部は罹患者の値とオーバーラップする事もある[18)]．この検査はカルニチン内服下や，Fanconi症候群に代表される尿細管障害を有する病態では評価が出来ないので注意が必要である．

尿中遊離カルニチン排泄率

$$= \frac{尿中遊離カルニチン \times 血清クレアチニン}{血清遊離カルニチン \times 尿中クレアチニン}$$

$\times 100$ （%）

❹脂肪酸代謝能検査[19)]＊＊

タンデムマスを用いて，培養皮膚線維芽細胞の内外遊離カルニチン濃度を比較することでOCTN2の機能解析ができる．放射性同位元素を用いた評価は行われることが少なくなった．遺伝子解析による変異が同定されない症例などでは有用な検査である．国内での検査可能施設について以下のホームページで参照可能である（http://www.jsiem.com/）．

❺遺伝子解析＊＊

OCTN2遺伝子（*SLC22A5*）の解析は確定診断の有力な手段である．最近報告された95例の患者における検討では，74%の患者に両アレルの変異が同定されたが，1アレルのみにしか変異を同定できない患者が20%，両アレルともに変異を同定できない患者が6%であったと報告されてい

注1) 検体採取・保存について：血液ろ紙を常温で長く放置した場合や，乾燥が不十分で保存した場合，アシルカルニチン値は低くなり，遊離カルニチンが上昇する．検体採取後は十分に乾燥させたのち，可能であれば乾燥剤を入れて冷凍保存することが望ましい．

注2) 血清および尿中遊離カルニチン値は，タンデムマスによるアシルカルニチン分析で測定可能であるが，商業ベースで行われているカルニチン分画を血清，尿検体で提出することでも検査できる＊．

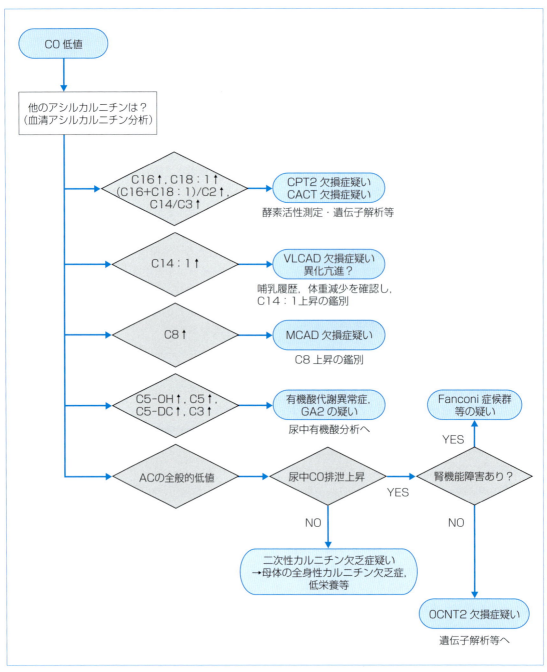

図2 ● 全身性カルニチン欠乏症診断フローチャート

CPT2：Carnitine palmitoyl transferase Ⅱ，カルニチンパルミトイルトランスフェラーゼ2．CACT：carnitine acyl-carnitine translocase，カルニチンアシルカルニチントランスロカーゼ．VLCAD：very long chain acyl CoA dehydrogenase，極長鎖アシル CoA 脱水素酵素．MCAD：medium chain acyl CoA dehydrogenase，中鎖アシル CoA 脱水素酵素．GA2：Glutaric acidaemia type 2，グルタル酸血症 2 型．
(鑑別チャートはおおきな考え方の流れを示したもので，例外もある．)

る[17]．国内でも同様に遺伝子変異を同定できない患者が報告されている．遺伝子型と表現型の明確な相関は確認されていないが，ミスセンス変異例やin-frame 欠失を持つ症例は，フレームシフト変異やナンセンス変異を持つ症例に比べて臨床像が軽い傾向がある．変異のほとんどは弧発例であり，好発変異は知られていない[5,20-22]．

❻ 尿中有機酸分析＊

非～低ケトン性ジカルボン酸尿を呈し，脂肪酸代謝異常症を示唆する所見が得られることが多い．本疾患では補助的な検査にとどまる．

5 鑑別診断

①CPT2 欠損症や CACT 欠損症などの遊離カルニチンが低下する脂肪酸代謝異常症の他に，カルニチンの尿中への排泄増加による二次性カルニチン欠乏症をきたす有機酸・脂肪酸代謝異常症，②低栄養（新生児期の哺乳確立遅延，長期の経管栄養や経静脈栄養など），③Fanconi 症候群のほか再吸収障害がみられる場合，④母体のカルニチン欠乏症，⑤医原性：ピボキシル基を含む抗菌薬の長期内服症例，バルプロ酸内服症例の一部．

6 診断基準

❶ 疑診

「4 | 診断の根拠となる特殊検査」の❶もしくは❷で特徴的な所見がみられた場合疑診とする．

❷ 確定診断

上記に加え，❸で明らかな異常所見を認めた場合は，生化学的に診断確定として治療を開始する．診断の根拠となる検査のうち❹もしくは❺の少なくとも一つで疾患特異的異常を認めるとき，確定診断とする．

新生児マススクリーニングで本症を疑われた場合

1 確定診断

生化学診断については血清遊離カルニチン（C0）の低下が最も重要な所見であるが，遊離カルニチン値のみでは鑑別の対象となる二次性カルニチン欠乏症の区別はできない．遊離カルニチン値は一般に新生児期に最も低いが，乳児期早期にはほぼ成人と同程度まで上昇する．精密検査を目的として受診した際にはろ紙血で再検を繰り返すのではなく，血清アシルカルニチン分析を行うことが望ましい．また，血清遊離カルニチンが低値の場合は，尿中遊離カルニチン分画排泄率の評価，遺伝子解析などを行い速やかに確定診断を行うことが望ましい．

NBS における精密検査は可能な限り経験のある専門家が行うべきであるが，それらがむずかしい場合はタンデムマス・スクリーニング普及協会のコンサルテーションセンター（https://tandem-ms.or.jp/consultation-center）で先天代謝異常症の専門家の意見を聞くことが可能である．

C0 低値は CPT2 欠損症や CACT 欠損症などの遊離カルニチンが低下する脂肪酸代謝異常症のほかに，カルニチンの尿中への排泄増加によって二次性カルニチン欠乏症をきたす有機酸・脂肪酸代謝異常症，母体や児に対するピボキシル基を含む抗菌薬投与による影響，哺乳確立・経腸管栄養が遅れた場合，Fanconi 症候群，母体のカルニチン欠乏症などでもみられることがあるので鑑別が必要である[13)14)]．多くの有機酸・脂肪酸代謝異常症は，尿中有機酸分析や血清アシルカルニチン分析でもそれぞれの疾患に特徴的な生化学所見により鑑別可能である．ピボキシル基を含む抗菌薬は児が内服している場合はもとより，母体が内服した場合の影響も知られており，いずれも問診に加えC5 アシルカルニチンの上昇が確認できる場合が多い．哺乳確立の遅れに伴うカルニチン欠乏症は偽陽性の原因として頻度が高い．この場合，児の哺乳状況や栄養の背景などが診断の手がかりになることが多い．徐々に C0 値が上昇することも重要な所見である．Fanconi 症候群では一見して尿中遊離カルニチン排泄率が高くなるが，アミノ酸などの他の物質の排泄も上昇することで鑑別がで

きる．NBS が始まり，児の C0 低値を契機に全身性カルニチン欠乏症が診断される母体例が散見されるようになった．母が罹患者である場合，出生後早期の C0 値は経胎盤的に移行した遊離カルニチンを反映するため低値となる．加えて母乳中の遊離カルニチンも低値になることから児の C0 低値が遷延することなどが診断の契機となることもある．

2 ｜ 診断確定までの対応

本症の新生児期発症はまれではあるが，NBS で陽性となった場合，血清アシルカルニチン分析を行うと同時に，少なくとも，血糖，血液ガス，アンモニア，トランスアミナーゼ，CK，遊離脂肪酸，心臓超音波検査・心電図などの検査を行う[6]．これらの検査で異常所見を認める場合は，入院として罹患児に準じた治療・経過観察が望ましい．タンデムマス所見以外の検査で異常がみられない場合，ただちに入院や薬物治療は必須ではない．しかし，診断確定するまでのカルニチン内服の是非についての定見はないものの，必要に応じての治療開始は妨げられるものではない．その際も必ず 3 時間以上は哺乳間隔をあけない様に指導し，感染徴候などがあれば罹患児に準じて後述の sick day としての対応を行う[23]．

一般生化学的検査で異常を認めない症例では通常の母乳あるいは普通ミルク栄養とし，慎重に経過観察を行う．

3 ｜ sick day の対応

診断が確定するまでの間に，38℃を超える発熱や嘔吐，下痢，not doing well などを認めた場合は，sick day として後述の「慢性期の管理」における「3 ｜ sick day の対応」に準じた対応を迅速に行う．この場合，原則入院管理としたうえで細心の注意を払って管理を行う必要がある．

急性期の治療方針

急性期の治療方針は「1 代謝救急診療ガイドライン」（p.2）も参照．

脂肪酸酸化異常症の診療で最も重要なことは，代謝不全の予防である．**「慢性期の管理」**の「**3 ｜ sick day の対応**」「**❶ 患者家族への説明**」にもあるように，脂肪酸酸化異常症の急性発作・代謝不全は重篤な転帰に至ることが多い．日常の診療時から十分な説明が必要である．

診断例で適切なカルニチン投与が行われている症例においては原則として急性代謝不全をきたすことはないとされているが，呼吸器感染症や胃腸炎により内服が出来ていない場合は低血糖などで急性発症する可能性がある．また，前述のとおり本疾患は NBS で全例が発見されないと考えられるため，乳児期以降の急性発症は NBS 導入後も起こりえると考えられるが，ここでは診断確定された症例が急性発作を発症した場合について記述する．

本疾患では，GIR 5〜7 mg/kg/min 程度の輸液で血糖を維持できることも多い．年長児ではより少ない GIR で血糖維持が可能である．特別な食事療法は原則として必要ない．適切な輸液と L-カルニチンの投与が治療の原則となる．

1 ｜ 急性発作時の救命処置

(1) 呼吸不全に対する人工呼吸管理
(2) 低血圧性ショック，心原性ショックに対する適切な輸液・薬物療法

2 ｜ 代謝異常に対する対処

❶ ブドウ糖を含む補液 Ⓑ

異化状態をさけて同化の方向に向ける．細胞内に十分なブドウ糖を補充し，脂肪酸の分解を抑制することにより，有害な脂肪酸代謝産物の生成を抑える．

(1) 血糖値，血液ガス，血中アンモニア値をモニターしながら行う．
(2) GIR 7〜10 mg/kg/min を目安に必要ならば中心静脈カテーテルを留置して輸液する．
(3) 高血糖を認めた場合は，インスリンを 0.01〜0.05 単位/kg/hr で開始することを考慮する．イン

スリンは細胞内へのグルコースの移行を促すことにより，代謝を改善させる働きがあるとされている．

❷ L-カルニチン投与 Ⓑ

急性期においては L-カルニチン 300 mg/kg/day を目安に経静脈的持続投与を行う．上記の量は目安であり，実際にはより多量もしくは少量になる場合もある．L-カルニチン投与にあたっては，可能であれば血清遊離カルニチンが正常下限である 20 μmol/L 以上を目標としモニターしながら投与量を調整することがすすめられる．

経口投与ができる場合，100〜400 mg/kg/day 分 4 投与する．

カルニチン内服ができない場合，L-カルニチン静注を行う．投与量の明確な基準は示されていないが，通常内服量の半量から等量を目安に持続静注もしくは 3 時間ごとの間欠静注を行うことが多い．

❸ 代謝性アシドーシスに対する適切な輸液・薬物療法 Ⓑ

他の有機酸代謝異常などに比べ，一般に脂肪酸酸化異常症では代謝性アシドーシスは重篤ではないが，必要に応じて対応する．

❹ 高アンモニア血症 Ⓑ

アルギニン＊，安息香酸 Na＊＊＊，フェニル酪酸 Na＊ などの投与を行うこともある．脂肪酸酸化異常症では輸液のみで改善が得られる場合もある．

❺ 体温管理 Ⓑ

NSAIDs（メフェナム酸，ジクロフェナクなど）は β 酸化酵素の活性低下を引き起こす可能性があり使用すべきでないが，アセトアミノフェンは，積極的な使用がすすめられる．高体温は避けたほうがよいが，脳低温療法に関してのコンセンサスはない．

3 急性期の評価項目

❶ 一般検査

血算，血液凝固系検査，一般生化学検査（電解質，AST，ALT，Cre，BUN，LDH，CK，血糖など），血液ガス分析，アンモニアに加え，乳酸，ピルビン酸，遊離脂肪酸，血中/尿中ケトン体，血清アシルカルニチン分析（ろ紙血でのアシルカルニチン分析より優先される）もしくは，血清カルニチン 2 分画，尿中ミオグロビンを測定する．（即日検査ができない場合は保存検体を −20℃ で冷凍保存する）

❷ 心機能の評価

心筋症を発症することがあり（肥大型・拡張型ともに報告がある）超音波検査が必要となる．また重篤な伝導障害，不整脈が突然出現することもあり心電図でのモニタリングは必須である．

❸ 腹部臓器の評価

脂肪肝・肝腫大の有無の評価を行う．

4 横紋筋融解症に対する治療

横紋筋融解を認める場合は，ブドウ糖を含む大量輸液，アルカリ化を行う．

慢性期の管理

診断時に症状を有する症例はもちろん，無症状で診断された症例についても原則としては下記の治療が推奨される．生涯無症状であると予想される例も報告される一方，成人期における致死的不整脈や心筋障害，易疲労性などを呈する症例が報告されている．現時点ではこれらの発症リスクの有無を予測する事はできないため[24]，将来のリスクを考慮し，治療開始することを推奨する．

1 L-カルニチン（エルカルチン FF® 錠もしくは内用液）大量投与 Ⓑ

L-カルニチンの大量投与が唯一にして最も有効な治療である．投与量は 100〜400 mg/kg/day 分 4 投与（乳幼児），もしくは分 3 投与（成人）が推奨される．本患者ではカルニチンを大量投与しても血中遊離カルニチン値は正常下限かそれ以下にとどまる場合もある．

治療開始後は定期的に血清遊離カルニチン値を

モニターする必要がある．L-カルニチン内服量は血清遊離カルニチン値の正常下限である 20 μmol/L 以上を目安として増量するが，目標遊離カルニチン値に対する有力なエビデンスはない．血清遊離カルニチン値は 4 歳までは原則として 2 か月に 1 回程度，以降は 3〜6 か月に 1 度の頻度でチェックする．

2 日常生活指導，運動，食事

L-カルニチンの内服が適切に行われている状況では，一般的な日常生活における制限はない．本症では内服ができない場合，血中遊離カルニチンが速やかに低下するので，感染（特に胃腸炎など）の際には速やかにブドウ糖を含む輸液を十分量行うことが急性発症の阻止に重要である B．

何らかの理由で L-カルニチンの内服ができない場合であっても直ちに発症する可能性は低いと考えられるが，表 1 B の脂肪酸代謝異常症における最大食事間隔を参考にしながら異化亢進を防ぐことが重要である．

3 sick Day の対応

38℃を超える発熱や嘔吐，下痢などを認めた場合は sick day として扱い，代謝不全を予防する目的で厳重に管理を行う必要がある．本疾患ではL-カルニチンを十分に内服できていることが重要である．食欲不振や胃腸炎により十分な内服ができていない場合は重篤な代謝不全をきたすリスクが高まる．その際はほかの脂肪酸代謝異常症と同様に入院の上，十分な糖の輸液，L-カルニチンの投与などを行う必要がある．脂肪酸代謝異常症の中には，哺乳可能である症例も重篤な代謝不全（低血糖発作，突然死）の報告もあるため，sick day 時には原則入院管理を行うことが推奨される．緊急時には 24 時間対応可能な医療施設の協力も重要となるため，平時より救急病院とも連携をとりながら診療にあたる必要がある．

❶ 患者家族への説明

本疾患の代謝不全予防には十分な量のカルニチン内服が重要である．無治療の状態ではほかの脂肪酸代謝異常症と同様に，代謝不全を起こせば，

表 1 ● 脂肪酸酸化異常症における食事間隔の目安 B

	日中	睡眠時
新生児期	3 時間	
6 か月まで	4 時間	4 時間
1 歳まで	4 時間	6 時間
4 歳未満	4 時間	8〜10 時間
4 歳以上 7 歳未満	4 時間	10 時間

安定期の目安であり，臨床経過や患者の状況により変更が必要な場合もある．

救命が困難，もしくは重篤な後遺症を残す可能性もある．本疾患では，十分量のカルニチン内服ができていることが重要であるため，sick day に内服や哺乳が困難になる場合は，その時点で活気・機嫌など理学所見や検査所見で異常を認めなくても，入院が必要となる場合があることを，繰り返し説明することが極めて重要である．また，旅先などでかかりつけ以外を受診する場合には，軽微な症状であってもブドウ糖輸液や入院が必要なことを，その時の担当医に家族がしっかり伝えられるよう患者・家族への教育も行っていく（旅先などでは紹介状を持参させておくほうが望ましい）．

❷ 輸液 B

全身状態が良好であっても，発熱，嘔吐，下痢時にはブドウ糖輸液を十分量行う（目安：GIR 5〜10 mg/kg/min）．

例）1 号輸液（糖濃度 2.6%）200 mL + 50% ブドウ糖 20 mL = 6.9% 糖濃度輸液
　　→水分量 100 mL/kg/day に投与することで GIR 4.8 mg/kg/min となるので，維持輸液もこのブドウ糖濃度を目安とする．

上記の GIR は低血糖が起こりやすい乳幼児期までの目安である．年長児や成人例ではより少ない GIR で管理が可能である．また，カルニチン内服ができない場合，L-カルニチン静注を行う．投与量の明確な基準は示されていないが，通常内服量の半量から等量を目安に持続静注もしくは 3 時間毎の間欠静注を行うことが多い．

輸液治療中であっても，異化亢進を示唆する所見（CK や肝逸脱酵素上昇）が強い場合などや全身状態が悪化する場合には，急性期の管理に準じ

て迅速に対応する．
❸ 体温管理 B

本疾患では体温を38℃以下で管理することが重要である．NSAIDs（メフェナム酸，ジクロフェナクなど）はβ酸化酵素の活性低下を引き起こす可能性があり使用すべきでないが E，アセトアミノフェンは安全に使用できる C．

補記） カルニチンを下げる作用を有するピボキシル基をもつ抗菌薬は禁忌である[25]．外来診療を行う他科の医師との間でも意思統一が必要である．

フォローアップ指針

急性増悪を予防するために飢餓状態の回避，発熱時や感染症罹患時の対応，薬物療法に関しては，前述の通りである．感染症が契機となり発症，症状の増悪を認めることが多いため，予防接種は可能な限り積極的に推奨する．

受診間隔は以下を目安にしながらフォローしていく．

● 安定期の受診間隔
・乳幼児期：1～2か月ごとの外来受診
・学童期以降：年4回程度の定期受診

1 観察項目

❶ 身長，体重，頭囲

成長曲線を評価しながら，急激な増減に注意する．

❷ 発達検査

受診ごとにマイルストーンのチェックを行う．1歳半，3歳，6歳時には新版K式やWISCなどを用いての評価を行う．

❸ 栄養評価

1回/年，現状把握のために栄養評価，栄養指導を行う．

❹ 血液検査

治療開始後は定期的に血液検査を実施する（検査項目の一例を下記に記載）．

乳児期は1か月に1度，以降は2か月に1度の検査が望ましい．

(1) AST，ALT，CK
(2) 血糖，血液ガス，アンモニア
(3) 血清アシルカルニチン分析：ろ紙血よりも血清のほうが軽微な変化を捉えやすいが，食事のタイミングなどの影響を受けやすい．カルニチン内服3～4時間後が望ましいが，必ずしも空腹時でなくてよい．
(4) NEFA，ケトン体，アミノ酸分析は適宜行う．

❺ 腹部超音波検査

1回/年．肝機能障害がみられる時は適宜行う．

❻ 画像検査

1) 心臓超音波検査，心電図

本疾患では心筋症の報告があるため定期的な心臓超音波検査を行う．無症状であっても最低1回/年，異常所見がある場合は症例に応じて適宜追加する．心室性頻拍（心室細動，心室粗動），QT短縮症候群をはじめとする不整脈の報告があるため，心電図検査も定期的に行う．無症状であっても1回/年，異常所見がある場合は症例に応じて適宜追加する．

2) 腹部超音波検査

脂肪肝や肝腫大がみられることがあるため，肝機能異常がみられる場合は適宜行う．

3) 筋肉MRI，DEXA

T1強調像やSTIRでの異常高信号がみられる場合がある．筋症状がある場合はDEXAで筋肉量を評価する．

4) 頭部MRI

小児期は1～3年に1回程度の評価を考慮する．

❼ 遺伝カウンセリング

本疾患は常染色体劣性遺伝形式で遺伝する疾患である．確定診断後には，適切な時期に遺伝カウンセリングを行うことが望ましい．本疾患は児のNBSを契機に母の罹患が明らかになることもある．この場合も適切な遺伝カウンセリングが必要になる．同胞のスクリーニングも必要に応じて行う．

成人期の課題

脂肪酸代謝異常症全般と同様に本疾患についても長期的な自然歴は明らかになっていない部分が多い．特に成人期，遠隔期についての病態は定見が得られていない．乳幼児期に低血糖やReye様症候群として発症した乳幼児発症型の症例が次第に筋型の表現型を呈することはしばしば経験される．本疾患では，成人未治療例での若年性心筋梗塞や致死的不整脈など突然死例も報告されており，発見時に無症状であっても遠隔期の合併症を予防するために治療が望ましい．

治療の原則は上述の通り，L-カルニチンの内服と異化亢進の回避である．成人期においては飲酒，運動，妊娠，外科手術などは代謝不全を起こす要因になりうるので，注意が必要である．なお，平成29年4月にカルニチン回路異常症の1つとして難病指定されている（指定難病316）．

1 生涯にわたるカルニチン内服の継続

十分量のカルニチン内服を継続し，十分な食事と適切な食事間隔を維持しながら生活することが極めて重要である．このような治療によって，低血糖や肝障害，骨格筋症状，心筋症状を予防できる．

2 飲酒

本疾患と特異的な関係はないが，飲酒により糖新生が障害される等の機序で低血糖をきたすことが知られており，飲酒自体が脂肪酸代謝能を低下させるという報告もある[26]．また飲酒による不適切な食事内容（欠食含む）や悪心の誘発は代謝不全発作を引き起こす可能性がある．同じ脂肪酸代謝異常症であるMCAD欠損症の成人例においては飲酒後の死亡例が報告されており，過度な飲酒は控えるべきである．

3 運動

適切な内服下においては，原則として制限は不要と考えられている．しかし，何らかの筋症状を呈する場合は臨床像や検査値を勘案しながら，個別の制限が必要となる可能性もある．

4 妊娠・出産

出産した児のNBSを契機として発見される母体例の多いことからも，罹患者であっても産科的な問題がない限り必ずしも帝王切開等は必要ないとされている．ただし，妊娠時にはエネルギー需要が増すことに加えて，血清遊離カルニチンも生理的に低下することから，慎重な臨床症状の観察と定期的な血清アシルカルニチン分析を行い，必要に応じてL-カルニチン内服増量を考慮する．ほかの脂肪酸代謝異常症では出産後の臨床像増悪が報告されているので，出産後も血液検査を含めて注意深い対応が必要である．

5 外科手術

術前後（や鎮静）の絶食時間が長ければ発作を誘発する可能性があるため，術前後は十分なブドウ糖輸液の投与が必要である．また，揮発性の麻酔薬やプロポフォールは長鎖脂肪鎖を含むため避けるべきと考えられていたが，近年では周術期に十分なブドウ糖輸液を行ったうえで，持続的な血糖とCKのモニタリングを行っていれば，特に禁忌とすべき麻酔薬はないとされる[27][28]．

6 医療費の問題

血清カルニチン値を保つため，L-カルニチンの大量内服の必要がある．筋症状によって就労に制限を受けることもある．

文献

1) Koizumi A, et al. Genetic epidemiology of the carnitine transporter OCTN2 gene in a Japanese population and phenotypic characterization in Japanese pedigrees with primary systemic carnitine deficiency. Hum Mol Genet 1999；8：2247-2254.

2) 重松陽介．タンデムマス診断精度向上・維持，対象疾患設定に関する研究，in 厚生労働科学研究費補助金（子ども家庭総合研究事業）総合研究報告書（研

究代表者 山口清次).2012：27-31.

3) Charles A, et al. Plasma Membrane Carnitine Transporter Defect, in The online Metabolic and Molecular Bases of Inherited Disease (OMMBID). 2011. p. Chapter 101.1.

4) Cano A, et al. Carnitine membrane transporter deficiency：a rare treatable cause of cardiomyopathy and anemia. Pediatr Cardiol 2008；29：163-165.

5) Stanley CA. Carnitine deficiency disorders in children. Ann N Y Acad Sci 2004；1033：42-51.

6) Magoulas PL, AW El-Hattab. Systemic primary carnitine deficiency：an overview of clinical manifestations, diagnosis, and management. Orphanet J Rare Dis 2012；7：68.

7) Longo N. C Amat di San Filippo, M Pasquali. Disorders of carnitine transport and the carnitine cycle. Am J Med Genet C Semin Med Genet 2006；142C：77-85.

8) Agnetti A, et al. Primary carnitine deficiency dilated cardiomyopathy：28 years follow-up. Int J Cardiol 2013；162：e34-35.

9) Baragou S, et al. A cause of dilated cardiomyopathy in child：Primary carnitine deficiency. Ann Cardiol Angeiol 2011.

10) Kinali M, et al. Diagnostic difficulties in a case of primary systemic carnitine deficiency with idiopathic dilated cardiomyopathy. Eur J Paediatr Neurol 2004；8：217-219.

11) Perin F, et al. Dilated Cardiomyopathy With Short QT Interval Suggests Primary Carnitine Deficiency. Rev Esp Cardiol (Engl Ed) 2017.

12) Roussel J, et al. Carnitine deficiency induces a short QT syndrome. Heart Rhythm 2016；13：165-174.

13) Lee NC, et al. Diagnoses of newborns and mothers with carnitine uptake defects through newborn screening. Mol Genet Metab 2010；100：46-50.

14) El-Hattab AW, et al. Maternal systemic primary carnitine deficiency uncovered by newborn screening：clinical, biochemical, and molecular aspects. Genet Med 2010；12：19-24.

15) Fingerhut R, et al. Stability of acylcarnitines and free carnitine in dried blood samples：implications for retrospective diagnosis of inborn errors of metabolism and neonatal screening for carnitine transporter deficiency. Anal Chem 2009；81：3571-3575.

16) 大浦敏博.全身性カルニチン欠乏症とカルニチン療法.小児科 1999；40：1042-1048.

17) Frigeni M, et al. Functional and molecular studies in primary carnitine deficiency. Hum Mutat 2017；38：1684-1699.

18) 小林弘典,山口清次.【先天代謝異常症候群（第2版）（上）—病因・病態研究,診断・治療の進歩—】有機酸・脂肪酸代謝異常 ミトコンドリア脂肪酸β酸化異常 カルニチン回路欠損症 全身性カルニチン欠乏症.日本臨牀 2012.別冊（先天代謝異常症候群（上））：505-509.

19) Mushimoto Y, et al. Enzymatic evaluation of glutaric acidemia type 1 by an in vitro probe assay of acylcarnitine profiling using fibroblasts and electrospray ionization/tandem mass spectrometry (MS/MS). J Chromatogr B Analyt Technol Biomed Life Sci 2009；877：2648-2651.

20) Li FY, et al. Molecular spectrum of SLC22A5 (OCTN2) gene mutations detected in 143 subjects evaluated for systemic carnitine deficiency. Hum Mutat 2010；31：E1632-1651.

21) Wang Y, et al. Phenotype and genotype variation in primary carnitine deficiency. Genet Med 2001；3：387-392.

22) Rose EC, et al. Genotype-phenotype correlation in primary carnitine deficiency. Hum Mutat 2012；33：118-123.

23) Spiekerkoetter U, et al. Treatment recommendations in long-chain fatty acid oxidation defects：consensus from a workshop. J Inherit Metab Dis 2009；32：498-505.

24) Rasmussen J, et al. Primary Carnitine deficiency in the Faroe Islands：health and cardiac status in 76 adult patients diagnosed by screening. J Inherit Metab Dis 2014；37：223-230.

25) Rasmussen J, et al. Primary carnitine deficiency and pivalic acid exposure causing encephalopathy and fatal cardiac events. J Inherit Metab Dis 2013；36：35-41.

26) Donohue TM Jr. Alcohol-induced steatosis in liver cells. World J Gastroenterol 2007；13：4974-4978.

27) Welsink-Karssies MM, et al. Very Long-Chain Acyl-Coenzyme A Dehydrogenase Deficiency and Perioperative Management in Adult Patients. JIMD Rep 2017；34：49-54.

28) Allen C, et al. A retrospective review of anesthesia and perioperative care in children with medium-chain acyl-CoA dehydrogenase deficiency. Paediatr Anaesth 2017；27：60-65.

〈小林弘典〉

25 カルニチンパルミトイルトランスフェラーゼⅠ（CPT1）欠損症

疾患概要

カルニチンパルミトイルトランスフェラーゼⅠ（CPT1）欠損症は常染色体劣性遺伝形式をとる脂肪酸代謝異常症の一つである．CPT1には異なるアイソザイムが存在するが，欠損酵素は肝臓型の酵素CPT1aであり，骨格筋型CPT1b，脳型CPT1cの欠損症はこれまで知られていない．そのため，新生児マススクリーニング（NBS）陽性症例を除くと，すべて低血糖，意識障害での発症であり，筋型は報告されていない．ほかの脂肪酸β酸化異常症と異なり，横紋筋融解症の報告はないことが特徴である．おもな症状は乳幼児期の低血糖とそれに伴う意識障害，肝腫大，肝機能障害である[1)-3)]．同胞に乳幼児期に突然死をきたした家族歴を有する場合も多く，NBSにより早期に診断，対応することで，感染症などに伴う代謝不全を予防できる可能性がある．診断確定後は，代謝

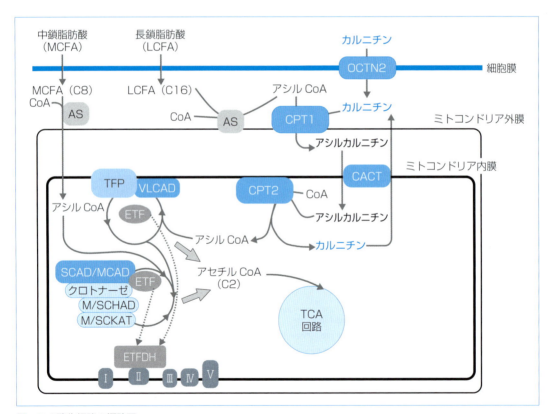

図1 β酸化経路の概略図

OCTN2；カルニチントランスポーター，CPT1；カルニチンパルミトイルトランスフェラーゼⅠ，CPT2；カルニチンパルミトイルトランスフェラーゼⅡ，CACT；カルニチンアシルカルニチントランスロカーゼ，TFP；ミトコンドリア三頭酵素，VLCAD；極長鎖アシルCoA脱水素酵素，MCAD；中鎖アシルCoA脱水素酵素，ETF；電子伝達フラビンタンパク，ETFDH；電子伝達フラビンタンパク脱水素酵素，SCAD；短鎖アシルCoA脱水素酵素，SCHAD；短鎖3-ヒドロキシアシル-CoA脱水素酵素，M/SCHAD；中鎖/短鎖3-ヒドロキシアシル-CoA脱水素酵素，M/SCKAT；中鎖/短鎖3-ケトアシル-CoA チオラーゼ，AS；アシルCoA合成酵素．

不全発作の誘因となるような飢餓や発熱時に異化亢進を阻止する対応が重要である．遊離カルニチンからアシルカルニチンの生成が障害されるため，血中遊離カルニチンが増加し，アシルカルニチンは長鎖アシルカルニチンを中心に低下する．

1 代謝経路

CPT1はミトコンドリア外膜の内側に存在し，CPT2, カルニチンアシルカルニチントランスロカーゼ（CACT）とともにカルニチン回路を形成する．長鎖脂肪酸がエネルギーとして利用されるためには，β酸化の場であるミトコンドリア内への輸送が必要不可欠である．アシルCoAとなった長鎖脂肪酸は，ミトコンドリア外膜に存在するカルニチンパルミトイルトランスフェラーゼ1（CPT1）によってアシルカルニチンに変換され，ミトコンドリア外膜を通過することが可能となる（図1）．カルニチンアシルカルニチントランスロカーゼ（CACT）によりミトコンドリア内に輸送された長鎖アシルカルニチンはCPT2により長鎖アシルCoAへと活性化され，β酸化回路に基質として供給される．

2 疫学

CPT1欠損症は，わが国での約196万人を対象としたNBSのパイロット研究結果から，約39万出生に対して1例の発見頻度であった[4]．

診断の基準

1 臨床病型

様々な症状を呈するが，重篤な低ケトン性低血糖が主要な症状である．新生児期は通常無症状である．空腹時低血糖，活気不良，肝腫大，意識障害，けいれんといった症状で，飢餓や発熱，胃腸炎にともない発症することが多い．ほかの脂肪酸β酸化異常症同様，NBS開始以前には，乳幼児期に突然死やReye様症候群で発症する例が多かった．ほかの脂肪酸β酸化異常症と異なり，骨格筋や心筋障害を伴う筋型は報告されていない．

❶ 発症前型
NBSや，家族内に発症者または保因者がいて家族検索で発見される無症状の症例が含まれる．以下のどの病型かに分類されるまでの暫定的な分類とする．

❷ 新生児期発症型
新生児期は通常無症状である．極めてまれであるが，新生児期に致死性不整脈で亡くなった症例の報告がある．この症例では肝組織での小脂肪滴を有する脂肪肝は認めたものの，心筋，骨格筋には異常は認めなかった[5]．

❸ 乳児期発症型
哺乳間隔が長くなりはじめる乳児期後期から4歳までの発症が多い[4)6)7]．発作時の非（低）ケトン性低血糖や高度の肝機能障害が主要な症状となる．Reye様症候群を呈する事が多い．ほかの脂肪酸β酸化異常症と同様に，長時間の絶食や感染に伴う異化亢進が発症の契機になることが多く，急性発症が死亡につながる症例もある．適切な治療により異化亢進時に低血糖をふせぐことができれば生命・知能予後も良好である．

学童期以降は，低血糖を伴わず，肝腫大や肝機能異常，中性脂肪や遊離脂肪酸高値がみられる症例がある．まれに腎尿細管障害を呈する症例もある[6]．

補記）fetal CPT1 deficiency（胎児型CPT1欠損症）
　　CPT1欠損症罹患児を妊娠したヘテロ女性においては，妊娠後期にHELLP症候群をきたしたとする報告がある．低血糖，高アンモニア血症，急性肝不全に注意が必要である．

2 主要症状および臨床所見

❶ 意識障害・けいれん
新生児期発症型，乳幼児期発症型でみられる．急激な発症形態から急性脳症，Reye様症候群と診断される場合も多い．急激な発症形態からSIDSや急性脳症と診断される場合や，肝機能障害を伴いReye様症候群と臨床診断され，本症例

が見逃される可能性もある．

❷骨格筋症状
CPT1欠損症では報告されていない．

❸心筋症状・不整脈
CPT1欠損症では心筋症は報告されていない．ただし，非常にまれではあるが新生児期に致死性不整脈で亡くなった症例の報告がある．

❹呼吸器症状
急性代謝不全発作の際に，多呼吸，無呼吸，努力呼吸などの多彩な表現型を呈する．

❺消化器症状
特に乳幼児期発症型において，嘔吐を主訴に発症することがある．

❻肝腫大
新生児期発症型，乳幼児期発症型で多くみられる．病勢の増悪時には著しい腫大を認めることもあるが，間欠期には明らかでないことも多い．

3 参考となる検査所見

❶非～低ケトン性低血糖（p.193参照）
低血糖の際に血中および尿中ケトン体が上昇しない，または血糖値のレベルに比してケトン体の上昇が乏しい．低ケトン性の目安は低血糖時に本来産生されるであろうケトン体量を下回る場合をいう．血中ケトン体分画と同時に血中遊離脂肪酸を測定し，遊離脂肪酸/総ケトン体モル比＞2.5，遊離脂肪酸/3ヒドロキシ酪酸モル比＞3.0であれば脂肪酸β酸化異常症が疑われる．

❷肝逸脱酵素上昇
急性期には種々の程度で肝逸脱酵素の上昇と脂肪肝を合併していることが多く，画像診断も参考になる．また，剖検時に強い脂肪肝を認め，死亡後に診断に至る症例もある．

❸高アンモニア血症
急性発作時に高値となることがあるが，通常は中等度の上昇に留まり輸液のみで改善することが多い．

4 診断の根拠となる特殊検査

一般的に，その他の脂肪酸β酸化異常症では，血清でのアシルカルニチン分画での再検が診断に有用とされるが，CPT1欠損症での遊離カルニチ

ン高値は，ろ紙血でより明確に確認される（図2参照）．

❶ろ紙血アシルカルニチン分析（p.194参照）＊＊
CPT1欠損症では，ろ紙血でのアシルカルニチン分析が重要であることが，ほかの脂肪酸代謝異常症とは異なる．ろ紙血でのアシルカルニチン分析にて，遊離カルニチン（C0）の上昇と長鎖アシルカルニチン（C16，C18など）の減少が特徴的な所見である[7]．NBSではC0/(C16+C18)を指標として用いる．ろ紙血中での遊離カルニチン（C0）が上昇していても，血清遊離カルニチンが正常域～軽度の上昇にとどまることがあるので，注意が必要である．また，特に新生児のろ紙血では長鎖のカルニチンが生理的に高いので，判断に注意が必要である．ろ紙血アシルカルニチン分析は必要に応じて複数回の再検が必要なこともある．

❷カルニチン分画（血清）＊
遊離カルニチンが高値であれば，CPT1欠損症の可能性を考える．上述した通り，CPT1欠損症が疑われる場合にはろ紙血でのアシルカルニチン分析を行うことが望まれる．

補記） 血中カルニチンは年齢や採血時間などにより変動がみられるが，参考基準値としては，遊離カルニチン45～91 μmol/L，アシルカルニチン6～23 μmol/Lとされる[8]．

❸遺伝子診断＊
*CPT1A*遺伝子（11q13.3に局在）の変異解析を行う．CPT1にはCPT1a（肝型），CPT1b（筋型），CPT1c（脳型）のアイソザイムがあるが，遺伝子変異が報告されているのは*CPT1A*のみである．

なお，2019年6月現在，本疾患の遺伝子解析は保険適応となっている．

現在，国立研究開発法人日本医療研究開発機構難治性疾患委託事業「新生児タンデムマススクリーニング対象疾患の診療ガイドラン改訂，診療の質を高めるための研究（深尾班）」として，NBS対象の先天代謝異常症についての遺伝子検査の提供を行っている．実施状況は以下のホームページ（http://www.jsiem.com/）で参照可能である．

❹酵素学的診断＊＊＊
皮膚線維芽細胞，末梢血リンパ球を用いた酵素

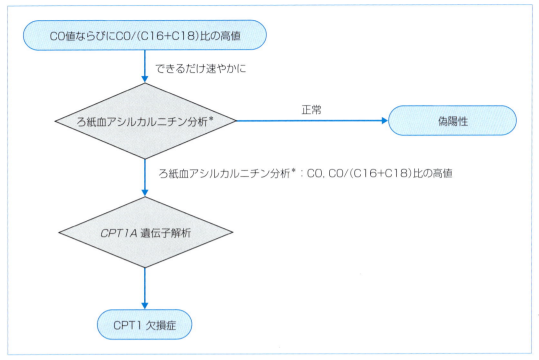

図2● カルニチン回路異常症（CPT1）診断フローチャート
*：CPT1欠損症では，C0上昇は血清よりろ紙血で著明あり，ろ紙血で再検を行う．C0/(C16+C18)比は血清でも評価可能である．
（鑑別チャートはおおきな考え方の流れを示したもので，例外もある）

活性測定は診断に有用であるが，現在日本で行っている施設はない．

5 鑑別診断

ほかの脂肪酸β酸化異常症（ケトン体産生障害を伴う低血糖を示すCPT2欠損症やMCAD欠損症など），ミトコンドリア異常症，急性脳症や意識障害，Reye様症候群，劇症肝炎などが鑑別にあがる．遊離カルニチンが高値となる病態として，肝不全・肝硬変，横紋筋融解などがあり，臨床症状，臨床徴候と併わせ鑑別する．

6 診断基準

❶疑診
(1) 発症前型以外では，前述の「2｜主要症状および臨床所見」のうち一つ以上を認め，かつ「4｜診断の根拠となる特殊検査」のうち，❶❷の一つ以上を満たす場合．
(2) NBS等による発症前型においては，「4｜診断の根拠となる特殊検査」のうち❶❷の一つ以上を満たす場合．

❷確定診断
(1) 発症前型以外では，前述の「2｜主要症状および臨床所見」のうち一つ以上を認め，かつ「4｜診断の根拠となる特殊検査」のうち❸❹の一つ以上を満たす場合．
(2) NBS等による発症前型においては「4｜診断の根拠となる特殊検査」，のうち❸❹の一つ以上を満たす場合．

新生児マススクリーニングで疑われた場合

1 確定診断

NBS陽性例では速やかに精査医療機関でろ紙血でのアシルカルニチン分析を実施する.

補記） CPT1欠損症の診断においては，ろ紙血での遊離カルニチン高値，長鎖アシルカルニチン低値が重要である.

上記診断基準において疑診となった場合には*CPT1A*遺伝子の変異解析を行い，確定診断を行う.

NBSで精密検査になった場合でも，可能な限り経験のある専門家が行うべきであるが，タンデムマス・スクリーニング普及協会のコンサルテーションセンター（http://tandem-ms.or.jp/）を介して，先天代謝異常症の専門家の意見を聞くことが可能である.

2 診断確定までの対応

❶ 検査

上記の確定診断に必須な検査に加えて少なくとも以下の検査を行う. 一般生化学検査（CKを含む），血糖，血液ガス，アンモニア，乳酸，ピルビン酸，遊離脂肪酸，血中/尿中ケトン体，心臓超音波検査，腹部超音波検査を行い，ほかの疾患との鑑別を行う. 臨床所見，一般生化学的所見，生理画像所見に異常を認めた場合には，入院の上，ブドウ糖を含んだ維持輸液を行いながら経過観察が望ましい.

上記の所見でいずれにも異常を認めない症例では通常の母乳あるいは普通ミルクを頻回に投与しつつ，慎重に経過観察を行う. 無症状の症例では，下記の食事間隔，sick dayの対応を指導したうえで，注意深く外来フォローを行ってもよい.

❷ 対応

検査に加えて下記の対応を並行して行う.

1) 食事間隔の指導

飢餓に伴う低血糖発作を防ぐためには，3時間以内の哺乳間隔を厳守するよう指示し，体重増加等が保てていることを確認する.

2) 発熱や胃腸症状を伴う感染症罹患時の指導

発熱，哺乳不良，嘔吐，下痢などを認めた場合は，即時に医療機関の受診をするように指示し，「慢性期の管理」の「4 | sick dayの対応」に準じた対応を行う.

3) 栄養管理

臨床所見，一般生化学所見のいずれかに異常を認める症例では，診断確定までの間であっても，必須脂肪酸強化MCTフォーミュラ（明治721）による栄養管理を積極的に考慮する.

急性発作で発症した場合の診療

急性期の治療方針は「1. 代謝救急診療ガイドライン（p.2）」も参照.

脂肪酸β酸化異常症の診療で最も重要なことは，代謝不全の予防である. 「慢性期の管理」の「4 | sick dayの対応」「❶患者家族への説明」にもあるように，脂肪酸β酸化異常症の急性発作・代謝不全は重篤な転帰に至ることが多い. 日常の診療時から十分な説明が必要である. 急性発作・代謝不全の際には集中治療を要する.

1 急性発作時の救命処置

（1）呼吸不全に対する人工呼吸管理

（2）低血圧性ショック，心原性ショックに対する適切な輸液・薬物療法

2 代謝異常に対する対処

❶ ブドウ糖輸液 B

まず，低血糖を補正し，細胞内に十分なブドウ糖を補充することにより，意識障害や代謝不全発作を回避，または改善させる.

（1）血糖値，血液ガス，血中アンモニア値をモニターしながら行う.

（2）血糖が維持できない場合は，GIR 7〜10 mg/kg/minを目安に中心静脈カテーテルを留置して

輸液する．

(3) 高血糖を認めた場合は，インスリンを 0.01〜0.05 単位/kg/hr で開始することを考慮する．インスリンは細胞内へのブドウ糖の移行を促すことにより，代謝を改善させる働きがあるとされる〔高血糖（新生児＞280 mg/dL（15.4 mmol/L），新生児期以降＞180 mg/dL（9.9 mmol/L）〕．

経口摂取が乏しい場合や即時にルート確保できない場合は，ブドウ糖や MCT ミルク/オイルを経鼻経管栄養を用いて投与してもよい[9]．ただし長期の使用や点滴加療を回避する目的では使用は推奨されない．

❷ 代謝性アシドーシスに対する適切な輸液・薬物療法 B

ほかの有機酸代謝異常などに比べ，一般に脂肪酸 β 酸化異常症では代謝性アシドーシスは重篤ではないが，必要に応じて対応する．

❸ 高アンモニア血症 B

脂肪酸 β 酸化異常症では輸液のみで改善が得られる場合が少なくないが，高アンモニア血症の程度によって，アルギニン＊＊，安息香酸 Na＊＊＊，フェニル酪酸 Na＊＊などの投与を行うこともある．

❹ 体温管理 B

異化亢進をおさえるために体温管理を行い，38℃以下に抑えることが望ましい．アセトアミノフェンは安全に使用できるが，NSAIDs（メフェナム酸，ジクロフェナクなど）は β 酸化酵素の活性低下を引き起こす可能性があり使用すべきでない E．脳低温療法に関してのコンセンサスはない．

3 急性期の評価項目

❶ 一般検査

血算，血液凝固系検査，一般生化学検査（電解質，AST，ALT，Cre，BUN，LDH，CK，血糖など），血液ガス分析，アンモニアに加え，乳酸，ピルビン酸，遊離脂肪酸，血中/尿中ケトン体，アシルカルニチン分析（血清よりもろ紙血でのアシルカルニチン分析が優先される），尿中有機酸分析，尿中ミオグロビンを測定する（即日検査ができない場合は保存検体を−20℃で冷凍保存する）．

❷ 心機能の評価

CPT1 欠損症では心筋症状は報告がないが，ほかの脂肪酸 β 酸化異常症では経過中に心筋症を発症する例が報告されており，本疾患においても急性期には可能であれば心臓超音波検査，心電図検査を行うことが望ましい．

❸ 腹部臓器の評価

脂肪肝・肝腫大の有無の評価を行う．

4 栄養療法および治療薬 B

十分なエビデンスとなる報告はないが，長鎖脂肪酸の摂取制限や十分量のグルコース補充は本疾患の病態から有用だと思われる．

CPT1 欠損症に対して，特異的に有効性を示した治療薬は，現在のところない．

慢性期の管理

本疾患の治療原則は食事指導・生活指導により異化亢進のエピソードを回避すること，特に乳幼児においては飢餓状態を防ぐことが重要である．食事間隔の目安を表 1 に示す．飢餓時の早期グルコース投与は重篤な発作を防ぐためにも重要である．慢性期の管理は代謝異常症の診療経験が豊富な施設で行うことが推奨されるが，困難な場合は専門医と併診することが望ましい．

1 食事生活指導 B

上述の表 1 を目安とした頻回の哺乳，食事により異化亢進を予防することが重要である．

表 1 に食事間隔の目安を示す．安定期の目安であり，臨床経過や患者の状況により変更が必要な場合もある．

表1 ● 脂肪酸酸化異常症における食事間隔の目安 Ⓑ

	日中	睡眠時
新生児期	3時間	
6か月まで	4時間	4時間
1歳まで	4時間	6時間
4歳未満	4時間	8〜10時間
4歳以上7歳未満	4時間	10時間

2 MCTミルク/オイルの使用 Ⓑ

表1を目安とした頻回の哺乳，食事により異化亢進を予防することが最も重要であるが，それに加えて適度な脂質制限なども必要と考えられる．食事生活指導を行っているにもかかわらず，有症状・一般生化学所見の異常を認める場合には，必須脂肪酸強化MCTフォーミュラ（明治721）やMCTオイルを用いる．

本疾患における制限の明確な基準はないが，VLCAD欠損症などほかの脂肪酸β酸化異常症でのエキスパートオピニオンなどを元にした参考例を下記に示す[9)-12)]．一方，日本では通常の食事内容でも脂肪摂取量が全摂取カロリーの30%未満（推奨量は30〜40%程度）となることが多く，実際には高脂肪食にならない程度に気をつけるだけで十分な症例も多い．

❶出生後〜6か月

新生児期〜乳児期早期に急性代謝不全をきたした症例は原則，普通ミルク/母乳は中止し，前述の明治721を中心に低脂肪ミルク（森永ML-1）を併用する．急性代謝不全未発症例では，酵素活性や遺伝子型を参考にして母乳/普通ミルクに明治721を1：1程度まで追加することが多い．

❷6か月〜5歳

急性代謝不全の予防のためには，異化亢進を避ける，飢餓を避けるといった日常生活での管理が最も重要である．急性代謝不全既往例では，明治721/MCTオイルを総kcalのうち10〜15%程度に調整し，低脂肪ミルクや低脂肪の離乳食を使用しLCT制限（総kcalの10%まで）を行うことが多い．未発症例では，重症度に応じて必須脂肪酸強化MCTフォーミュラ（明治721）（総kcalのうち10〜15%）の投与やLCT制限（総kcalのうち15〜20%まで）を考慮する．

❸5歳以降

5歳まで未発症の場合は脂質を総kcalの20%程度）とし，高脂肪食にならないよう心がける．症例によっては前述の明治721やMCTオイルの中止も考慮する．

3 運動制限 Ⓒ

CPT1欠損症では運動制限は通常必要としない．

4 sick dayの対応

38℃を超える発熱や嘔吐，下痢などを認めた場合はsick dayとして扱い，代謝不全を予防する目的で原則入院して，モニター管理のもと厳重に管理を行う必要がある．哺乳可能であっても重篤な代謝不全を起こした症例の報告があり，sick day時には原則入院管理を行うことが強く推奨される．緊急時には24時間対応可能な医療施設の協力も重要となるため，平時より救急病院とも連携をとりながら診療にあたる必要がある．CPT1欠損症の家系では，しばしば発端者の診断の前に年長同胞の突然死例が確認される．CPT2欠損症と同様，sick dayには細心の注意をはらう必要がある．

❶患者家族への説明

脂肪酸β酸化異常症は代謝不全を一度でも起こすと救命がむずかしい，あるいは重篤な後遺症を残す症例が多い．活気や機嫌など身体所見で異常を認めない軽微な症状のみであってもブドウ糖輸液や入院が必要となることを，繰り返し説明することが重要である．旅行時など，かかりつけ以外の医療機関を受診する場合には，担当医に詳しく病気を伝えられるよう患者・家族への教育を行う（旅行，里帰り時などは緊急時用の紹介状を持参することが望ましい）．

❷輸液 Ⓑ

全身状態が良好であっても，発熱，嘔吐，下痢時には十分なブドウ糖輸液（目安：GIR 5〜10 mg/kg/min）を行う．

例）1号輸液（糖濃度2.6%）200 mL＋50%ブドウ糖20 mL＝6.9%糖濃度輸液で初期輸液を行う．維

持輸液は GIR 5〜10 mg/kg/min を目安[12]とするが，同じブドウ糖濃度（6.9%）を水分量 100 mL/kg/day で投与すると，GIR 4.8 mg/kg/min ほどとなる．点滴開始後も，異化亢進を示唆する所見が強い場合や全身状態が悪化する場合には，「**急性期で発症した場合の診療**」に準じて迅速に対応する．

❸ その他

1) MCT ミルク/オイル B

普通ミルクまたは母乳栄養児であっても，sick day は可能であれば全量 MCT ミルクとする方が望ましい．卒乳している患者であれば，できるだけ低脂肪食（全エネルギー量の脂質に占める割合を 30% 未満とする）と MCT オイルを併用することが望ましい．

2) 体温管理 B

異化亢進をおさえるためには体温管理を行い，38℃以下に抑えることが重要である．アセトアミノフェンは安全に使用できるが，NSAIDs（メフェナム酸，ジクロフェナクなど）はβ酸化酵素の活性低下を引き起こす可能性があり使用すべきでない E．

3) 経鼻経管栄養 B

経口摂取が乏しい場合や即時にルート確保できない場合は，ブドウ糖や MCT ミルク/オイルを経鼻経管栄養を用いて投与してもよい[9]．ただし長期の使用や点滴加療を回避する目的では使用は推奨されない．

5 その他

❶ 非加熱コーンスターチ C

厳密に食事間隔があかないようにすることが原則であるが，夜間低血糖の予防を目的に非加熱コーンスターチ 1〜2 g/kg/回程度を就寝前に内服を行っている症例もある．海外の報告で積極的に推奨はされていない．離乳後食間隔が空く場合等のセーフティネットとしては推奨される[9)13]．

内服開始時は 0.25〜1.0 g/kg からとする．腹部膨満，鼓腸，下痢に注意しながら調整する．

補記） ほかの脂肪酸β酸化異常症と異なり，CPT1 欠損症では遊離カルニチンは増加しており，L-カルニチンの投与は行わない．

フォローアップ指針

急性増悪を予防するために飢餓状態の回避，長鎖脂肪酸の制限が重要である．飢餓の予防，発熱時や感染症罹患時の対応，薬物療法に関しては，NBS 発見例と同様であり，それに従ってフォローしていく．感染症や発熱に伴い発症，症状の増悪を認めることが多いため，予防接種については可能な限り積極的に接種することを推奨する．

以下は基本的なフォロー方針であり，症状，重症度にあわせて適宜行う．

● 安定期の受診間隔

・乳幼児期：1〜2 か月ごとの外来での診療
・学童期以降：年 3，4 回程度の定期フォロー

1 フォロー項目

❶ 身長，体重，頭囲

成長曲線を評価しながら，肥満や急激な増減に注意する．

❷ 発達検査

受診ごとにマイルストーンのチェックを行う．

1 歳半，3 歳，6 歳時には新版 K 式や WISC などを用いての評価を行う．

❸ 栄養評価

1 回/年，現状把握のために栄養評価，栄養指導を行う．

❹ 血液検査

治療開始後は定期的に血液検査でフォローする．

乳児期は 1〜2 か月に 1 度，以降は 2〜3 か月に 1 度の検査が望ましい．

(1) AST，ALT，CK
(2) 血糖，血液ガス，アンモニア
(3) アシルカルニチン分析：CPT1 欠損症ではろ紙血で分析を行う．
(4) 遊離脂肪酸，ケトン体，アミノ酸分析は適宜検査を行う．

2 画像検査

❶ 心臓超音波検査，心電図

CPT1欠損症では心筋症状は報告がないが，ほかの脂肪酸β酸化異常症では，肥大型心筋症，拡張型心筋症ともに報告がある．本症の自然歴はまだ不明な点が多く，定期的な心臓超音波検査，心電図検査を行うことが望ましい．

❷ 腹部超音波検査

脂肪肝や肝腫大がみられることがあるため，肝機能異常がみられる場合は適宜行う．

❸ 頭部MRI

新生児期，乳児期に低血糖発作を起こした症例の場合，小児期は1～3年に1回程度の評価を考慮する．未発症例では，鎮静のリスクを考慮してタイミングを判断する．

3 遺伝カウンセリング

本疾患は常染色体劣性遺伝形式で遺伝する疾患で症例によっては極めて予後不良な症例も存在する．確定診断後には，適切な時期に遺伝カウンセリングを行うことが望ましい．

同胞のスクリーニングも必要に応じて行う．

成人期の患者の課題

脂肪酸β酸化異常症全般について長期的な自然歴は明らかになっていない部分が多く，特に成人期，遠隔期についての病態は定見が得られていない．年齢が上がるにつれ絶食に対する耐性がつくことにより，CPT1欠損症では低血糖発作や急性代謝不全の頻度は減少する．しかし，成人になっても低血糖をきたすリスクは高いと考えられるため，生涯にわたり注意が必要とされる．CPT1欠損症においても自然歴が明らかでない部分もあるが，ほかの脂肪酸β酸化異常症と同様に，成人期においては飲酒，運動，妊娠，外科手術などは代謝不全を惹起こする要因になりうるので，注意が必要である．なお，平成29年4月にカルニチン回路異常症の1つとして難病指定されている（指定難病316）．

1 食事療法を含めた治療の継続

通常の生活においては厳密な食事療法は必要ないと考えるが，高炭水化物食とし，長鎖脂肪酸摂取制限，MCTオイルや必須脂肪酸の補充は有用と考えられる．

2 飲酒

本疾患と直接的な関係ははっきりしないが，飲酒自体が脂肪酸代謝能を低下させる，という報告もある[14]．また飲酒による不適切な食事内容（欠食含む）や悪心の誘発は代謝不全発作を引き起こす可能性がある．MCAD欠損症の成人例においては飲酒後の死亡例が報告されており，過度な飲酒は控えるべきである．

3 運動

CPT1欠損症では運動制限を必要とする報告はない．

4 妊娠・出産

CPT1欠損症患者の妊娠管理に関する報告は少ない．他の脂肪酸β酸化異常症と同様，周産期においても十分なブドウ糖液の補充が重要と考えられる．未診断のCPT1欠損症の女性が，妊娠後期にHELLP症候群（溶血発作，肝酵素上昇，血小板減少症）を合併した報告がある．胎児は非罹患児であったが，この女性は小児期に低ケトン性低血糖症や肝酵素の上昇，代謝性アシドーシス発作の既往を有していた[15]．また，CPT1欠損症罹患児を妊娠したヘテロ女性が急性妊娠脂肪肝（acute fatty liver or pregnancy：AFLP）を合併した報告がある[16]．なお，母体が脂肪酸β酸化異常症であっても，産科的な問題がない限り必ずしも帝王切開は必要ないとされる．

5 外科手術

術前後や鎮静により，絶食時間が長くなると低血糖発作を誘発する可能性があるため，術前後は十分なブドウ糖輸液の投与が必要である．未診断症例で術後に昏睡状態となった症例報告がある[17]．また，揮発性の麻酔薬やプロポフォールは長鎖脂肪鎖を含むため避けるべきであると考えられていたが，近年では周術に十分なブドウ糖輸液を行ったうえで，持続的な血糖とCKのモニタリングを行っていれば，特に禁忌とすべき麻酔薬はないとされる[18]．

6 医療費の問題

本疾患は難病指定されており，医療費の負担は大きくない．MCTオイルの購入が必要となることがある．

文献

1) Ro CR, et al. Mitochondrial fatty acid oxidation disoders. The Metabolic and molecular Bases of Inherited disease, 8th ed, McGraw-Hill 2001；2299, Fig. 101-2
2) Bennett MJ, et al. Carnitine Palmitoyltransferase 1 A Deficiency. GeneReviews™［Internet］. Initial Posting：July 27, 2005；Last Update：March 17, 2016.
3) Bonnefont JP, et al. Carnitine palmitoyltransferases 1 and 2：biochemical, molecular and medical aspects. Mol Aspects Med 2004；25：495-520.
4) Seiji Yamaguchi. Expanded newborn mass screening with MS/MS and medium chain acyl-CoA dehydrogenase（MCAD）deficiency in Japan. 日本マス・スクリーニング学会誌 2013；23：270-276.
5) Invernizzi F, et al. Lethal neonatal presentation of carnitine palmitoyltransferase I deficiency. J Inherit Metab Dis 2001；24：601-602.
6) Falik-Borenstein ZC, et al. Brief report：renal tubular acidosis in carnitine palmitoyltransferase type 1 deficiency. N Eng J Med 1992；327：24-27.
7) Fingerhut R, et al. Hepatic carnitine palmitoyltransferase I deficiency：acylcarnitine profiles in blood spots are highly specific. Clin Chem 2018；47：1763-1768.
8) 位田忍，ほか．『カルニチン欠乏症の診断・治療指針 2016』2016年11月
9) Spikerkoetter U. Treatment recommendations in long-chain fatty acid oxidation defects：consensus from a workshop. J Inherit Metab Dis 2009；32：498-505.
10) Evans M, et al. VLCAD deficiency：Follow-up and outcome of patients diagnosed through newborn screening in Victoria. Mol Genet Metab 2016；118：282-287.
11) George F. Hoffmann KSR. Pediatric endocrinology and inborn errors of metabolism 2nd ed. McGraw-Hill EDUCATION. 2017：131.
12) George F. Hoffmann KSR. Pediatric encocrinology and inborn errors of metabolism. 2nd ed. McGraw-Hill EDUCATION. 2017：130-133.
13) Stoler JM, et al. Successful long-term treatment of hepatic carnitine palmitoyltransferase I deficiency and a novel mutation.
14) Jr TMD. Alcohol-induced steatosis in liver cells. World J Gastroenterol 2007；13：4974-4978.
15) Ylitalo K, et al. Serious pregnancy complications in a patient with previously undiagnosed carnitine palmitoyltransferase 1 deficiency. Am J Obstet Gynecol 2005：192：2060-2062.
16) Innes AM, et al. Hepatic carnitine palmitoyltransferase I deficiency presenting as maternal illness in pregnancy. Pediatr Res 2000；47：43-45.
17) Neuvonen PT, et al. Postoperative coma in a child with carnitine palmitoyltransferase I deficiency. Anesth Analg 2001；92：646-647.
18) Allen C, et al. RESEARCH REPORT A retrospective review of anesthesia and perioperative care in children with medium-chain acyl-CoA dehydrogenase deficiency. Pediatr Anesth 2017；27：60-65.

26 カルニチンパルミトイルトランスフェラーゼⅡ（CPT2）欠損症

疾患概要

カルニチンパルミトイルトランスフェラーゼⅡ（CPT2）欠損症は常染色体劣性の遺伝形式をとる脂肪酸代謝異常症の一つである．脂肪酸代謝異常症はミトコンドリアでの脂肪酸β酸化が障害されることでエネルギー産生不全をきたす疾患群で，エネルギー需要の多い脳や，脂肪酸β酸化がさかんな臓器である心臓，骨格筋，肝臓などが障害されやすい．典型的には，発熱や運動などのエネルギー需要が増大した時や，下痢・嘔吐などのエネルギー供給が低下した際に，重篤な低血糖や横紋筋融解症などをきたす．

CPT2欠損症は胎内で心筋症を発症するような最重症例から成人期に筋症状で発見される軽症例まで幅広い臨床像を呈する[1]．一部の出生前より発症する最重症例では新生児マススクリーニング（NBS）発見前に死亡する症例も報告されている

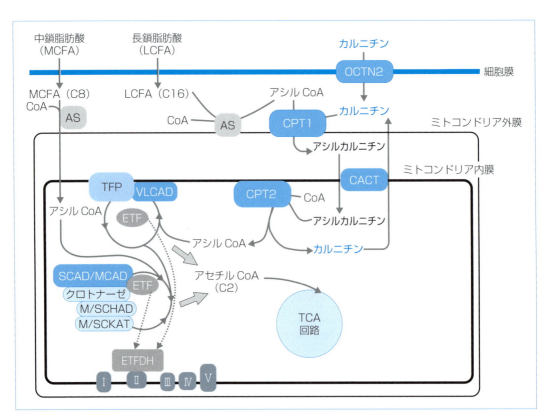

図1 ● 長鎖脂肪酸の代謝経路

OCTN2；カルニチントランスポーター，CPT1；カルニチンパルミトイルトランスフェラーゼⅠ，CPT2；カルニチンパルミトイルトランスフェラーゼⅡ，CACT；カルニチンアシルカルニチントランスロカーゼ，TFP；ミトコンドリア三頭酵素，VLCAD；極長鎖アシルCoA脱水素酵素，MCAD；中鎖アシルCoA脱水素酵素，ETF；電子伝達フラビンタンパク，ETFDH；電子伝達フラビンタンパク脱水素酵素，SCAD；短鎖アシルCoA脱水素酵素，SCHAD；短鎖3-ヒドロキシアシル-CoA脱水素酵素，M/SCHAD；中鎖/短鎖3-ヒドロキシアシル-CoA脱水素酵素，M/SCKAT；中鎖/短鎖3-ケトアシル-CoAチオラーゼ，AS；アシルCoA合成酵素．

が，ほとんどの症例は乳幼児期や学童期以降に発症し，NBSにより早期に診断，対応することで，代謝不全を予防できる可能性がある．ただし，NBSで診断確定後に，突然死をきたした症例の報告が多いのも本疾患の特徴であり，急性発作の予防や急性期の対応には十分な注意が必要である[2)3)]．

これまでは一部の自治体ではスクリーニング対象外であったが，2018年4月よりCPT2欠損症はNBSにおける一次対象疾患となり，すべての自治体でスクリーニングされることになった．

1 代謝経路

CPT2はミトコンドリア内膜の内側に存在し，CPT1，カルニチンアシルカルニチントランスロカーゼ（CACT）とともにカルニチンサイクルを形成する（図1）．CPT2はCACTによりミトコンドリア内に輸送された長鎖アシルカルニチンを長鎖アシルCoAへと活性化して，β酸化回路に基質を供給する役割を担う[4)]．CPT2が欠損することで細胞内に長鎖アシルカルニチンが蓄積し，遊離カルニチンも低下する．後述するアシルカルニチン分析では，この蓄積したC16やC18:1などのアシルカルニチン増加や遊離カルニチンの低下が診断指標に用いられる．

2 疫学

CPT2欠損症はわが国での約196万人を対象としたNBSのパイロット研究から，約26万出生に対して1例の頻度と推測された[5)]．しかし，現在はNBSで使用する指標が改良され，より高感度に陽性患者を検出できるようになったため，さらに多くの患者が発見される可能性がある．2013年以降，2019年6月までにNBSにより6例の新規症例が発見されている．

診断の基準

1 臨床病型

CPT2欠損症は，発症年齢，罹患臓器，重症度などにより4病型に分類される．

❶ 発症前型
NBSや，家族内に発症者または保因者がいて家族検索で発見される無症状の症例が含まれる．以下のどの病型かに分類されるまでの暫定的な分類とする．

❷ 新生児期発症型
新生児期にけいれん，意識障害，呼吸障害，心不全などで急性発症し，著しい非〜低ケトン性低血糖や高アンモニア血症，肝逸脱酵素上昇，高CK血症，心筋症などをきたす．乳児期早期の致死率が高い．伝導障害や上室性頻拍などの不整脈が初発症状としてみとめられることもある．先天奇形（小頭症，小脳虫部低形成，多小脳回，耳介変形などの外表奇形，多嚢胞腎）などを合併する場合もある[1)6)]．

❸ 乳幼児発症型
多くは乳児期に，感染や長時間の飢餓を契機に急性発症し，急性増悪を繰り返すこともある．急性期の症状は，筋力低下，急性脳症様/Reye様症候群様発作，突然死などである[7)]．急性期の検査所見としては，非〜低ケトン性低血糖症，高アンモニア血症，肝逸脱酵素高値，CK高値などがみられる．発作時には肝腫大（脂肪肝），肥大型，拡張型心筋症を示すことがある．本臨床型においてCPT2欠損症では突然死が散見されるが，多くは1歳前後の感染を契機とした急性発作によるものである．わが国では最長2歳5か月時に，感染を契機に突然死を起こした症例が報告されている[3)]．エキスパートオピニオンにとどまるが，少なくとも小学校入学までは，後述するsick dayの対策などを行い，慎重な管理が望まれる．

❹ 遅発型
従来は，学童期から成人以降に，間欠的な横紋筋融解症，もしくは筋痛，ミオパチーなどの症状を呈する事が多いとされていたが，実際は1〜12

歳の比較的早期に発症する症例も少なくないことが明らかになってきた[8]．通常発作間欠期には無症状にもかかわらず，発作時にはミオグロビン尿を伴う著しい高CK血症を認める．ときに横紋筋融解症に伴い，急性腎不全，呼吸不全，不整脈などの重篤な合併症を引き起こすこともある．発作の誘因は，運動負荷が多いが，感染，飢餓，寒冷，全身麻酔，薬剤（ジアゼパム，イブプロフェン，バルプロ酸ナトリウム）なども引き起こす[7]．筋組織には，脂肪蓄積や筋線維の萎縮・壊死を認める場合もあるが，非特異的変化のみのことも多い[9]．

補記）CPT2の遺伝子多型（SNP）中に3～4℃の体温上昇で熱失活する熱不安定性型SNPの存在が報告されている．東アジア人に比較的頻度が高く，インフルエンザ脳症やヒトヘルペスウイルス（HHV6型）脳症の誘因の一つとも推定される[10]．本SNP保有者は通常の日常生活において，臨床症状はみられず，CPT2欠損症とは分けて議論する必要がある．

2 主要症状および臨床所見

❶意識障害，けいれん

新生児期発症型，乳幼児期発症型でみられる．急激な発症形態から急性脳症，Reye様症候群と診断され，本症例が見逃される可能性もある．

❷骨格筋症状

おもに遅発型でみられる．横紋筋融解症やミオパチー，筋痛，易疲労性を呈する．感染や飢餓，運動，飲酒などを契機に発症することが多く，症状が反復することも特徴である．

❸心筋症状

新生児期発症型で，心不全，致死的な不整脈などがみられることがある．脂肪酸代謝異常症で一般的に認める心室性の不整脈に加え，本疾患では心房頻拍や伝導障害を起こすことが知られ蓄積するアシルカルニチンの毒性が原因とされる[11]．

❹呼吸器症状

新生児期発症型を中心として多呼吸，無呼吸，努力呼吸などの多彩な表現型を呈する．

❺消化器症状

特に乳幼児期発症型において，嘔吐を主訴に発症することがある．

❻肝腫大

新生児期発症型，乳幼児期発症型で多くみられる．病勢の増悪時には著しい腫大を認めることもあるが，間欠期には明らかでないことも多い．

❼その他

新生児期発症型の一部の症例では先天奇形（小頭症，耳介変形などの外表奇形，多囊胞腎，肝石灰化，多小脳回）などを呈する場合もある．

3 参考となる検査所見

❶非～低ケトン性低血糖

低血糖の際であっても，血中および尿中ケトン体が上昇しない，または血糖値に比してケトン体の上昇が乏しい事が特徴である．低ケトン性の目安は低血糖時に本来産生されると推定されるケトン体量を明らかに下回る場合をいう．血中ケトン体分画と同時に血中遊離脂肪酸を測定し，遊離脂肪酸/総ケトン体モル比＞2.5，遊離脂肪酸/3ヒドロキシ酪酸モル比＞3.0であれば脂肪酸β酸化異常症が疑われる．

補記）非～低ケトン性ジカルボン酸尿

脂肪酸代謝異常症では尿中有機酸分析＊＊で安定期には異常を認めないが，異化亢進時に非～低ケトン性ジカルボン酸尿を認める．ただし本疾患に特異的な所見ではなくほかの脂肪酸代謝異常症でも認められる所見であり，補助的な検査にとどまる（p.193，「**mini lecture 4／非（低）ケトン性低血糖，非（低）ケトン性ジカルボン酸尿症**」参照）．

❷肝逸脱酵素上昇

種々の程度で肝逸脱酵素の上昇を認めるが，脂肪肝を合併していることが多く，画像診断も参考になる．また，剖検時に強い脂肪肝を認め，死亡後に診断に至る症例もある．

❸高CK血症

非発作時には正常～軽度高値であっても，急性発作時には著明高値（＞10,000 U/L）になることが多い．

❹ **高アンモニア血症**

急性発作時にアンモニア高値となることがあるが，輸液のみで改善することが多い．

❺ **筋生検**

診断に筋生検が必須ではないが，筋生検の病理学的所見から脂肪酸代謝異常症が疑われることがある．

4 診断の根拠となる特殊検査

本疾患を疑った場合，ろ紙血アシルカルニチン分析の再検査を繰り返すのではなく，診断の根拠となる特殊検査を迅速に行う必要がある（図2参照）．ろ紙血アシルカルニチン分析では異常な生化学所見を検出できない可能性がある．

❶ **血清アシルカルニチン分析＊＊**

本疾患の場合，周産期以降のろ紙血では長鎖アシルカルニチンの上昇が検出し難くなり見逃し例が発生する可能性がある．このため，より感度に優れる血清アシルカルニチン分析を行うことが望ましい[12]．血清アシルカルニチン分析では長鎖アシルカルニチン全般（C16，C18，C18：1）の増加が特徴的である．急性期ではC0低値，（C16＋C18：1）/C2比高値が目立つ．これらの指標はCACT欠損症でも認めるため，両者をアシルカルニチン分析の結果で鑑別することはできない．またNBSにおいては，CPT2欠損症の指標としてC14/C3比および（C16＋C18：1）/C2比を組みあわせることで，従来より高精度に患者を鑑別できることが報告されている[13]．2018年度の一次対象疾患への引き上げと同時に導入された．

❷ **カルニチン分画（血清）＊**

本疾患では遊離カルニチン低値かつ，アシルカルニチン高値（20 μmol/L 以上）を認める．CPT2欠損症におけるアシルカルニチンの増加は，長鎖アシルカルニチン全般（C16，C18，C18：1）の蓄積による．遅発型CPT2欠損症では，カルニチン値が正常を示すものもある．より詳細な検討ができる血清アシルカルニチン分析の方を優先的に行うことが望ましい．

補記）血中カルニチンは年齢や採血時間などにより変動がみられるが，参考基準値としては，遊離カルニチン45〜91 μmol/L，アシルカルニチン6〜23 μmol/L とされる[14]．また，遊離カルニチン濃度＜20 μmol/L，アシルカルニチン/遊離カルニチン比＞0.4は明らかに異常があり精査が必要と考えられている[14]．

❸ **酵素学的診断＊＊**

末梢血リンパ球を用いた酵素活性測定が行われており，積極的な検査が推奨される．酵素活性低下例では臨床像の予測のためにも，併せて遺伝子解析を行うことが推奨される．酵素活性を行っている検査施設に関しては先天代謝異常学会のHPより参照が可能である（http://jsimd.net）．

❹ **脂肪酸代謝能検査（in vitro プローブアッセイ）＊＊＊**

In vitro プローブアッセイは，被験者の末梢血リンパ球や皮膚線維芽細胞を用いて，間接的に脂肪酸代謝能を評価する方法でありCACT欠損症でも有用な検査となる．ただし，結果を得るまでに線維芽細胞では2〜3か月，リンパ球では2週間程度を要するため，確定診断には補助的な役割と位置づけられる[15]．

❺ **遺伝子解析＊＊＊**

*CPT2*遺伝子（1p32.3に局在）の変異解析を行う．日本人ではp.F383Yが高頻度変異として報告されており[13)16]，乳幼児期発症型に多い．欧米では遅発型を呈するp.S113L変異が約60％を占めるが，日本人では報告は少ない[17]．遺伝子検査で異常が発見され診断に至った症例においても，酵素活性の結果とあわせて評価することで，より正確な臨床型の予測につながるため両者を併せて行うことが望ましい．

またp.F352C変異は熱不安定性型の日本人に特異的な多型として報告され，高熱時に重症化する急性脳症との関連が指摘されている[10]が，CPT2欠損症の病因となる変異とは別と考えるべきである．

2019年6月現在，国立研究開発法人日本医療研究開発機構（AMED）難治性疾患委託事業「新生児タンデムマススクリーニング対象疾患の診療ガイドラン改訂，診療の質を高めるための研究（深尾班）」では，NBS対象の先天代謝異常症につい

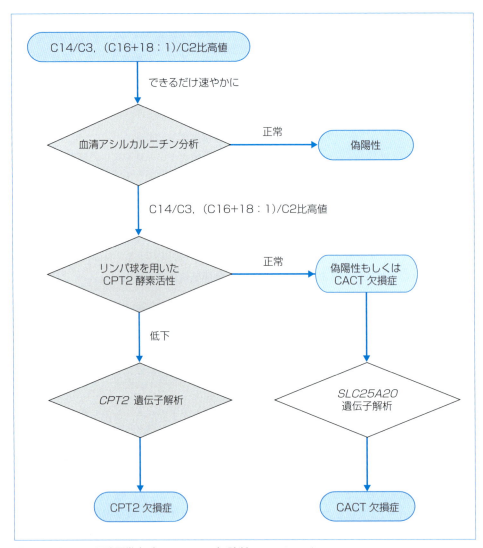

図2● カルニチン回路異常症（CACT，CPT2）診断フローチャート
CPT2；calnitine palmitoyltransferase 2（カルニチンパルミトイルトランスフェラーゼⅡ），CACT；calnitine acylcarnitine translocase（カルニチンアシルカルニチントランスロカーゼ）.
（鑑別チャートはおおきな考え方の流れを示したもので，例外もある.）

ての遺伝子検査の提供を行っている．実施状況について以下のホームページで参照可能である（http://www.jsiem.com/）．

5 鑑別診断

①他の脂肪酸代謝異常症（特にCACT欠損症），②（インフルエンザ脳症などを含むウイルス性の）急性脳症など，③ミトコンドリア異常症，④筋型糖原病 などが鑑別にあがる．

6 診断基準

❶疑診

（1）発症前型以外では，前述の「2｜主要症状および臨床所見」のうち一つ以上を認め，かつ「4｜診断の根拠となる特殊検査」のうち❶❷の一つ以上を満たす場合．
（2）NBS等による発症前型においては，「4｜診断の根拠となる特殊検査」のうち❶❷の一つ以上を

満たす場合．

❷確定診断
(1) 発症前型以外では，前述の「2｜主要症状および臨床所見」のうち一つ以上を認め，かつ「4｜診断の根拠となる特殊検査」のうち❸❹の一つ以上を満たす場合．

(2) NBS等による発症前型においては，「4｜診断の根拠となる特殊検査」のうち❸❹の一つ以上を満たす場合．

新生児マススクリーニングで疑われた場合

1 確定診断

NBS陽性例は再検査を繰り返さず速やかに精査医療機関で血清アシルカルニチン分析を測定する．

補記）なお，ろ紙血中の長鎖アシルカルニチン値は初回採血以降，生理的に大きく低下する．ろ紙血中のアシルカルニチン分析では見逃し例が発生する可能性がある．

上記の診断基準において疑診となった場合にはリンパ球を用いた酵素活性測定，CPT2遺伝子の変異解析を行い，確定診断を行う．本疾患においては，尿中有機酸分析や，脂肪酸代謝能検査は診断に必須ではない．

NBSで精密検査になった場合でも，可能な限り経験のある専門家が行うべきであるが，タンデムマス・スクリーニング普及協会のコンサルテーションセンター（http://tandem-ms.or.jp/）を介して，先天代謝異常症の専門家の意見を聞くことが可能である．

2 診断確定までの対応

❶検査

上記の確定診断に必須な検査に加え，少なくとも以下の検査を行う．

一般生化学検査（CKを含む），血糖，血液ガス，アンモニア，乳酸，ピルビン酸，遊離脂肪酸，血中/尿中ケトン体，心臓超音波検査，腹部超音波検査を行い，他疾患との鑑別，新生児型でないかを確認する．臨床所見，一般生化学的所見，生理画像所見に異常を認める場合は，入院のうえ，ブドウ糖を含んだ維持輸液を行いながら罹患児に準じた経過観察が望ましい．無症状の症例では，下記の食事間隔，sick dayの対応を指導したうえで注意深く外来フォローを行ってもよい．

❷対応

検査に加えて下記の対応を並行して行う．

1) 食事間隔の指導

飢餓に伴う低血糖発作を防ぐためには，3時間以内の授乳間隔を厳守し，体重増加傾向が保てていることを確認する．

2) 発熱や胃腸症状を伴う感染症罹患時の指導

発熱，哺乳不良，嘔吐，下痢などを認めた場合は，即時に医療機関の受診をするように指示し，罹患児に準じて「慢性期の管理」の「4｜sick dayの対応」を行う．

3) 栄養管理

臨床所見，一般生化学的所見に異常を認めない症例では通常の母乳あるいは普通ミルクを頻回に投与しつつ，慎重に経過観察を行う．いずれかに異常を認める症例では，診断確定までの間であっても，必須脂肪酸強化MCTフォーミュラ（明治721）による栄養管理を積極的に考慮する．

急性期の治療方針

急性期の治療方針は「1. 代謝救急診療ガイドライン（p.2）」も参照する．

脂肪酸代謝異常症の診療で最も重要なことは，急性代謝不全の予防である．sick dayの対応「❶患者家族への説明」にもあるように，脂肪酸代謝異常症の急性発作・代謝不全は重篤な転帰に至る

ことが多い．日常の診療時から十分な説明が必要である．急性発作・代謝不全の際には集中治療を要する．

1 急性発作時の救命処置

(1) 呼吸不全に対する人工呼吸管理．
(2) 低血圧性ショック，心原性ショックに対する適切な輸液・薬物療法．

2 代謝異常に対する対処

❶ブドウ糖輸液 B

まず，低血糖を補正し，100 mg/dL を目安に維持する．細胞内に十分なブドウ糖を補充し，脂肪酸の分解を抑制することにより，有害な脂肪酸代謝産物の生成を抑える．

(1) 血糖値，血液ガス，血中アンモニア値をモニターしながら行う．
(2) 血糖が維持できない場合は，GIR 7～10 mg/kg/min を目安に中心静脈カテーテルを留置して輸液する．
(3) 高血糖を認めた場合は，インスリンを 0.01～0.05 単位/kg/hr で開始することを考慮する．インスリンは細胞内へのブドウ糖の移行を促すことにより，代謝を改善させる働きがあるとされている〔高血糖（新生児＞280 mg/dL（15.4 mmol/L），新生児期以降＞180 mg/dL（9.9 mmol/L）〕．

経口摂取が乏しい時や，すでに意識障害をきたしているにもかかわらず即座にルート確保できない場合には，ブドウ糖やMCTミルク/オイルを経鼻経管栄養として投与してもよい．ただし，点滴加療を回避する目的では使用しない．

❷代謝性アシドーシスに対する適切な輸液・薬物療法 B

有機酸代謝異常などに比べ，一般に脂肪酸代謝異常症では代謝性アシドーシスは重篤ではないが，必要に応じて対応する．

❸高アンモニア血症 B

脂肪酸代謝異常症では輸液のみで改善が得られる場合が少なくないが，高アンモニア血症の程度によって，アルギニン＊＊，安息香酸Na＊＊＊，フェニル酪酸Na＊＊などの投与を行うこともある．

❹体温管理 B

異化亢進をおさえるために体温管理を行い，38℃以下に抑えるのが望ましい．アセトアミノフェンは安全に使用できる．NSAIDs（メフェナム酸，ジクロフェナクなど）はβ酸化酵素の活性低下を引き起こす可能性があり使用すべきでない E．脳低温療法に関してのコンセンサスはない．

3 急性期の評価項目

❶一般検査

血算，血液凝固系検査，一般生化学検査（電解質，AST，ALT，Cre，BUN，LDH，CK，血糖など），血液ガス分析，アンモニアに加え，乳酸，ピルビン酸，遊離脂肪酸，血中/尿中ケトン体，血清アシルカルニチン分析（ろ紙血でのアシルカルニチン分析より優先される），尿中有機酸分析，尿中ミオグロビンを測定する（即日検査ができない場合は保存検体を−20℃で冷凍保存する）．

❷心機能の評価

脂肪酸代謝異常症では経過中に心筋症を発症することがあり（肥大型・拡張型ともにみられる）超音波検査による評価が必要となる．また重篤な伝導障害，不整脈が突然出現することもあり心電図でのモニタリングは必須であるが，入念な管理を行っていても重篤な転帰が防げない場合も報告されている．

❸腹部臓器の評価

脂肪肝・肝腫大の有無の評価を行う．

4 栄養療法および治療薬 B

十分なエビデンスとなる報告はないが，長鎖脂肪酸の摂取制限や十分量のブドウ糖補充は本疾患の病態から有用だと思われる．

現時点では，脂肪酸代謝異常症に対して特異的に有効性が認められた治療薬はない．カルニチンの投与については議論が分かれるが，少なくとも急性期における経静脈的投与は禁忌と考えられている．状態が安定した後は，特殊ミルクや糖質を中心とする食事を開始する．飢餓の予防，薬物療法 安定期に入ってからの飢餓の予防，薬物療法に関しては，NBS発見例と同様である．

5 横紋筋融解症に対する治療 B

横紋筋融解を主症状とする場合，CKの値は100,000 U/L以上となることも珍しくない．その場合は上記のような集中治療を要さない場合が多いが，急性腎不全予防のための治療が必要となる．通常時にみられる横紋筋融解症と同様にブドウ糖を含む大量輸液，アルカリ化を行うが輸液の糖濃度に関してのコンセンサスはなく，個々の症例ごとに血糖値をモニタリングしつつ輸液を行うことが望ましいと考えられる．

慢性期の管理

本疾患の治療原則は食事指導・生活指導により異化亢進を回避し，低血糖やReye様症候群，骨格筋，心筋の障害を避けることにある．慢性期の管理は代謝異常症の診療経験が豊富な施設で行うことが推奨されるが，困難な場合でも専門医と併診する事が望ましい．

1 食事生活指導 B

表1に示す通り，目安とした頻回の哺乳，食事により異化亢進を予防することが重要である．

またそれに加えて適度な脂質制限なども必要となるが，本疾患における制限の明確な基準はない．VLCAD欠損症など他の脂肪酸代謝異常症でのエキスパートオピニオンなどを元にした参考例を下記に示す[18)-20)]．

❶出生後～6か月

新生児期～乳児期早期に急性代謝不全をきたした症例は原則，普通ミルク/母乳は中止し，前述の明治721を中心に低脂肪ミルク（森永ML-1）を併用する．急性代謝不全未発症例では，酵素活性や遺伝子型を参考にして母乳/普通ミルクに明治721を1：1程度まで追加することが多い．

❷6か月～5歳

急性代謝不全既往例では，明治721/MCTオイルを総kcalのうち20～25%程度に調整し，低脂肪ミルクや低脂肪の離乳食を使用しLCT制限（総kcalの10%まで）を行うことが多い．未発症例では，重症度に応じて明治721/MCTオイル（総kcalのうち10～15%）の投与やLCT制限（総kcalのうち15～20%まで）を考慮する．いずれの場合も，脂質は総kcalの30～40%まで制限するように欧米では推奨されているが，日本では通常の食事内容でも脂質が全摂取カロリーの30%未満となることが多く，実際には高脂肪食にならない程度に気をつけるだけで十分な症例も多い．

❸5歳以降

5歳まで未発症の場合は脂質を総kcalの25～30%程度）とし，高脂肪食にならないよう心がける．症例によっては明治721やMCTオイルの中止も考慮する．

表1 ● 脂肪酸代謝異常症における食事間隔の目安 B

	日中	睡眠時
新生児期	3時間	
6か月まで	4時間	4時間
1歳まで	4時間	6時間
4歳未満	4時間	8～10時間
4歳以上7歳未満	4時間	10時間

安定期の目安であり，臨床経過や患者の状況により変更が必要な場合もある．

2 薬物療法

❶L-カルニチン（エルカルチンFF®）投与 D

カルニチン投与の是非には議論があるが，低カルニチン血症（15～20 μmol/L以下）に対しては，血中遊離カルニチン濃度を20 μmol/L以上に保つようにカルニチンを補充されることが多い．CPT2欠損症に対するカルニチンの有効性を示したRCTはない．

❷ベザフィブラート＊＊ C

長鎖脂肪酸（LCT）代謝異常症であるVLCAD欠損症やCPT2欠損症においてベザフィブラートの投与により症状が改善したという報告がある一方，デンマークでのRCTでは効果を認めなかっ

たとする報告があり議論が分かれている[21]．日本でのオープンラベル非ランダム化試験においては患者のQOLの改善が示されている[22]．

3 運動制限 B

症例により制限の範囲は異なる．症状，検査所見を確認しながら患者に合わせた制限を考慮する．登山やマラソンなどの長時間の激しい運動は避けるべきである．運動の20分前にMCTを0.5 g/kg投与することで運動不耐性が改善するという報告がある[23]．

4 sick day の対応

38℃を超える発熱や嘔吐，下痢などを認めた場合はsick dayとして扱い，代謝不全を予防する目的で原則入院して，心電図やSpO_2モニター管理のもと厳重に管理を行う必要がある．哺乳可能であっても重篤な代謝不全を起こした症例があり，sick day時には原則入院管理を行うことが強く推奨される．緊急時には24時間対応可能な医療施設の協力も重要となるため，平時より救急病院とも連携をとりながら診療にあたる必要がある．

CPT2欠損症は感染を契機とした突然死の報告が他の脂肪酸代謝異常症と比較しても多い[24][25]．NBS発見例や，初回の発熱であっても突然死を起こした症例の報告があり，sick dayには細心の注意をはらう必要がある[2][3]．

❶ 患者家族への説明

脂肪酸代謝異常症は代謝不全を一度でも起こすと救命がむずかしい，あるいは重篤な後遺症を残す症例が多い．活気低下や機嫌不良など身体所見に異常を認めない軽微な症状のみであってもブドウ糖輸液や入院が必要となることを，繰り返し説明することが重要である．旅行時など，かかりつけ以外の医療機関を受診する場合には，担当医に詳しく病気を伝えられるよう患者・家族への教育を行う（旅行，里帰り時などは紹介状を持参することが望ましい）．患者向けのパンフレットなども入手できる．

❷ 輸液 B

全身状態が良好であっても，発熱，嘔吐，下痢時には十分なブドウ糖輸液を行う．
例）1号輸液（糖濃度2.6%）200 mL＋50%ブドウ糖20 mL＝6.9%糖濃度輸液で初期輸液を行う．維持輸液はGIR 5〜10 mg/kg/minを目安[18]とするが，同じブドウ糖濃度（6.9%）を水分量100 mL/kg/dayで投与すると，GIR 4.8 mg/kg/min程となる．点滴開始後も，異化亢進を示唆する所見（CK上昇）が強い場合や全身状態が悪化する場合には，急性期の管理に準じて迅速に対応する．

❸ カルニチン D

普段よりカルニチン補充を行っている症例では中止する必要はないものの，急性期に大量のカルニチン補充は控えたほうがよいと考えられる．カルニチンの静脈投与は禁忌である[24]．

❹ その他

1) MCTミルク/オイル B

普通ミルクまたは母乳栄養児であっても，sick dayは可能であれば全量MCTミルクとしたほうが望ましい．卒乳している患者であれば，できるだけ低脂肪食（全エネルギー量の脂質に占める割合を30%未満とする）とMCTオイル併用が望ましい．

2) 体温管理 B

異化亢進をおさえるためには体温管理を行い，38℃以下に抑えることが重要である．アセトアミノフェンは安全に使用できる．NSAIDs（メフェナム酸，ジクロフェナクなど）はβ酸化酵素の活性低下を引き起こす可能性があり使用すべきでない E．

3) 抗菌薬

血中遊離カルニチン濃度の低下をきたしうるピボキシル基をもつ抗菌薬は原則使用しないよう，外来診療を行う他科の医師との間で意思統一が必要である E．

4) 経鼻経管栄養 B

経口摂取が乏しい場合や即時にルート確保できない場合は，ブドウ糖やMCTミルク/オイルを経鼻経管栄養を用いて投与してもよい[19]．ただし長期の使用や点滴加療を回避する目的では使用は推奨されない．

5 その他

❶ 非加熱コーンスターチの使用 C

本疾患の食事指導の原則は適切な食事間隔の遵守であるが，非加熱コーンスターチ1～2 g/kg/回程度を就寝前に内服する症例もある．離乳後食間隔が空く場合のセーフティネットとしては推奨される[26]．

内服開始時は0.25～1.0 g/kgからとする．腹部膨満，鼓腸，下痢に注意しながら調整する．

❷ トリヘプタノイン（p.194参照）

奇数鎖脂肪酸から構成される中鎖アシルグリセロールである．日本では2019年6月現在は使用できない．

フォローアップ指針

急性増悪を予防するために飢餓状態の回避，長鎖脂肪酸の制限，運動負荷の制限が重要である．飢餓の予防，発熱時や感染症罹患時の対応，薬物療法に関しては，NBS発見例と同様であり，それに従ってフォローしていく．感染症が契機となり発症，症状の増悪を認めることが多いため，予防接種については可能な限り積極的に推奨する．

以下は基本的なフォロー方針であり，症状，重症度にあわせて適宜行う．

● 安定期の受診間隔
・乳幼児期：1～2か月ごとの外来受診
・学童期以降：年3，4回程度の定期受診

1 観察項目

❶ 身長，体重，頭囲
成長曲線を評価しながら，肥満や急激な増減に注意する．

❷ 発達検査
受診ごとにマイルストーンのチェックを行う．
1歳半，3歳，6歳時には新版K式またはWISCを用いての評価を行う．

❸ 栄養評価
1回/年，現状把握のために栄養評価，栄養指導を行う．

❹ 血液検査
治療開始後は定期的に血液検査を実施する．（検査項目の一例を下記に記載）
採血のタイミングは必ずしも空腹時に行う必要はない．
乳児期は1～2か月に1度，以降は2～3か月に1度の検査が望ましい．

(1) AST，ALT，CK，コレステロール
(2) 血糖，血液ガス，アンモニア
(3) 血清アシルカルニチン分析：ろ紙血よりも血清のほうが軽微な変化を捉えやすいが，食事のタイミングなどの影響を受けやすい．カルニチン内服3～4時間以後が望ましいが，必ずしも空腹時でなくてよい．
(4) NEFA，ケトン体，アミノ酸分析は適宜検査を行う．

❺ 画像検査

1) 心臓超音波検査，心電図

脂肪酸代謝異常症では，肥大型心筋症，拡張型心筋症ともに報告があるため定期的な心臓超音波検査検査を行う．無症状であっても最低1回/年，異常所見がある場合は症例に応じて適宜追加．心室性頻拍（心室細動，心室粗動）をはじめとする不整脈の報告があるため，心電図も定期的に行う．無症状であっても最低1回/年，異常所見がある場合は症例に応じて適宜追加する．

2) 腹部超音波検査

脂肪肝や肝腫大がみられることがあるため，肝機能異常がみられる場合は適宜行う．

3) 筋肉MRI

T1強調像やSTIRでの異常高信号がみられる場合がある．
脂肪酸代謝異常症でも疾患によって異常が検出される部位が若干異なる．CPT2欠損症では中臀筋，大臀筋に異常高信号を認めたとする報告がある．

4) 頭部MRI

新生児期，乳児期に低血糖発作を起こした症例の場合，小児期は1～3年に1回程度の評価を考慮

する．未発症例では，鎮静のリスクを考慮してタイミングを判断する．

❻遺伝カウンセリング

本疾患は常染色体劣性遺伝形式で遺伝する疾患で，症例によっては極めて予後不良な症例も存在する．確定診断後には，適切な時期に遺伝カウンセリングを行うことが望ましい．同胞のスクリーニングも必要に応じて行う．

成人期の課題

脂肪酸代謝異常症全般について長期的な自然歴は明らかになっていない部分が多く，特に成人期，遠隔期についての病態は定見が得られていない．

成人期においては遅発型の症例における横紋筋融解症やミオパチー，筋痛発作などが中心の病態となるが，乳幼児期に低血糖やReye様症候群として発症した乳幼児発症型の症例が次第に筋型の表現型を呈することもしばしば経験される．60歳をすぎて発症した症例もあることから，本疾患では生涯にわたる診療および治療が必要である．

治療の原則は上述の通り，MCTオイルの服用などを中心とする食事療法と，過度な運動の回避などを継続することであるが，筋痛などの症状は治療によっても改善が乏しいとされる．成人期においては飲酒，運動，妊娠，外科手術などは代謝不全を惹起こす要因になりうるので，注意が必要である．なお，平成29年4月にカルニチン回路異常症の1つとして難病指定されている（指定難病316）．

1 食事療法

低血糖などの全身症状がある場合や，筋痛発作の程度が強い場合には，慢性期の管理に準じた量のMCTオイル併用のうえ，LCT（長脂肪酸トリグリセリド）の摂取を制限する．症状が軽微な場合には食事療法が不要となることもあるが，どのような病状で食事療法を中止とするかの判断はむずかしい．

2 飲酒

本疾患と直接的な報告はないが，飲酒により糖新生が障害される等の機序で低血糖をきたすことが知られており，飲酒自体が脂肪酸代謝能を低下させるという報告もある[27]．また飲酒による不適切な食事内容（欠食含む）や悪心の誘発は代謝不全発作を引き起こす可能性がある．MCAD欠損症の成人例においては飲酒後の死亡例が報告されており，過度な飲酒は控えるべきである．

3 運動

運動負荷によって横紋筋融解などの筋症状を発症するリスクがある．ただし，どの程度厳格に管理するかは不明である．学童以降では運動会や登山，持久走といった持続的な運動に注意が必要である．軽症例や未発症例では運動制限を行わなくてもよい症例があるため，症状の出現に注意しながら，許容できるか運動レベルを設定していく必要がある．

4 妊娠・出産

CPT2欠損症患者の妊娠管理に関する報告は少ない．急性妊娠脂肪肝を呈した報告はこれまでないが，分娩後にCK上昇を認めた症例報告が多い[28]．悪阻によって筋痛発作が増強することも考えられ，周産期においても十分なブドウ糖液の補充が重要となる．上記の慢性期の管理をしっかり行うことで問題なく妊娠・出産に至った報告も多い．なお，母体が脂肪酸代謝異常症であっても，産科的な問題がない限り必ずしも帝王切開の適応にはならない．

5 外科手術

術前後や鎮静により，絶食時間が長くなると発作を誘発する可能性があるため，術前後は十分なブドウ糖輸液の投与が必要である．また，揮発性の麻酔薬やプロポフォールは脂肪酸代謝を抑制し，内因性長鎖脂肪酸が増加する可能性があるため避けるべきであると考えられていたが，近年で

は周術期に十分なブドウ糖輸液を行ったうえで，持続的な血糖と CK のモニタリングを行っていれば，特に禁忌とすべき麻酔薬はないと考えられている[29]．

6 医療費の問題

投薬はカルニチンの内服や，MCT オイルの購入が必要となることもある．筋症状によって就労に制限が出ることもある．

文献

1) Boemer F, et al. Diagnostic pitfall in antenatal manifestations of CPTⅡ deficiency. Clin Genet 2016；89：193-197.
2) 武者育麻．カルニチンパルミトイルトランスフェラーゼⅡ欠損症の臨床的多様性：幼児突然死例と63歳で診断された例児．特殊ミルク情報 2016；52：27-31.
3) 野口篤子．急性胃腸炎を契機に死亡したカルニチンパルミトイルトランスフェラーゼⅡ（CPT2）欠損症

---

mini column 1　CPT2 の死亡例のまとめ

以前より CPT2 欠損症は感染症などを契機とした死亡例が，他の脂肪酸代謝異常症に比較して多数報告されていた．タンデムマス・スクリーニング開始後も報告数は減少しているが，下表のように医療機関受診後に突然死した症例も報告されている．NBS で CPT2 欠損症と診断されていたにもかかわらず突然死に至った症例もあり，CPT2 欠損症では急性期の対応に細心の注意をはらう必要がある．発熱，嘔吐時などの異化亢進が予想される状況では，臨床所見や生化学検査に異常がなくとも原則入院管理を検討し，厳重なモニタリングを行うことが重要である．また，不整脈からの突然死例も報告があり，入院中は心電図モニターも必要となる．

年齢	診断	契機	臨床経過	参考文献
2 d	死亡後	哺乳不良	突然の徐脈，心停止	1)
6 m	死亡後	上気道炎	帰宅後，突然死	2)
8 m	死亡後	手足口病	低血糖，VPC，意識障害，徐脈から心停止	3)
9 m	死亡後	インフルエンザ	帰宅後，突然死	4)
11 m	死亡後	発熱，嘔吐	帰宅後翌日に突然死	5)
1 y 1 m	死亡後	上気道炎	詳細不明	6)
1 y 1 m	死亡後	胃腸炎	帰宅後，突然死	3)
1 y 1 m	死亡後	上気道炎，咽頭炎	詳細不明	7)
1 y 3 m	NBS	上気道炎	入院翌日退院後に突然死	3)
1 y 5 m	死亡後	嘔吐，下痢	けいれん重積，多臓器不全	8)
2 y 5 m	NBS	胃腸炎	帰宅後，突然死	3)
18 y	不明	徹夜登山後	筋強直発作，腎不全	3)

VPC：心室期外収縮．

参考文献）

・日本小児栄養消化器肝臓学会雑誌 2011；25：25-28
・Molecular Genetics and Metabolism 2011；102：399-406
・特殊ミルク情報 2016；2
・日本小児科学会雑誌 2015；119：1024-1028
・Molecular Genetics and Metabolism Reports 2015；5：26-32
・日本小児救急医学会雑誌 2010；9：58-61
・Pediatrics International 2015；57：348-353
・日本小児腎不全学会雑誌 2008；28：111-113（遺伝子検査，酵素活性未）

の2歳男児例. 特殊ミルク情報 2016；52：23-26.

4) Sigauke E, et al. Carnitine palmitoyltransferase II deficiency : a clinical, biochemical, and molecular review. Lab Invest 2003；83：1543-1554.

5) Yamaguchi S. Expanded newborn mass screening with MS/MS and medium chain acyl-CoA dehydrogenase (MCAD) deficiency in Japan. 日本マス・スクリーニング学会誌 2013；23：270-276.

6) Elpeleg ON, et al. Antenatal presentation of carnitine palmitoyltransferase II deficiency. Am J Med Genet 2001；102：183-187.

7) Bonnefont J, et al. Carnitine palmitoyltransferases 1 and 2：biochemical, molecular and medical aspects. Molecular Aspects of Medicine 2004；25：495-520.

8) Joshi PR, et al. Journal of the Neurological Sciences Carnitine palmitoyltransferase II (CPT II) deficiency？：Genotype-Phenotype analysis of 50 patients. J Neurol Sci 2014；338：107-111.

9) Anichini A, et al. Genotype-phenotype correlations in a large series of patients with muscle type CPT II deficiency. Neurol Res 2011；33：24-32.

10) Dengbing Y, et al. Thermal Instability of Compound Variants of Carnitine Palmitoyltransferase II and Impaired Mitochondrial Fuel Utilization in Influenza- Associated Encephalopathy. Hum mutat 2008；29：718-727

11) Bonnet D, et al. Arrhythmias and Conduction Defects as Presenting Symptoms of Fatty Acid Oxidation Disorders in Children. Circulation 1999；100：2248-2253.

12) Velden MGMDS Der, et al. Differences between acylcarnitine profiles in plasma and bloodspots. Mol Genet Metab 2013；110：116-121.

13) Tajima G, et al. Newborn screening for carnitine palmitoyltransferase II deficiency using (C16+C18：1)/C2：Evaluation of additional indices for adequate sensitivity and lower false-positivity. Mol Genet Metab 2017；122：67-75.

14) 位田忍, ほか.『カルニチン欠乏症の診断・治療指針 2016』2016年11月

15) Yamaguchi S, et al. Bezafibrate can be a new treatment option for mitochondrial fatty acid oxidation disorders：evaluation by in vitro probe acylcarnitine assay. Mol Genet Metab 2012；107：87-91.

16) Yasuno T, et al. Mutations of carnitine palmitoyltransferase II (CPT II) in Japanese patients with CPT II deficiency. Clin Genet 2008；73：496-501.

17) Shima A, et al. First Japanese Case of Carnitine Palmitoyltransferase II Deficiency with the Homozygous Point Mutation S113L. Intern Med 2016：55：2659-2661.

18) Spikerkoetter U. Treatment recommendations in long-chain fatty acid oxidation defects：consensus from a workshop. J Inherit Metab Dis 2009；32：498-505.

19) Evans M, et al. VLCAD deficiency：Follow-up and outcome of patients diagnosed through newborn screening in Victoria. Mol Genet Metab 2016；118：282-287.

20) George F. Hoffmann KSR. Pediatric encocrinology and inborn errors of metabolism. 2nd ed. 2017：130-133.

21) Orngreen MC, et al. Bezafibrate in skeletal muscle fatty acid oxidation disorders：A randomized clinical trial. Neurology 2014；82：607-613

22) Yamada K, et al. Open-label clinical trial of bezafibrate treatment in patients with fatty acid oxidation disorders in Japan. Mol Genet Metab Reports 2018；15：55-63.

23) Annie MB, et al. Substrate oxidation and cardiac performance during exercise in disorders of long chain fatty acid oxidation. Mol Genet Metab 2013；105：110-115.

24) Yamamoto T, et al. Retrospective review of Japanese sudden unexpected death in infancy：The importance of metabolic autopsy and expanded newborn screening. Mol Genet Metab 2011；102：399-406.

25) Takahashi T, et al. Metabolic disease in 10 patients with sudden unexpected death in infancy or acute life-threatening events. Pediatr Int 2015；57：348-353.

26) Spiekerkoetter U, et al. Treatment recommendations in long-chain fatty acid oxidation defects：consensus from a workshop. J Inherit Metab Dis 2009；32：498-455.

27) Jr TMD. Alcohol-induced steatosis in liver cells. World J Gastroenterol. 2007；13：4974-4978.

28) 岩田亜貴子. カルニチンパルミトイルトランスフェラーゼ II 欠損症合併妊娠に対して切迫早産治療を行った1例. 日本周産期・新生児医学会雑誌 2015；51：1233-1236.

29) Allen C, et al. RESEARCH REPORT A retrospective review of anesthesia and perioperative care in children with medium-chain acyl-CoA dehydrogenase deficiency. Pediatr Anesth 2017；27：60-65.

27 カルニチンアシルカルニチントランスロカーゼ（CACT）欠損症

疾患概要

カルニチンアシルカルニチントランスロカーゼ（CACT）欠損症は常染色体劣性遺伝形式をとる脂肪酸代謝異常症の一つである．脂肪酸代謝異常症はミトコンドリアでの脂肪酸 β 酸化が障害されることでエネルギー産生不全をきたす疾患群で，エネルギー需要の多い脳や，脂肪酸 β 酸化がさかんな臓器である心臓，骨格筋，肝臓などが障害されやすい．典型的には，発熱や運動などのエネルギー需要が増大した時や，下痢・嘔吐などのエネルギー供給が低下した際に，重篤な低血糖や横紋筋融解症などをきたす．

わが国における CACT 欠損症の報告は極めてまれであり，臨床像には不明な点も多い．海外の報告では胎内で心筋症を発症する新生児期発症型の重症例の報告が多くを占める．本疾患については，他の脂肪酸代謝異常症にみられる筋症状で発見される遅発例の報告は極めて少ない[1)2)]．本疾患では，新生児期には臨床症状を認めない症例であっても，感染症罹患を契機として突然死を起こしうる．発熱時や嘔吐時の対応には厳重な注意が必要である．

CPT2 欠損症が新生児マススクリーニング（NBS）における一次対象疾患に引き上げられたため，同じスクリーニング指標を用いる CACT 欠損症も今後診断例が増加する可能性がある．

1 代謝経路

カルニチンアシルカルニチントランスロカーゼ（CACT）はカルニチンパルミトイルトランスフェラーゼ I（CPT1），カルニチンパルミトイルトランスフェラーゼ II（CPT2）とともにカルニチンサイクルを構成する（図 1）．その中で CACT はホモ 2 量体を形成してミトコンドリア内膜に局在し，アシルカルニチンをミトコンドリア内に輸送するとともにミトコンドリア内の遊離カルニチンを細胞質に返送する働きをもつ．CACT が欠損することで細胞質内の長鎖アシルカルニチンが蓄積し，遊離カルニチンも低下するため，アシルカルニチン分析では CPT2 欠損症と同じ所見になる．CACT の欠損により β 酸化の基質が輸送されずエネルギー産生低下や，二次的なミトコンドリア機能障害による症状を呈する．

2 疫学

CACT 欠損症は極めて稀な先天代謝異常症であり，わが国での約 196 万人を対象とした NBS のパイロット研究結果では，発見例はなかった[3)]．また，これまでに日本人症例は 3 例しか報告がなく，いずれも発症後の診断例で NBS 発見例はない[4)5)]．

診断の基準

1 臨床病型

脂肪酸代謝異常症は一般的に後述の 4 分類に分けられる．しかし，CACT 欠損症は多くが新生児期発症であり，乳幼児期発症型の頻度は低い．筋症状のみを主体とする明らかな遅発型に関しては報告がない[1)6)]．

❶ 発症前型

NBS や，家族内に発症者または保因者がいて家族検索で発見される無症状の症例が含まれる．以下のどの病型かに分類されるまでの暫定的な分類とする．

❷ 新生児期発症型

欧米の報告では約 80% の症例が新生児期にけ

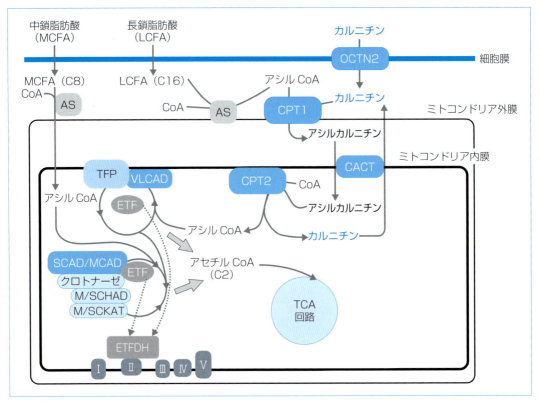

図1 ● 長鎖脂肪酸の代謝経路
OCTN2；カルニチントランスポーター，CPT1；カルニチンパルミトイルトランスフェラーゼⅠ，CPT2；カルニチンパルミトイルトランスフェラーゼⅡ，CACT；カルニチンアシルカルニチントランスロカーゼ，TFP；ミトコンドリア三頭酵素，VLCAD；極長鎖アシル CoA 脱水素酵素，MCAD；中鎖アシル CoA 脱水素酵素，ETF；電子伝達フラビンタンパク，ETFDH；電子伝達フラビンタンパク脱水素酵素，SCAD；短鎖アシル CoA 脱水素酵素，SCHAD；短鎖 3-ヒドロキシアシル-CoA 脱水素酵素，M/SCHAD；中鎖/短鎖 3-ヒドロキシアシル-CoA 脱水素酵素，M/SCKAT；中鎖/短鎖 3-ケトアシル-CoA チオラーゼ，AS；アシル CoA 合成酵素．

いれん，無呼吸，不整脈，心筋症などで発症する．低ケトン性低血糖や高アンモニア血症，肝逸脱酵素上昇，高 CK 血症などを認め，空腹や感染症などのエネルギー需要増加時に発作を反復する．肝腫大や心筋症，骨格筋の障害も認められ，心筋障害が急速に進行する場合には致死率が高い．組織学的には骨格筋，心筋，肝臓，腎尿細管の脂肪変性が認められる．急性期を乗り越えても，その後の感染症を契機に代謝不全，不整脈などから死亡する報告も多い．

❸ 乳幼児発症型

新生児期発症型に比べ頻度は少ないものの，発熱，感染症，空腹を契機に乳幼児期に，けいれん，突然死などで急性発症することがある[7)8)]．NBSで無症状のうちに発見される可能性がある病型である．厳重な管理によって予後改善が期待できる．明確なエビデンスはないが，少なくとも小学校入学までは，後述する sick day の対策などを行い，厳格な管理が望まれる．

❹ 遅発型

幼児期に無症状で，学童期に入って筋症状で発見されるような臨床像をさす．他の脂肪酸代謝異常症とは異なり，CACT 欠損症ではこれまでのところ本病型の報告がない．

2 主要症状および臨床所見

❶ 意識障害，けいれん

新生児期発症型，乳幼児発症型でみられる．

急激な発症形態から急性脳症，Reye様症候群と診断され，本疾患が見逃される可能性もある．

❷骨格筋症状

過去の報告では筋緊張低下などは比較的高頻度に合併するが，横紋筋融解症や筋痛などで発症する症例はみられない[1]．

❸心筋症状

新生児期発症型を中心に，心不全，致死的な不整脈などがみられることがある．脂肪酸代謝異常症で一般的に認める心室性の不整脈に加え，本疾患では心房頻拍や伝導障害を起こすことが知られ，蓄積するアシルカルニチンの毒性が原因とされる[9]．

❹呼吸器症状

新生児期発症型を中心として多呼吸，無呼吸，努力呼吸などの多彩な表現型を呈する．

❺消化器症状

特に乳幼児期発症型において，嘔吐を主訴に発症することがある．

❻肝腫大

病勢の増悪時には著しい腫大，脂肪肝を認めることがある．

❼その他

新生児期発症型の一部の症例では先天奇形（小頭症，耳介変形などの外表奇形，囊胞腎，肝石灰化，多小脳回）などを呈する場合もある．

3 参考となる検査所見

❶非〜低ケトン性低血糖

低血糖の際であっても，血中および尿中ケトン体が上昇しない，または血糖値に比してケトン体の上昇が乏しい事が特徴である．低ケトン性の目安は低血糖時に本来産生されると推定されるケトン体量を明らかに下回る場合をいう．血中ケトン体分画と同時に血中遊離脂肪酸を測定し，遊離脂肪酸/総ケトン体モル比＞2.5，遊離脂肪酸/3ヒドロキシ酪酸モル比＞3.0であれば脂肪酸β酸化異常症が疑われる．

補記）非〜低ケトン性ジカルボン酸尿

脂肪酸代謝異常症では尿中有機酸分析＊＊で安定期には異常を認めないが，異化亢進時に非〜低ケトン性ジカルボン酸尿を認める．ただし本疾患に特異的な所見ではなく他の脂肪酸代謝異常症でも認められる所見であり，血清アシルカルニチンに対する補助的な検査にとどまる（p.194参照）．

❷肝逸脱酵素上昇

種々の程度で肝逸脱酵素の上昇を認めるが，脂肪肝を合併していることが多く，画像診断も参考になる．また，剖検時に強い脂肪肝を認める症例では本症も鑑別にあがる．

❸高CK血症

いわゆる遅発型の報告例がないため，単独でみられることは少ないが，新生時期発症型の症例では肝逸脱酵素の上昇などとともにCK上昇をきたすことはある．

❹高アンモニア血症

急性発作時に高値となることがあるが，輸液のみで改善することが多い．

❺筋生検

診断に筋生検が必須ではないが，オイルレッド染色で脂肪滴を認める場合には脂肪酸代謝異常症を強く疑う所見となる．

4 診断の根拠となる特殊検査

本疾患を疑った場合，ろ紙血アシルカルニチン分析の再検査を繰り返すのではなく，診断の根拠となる特殊検査を迅速に行う必要がある（p.254, 図2参照）．ろ紙血アシルカルニチン分析では異常な生化学所見を検出できない可能性がある．より感度のよい血清アシルカルニチン分析が有用である．

❶血清アシルカルニチン分析＊＊

本疾患の場合，周産期以降のろ紙血では長鎖アシルカルニチンの上昇が検出し難くなり見逃し例が発生する可能性がある．このため，より感度に優れる血清アシルカルニチン分析を行うことが望ましい[10]．血清アシルカルニチン分析では長鎖アシルカルニチン全般（C16, C18, C18：1）の増加が特徴的である．急性期ではC0低値，（C16＋C18：1）/C2比高値が目立つ（p.232, 図2参照）．これらの指標はCPT2欠損症でも認めるため，両者をアシルカルニチン分析の結果で鑑別すること

はできない．また，本疾患は NBS でも CPT2 欠損症と同じ指標が用いられる．2018 年度からはこれまで使用してきた指標 C16，(C16＋C18：1)/C2 の組み合わせから，(C16＋C18：1)/C2，C14/C3 の組み合わせへ変更となっている．

❷ カルニチン分画（血清）＊

遊離カルニチン低値かつ，アシルカルニチン高値（20 μmol/L 以上）の場合，CACT 欠損症の他，各種の脂肪酸・有機酸代謝異常症などアシルカルニチンの蓄積を考える．より詳細な検討ができる血清アシルカルニチン分析の方を優先的に行うことが望ましい．

補記）血中カルニチンは年齢や採血時間などにより変動がみられるが，参考基準値としては，遊離カルニチン 45～91 μmol/L，アシルカルニチン 6～23 μmol/L とされる[11]．また，遊離カルニチン濃度＜20 μmol/L，アシルカルニチン/遊離カルニチン比＞0.4 は明らかに異常があり精査が必要と考えられている[12]．

❸ 酵素学的診断＊＊＊

CACT の酵素活性は，患者皮膚線維芽細胞を用いた酵素活性測定も報告されているが，2019 年 6 月時点では日本国内で実施している施設はない（詳細については http://jsimd.net.参照）．生化学的所見より疑われた場合には，後述する遺伝子診断を優先して行う．また残存酵素活性のある症例でも，重篤な予後をきたすことがあるため，臨床型を酵素活性のみで判断することはむずかしい[7]．

❹ 脂肪酸代謝能検査（in vitro プローブアッセイ）＊＊＊

In vitro プローブアッセイは，被験者の末梢血リンパ球や皮膚線維芽細胞を用いて，間接的に脂肪酸代謝能を評価する方法であり CACT 欠損症でも有用な検査となる．ただし，結果を得るまでに線維芽細胞では 2～3 か月，リンパ球では 2 週間程度を要するため，確定診断には補助的な役割と位置づけられる[11]．

❺ 遺伝子解析＊＊＊

SLC25A20 遺伝子（3p21.31 に局在）の変異解析を行う．CACT で同定されている変異はフレームシフト，スプライシング変異，ナンセンス変異が多く，CPT2 欠損症と異なり重症型が多い理由の一つである．各エクソンで変異の報告があるが，中国，ベトナムをはじめとするアジア人では比較的高頻度の変異（c.199-10 T＞G）が同定されており，日本人症例でも同じ変異が報告されている[6)13]．日本人あるいは欧米人での高頻度変異は報告されていない．

現在，国立研究開発法人日本医療研究開発機構難治性疾患委託事業「新生児タンデムマススクリーニング対象疾患の診療ガイドラン改訂，診療の質を高めるための研究（深尾班）」として，マススクリーニング対象の先天代謝異常症については，遺伝子パネルを用いて遺伝子変異を同定してフォローするという事業を行っている．実施状況についてホームページで確認していただきたい（http://www.jsiem.com/）．

5 鑑別診断

①他の脂肪酸代謝異常症（特に CPT2 欠損症），②（インフルエンザ脳症などを含むウイルス性の）急性脳症など，③ミトコンドリア異常症，④筋型糖原病 などが鑑別にあがる．

6 診断基準

❶ 疑診

(1) 発症前型以外では，前述の「2｜主要症状および臨床所見」のうち一つ以上を認め，かつ「4｜診断の根拠となる特殊検査」のうち❶❷の一つ以上を満たす場合．

(2) NBS 等による発症前型においては，前述の「4｜診断の根拠となる特殊検査」のうち❶❷の一つ以上を満たす場合．

❷ 確定診断

(1) 発症前型以外では，前述の「2｜主要症状および臨床所見」のうち一つ以上，かつ「4｜診断の根拠となる特殊検査」のうち❸❹の一つ以上を満たす場合．

(2) NBS 等による発症前型においては，前述の「4｜診断の根拠となる特殊検査」のうち❸❹の一つ以上を満たす場合．

新生児マススクリーニングで疑われた場合

1 確定診断

　NBS陽性例はろ紙血での再検査を繰り返さず，速やかに精査医療機関で血清アシルカルニチン分析を測定する．

補記） ろ紙血で再検査した場合には生後哺乳の確立とともに長鎖アシルカルニチン値が低下するため，見逃し例が発生する可能性がある．

　上記の診断基準において疑診となった場合，頻度からはCPT2欠損症がまず疑われるので，リンパ球を用いたCPT2欠損症の酵素活性を最初に行う．CPT2酵素活性に異常がない場合には本疾患が強く示唆されるため，*SLC25A20*遺伝子の変異解析を行い，確定診断を行う．尿中有機酸分析や，脂肪酸代謝能評価（培養皮膚線維芽細胞などを用いた酵素活性測定）は診断に必須ではない．

　NBS陽性例の対応は，可能な限り経験のある専門家が行うべきである．タンデムマス・スクリーニング普及協会のコンサルテーションセンター（http://tandem-ms.or.jp/consultation-center）を介して，先天代謝異常症の専門家の意見を聞くことが可能である．

2 診断確定までの対応

❶検査

　上記の確定診断に必須な検査に加え，少なくとも以下の検査を行う．

　一般生化学検査（CKを含む），血糖，血液ガス，アンモニア，乳酸，ピルビン酸，遊離脂肪酸，血中/尿中ケトン体，心臓超音波検査，腹部超音波検査を行い，他疾患との鑑別，新生児型でないかを確認する．臨床所見，一般生化学的所見，生理画像所見に異常を認める場合，入院の上，ブドウ糖を含んだ維持輸液を行いながら確定診断を行うことが望ましい．

❷対応

　検査に加えて下記の対応を並行して行う．

1) 食事間隔の指導

　飢餓に伴う低血糖発作を防ぐためには，3時間以内の授乳間隔を厳守し，体重増加傾向が保てていることを確認する．

2) 発熱や胃腸症状を伴う感染症罹患時の指導

　発熱，哺乳不良，嘔吐，下痢などを認めた場合は，即時に医療機関の受診をするように指示し，「**慢性期の管理**」の「**4 ┃ sick dayの対応**」に準じた対応を行う．

3) 栄養管理

　臨床所見，一般生化学的所見に異常を認めない症例では通常の母乳あるいは普通ミルクを頻回に投与しつつ，慎重に経過観察を行う．無症状例においても本疾患が疑われた場合は，必須脂肪酸含有MCTミルク（明治721）による栄養管理を積極的に考慮する．

急性期の治療方針

　急性期の治療方針は「1 代謝救急診療ガイドライン（p.2）」も参照．

　脂肪酸代謝異常症の診療で最も重要なことは，代謝不全の予防である．「**慢性期の管理**」「**4 ┃ sick dayの対応**」「**❶患者家族への説明**」にもあるように，脂肪酸代謝異常症の急性発作・代謝不全は重篤な転帰に至ることが多い．日常の診療時から十分な説明が必要である．急性発作・代謝不全の際には集中治療を要する．

1 急性発作時の救命処置 Ⓑ

(1) 呼吸不全に対する人工呼吸管理．
(2) 低血圧性ショック，心原性ショックに対する適切な輸液・薬物療法．

2 代謝異常に対する対処

❶ブドウ糖輸液 Ⓑ

　まず，低血糖を補正し，100 mg/dLを目安に維

持する．細胞内に十分なブドウ糖を補充し，脂肪酸の分解を抑制することにより，有害な脂肪酸代謝産物の生成を抑える．

(1) 血糖値，血液ガス，血中アンモニア値をモニターしながら行う．
(2) 血糖の維持ができない場合は，GIR 7〜10 mg/kg/min を目安に中心静脈カテーテルを留置して輸液する．
(3) 高血糖を認めた場合は，インスリンを0.01〜0.05 単位/kg/hr で開始することを考慮する．インスリンは細胞内へのブドウ糖の移行を促すことにより，代謝を改善させる働きがあるとされている．〔高血糖：新生児＞280 mg/dL（15.4 mmol/L），新生児期以降＞180 mg/dL（9.9 mmol/L）〕．

❷ 代謝性アシドーシスに対する適切な輸液・薬物療法 B

他の有機酸代謝異常などに比べ，一般に脂肪酸代謝異常症では代謝性アシドーシスは重篤ではないが，必要に応じて対応する．

❸ 高アンモニア血症 B

脂肪酸代謝異常症では輸液のみで改善が得られる場合が少なくないが，高アンモニア血症の程度によって，アルギニン＊＊，安息香酸Na＊＊＊，フェニル酪酸Na＊＊などの投与を行うこともある．

❹ 体温管理 B

異化亢進をおさえるために体温管理を行い，38℃以下に抑えるのが望ましい．アセトアミノフェンは安全に使用できるが，NSAIDs（メフェナム酸，ジクロフェナクなど）はβ酸化酵素の活性低下を引き起こす可能性があり使用すべきでない E．脳低温療法に関してのコンセンサスはない．

3 急性期の評価項目

❶ 一般検査

血算，血液凝固系検査，一般生化学検査（電解質，AST，ALT，Cre，BUN，LDH，CK，血糖など），血液ガス分析，アンモニアに加え，乳酸，ピルビン酸，遊離脂肪酸，血中/尿中ケトン体，血清アシルカルニチン分析（ろ紙血でのアシルカルニチン分析よりはるかに優先される），尿中有機酸分析，尿中ミオグロビンを測定する（即日検査ができない場合は保存検体を−20℃で冷凍保存する）．

❷ 心機能の評価

脂肪酸代謝異常症では経過中に心筋症を発症することがあり（肥大型・拡張型ともにみられる）超音波検査による評価が必要となる．また重篤な伝導障害，不整脈が突然出現することもあり心電図でのモニタリングは必須であるが，入念な管理を行っていても重篤な転帰が防げない場合がある．

❸ 腹部臓器の評価

脂肪肝・肝腫大の有無の評価を行う．

4 栄養療法および治療薬 B

十分なエビデンスとなる報告はないが，長鎖脂肪酸の摂取制限や十分量のブドウ糖投与は本疾患の病態から有用だと思われる．

現時点では，脂肪酸代謝異常症に対して特異的に有効性が認められた治療薬はない．L-カルニチンの投与は議論が分かれるが，少なくとも急性期における経静脈的投与は禁忌と考えられている．状態が安定した後は，特殊ミルクや糖質を中心とする食事を開始する．飢餓の予防，薬物療法 安定期に入ってからの飢餓の予防，薬物療法に関しては，NBS発見例と同様である．

5 横紋筋融解症に対する治療 B

横紋筋融解を主症状とする場合，CKの値は100,000 U/L 以上となることも珍しくない．その場合，上記のような集中治療を要さない場合が多いが，急性腎不全予防のための治療が必要となる．通常時にみられる横紋筋融解症と同様に糖分を含む大量輸液，アルカリ化を行うが輸液の糖濃度に関してのコンセンサスはなく，個々の症例ごとに血糖値をモニタリングしつつ輸液を行うことが望ましいと考えられる．

慢性期の管理

本疾患の治療原則は食事指導・生活指導により異化亢進を回避し，低血糖やReye様症候群，骨格筋，心筋の障害を避けることにある．慢性期の管理は代謝異常症の診療経験が豊富な施設で行うことが推奨されるが，困難な場合は専門医と併診することが望ましい．

1 食事生活指導 C

表1に示す通り，目安とした頻回の哺乳，食事により異化亢進を予防することが重要である．

またそれに加えて適度な脂質制限なども必要となるが，どこまで制限が必要か明確な基準はない．VLCAD欠損症など他の脂肪酸代謝異常症でのエキスパートオピニオンなども参考に示す[14)15)]．

❶出生後〜6か月

新生児期〜乳児期早期に急性代謝不全をきたした症例は原則，普通ミルク/母乳は中止し，前述の明治721を中心に低脂肪ミルク（森永ML-1）を併用する．急性代謝不全未発症例では，酵素活性や遺伝子型を参考にして母乳/普通ミルクに明治721を1:1程度まで追加することが多い．

❷6か月〜5歳

急性代謝不全既往例では，明治721/MCTオイルを総kcalのうち20〜25%程度に調整し，低脂肪ミルクや低脂肪の離乳食を使用しLCT（長脂肪酸トリグリセリド）制限（総kcalの10%まで）を行うことが多い．未発症例では，重症度に応じて明治721/MCTオイル（総kcalのうち10〜15%）の投与やLCT（長脂肪酸トリグリセリド）制限（総kcalのうち15〜20%まで）を考慮する．いずれの場合も，脂質は総kcalの30〜40%まで制限するように欧米では推奨されているが，日本では通常の食事内容でも脂質が全摂取カロリーの30%未満となることが多く，実際には高脂肪食にならない程度に気をつけるだけで十分な症例も多い．

❸5歳以降

5歳まで未発症の場合は脂質を総kcalの25〜30%程度とし，高脂肪食にならないよう心がける．症例によっては明治721やMCTオイルの中止も考慮する．

表1 ● 脂肪酸代謝異常症における食事間隔の目安 B

	日中	睡眠時
新生児期	3時間	
6か月まで	4時間	4時間
1歳まで	4時間	6時間
4歳未満	4時間	8〜10時間
4歳以上7歳未満	4時間	10時間

安定期の目安であり，臨床経過や患者の状況により変更が必要な場合もある．

2 薬物治療

❶カルニチン投与（エルカルチンFF®）D

カルニチン投与の是非については議論の分かれるところであるが，海外で慢性期に大量の遊離カルニチン投与例（50〜150 mg/kg/day）が報告されているほか[1)]，国内の症例においてカルニチン大量療法が有効であったとの症例報告（会議録）もある．少なくとも低カルニチン血症に対しては，血中遊離カルニチン濃度を正常下限（15〜20 μmol/L）以上に保つようにカルニチンの補充をされる場合が一般的である．

❷ベザフィブラート＊＊ C

長鎖脂肪酸代謝異常症であるVLCAD欠損症やCPT2欠損症においてベザフィブラートの投与により症状が改善したという報告がある一方，デンマークでのRCTでは効果を認めなかったとする報告があり議論が分かれている[16)]．日本でのオープンラベル非ランダム化試験においては患者QOLの改善が示されている[17)]．

3 運動制限 B

症例によりどの程度制限が必要かは異なる．症状，検査所見を確認しながら患者に合わせた制限を考慮する．登山やマラソンなどの長時間の激しい運動は避けるべきである．運動の20分前にMCTを0.5 g/kg投与することで運動不耐性が改善するという報告がある[18)]．

4 sick day の対応

38℃を超える発熱や嘔吐，下痢などを認めた場合は sick day として扱い，代謝不全を予防する目的で入院し，心電図や SpO_2 モニター管理のもと厳重に管理を行う必要がある．初回受診時には哺乳可能であっても重篤な代謝不全を起こした症例があり，sick day 時には原則入院管理を行うことが強く推奨される．緊急時には24時間対応可能な医療施設の協力も重要となるため，平時より救急病院とも連携をとりながら診療にあたる必要がある．

❶ 患者家族への説明

脂肪酸代謝異常症は代謝不全を一度でも起こすと救命がむずかしい，あるいは重篤な後遺症を残す症例が多い．活気や機嫌など身体所見で異常を認めない軽微な症状のみであってもブドウ糖輸液や入院が必要となることを，繰り返し説明することが重要である．旅行時など，かかりつけ以外の医療機関を受診する場合には，担当医に詳しく病気を伝えられるよう患者・家族への教育を行う（旅行，里帰り時などは紹介状を持参することが望ましい）．

❷ 輸液 B

全身状態が良好であっても，発熱，嘔吐，下痢時には十分なブドウ糖輸液を行う．

例）1号輸液（糖濃度2.6%）200 mL＋50%ブドウ糖20 mL＝6.9%糖濃度輸液で初期輸液を行う．維持輸液はGIR 5〜10 mg/kg/min を目安[19]とするが，同じブドウ糖濃度（6.9%）を水分量100 mL/kg/day で投与すると，GIR 4.8 mg/kg/min ほどとなる．点滴開始後も，異化亢進を示唆する所見（CK上昇）が強い場合や全身状態が悪化する場合には，急性期の管理に準じて迅速に対応する．

❸ L-カルニチン D

普段よりカルニチン補充を行っている症例では中止する必要はないものの，急性期に大量のカルニチン補充は控えたほうがよいとされる．カルニチンの静脈投与は禁忌である E [14]．

❹ その他

1) MCT ミルク/オイル B

普通ミルクまたは母乳栄養児であっても，sick day は全量 MCT ミルクとしたほうが安全である．卒乳している患者であれば，できるだけ低脂肪食（全エネルギー量のうち脂質が占める割合を30%未満とする）と MCT オイルの併用が望ましい．

2) 体温管理 B

異化亢進をおさえるためには体温管理を行い，38℃以下に抑えることが重要である．アセトアミノフェンは安全に使用できる．NSAIDs（メフェナム酸，ジクロフェナクなど）はβ酸化酵素の活性低下を引き起こす可能性があり使用すべきでない E．

3) 抗菌薬

血中遊離カルニチン濃度を低下させる作用を有するピボキシル基をもつ抗菌薬（セフテラム：CFTM-PI，セフカペン：CFPN-PI，セフジトレン：CDTR-PI，テビペネム：TBPM-PI）は原則使用しないよう E，外来診療を行う他科の医師との間で意思統一が必要である．

4) 経鼻経管栄養 B

経口摂取が乏しい場合や即時にルート確保できない場合は，ブドウ糖や MCT ミルク/オイルを経鼻経管栄養として投与してもよい[14]．ただし点滴加療を回避する目的では使用しない．

5 その他

❶ 非加熱コーンスターチの使用 C

夜間低血糖の予防を目的に非加熱コーンスターチ1〜2 g/kg/回程度を就寝前に内服を行っている症例もあるが，海外の報告で積極的に推奨はされていない．離乳後食間隔が空いた場合のセーフティネットとして使用してもよい[20]．

内服開始時は0.25〜1.0 g/kg からとする．腹部膨満，鼓腸，下痢に注意しながら調整する．

❷ トリヘプタノイン（p.194 参照）

奇数鎖脂肪酸から構成される中鎖アシルグリセロールである．日本では2019年6月現在は使用できない．

フォローアップ指針

急性増悪を予防するために飢餓状態の回避，長鎖脂肪酸の制限，運動負荷の制限が重要である．飢餓の予防，発熱時や感染症罹患時の対応，薬物療法に関しては，NBS発見例と同様であり，それに従ってフォローしていく．感染症に伴い発症，症状の増悪を認めることが多いため，予防接種については可能な限り積極的に推奨する．

以下は基本的なフォロー方針であり，症状，重症度にあわせて適宜行う．

●安定期の受診間隔
・乳幼児期：1〜2か月毎の外来受診
・学童期以降：年3，4回程度の定期受診

1 観察項目

❶身長，体重，頭囲
成長曲線を評価しながら，肥満や急激な増減に注意する．

❷発達検査
受診ごとにマイルストーンのチェックを行う．1歳半，3歳，6歳時には新版K式またはWISCを用いての評価を行う．

❸栄養評価
1回/年，現状把握のために栄養評価，栄養指導を行う．

❹血液検査
治療開始後は定期的に血液検査でフォローする．採血のタイミングは必ずしも空腹時に行う必要はない．
乳児期は1か月に1度，以降は2〜3か月に1度の検査が望ましい．
（1）AST，ALT，CK，コレステロール
（2）血糖，血液ガス，アンモニア
（3）血清アシルカルニチン分析：ろ紙血よりも血清のほうが軽微な変化を捉えやすいが，食事のタイミングなどの影響を受けやすい．カルニチン内服3〜4時間後が望ましいが，必ずしも空腹時でなくてよい．
（4）NEFA，ケトン体，アミノ酸分析は適宜検査を行う．

❺画像検査

1) 心臓超音波検査，心電図
脂肪酸代謝異常症では，肥大型心筋症，拡張型心筋症ともに報告があるため定期的な心臓超音波検査を行う．無症状であっても最低1回/年，異常所見がある場合は症例に応じて適宜追加．心室性頻拍（心室細動，心室粗動）をはじめとする不整脈の報告があるため，心電図も定期的に行う．無症状であっても最低1回/年，異常所見がある場合は症例に応じて適宜追加する．

2) 腹部超音波検査
脂肪肝や肝腫大がみられることがあるため，肝機能異常がみられる場合は適宜行う．

3) 筋肉MRI
T1強調像やSTIRでの異常高信号がみられる場合がある．
脂肪酸代謝異常症でも疾患によって異常が検出される部位が若干異なる．CPT2欠損症では中臀筋，大臀筋に異常高信号を認めたとする報告がある．

4) 頭部MRI
新生児期，乳児期に低血糖発作を起こした症例の場合，小児期は1〜3年に1回程度の評価を考慮する．未発症例では，鎮静のリスクを考慮してタイミングを判断する．

❻遺伝カウンセリング
本疾患は常染色体劣性遺伝形式で遺伝する疾患で，症例によっては極めて予後不良な症例も存在する．確定診断後には，適切な時期に遺伝カウンセリングを行うことが望ましい．同胞のスクリーニングも必要に応じて行う．

成人期の課題

脂肪酸代謝異常症の中でもCACT欠損症は長期生存を確認できている症例が極めて少ない．そのため，成人期，遠隔期についての病態は定見が得られていない．他の脂肪酸代謝異常症やCPT2欠損症に準じて，成人期の管理は行う．

治療の原則は上述の通り，MCTオイルの服用などを中心とする食事療法と，過度な運動の回避などを継続することであるが，筋痛などの症状は治療によっても改善が乏しいとされる．成人期においては飲酒，運動，妊娠，外科手術などは代謝不全を惹起する要因になりうるので，注意が必要である．なお，平成29年4月にカルニチン回路異常症の1つとして難病指定されている（指定難病316）．

1 食事療法

低血糖などの全身症状がある場合や，筋痛発作の程度が強い場合には，慢性期の管理に準じた量のMCTオイル併用のうえ，LCT（長脂肪酸トリグリセリド）の摂取を制限する．症状が軽微な場合には食事療法が不要となることもあるが，どのような病状で食事療法を中止とするかの判断はむずかしい．

2 飲酒

本疾患と直接的な関係を示す報告はないが，飲酒により糖新生が障害される等の機序で低血糖をきたすことが知られており，飲酒自体が脂肪酸代謝能を低下させるという報告もある[21]．また飲酒による不適切な食事内容（欠食含む）や悪心の誘発は代謝不全発作を引き起こす可能性がある．MCAD欠損症の成人例においては飲酒後の死亡例が報告されており，過度な飲酒は控えるべきである．

3 運動

運動負荷によって横紋筋融解などの筋症状を発症するリスクがある．ただし，どの程度厳格に管理するかは不明である．学童以降では運動会や登山，持久走といった持続的な運動に注意が必要である．軽症例や未発症例では運動制限を行わなくてもよい症例があるため，症状の出現に注意しながら，許容できるか運動レベルを設定していく必要がある．

4 妊娠・出産

CACT欠損症患者の妊娠に関する報告はないが，類縁疾患であるCPT2欠損症では，分娩後にCK上昇を認めた症例報告が多い[22]．悪阻によって筋痛発作が増強することも考えられ，周産期においても十分なブドウ糖輸液の補充が重要となる．上記の慢性期の管理をしっかり行う必要がある．なお，母体が脂肪酸代謝異常症であっても，産科的な問題がない限り必ずしも帝王切開は必要ないとされている．

5 外科手術

術前後や鎮静により，絶食時間が長くなると発作を誘発する可能性があるため，術前後は十分なブドウ糖輸液の投与が必要である．また，揮発性の麻酔薬やプロポフォールは脂肪酸代謝を抑制し，内因性長鎖脂肪酸が増加する可能性があるため避けるべきであると考えられていたが，近年では周術期に十分なブドウ糖輸液を行ったうえで，持続的な血糖とCKのモニタリングを行っていれば，特に禁忌とすべき麻酔薬はないとされる[23]．

6 医療費の問題

投薬はL-カルニチンの内服や，MCTオイルの購入が必要となることもある．筋症状によって就労に制限を受けることもある．

文献

1) Martín-hernández IVE, et al. Carnitine-Acylcarnitine Translocase Deficiency：Experience with Four Cases in Spain and Review of the Literature. JIMD Rep 2015；20：11-20.

2) Morris AA, et al. A patient with carnitine-acylcarnitine translocase deficiency with a mild type. J Pediatr 1998；132：514-516.

3) Seiji Yamaguchi. Expanded newborn mass screening with MS/MS and medium chain acyl-CoA dehydrogenase (MCAD) deficiency in Japan. 日本マス・スクリーニング学会誌 2013；23：270-276.

4) Fukushima T, et al. Three novel mutations in the carnitine-acylcarnitine translocase (CACT) gene in patients with CACT deficiency and in healthy individuals. J Hum Genet 2013；58：788-793.

5) Yamaguchi S, et al. Bezafibrate can be a new treatment option for mitochondrial fatty acid oxidation disorders : evaluation by in vitro probe acylcarnitine assay. Mol Genet Metab 2012；107：87-91.

6) Wang G, et al. Expanded molecular features of carnitine acyl-carnitine translocase (CACT) deficiency by comprehensive molecular analysis. Mol Genet Metab 2011；103：349-357.

7) Enrico Lopriore, et al. Carnitine-acylcarnitine translocase deficiency : phenotype, residual enzyme activity and outcome. Eur J Pediatr 2001；160：101-104.

8) Rubio-Gozalbo ME, et al. Carnitine-acylcarnitine translocase deficiency, clinical, biochemical and genetic aspects. Mol Aspects Med 2004；25：521-532.

9) Bonnet D, et al. Arrhythmias and Conduction Defects as Presenting Symptoms of Fatty Acid Oxidation Disorders in Children. Circulation 1999；100：2248-2253.

10) Velden MGMDS Der, et al. Differences between acylcarnitine profiles in plasma and bloodspots. Mol Genet Metab 2013；110：116-121.

11) Vatanavicharn N, et al. Carnitine-acylcarnitine translocase deficiency : Two neonatal cases with common splicing mutation and in vitro bezafibrate response. Brain Dev 2015；37：698-703.

12) 位田忍, ほか.『カルニチン欠乏症の診断・治療指針 2016』2016 年 11 月

13) Lee RSY, et al. Carnitine-acylcarnitine translocase deficiency in three neonates presenting with rapid deterioration and cardiac arrest. Hong Kong Med J 2007；1366-1368.

14) Spikerkoetter U. Treatment recommendations in long-chain fatty acid oxidation defects : consensus from a workshop. J Inherit Metab Dis 2009；32：498-505.

15) Evans M, et al. VLCAD deficiency : Follow-up and outcome of patients diagnosed through newborn screening in Victoria. Mol Genet Metab 2016；118：282-287.

16) Orngreen MC, et al. Bezafibrate in skeletal muscle fatty acid oxidation disorders : A randomized clinical trial. Neurology 2014；82：607-613

17) Yamada K, et al. Open-label clinical trial of bezafibrate treatment in patients with fatty acid oxidation disorders in Japan. Mol Genet Metab Reports 2018；15：55-63.

18) Annie M B, et al. Substrate oxidation and cardiac performance during exercise in disorders of long chain fatty acid oxidation. Mol Genet Metab 2013；105：110-115.

19) George F, et al. Pediatric encocrinology and inborn errors of metabolism. Pediatr encocrinology inborn errors Metab 2nd edition 2017：130-133.

20) Spiekerkoetter U, et al. Treatment recommendations in long-chain fatty acid oxidation defects : consensus from a workshop. J Inherit Metab Dis 2009；32：498-455.

21) Jr TMD. Alcohol-induced steatosis in liver cells. World J Gastroenterol 2007；13：4974-4978.

22) 岩田亜貴子．カルニチンパルミトイルトランスフェラーゼⅡ欠損症合併妊娠に対して切迫早産治療を行った 1 例. 日本周産期・新生児医学会雑誌 2015；51：1233-1236.

23) Allen C, et al. A retrospective review of anesthesia and perioperative care in children with medium-chain acyl-CoA dehydrogenase deficiency. Pediatr Anesth 2017；27：60-65.

28 グルタル酸血症2型（複合アシルCoA脱水素酵素欠損症）

疾患概要

1 病態

グルタル酸血症2型（glutaric acidemia type 2：GA2）はグルタル酸が蓄積するなど有機酸代謝異常症の側面をもつものの，短鎖から長鎖の脂肪酸代謝障害が主たる病態となり，現在では脂肪酸代謝異常症に分類される[1]．脂肪酸代謝異常症はミトコンドリアでの脂肪酸β酸化が障害されることでエネルギー産生不全をきたす疾患群で，特に脂肪酸β酸化がさかんな臓器である横紋筋や肝臓などが障害されやすい．発熱や運動などのエネルギー需要が増大した時や，下痢・嘔吐・飢餓などのエネルギー摂取が低下した際に重篤な低血糖や横紋筋融解症などをきたす．

GA2は尿中へのグルタル酸排泄が増多することからグルタル酸尿症2型（glutaric aciduria type

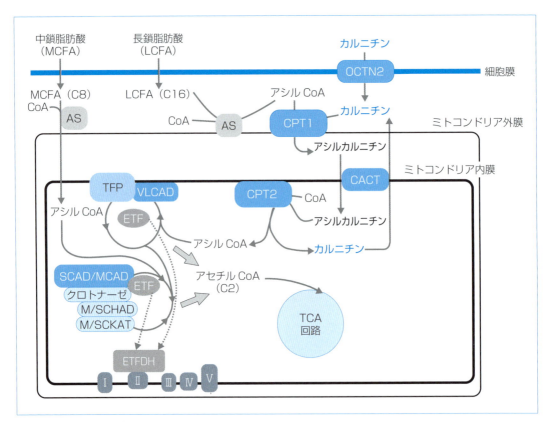

図1 β酸化経路の概略図

OCTN2：カルニチントランスポーター，CPT1：カルニチンパルミトイルトランスフェラーゼⅠ，CPT2：カルニチンパルミトイルトランスフェラーゼⅡ，CACT：カルニチンアシルカルニチントランスロカーゼ，TFP：ミトコンドリア三頭酵素，VLCAD：極長鎖アシルCoA脱水素酵素，MCAD：中鎖アシルCoA脱水素酵素，ETF：電子伝達フラビンタンパク，ETFDH：電子伝達フラビンタンパク脱水素酵素，SCAD：短鎖アシルCoA脱水素酵素，SCHAD：短鎖3-ヒドロキシアシル-CoA脱水素酵素，M/SCHAD：中鎖/短鎖3-ヒドロキシアシル-CoA脱水素酵素，M/SCKAT：中鎖/短鎖3-ケトアシル-CoAチオラーゼ，AS：アシルCoA合成酵素．

2)とよばれることもある．常染色体劣性の遺伝形式をとる．臨床像は幅広く，新生児期に種々の奇形や多嚢胞腎を合併し，極めて重篤な代謝性アシドーシス等で発症し早期に死亡する例から，乳幼児期に代謝性アシドーシスや低血糖，筋力低下として発症する症例，成人期に発症し筋痛，筋力低下を契機に診断される症例もある[2]．新生児マススクリーニング（NBS）では，軽症例の検出が困難な場合があり，重症例は治療に反応しない症例が多いことから，二次対象疾患に分類されている．また，日本人では早期診断されても乳幼児期に死亡するような比較的重症の患者が多いとされる．

2 代謝経路

GA2 は電子伝達フラビンタンパク（ETF）またはETF脱水素酵素（ETFDH）の先天的欠損によって生じる．ETFおよびETFDHはミトコンドリア内においてβ酸化経路を含む複数の脱水素酵素反応によって生じる電子を電子伝達系に供給する（図1）．具体的には短鎖・中鎖・極長鎖アシルCoA 脱水素酵素，グルタリル CoA 脱水素酵素，イソバレリル CoA 脱水素酵素などの酵素反応にかかわるため，GA2 は複合アシル CoA 脱水素酵素欠損症（multiple acyl-CoA dehydrogenase deficiency：MADD）と記載されることもある．

3 疫学

わが国における 196 万人を対象とした NBS のパイロット研究（1997〜2012 年）の結果によると，約 33 万人に 1 人の発見頻度であった[3]．

診断の基準

1 臨床病型

海外では新生児期発症例を合併奇形の有無で分けたうえで，それ以外の乳児期以降の発症例をすべて遅発型と分類しているが，本ガイドラインでは，わが国の現状を踏まえたうえで，他の脂肪酸代謝異常症と同様の分類を用いる．

❶ 発症前型

NBS や家系内検索で発見される無症状の症例が含まれる．以下のどの病型かに分類されるまでの暫定的な病型であるが，NBS で診断されながら突然死や乳幼児突発性危急事態（ALTE）を呈した報告もある[4]．

❷ 新生児期発症型

出生後早期からの重篤な心筋症，心不全，非ケトン性低血糖を有する症例が多い．より重症例では出生時から Potter 様顔貌や多嚢胞腎などの奇形を伴う場合がある．合併奇形の有無にかかわらず本病型は極めて予後不良であり，治療に反応せず出生後早期に死亡する[5]．

❸ 乳幼児（〜学童期）発症型

発熱や下痢などの異化亢進を契機に，非〜低ケトン性低血糖を伴う急性脳症や代謝性アシドーシス，高アンモニア血症，Reye 様症候群などの間欠的発作をきたす．乳幼児期発症例では乳幼児突然死症候群として発症することもある．一部の症例はリボフラビン大量療法が奏功する[6]．VLCAD 欠損症の乳幼児期発症型と比べて重症なことが多い．

❹ 成人発症型

青年期以降に横紋筋融解や筋力低下，筋痛などを主要な症状として発症する．小児期には低血糖，筋力低下などの症状は原則として認めない．壮年期以降の発症例も報告されている[7]．成人期の診断例では，ろ紙血によるタンデムマス分析や尿中有機酸分析で特徴的な所見を認めない場合もある[8]．

2 主要症状および臨床所見

本疾患はNBSの二次対象疾患であるため，一部の自治体ではNBSの対象疾患として検査されない可能性がある．また前述の通り軽症例はNBSでは発見できないことがある．したがってNBS陰性例においても，乳児期以降に急性発症もしくは骨格筋症状を呈し発症する可能性があることを念頭におく必要がある．乳児期以降の発症形態は，他

の脂肪酸代謝異常症と同様で，乳幼児期に低血糖やReye様症候群として発症する場合と，学童期以降に横紋筋融解症やミオパチーなどの骨格筋症状として発症する場合の大きく2つに分けられる．

❶意識障害，けいれん

低血糖によって起こる．急激な発症形態からSIDSや急性脳症と診断される場合や，肝機能障害を伴いReye様症候群と臨床診断される場合もある．

❷心筋症状

心筋症は新生児期発症例でみられることが多いが，乳児期発症例でも認められる．出生後早期には心筋症が目立たなくても，徐々に心機能が低下する症例もある．

❸不整脈

心筋症に伴うことが多く，しばしば致死的となる．

❹肝腫大

病勢の増悪時には腫大を認めることもあるが，発作間欠期には明らかではないことが多い．

❺骨格筋症状

ミオパチー，筋痛，易疲労性を呈することが多い．新生児期発症型や乳幼児期発症型では発作間欠期であっても持続的な筋力低下をきたす症例もある[8]．また，急性期にはしばしば横紋筋融解症をきたす．糖原病が短時間の強い運動後に発作を起こすことが多いのに対し，本疾患では長時間の中等度の運動後に発作が起こりやすい．幼少期には乳幼児発症型の臨床像であっても，加齢に伴い骨格筋症状が中心となる症例もある．

❻消化器症状

乳幼児期発症型において，低血糖時に嘔吐が主訴になることがある．

❼発達遅滞

原則的には知的予後は良好であるが，未診断例で急性発症を呈した症例や，低血糖発作が予防できない場合には発達遅滞を呈することもある．

❽その他

本疾患は複数のアシルCoA脱水素酵素が障害されることから，グルタル酸血症1型やイソ吉草酸血症と似た病状を呈することがある．ジストニアやジスキネジアなどの錐体外路症状や[9]，「蒸れた足」や「汗臭い」と形容される独特の体臭を認めることがある．

3 参考となる検査所見

❶非〜低ケトン性低血糖

低血糖の際に血中および尿中ケトン体が上昇しない，または血糖値のレベルに比してケトン体の上昇が乏しい．低ケトン性の目安は低血糖時に本来産生されると推定されるケトン体量を明らかに下回る場合をいう（p.193参照）．血中ケトン体分画と同時に血中遊離脂肪酸＊を測定し，遊離脂肪酸/総ケトン体モル比>2.5，遊離脂肪酸/3ヒドロキシ酪酸モル比>3.0であれば，脂肪酸代謝異常症が疑われる．なお，血中遊離脂肪酸値はブドウ糖投与後には速やかに下がるため，治療前の検体で検査する必要がある．

❷肝逸脱酵素上昇

急性期には肝腫大や肝逸脱酵素の上昇と脂肪肝を合併していることが多く，画像診断も参考になる．

❸高CK血症

非発作時には正常〜軽度高値でも，急性期には著明な高値となることがある．

❹高アンモニア血症

急性発作時に高値となることがあるが，通常は中等度の上昇にとどまることが多い．

❺筋生検

診断に筋生検は必須ではないが，筋生検のオイルレッド染色で脂肪滴を認める場合には脂肪酸代謝異常症を強く疑う所見となる．

4 診断の根拠となる特殊検査

本疾患を疑った場合には，ろ紙血アシルカルニチン分析の再検査を繰り返すのではなく，診断の根拠となる特殊検査を迅速に行う必要がある．特に本疾患の軽症型では，ろ紙血アシルカルニチン分析で異常を検出できないことが多く，感度のよい血清アシルカルニチン分析が有用である（図2）．

❶血清アシルカルニチン分析＊＊

NBSおける本疾患の指標はC10の上昇であるが，実際には短〜長鎖アシルカルニチンが広範に上昇するプロファイルが特徴である．精密検査時はこれらの所見にも十分に留意してアシルカルニ

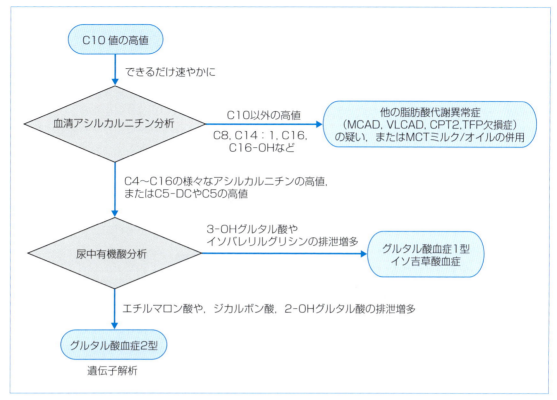

図2● グルタル酸血症2型診断フローチャート
TFP：trifunctional protein（三頭酵素）．
（鑑別チャートはおおきな考え方の流れを示したもので，例外もある．）

チン全体のプロファイルを俯瞰する必要がある．なお，C10を含む長鎖アシルカルニチンは出生後数日間は生理的にも高めであるが，哺乳確立後は低下する．そのため，ろ紙血の再採血時には罹患者であってもC10などが正常化することがある．したがって，NBSで本疾患が疑われた場合には，ろ紙血での再検査は行わず，できる限り迅速に血清アシルカルニチン分析を行うべきである．

一方，本疾患は二次対象疾患であるが，他の一次対象疾患の疑いを契機に発見されることがある．具体的にはVLCAD欠損症やMCAD欠損症に代表される他の脂肪酸代謝異常症，全身性カルニチン欠乏症，イソ吉草酸血症やグルタル酸血症1型などの疑いの際には本疾患の鑑別も考慮する必要がある．本疾患が疑われた場合には，漫然とアシルカルニチン分析を繰り返すのではなく，遺伝子解析などの確定診断検査に進むべきである．

❷ **尿中有機酸分析＊＊**

尿中有機酸分析で以下のような所見が得られれば生化学診断できるという大きな利点はあるものの，軽症例を見逃す可能性があることから，NBSで本疾患が疑われた場合には血清アシルカルニチン分析を優先する．

本疾患における尿中有機酸分析の特徴は，複数の脱水素酵素反応の障害を反映して，非ケトン性ジカルボン酸，エチルマロン酸，ヘキサノイルグリシン，スベリルグリシン，イソバレリルグリシン，メチルブチリルグリシン，グルタル酸，2-ヒドロキシグルタル酸などの排泄増加がみられることである．ただし軽症例では尿中有機酸分析で異常を認めないことがあり，本検査で異常がなくてもGA2を否定できない[8]．

❸ **遺伝子解析＊＊＊**

GA2の原因となる遺伝子に *ETFA*, *ETFB* お

およびETFDHがあり，それぞれはETFα，ETFβおよびETFDHの酵素に対応する．本疾患では遺伝子型と表現型にある程度の相関があるといわれている[10]．またETFA, ETFBおよびETFDHのうち，どの変異であっても，いずれの病型でも取りうるが，ETFDHの変異症例には乳幼児期以降に発症する例が多い傾向はある．

❹ 酵素学的診断＊＊＊

イムノブロッティングは培養皮膚線維芽細胞を用いて，ETFα/βまたはETFDHの酵素発現を評価することで診断できるが，結果を得るまでに時間を要すること，またETFαとβのどちらが欠損しているのか判定できないことから確定診断には補助的な役割と位置づけられる．なお，技術的にはETFDHの酵素活性は測定可能だが，国内の施設では検査は行われていない．

❺ 脂肪酸代謝能検査（酵素活性や in vitro プローブアッセイ）＊＊＊

In vitro プローブアッセイは，特殊な培地で培養した被験者のリンパ球や皮膚線維芽細胞培養液中のアシルカルニチン分析を行って，間接的に脂肪酸代謝能を評価する方法である．ほかの長鎖脂肪酸代謝異常症との鑑別や臨床病型を予測することが可能であるが[11]，結果を得るまでに皮膚線維芽細胞では2～3か月，リンパ球でも2週間程度を要すること，軽症例と健常者の鑑別が困難な場合もあるため，酵素学的診断と同様に確定診断法としては補助的な検査である．

5 鑑別疾患

他の脂肪酸代謝異常症と同様に，①GA2以外の脂肪酸代謝異常症，②（インフルエンザ脳症などを含むウイルス性の）急性脳症など，③ミトコンドリア異常症，④筋型糖原病などが鑑別にあがる他，グルタル酸血症1型やイソ吉草酸血症などの有機酸代謝異常症の鑑別が必要となる．さらにリボフラビン欠乏症やリボフラビン代謝異常症といった新しい疾患概念もあるが，これは生化学的には鑑別が出来ず遺伝子解析が必要となる．

6 診断基準

❶ 疑診

血中アシルカルニチン分析で，本疾患に特徴的な所見を呈した場合には疑診となるが，これのみでは生化学的診断に至らない．

❷ 確定診断

上記に加え，前述の「**4｜診断の根拠となる特殊検査**」の❷で明らかな異常所見を認めるか，❸～❺のうち少なくとも一つで疾患特異的所見を認める時には確定診断とする．

新生児マススクリーニングで疑われた場合

1 確定診断

新生児マススクリーニング陽性例は速やかに検査可能施設で血清アシルカルニチン分析を測定する．

本疾患の新生児期発症例は出生後早期から重篤な心筋症，心不全，非ケトン性低血糖を呈し致死的な経過をたどる．Potter様顔貌や多嚢胞腎などの合併奇形がある場合にはさらに重篤な経過をとる．これらの症候が認められた場合には，確定診断に必要な検体（尿，血清，ろ紙血，遺伝子解析用のヘパリン血，可能であれば皮膚線維芽細胞）を採取しておくことが重要である．

新生児マススクリーニングでの精査対象として外来を受診する場合は，乳幼児期以降に発症が予想される病型といえるが，来院時には呼吸，活気などを注意深く観察し，新生児発症型でないことを確認する．精密検査時には，血清アシルカルニチン分析に加え，尿中有機酸分析，血糖，血ガス，アンモニア，CK，トランスアミナーゼ，乳酸，遊離脂肪酸，血中ケトン体分画，必要に応じて心臓超音波検査や心電図，腹部超音波検査など

を行う．

本疾患の生化学的診断の手がかりとしては血清アシルカルニチン分析による短〜長鎖アシルカルニチンの広範な上昇や特徴的な尿中有機酸分析所見が特に重要である．ただし，多臓器不全などの全身状態が悪い時やMCTミルクを併用している時などでも血中アシルカルニチン分析で同様の所見を呈することがある．本疾患は血中アシルカルニチン分析のみでは確定診断できないことを念頭に置き，軽度であってもアシルカルニチンプロファイルの異常が続く場合には，漫然と再検を繰り返すのではなく，遺伝子解析が推奨される．

NBSで疑陽性となった場合の精密検査でも，可能な限り経験のある専門家が行うべきであるが，タンデムマス・スクリーニング普及協会のコンサルテーションセンター（http://tandem-ms.or.jp/）を介して，先天代謝異常症の専門家の意見を聞くことが可能である．

2 診断確定までの対応

❶検査

上記の検査に加えて以下の対応を行う．

精密検査で一般生化学検査などの異常を認めた場合や，何らかの臨床症状を伴う場合には，原則入院の上，ブドウ糖を含んだ維持輸液を行いながら経過観察を行うことが望ましい．

❷対応

検査に加えて下記の対応を並行して行う．

表1 ● 脂肪酸代謝異常症における食事間隔の目安

	日中	睡眠時
新生児期	3時間	
6か月まで	4時間	4時間
1歳まで	4時間	6時間
4歳未満	4時間	8〜10時間
4歳以上7歳未満	4時間	10時間

安定期の目安であり，臨床経過や患者の状況により変更が必要な場合もある．

1) **食事間隔の指導 Ⓑ**

飢餓に伴う低血糖発作を防ぐためには，3時間以内の授乳間隔を厳守し，体重増加が十分に得られているかを確認する．表1に新生児期以降も含めた食事，授乳間隔の目安を示す．

2) **発熱や胃腸症状を伴う感染症罹患時の指導 Ⓑ**

発熱，哺乳不良，嘔吐，下痢などを認めた場合は，即座に医療機関の受診をするように指示し，「**慢性期の管理**」の「**4 ┃ sick dayの対応**」に準じた対応を行う．

3) **栄養管理 Ⓑ**

臨床所見，一般生化学的所見に異常を認めない症例では通常の母乳あるいは普通ミルクを頻回に投与しつつ，慎重に経過観察を行う．いずれかに異常を認める症例では，診断確定までの間であっても，後述の高炭水化物・低脂肪・低タンパク食を考慮する．

急性期の治療方針

「1．代謝救急診療ガイドライン」（p.2）も参照．

脂肪酸代謝異常症の診療で最も重要なことは，代謝不全の予防である．「**慢性期の管理**」の「**4 ┃ sick dayの対応**」「**❶患者家族への説明**」にもあるように，脂肪酸代謝異常症の急性発作・代謝不全は重篤な転帰に至ることが多い．日常の診療時から十分な説明が必要である．急性発作・代謝不全の際には集中治療を要する．

1 急性発作時の救命処置 Ⓐ

(1) 呼吸不全に対する人工呼吸管理．
(2) 低血圧性ショック，心原性ショックに対する適切な輸液・薬物療法．

2 代謝異常に対する対処

❶ブドウ糖を含む補液 Ⓑ

まず低血糖を補正する（血糖100 mg/dLを目標に）．異化状態を避けて同化の方向に向けること

が重要である．細胞内に十分なブドウ糖を補充し，脂肪酸の分解を抑制することにより，有害な脂肪酸代謝産物の生成を抑える．

(1) 血糖値，血液ガス，血中アンモニア値をモニターしながら行う．
(2) 血糖が維持できない場合には，GIR 7～10 mg/kg/min を目安に中心静脈カテーテルを留置して輸液する．
(3) 高血糖を認めた場合は，インスリンを 0.01～0.05 単位/kg/hr で開始することを考慮する．インスリンは細胞内へのブドウ糖の移行を促すことにより，代謝を改善させる働きがあるとされている．

補記）経鼻栄養の併用 B

経口摂取が乏しい時や，すでに意識障害をきたしているにもかかわらず即座にルート確保できない場合は，ブドウ糖（医療機関到着前であればブドウ糖を含むジュース等）を経鼻から投与してもよい．なお，本疾患では MCT ミルクを投与すべきではない．

❷ 代謝性アシドーシスに対する適切な輸液・薬物療法 B

ほかの有機酸代謝異常などに比べ，一般に脂肪酸代謝異常症では代謝性アシドーシスは重篤ではないが，必要に応じて対応する．

❸ 高アンモニア血症 B

アルギニン＊＊，安息香酸 Na＊＊＊，フェニル酪酸 Na＊＊ などの投与を行うこともある．脂肪酸代謝異常症では輸液のみで改善が得られる場合もある．

❹ 体温管理 B

NSAIDs（メフェナム酸，ジクロフェナクなど）はβ酸化酵素の活性低下を引き起こす可能性があり使用すべきでないが，アセトアミノフェンは安全に使用できる．高体温は避けたほうがよく38℃以下で管理すべきだが，脳低温療法に関してのコンセンサスはない．

3 急性期の評価項目

❶ 一般検査

血算，血液凝固系検査，一般生化学検査（電解質，AST，ALT，Cre，BUN，LDH，CK，血糖など），血液ガス分析，アンモニアに加え，乳酸，ピルビン酸，遊離脂肪酸，血中/尿中ケトン体，血清アシルカルニチン分析（ろ紙血でのアシルカルニチン分析よりはるかに優先される），尿中有機酸分析，尿中ミオグロビンを測定する．（即日検査ができない場合は検体を冷凍保存する）

❷ 心機能の評価

脂肪酸代謝異常症では経過中に心筋症を発症することがあり（肥大型・拡張型ともに報告がある）超音波検査による評価が必要となる．また重篤な伝導障害，不整脈が突然出現することもあり心電図でのモニタリングは必須であるが，入念な管理を行っていても重篤な転帰が防げない場合もある．

❸ 腹部臓器の評価

脂肪肝・肝腫大の有無の評価を行う．

4 栄養療法および治療薬

十分なエビデンスとなる報告はないが，脂質やタンパクの摂取制限や十分量のブドウ糖補充は本疾患の病態から有用だと思われる．

脂肪酸代謝異常症に対して特異的に有効性を示した治療薬は，現在のところ存在しない．L-カルニチンの投与は議論が分かれるが，少なくとも急性期における通常量の経静脈的投与は他の脂肪酸代謝異常症と違って禁忌ではない．状態が安定した後は，特殊ミルクや糖質を中心とする食事を開始する．

5 横紋筋融解症に対する治療 B

代謝不全を伴わない横紋筋融解を主症状とする場合がある．CK の値は 100,000 U/L 以上となることも珍しくない．その場合は上記のような集中治療を要さない場合が多いが，急性腎不全予防のための治療が必要となる．他疾患でもみられる横紋筋融解症と同様に糖分を含む大量輸液，尿のアルカリ化を行うが輸液の糖濃度に関してのコンセンサスはなく，個々の症例ごとに血糖値をモニタリングしつつ輸液を行うことが望ましいと考えられる．

慢性期の管理

本疾患の治療原則は食事指導・生活指導により異化亢進のエピソードを回避すること，骨格筋，心筋への過度の負荷を避けることにある．慢性期の管理は経験豊富な専門家が行うか，もしくは専門家と併診する事が望ましい．

1 食事療法

低タンパク，低脂肪，高炭水化物食 C

NBS で診断，もしくは乳児期までに診断された場合，タンパク制限や脂質制限が行われることもあるが，それほど厳格な制限は多くの場合必要ないとされる．本疾患についての明確な指標はないが，重症患者ではタンパク除去ミルク（雪印 S-23），低脂肪ミルク（森永 ML-1）と母乳などを組みあわせて，タンパク制限（1.5～2 g/kg/day），脂質制限（総カロリーの 5～15% 以下）が行われる場合がある[12)13)]．なお，リボフラビン著効例ではこれらの食事制限は不要である．

2 薬物療法

❶ リボフラビン（フラビタン®，ハイボン®）大量療法 B

乳幼児期以降に発症する一部の症例ではリボフラビン大量療法（100～300 mg/day）が有効である[14)]．この場合，臨床像および，アシルカルニチンプロファイルを含む生化学的所見の著明な改善が得られる．ただし，日本人ではリボフラビン著効例の報告は海外に比べ少ない．

リボフラビン欠乏症やリボフラビン代謝異常症であっても同様の治療が奏効し，大きな副作用もないことから，アシルカルニチン分析で鑑別がつかない段階であっても，リボフラビン大量療法は開始してもよい．

❷ L-カルニチン（エルカルチン FF®）投与 C

本疾患に対する L-カルニチン補充の是非については結論が得られていないが，乳幼児期発症例を中心に近年でも L-カルニチン投与を行っている症例報告は多い．少なくとも他の脂肪酸代謝異常症とは違って急性期の投与も禁忌ではない．本疾患では短鎖～中鎖アシルカルニチンが尿中に排泄され，二次性にカルニチン欠乏をきたすこともあるため，過量にならないようモニターしながら投与する場合が多い．具体的には血中遊離カルニチンが 20 μmol/L 以下にならないようにコントロールすることが目安である．リボフラビン著効例ではカルニチン投与も不要となることが多い．

❸ ベザフィブラート** C

長鎖脂肪酸代謝異常症である VLCAD 欠損症や CPT2 欠損症においてベザフィブラートの投与により症状が改善したという報告がある一方，デンマークでの RCT では効果を認めなかったとする報告があり議論が分かれている[15)]．日本でのオープンラベル非ランダム化試験においては患者 QOL の改善が示されているが[16)]，この試験に GA2 の患者は含まれていない．GA2 に対するベザフィブラートの有効性は症例報告されているのみである[17)18)]．

3 運動制限 C

症例によりどの程度制限が必要かは異なるが，症状，検査所見を確認しながら患者に合わせた制限を考慮する．登山やマラソンなどの長時間の激しい運動は避けるべきである．

4 sick day の対応

本疾患では，sick day の対応がとりわけ重要となるため独立して記載する．以下の対応は確定診断後，および確定診断前であっても sick day であれば適応される．

38℃を超える発熱や嘔吐，下痢などを認めた場合は sick day として扱い，代謝不全を予防する目的で原則入院して厳重に管理を行う必要がある C．特に乳児期から何らかの症状あるいは CK 上昇や肝逸脱酵素上昇などの生化学的異常を伴う症例では，sick day から心筋症の急性増悪や不整脈を呈し，突然死に至ることがあり，病状の程度にかかわらず心電図モニターの装着が推奨される．緊急時には 24 時間対応可能な医療施設の協力も重要

となるため，平時より救急病院とも連携をとりながら診療にあたる必要がある．

❶ 患者家族への説明

脂肪酸代謝異常症は代謝不全を一度でも起こすと救命がむずかしい，あるいは重篤な後遺症を残す症例が多い．活気不良や不機嫌などを認めない軽微な症状のみであってもブドウ糖輸液や入院が必要となることを，繰り返し説明することが重要である．旅行時など，かかりつけ以外を受診する場合には，担当医に詳しく病気を伝えられるよう患者・家族への教育を行う（旅先では紹介状を持参させておく方が望ましい）

❷ 輸液 B

全身状態が良好であっても，発熱，嘔吐，下痢時にはブドウ糖輸液を十分量行う．
例）1号輸液（ブドウ糖濃度2.6%）200 mL＋50%ブドウ糖20 mL＝6.9%ブドウ糖濃度輸液で初期輸液を行う．維持輸液はGIR 5〜10 mg/kg/minを目安とするが，同じブドウ糖濃度（6.9%）を水分量100 mL/kg/dayに投与するとGIR 4.8 mg/kg/minとなる．点滴開始後も，異化亢進を示唆する所見（CK上昇など）が強い場合や全身状態が悪化する場合には，「急性期の治療方針」に準じて迅速に対応する．

❸ L-カルニチン C

普段よりカルニチン補充を行っている症例では中止する必要はないものの，急性期に大量のカルニチン補充が必要かどうかはエビデンスがない．内服困難例ではL-カルニチンの静脈投与を考慮してもよい．

❹ その他

1) 高炭水化物，低脂肪，低タンパク食 C

普段は食事制限を厳密に行っていない患者であっても，sick dayはできるだけ食事療法を行うことが推奨される．

2) リボフラビン B

急性期に投与量を増やす必要はないとされている．

3) 体温管理 B

本疾患では体温を38℃以下で管理することが重要である．NSAIDs（メフェナム酸，ジクロフェナクなど）はβ酸化酵素の活性低下を引き起こす可能性があり使用すべきでない E．アセトアミノフェンは安全に使用できる C．

補記）カルニチンを下げる作用を有するピボキシル基をもつ抗菌薬は原則使用すべきではない．他科の医師も含め診療に携わる医師間で意思統一が必要である．

4) 経鼻栄養の併用 B

経口摂取が乏しい時や，すでに意識障害をきたしているにもかかわらず即座にルート確保できない場合には，ブドウ糖（医療機関到着前であればブドウ糖を含んだジュース等）を経鼻から投与してもよい．ただし，長期的に経鼻栄養や，ブドウ糖輸液を回避する目的では使用は推奨されない

5 その他

❶ コエンザイムQ E

本疾患で2次性のコエンザイムQ欠乏をきたした場合に，コエンザイムQの投与によって筋症状が改善したという報告はあるが，国際的な定見は得られておらず現時点では積極的に使用すべき薬剤ではない．

❷ 非加熱コーンスターチの使用 C

夜間低血糖の予防を目的に非加熱コーンスターチ1〜2 g/kg/回程度を就寝前に内服を行っている症例もあるが，海外の報告で積極的に推奨はされていない．離乳後食間隔が空いた場合のセーフティネットとして推奨してもよい．

内服開始時は0.25〜1.0 g/kgからとする．腹部膨満，鼓腸，下痢に注意しながら調整する．

フォローアップ指針

急性増悪を予防するために飢餓状態の回避，高炭水化物食，運動負荷の制限が重要である．飢餓の予防，発熱時や感染症罹患時の対応，薬物療法に関しては，新生児マススクリーニング発見例と同様であり，それに従ってフォローしていく．感染症に伴い発症，症状の増悪を認めることが多い

ため，予防接種については可能な限り積極的に推奨する．以下は基本的なフォロー方針であり，症状，重症度にあわせて適宜行う．

●安定期の受診間隔
・乳幼児期：1～2か月毎の外来での診療
・学童期以降：年3回ほどの定期フォロー

1 フォロー項目

❶ 身長，体重，頭囲
成長曲線を評価する．急激な増減に注意する．

❷ 発達検査
受診ごとにマイルストーンのチェックを行う．1歳半，3歳，6歳時には新版K式またはWISCを用いての評価を行う．

❸ 栄養評価
1回/年，現状把握のために栄養評価，栄養指導を行う．

❹ 血液検査
治療開始後は定期的に血液検査でフォローする．乳児期は1か月に1度，以降は2～3か月に1度の検査が望ましい．
(1) AST，ALT，CK
(2) 血糖，血液ガス，アンモニア
(3) 血清アシルカルニチン分析：ろ紙血よりも血清のほうが軽微な変化を捉えやすいが，食事のタイミングなどの影響を受けやすい．食後3～4時間後が望ましいが，必ずしも空腹時でなくてよい．
(4) NEFA，ケトン体，アミノ酸分析
(5) 尿中有機酸分析：尿中への有機酸排泄量もコントロールの指標になるが，血中アシルカルニチン分析とは同時に算定できない．半年～1年1回くらいの分析が望ましい．

❺ 画像検査
1) 心臓超音波検査，心電図
脂肪酸代謝異常症では，肥大型心筋症，拡張型心筋症ともに報告があるため定期的な心臓超音波検査を行う．無症状であっても最低1回/年，異常所見がある場合は症例に応じて適宜追加する．特に乳児早期期から生化学的な異常がある場合には出生直後は異常がなくとも乳児期早期より心筋症が進行することがあり，1回/1～2か月ごとに心機能評価を行うべきである．

心室性頻拍（心室細動，心室粗動）をはじめとする不整脈の報告があるため，心電図も定期的に行う．無症状であっても最低1回/年，異常所見がある場合は症例に応じて適宜追加する．

2) 腹部超音波検査
脂肪肝や肝腫大がみられることがあるため，肝機能異常がみられる場合は適宜行う．

3) 筋肉MRI
T1強調像やSTIRでの異常高信号がみられる場合がある．脂肪酸代謝異常症でも疾患によって異常が検出される部位が若干異なる．GA2では下肢，特に大腿二頭筋とヒラメ筋に浮腫上の変化が認められるとの報告があるが，この所見は治療によって消退する[19]．

4) 頭部MRI
小児期は1回/1年程度．グルタル酸血症1型と同様に大脳基底核病変を呈することがあるが，画像変化と臨床症状の相関ははっきりせず，治療後に病状は改善しても頭部MRI所見は改善しない[20]．

❻ 遺伝カウンセリング
本疾患は常染色体劣性遺伝形式で遺伝する疾患で，症例によっては極めて予後不良な症例も存在する．確定診断後には，適切な時期に遺伝カウンセリングを行うことが望ましい．また，同胞のスクリーニングも必要に応じて行う．

成人期の課題

脂肪酸代謝異常症全般について長期的な自然歴は明らかになっていない部分が多く，特に成人期，遠隔期についての病態は定見が得られていない．乳幼児期に低血糖やReye様症候群として発

症した乳幼児発症型の症例が次第に筋型の表現型を呈することはしばしば経験される．近年，成人診断例が報告されつつあるが，やはり明らかになっていない部分が多い．成人期においても運動や飢餓を契機に横紋筋融解症やミオパチー，筋痛発作などをきたすことが報告されている．また，心筋症などの心筋障害をきたすことも報告されており，生涯にわたる経過観察および治療が必要である．一方で，成人期発症に多いとされる筋型では食事指導や運動制限が不要な症例もある．治療の原則は上述の通り，高炭水化物食を中心とする食事療法と，過度の運動の回避などを継続することであるが，筋痛などの症状は治療によっても改善が乏しいとされる．成人期においては飲酒，運動，妊娠，外科手術などは代謝不全を惹起する要因になりうるので，以下のような注意が必要である．

1 特殊ミルクの使用

低血糖などの全身症状がある場合や，筋痛発作が頻回，程度が強い場合には高炭水化物・低脂質・低タンパク食が望ましいとされるが，明確な指標はない．成人期にわたって食事療法の継続が必要な症例は多くないと考えられているが，厳格な低脂質・低タンパク食を行うためには雪印S-23や森永ML-1が必要となる場合がある．なお，リボフラビン著効例では食事療法は不要となる．

2 飲酒

本疾患と直接的な関係ははっきりしないが，飲酒自体が脂肪酸代謝能を低下させる，という報告もある[21]．また飲酒による不適切な食事内容（欠食含む）や悪心の誘発は代謝不全発作を引き起こす可能性がある．事実，MCAD欠損症の成人例においては飲酒後の死亡例が報告されており，飲酒はすすめられない．

3 運動

上述の通り，運動負荷によって急性発症するリスクがある．ただし，いつから，どの程度厳格に管理するかは不明である．学童以降では運動会や登山，持久走といった持続的な運動後はリスクが高いと考えられている．ただし，軽症例や未発症例では運動制限を行なわなくてもよい症例がある．また，成人例では，運動制限を行っていなくても患者自身が発作を予見して，自主的に休んだり，運動強度を弱めることで，筋痛発作を回避することも経験される．

4 妊娠・出産

VLCAD欠損症では妊娠中は胎盤・あるいは胎児由来のβ酸化によって妊婦の症状が改善することが報告されているが，出生後には逆に横紋筋融解症発作が起きやすくなる[22]．妊娠中に急性妊娠脂肪肝（AFLP）を呈したTFP欠損症の報告もあるが，GA2では食事指導やL-カルニチンの積極投与によって問題なく妊娠・出産に至った報告がある[23]．なお，母体が脂肪酸代謝異常症であっても産科的な問題がない限り必ずしも帝王切開は必要ない，とされるが，実際には妊娠経過中の管理が不十分な場合には帝王切開が選択されることもある．

5 外科手術

手術そのものが代謝不全発作を誘発させるかどうかは一定の見解がないものの，術前術後（や鎮静）の絶食時間が長ければ発作を誘発する可能性があるため，術前術中術後は十分なブドウ糖輸液が必要である．また，揮発性の麻酔薬やプロポフォールは脂肪酸代謝を抑制し，内因性長鎖脂肪酸が増加する可能性があるため避けるべきと考えられていたが，近年では周術期に十分なブドウ糖輸液を行ったうえで，持続的な血糖とCKのモニタリングを行っていれば，特に禁忌とすべき麻酔薬はないとされる[24)25]．

6 医療費の問題

本疾患は平成27年7月に難病指定されており，L-カルニチンやリボフラビン投与による医療費の負担は大きくない．しかし，成人期に発症するような軽症例であっても，病状が進行し，持続的な筋力低下によって就労が困難となったり，車椅子生活となっている患者もいるなど経済的な支援が必要な場合もある[8]．

文献

1) 山田健治, ほか. グルタル酸血症Ⅱ型（マルチプルアシルCo-A脱水素酵素欠損症）. 別冊 日本臨床 領域別症候群シリーズ No. 19 先天代謝異常症候群, 第二版上. 日本臨床社. 2012：421-425.

2) Lund AM, et al. Clinical and biochemical monitoring of patients with fatty acid oxidation disorders. J Inherit Metab Dis 2010；33：495-500.

3) Yamaguchi S, et al. 日本における MS/MS 新生児マススクリーニングの拡大と中鎖 acyl-CoA 脱水素酵素（MCAD）欠損症（Expanded newborn mass screening with MS/MS and medium-chain acyl-CoA dehydrogenase（MCAD）deficiency in Japan）. 日本マススクリーニング学会誌 2013；23：270-276.

4) Angle B, et al. Risk of sudden death and acute life-threatening events in patients with glutaric acidemia typeⅡ. Mol Genet Metab 2008；93：36-39.

5) Mitchell G, et al. Congenital anomalies in glutaric aciduria type 2. J Pediatr 1984；104：961-962.

6) Harpey JP, et al. Sudden infant death syndrome and multiple acyl-coenzyme A dehydrogenase deficiency, ethylmalonic-adipic aciduria, or systemic carnitine deficiency. J Pediatr 1987；110：881-884.

7) Sugai F, et al. Adult-onset multiple acyl CoA dehydrogenation deficiency associated with an abnormal isoenzyme pattern of serum lactate dehydrogenase. Neuromuscul Disord 2012；22：159-161.

8) Yamada K, et al. Clinical, biochemical and molecular investigation of adult-onset glutaric acidemia typeⅡ：Characteristics in comparison with pediatric cases. Brain Dev 2016；38：293-301.

9) Chow CW, et al. Striatal degeneration in glutaric acidaemia typeⅡ. Acta Neuropathol 1989；77：554-556.

10) Yotsumoto Y, et al. Clinical and molecular investigations of Japanese cases of glutaric acidemia type 2. Mol Genet Metab 2008；94：61-67.

11) Endo M, et al. In vitro probe acylcarnitine profiling assay using cultured fibroblasts and electrospray ionization tandem mass spectrometry predicts severity of patients with glutaric aciduria type 2. J Chromatogr B Analyt Technol Biomed Life Sci 2010.

12) タンデムマス導入にともなう新しいスクリーニング対象疾患の治療指針. 特殊ミルク共同安全開発委員会編集. 特殊ミルク情報 2006；42：25.

13) Abdenur JE, et al. Multiple acyl-CoA-dehydrogenase deficiency（MADD）：use of acylcarnitines and fatty acids to monitor the response to dietary treatment. Pediatr Res 2001；50：61-66.

14) Grünert SC. Clinical and genetical heterogeneity of late-onset multiple acyl-coenzyme A dehydrogenase deficiency. Orphanet J Rare Dis 2014；9：117-124.

15) Houten SM, et al. The Biochemistry and Physiology of Mitochondrial Fatty Acid beta-Oxidation and Its Genetic Disorders, Annu Rev Physiol 2016；78：23-44.

16) Yamada K, et al. Open-label clinical trial of bezafibrate treatment in patients with fatty acid oxidation disorders in Japan, Mol Genet Metab Rep 2018；15：55-63.

17) Yamaguchi S, et al. Bezafibrate can be a new treatment option for mitochondrial fatty acid oxidation disorders：evaluation by in vitro probe acylcarnitine assay. Mol Genet Metab 2012；107：87-91.

18) Shioya A, et al. Amelioration of acylcarnitine profile using bezafibrate and riboflavin in a case of adult-onset glutaric acidemia type 2 with novel mutations of the electron transfer flavoprotein dehydrogenase（ETFDH）gene. J Neurol Sci 2014；346：350-352.

19) Hong DJ, et al. Clinical and muscle magnetic resonance image findings in patients with late-onset multiple acyl-CoA dehydrogenase deficiency. Chin Med J（Engl）2019；132：275-284.

20) Ishii K, et al. Central nervous system and muscle involvement in an adolescent patient with riboflavin-responsive multiple acyl-CoA dehydrogenase deficiency. Brain Dev 2010；32：669-672.

21) Donohue TM Jr. Alcohol-induced steatosis in liver cells, World J Gastroenterol 2007；13：4974-4978.

22) Mendez-Figueroa H, et al. Clinical and biochemical improvement of very long-chain acyl-CoA dehydrogenase deficiency in pregnancy, J Perinatol 2010；30：558-562.

23) Creanza A, et al. Successful Pregnancy in a Young Woman with Multiple Acyl-CoA Dehydrogenase Deficiency. JIMD Rep 2017（in press）.

24) Welsink-Karssies MM, et al. Very Long-Chain Acyl-Coenzyme A Dehydrogenase Deficiency and Perioperative Management in Adult Patients, JIMD Rep 2017；34：49-54.

25) Allen C, et al. A etrospective review of anesthesia and perioperative care in children with medium-chain acyl-CoA dehydrogenase deficiency, Paediatr Anaesth 2017；27：60-65.

29-1 糖原病と糖新生異常症：肝型糖原病

①糖原病Ⅰ型，Ⅲ型，Ⅵ型，Ⅸ型　②糖原病Ⅳ型　③Fanconi-Bickel 症候群

糖原病はグリコーゲンの代謝障害（図1）により発症する疾患である．グリコーゲン代謝経路の酵素やトランスポーターなどの異常により，グリコーゲンの合成や分解が障害される．肝を主病変とし，組織にグリコーゲンが蓄積する糖原病にはⅠ型，Ⅲ型，Ⅳ型，Ⅵ型，Ⅸ型がある．

①糖原病Ⅰ型，Ⅲ型，Ⅵ型，Ⅸ型

疾患概要

糖原病Ⅰ型，Ⅲ型，Ⅵ型，Ⅸ型では肝腫大と低血糖が生じる．Ⅰ型ではグリコーゲン分解のみでなく糖新生も障害されるため，低血糖の程度が最も強い．Ⅲ型の多くの症例では筋力低下や心肥大を伴う．

❶糖原病Ⅰ型

糖原病Ⅰ型はグルコース-6-リン酸を加水分解しグルコースを生成，輸送するグルコース-6-ホスファターゼ（G6Pase）機構の障害による疾患で，主病型はⅠa型（グルコース-6-ホスファターゼ欠損症），Ⅰb型（グルコース-6-リン酸 トランスロカーゼ欠損症）である（表1）．遺伝形式はいずれのサブタイプも常染色体劣性である．

グリコーゲン分解とグルコース新生によるグルコースの産生が障害されるため，食後3〜4時間で低血糖が出現し，肝，腎，腸管に多量のグリコーゲンが蓄積する．糖原病Ⅰ型では，糖新生も障害されるため，糖原病の中で乳幼児期から最も著しい低血糖が生じる．肝腫大とともに高脂血症，高尿酸血症，成長障害，鼻出血などを呈する．Ⅰb型では好中球減少と易感染性を伴う．

❷糖原病Ⅲ型

糖原病Ⅲ型はトランスフェラーゼ活性（4-α-グルカントランスフェラーゼ）とグルコシダーゼ活性（アミロ-α-1,6-グルコシダーゼ）を有するグリコーゲン脱分枝酵素の欠損症で，組織にホスホリラーゼ限界デキストリン（PLD）が蓄積する．欠損酵素の種類と罹患臓器（肝臓，骨格筋，心筋）によりサブタイプに分類される．いずれのサブタイプも原因遺伝子は*AGL*遺伝子であり，遺伝形式は常染色体劣性である．

グリコーゲン分解によるグルコースの産生が障害されるため，食後3〜4時間で低血糖が出現し，肝臓に多量のPLDが蓄積する．最も頻度の高いⅢa型（表1）では骨格筋と心筋にもPLDが蓄積し，低血糖と肝腫大とともに筋症状および心症状が出現する．

❸糖原病Ⅵ型

糖原病Ⅵ型は*PYGL*遺伝子がコードする肝グリコーゲン ホスホリラーゼの欠損により発症する．遺伝形式は常染色体劣性である．

グリコーゲン ホスホリラーゼはグリコーゲンのα-1,4結合からグルコースを切断しグルコース-1-リン酸を生成する反応を触媒する酵素で，Ⅵ型では肝腫大と空腹時低血糖を生じる．

❹糖原病Ⅸ型

糖原病Ⅸ型はホスホリラーゼキナーゼの欠損により発症する．ホスホリラーゼキナーゼはグリコーゲンホスホリラーゼを活性化する反応を触媒する酵素で，4種類のサブユニットの4量体として存在し，それぞれのサブユニットの異常により，Ⅸa，Ⅸb，Ⅸc，Ⅸd型が発症する．肝が罹患するⅨ型はⅨa，Ⅸb，Ⅸc型であり，遺伝形式は，Ⅸa型はX連鎖性，Ⅸb，Ⅸc型は常染色体劣性である．

Ⅸa，Ⅸb，Ⅸc型では肝腫大と空腹時低血糖を生じる．Ⅸc型では筋症状や心筋症状を伴う．

表1 ● 肝型糖原病

型		欠損酵素		遺伝子	遺伝子座	備考
0a		グリコーゲン合成酵素		GYS2	12p12.2	
Ⅰ	a	グルコース-6-ホスファターゼ		G6PC	17q21.31	von Gierke 病
	b 注1)	グルコース-6-リン酸トランスロカーゼ		G6PT1 (SLC37A4)	11q23.3	
	c 注1)	リン酸/ピロリン酸トランスロカーゼ		G6PT1 (SLC37A4)	11q23.3	
Ⅲ	a	グリコーゲン脱分枝酵素	肝筋型	AGL	1p21.2	Cori 病・Forbes 病
	b		肝型			
	d		肝筋型（トランスフェラーゼ単独欠損）			
Ⅳ		グリコーゲン分枝酵素		GBE1	3p12.2	Anderson 病
Ⅵ		肝ホスホリラーゼ		PYGL	14q22.1	Hers 病
Ⅸ 注2)	a	ホスホリラーゼキナーゼ	αサブユニット	PHKA2	Xq22.13	XLG1/XLG2
	b		βサブユニット	PHKB	16q12.1	
	c		γサブユニット	PHKG2	16p11.2	

注1)：従来Ⅷ型に分類されていたホスホリラーゼキナーゼ欠損症は現行ではⅨ型に分類される．
XLG：X-linked liver glycogenosis：X連鎖性肝型糖原病．
注2)：Ⅰb型とⅠc型は同一遺伝子の異常により発症するとされているが，Ⅰc型は非常にまれで，不明な点が多い．

1 疫学

Ⅸ型が最も多く，Ⅰ型，Ⅲ型がそれに次ぐ．欧米での発症頻度は糖原病20,000～43,000人に1人，Ⅸ型 10万人に1人[1]，Ⅰ型10万～30万人に1人[2]Ⅲ型 10万人に1人[3]である．

2 代謝経路

グリコーゲン分解・解糖経路を図1に示す．

診断の基準

1 疾患と疾患のサブタイプ

❶ 糖原病Ⅰ型

(1) Ⅰa型　グルコース-6-ホスファターゼ欠損症
(2) Ⅰb型　グルコース-6-リン酸トランスロカーゼ欠損症
(3)（Ⅰc型　リン酸/ピロリン酸トランスロカーゼ欠損症）

❷ 糖原病Ⅲ型（グリコーゲン脱分枝酵素欠損症）

(1) Ⅲa型　肝筋型
(2) Ⅲb型　肝型
(3) Ⅲd型　肝筋型（α-1,4-グルカントランスフェラーゼ単独欠損症）

❸ 糖原病Ⅵ型（肝グリコーゲンホスホリラーゼ欠損症）

❹ 糖原病Ⅸ型（ホスホリラーゼキナーゼ欠損症）

(1) Ⅸa型　α₂サブユニット異常症（肝型）
(2) Ⅸb型　βサブユニット異常症（肝筋型）
(3) Ⅸc型　γ₂サブユニット異常症（肝型）

補記）Ⅰc型は非常にまれである．

Ⅸa型は肝型糖原病では唯一のX連鎖性疾患であり，X連鎖性肝型糖原病（XLG）ともいわれる．

Ⅸd型は筋型糖原病の項を参照．

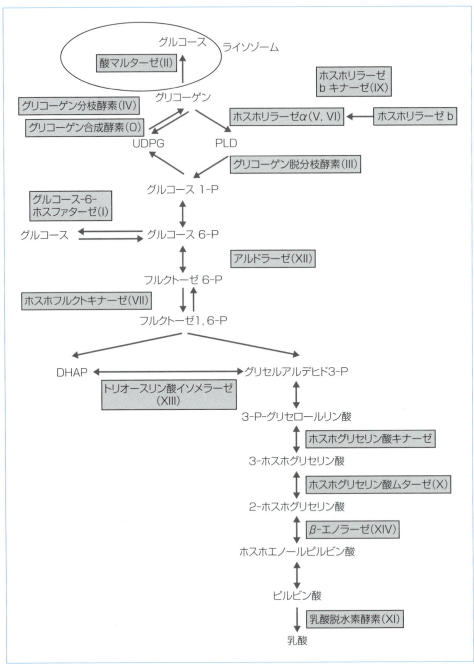

図1 ● グリコーゲン分解・解糖経路
UDPG：ウリジンニリン酸グルコース，PLD：ホスホリラーゼ限界デキストリン，DHAP：ジヒドロキシアセトンリン酸，☐：酵素．

2 主要症状および臨床所見

❶ I型，III型，VI型，IX型に共通する主要症状

空腹時の低血糖症状，肝腫大，腹部膨満，低身長，成長障害．

❷ それぞれの疾患の主要症状

1）糖原病 I型

空腹時の低血糖症状，人形様顔貌，成長障害，

肝腫大，出血傾向（鼻出血）．
Ⅰb型では易感染性がみられる．

2) 糖原病Ⅲ型

空腹時の低血糖症状，肝腫大，成長障害．Ⅰ型に比し低血糖症状は軽度であることが多い．Ⅲa型とⅢd型では経過中に筋力低下や心筋症をきたす．乳児期から運動発達遅滞がみられることがある．筋症状の出現時期は様々である．ミオパチー症状が進行することがある．

3) 糖原病Ⅵ型

空腹時の低血糖症状，肝腫大，低身長．Ⅰ型に比し症状が軽度であることが多く，無症状例もある．

4) 糖原病Ⅸ型

空腹時低血糖症状，肝腫大，低身長．（Ⅰ型に比し症状が軽度であることが多く，無症状例もある）．Ⅸb型では軽度のミオパチー症状を伴う．

補記） 肝腫大の出現時期：糖原病Ⅰ型，Ⅲ型，Ⅵ型，Ⅸ型における肝腫大は乳児期には発現するが，乳児期後期まで出現しないことがあることを考慮して診断を進める必要がある．

補記） 空腹時低血糖の出現時期：特に夜間の哺乳間隔が長くなる乳児期後期以降に低血糖が明らかになる．

3 参考となる検査所見

(1) 空腹時低血糖
(2) 血中乳酸の上昇（Ⅰ型では空腹時に上昇．Ⅲ型，Ⅵ型，Ⅸ型では食後に上昇）
(3) 肝逸脱酵素の上昇
(4) 低血糖時の代謝性アシドーシス（Ⅰ型）
(5) 高尿酸血症
(6) 脂質異常症
(7) 好中球減少（Ⅰb型）
(8) 高CK血症（Ⅲa型，Ⅲd型）
(9) 画像検査

超音波検査，CT，MRIで肝腫大．グリコーゲンの蓄積により超音波検査で肝エコー輝度上昇．肝臓CTの信号強度上昇（CT値高値）．ただし高脂血症の程度により脂肪沈着のためCT値が低下する場合もある．

4 診断の根拠となる特殊検査

❶食後の乳酸値の変化あるいはブドウ糖負荷試験（mini column 1〈p.290〉参照）＊

空腹時に高乳酸血症を呈する症例ではⅠ型の疑いが強く，Ⅰ型では食後もしくはグルコース負荷で乳酸値が低下する．Ⅲ型，Ⅵ型，Ⅸ型では食後もしくはグルコース負荷で乳酸値が上昇する．

❷グルカゴン負荷試験（mini column 1〈p.290〉参照）＊

（Ⅰ型が疑われる症例ではグルカゴン負荷を実施しないことを推奨する）．

Ⅲ型では空腹時の負荷では血糖値が上昇しない．食後2時間の負荷で血糖値が上昇する．

Ⅵ型では空腹時および食後2時間の血糖値が上昇しない．

Ⅸ型では空腹時および食後2時間の血糖値が上昇する．

❸肝生検＊

肝組織にグリコーゲンの著明な蓄積および脂肪肝を認める．

❹筋生検＊

肝筋型糖原病（Ⅲa型，Ⅲd型，Ⅸb型）では筋組織にグリコーゲン（Ⅲ型ではPLD）の蓄積を認める．Ⅲa型とⅢd型では多量のPLDが空胞様に蓄積する像がみられる．

❺酵素学的診断＊＊＊

末梢血もしくは生検肝組織，生検筋組織（肝筋型糖原病）で「1▮疾患と疾患のサブタイプ」に示す酵素活性が欠損もしくは低下．

酵素学的検査に保険適用はなく，国内の検査可能な施設にて検査を行う．

補記） 糖原病Ⅲ型，Ⅵ型，Ⅸ型では，末梢血を用いた酵素診断を行う．糖原病Ⅸ型の一部では赤血球のホスホリラーゼキナーゼ活性低下を認めない症例があり，XLG2（X連鎖性糖原病2）型に分類している．XLG2型では，肝組織では酵素診断の信頼性が上昇するが，酵素活性低下がなくてもXLG2型は否定できない．

❻**遺伝子解析**＊＊＊

遺伝子診断にて病因となる遺伝子変異の同定（表1）．

Ⅰa型には*G6PC*遺伝子に日本人好発変異（c.648G＞T）が，Ⅰb型には*SLC37A4*（*G6PT1*）遺伝子に日本人好発変異（c.352T＞C p.W118R）がある．糖原病Ⅰ型では遺伝子解析を優先して行う．

2019年6月現在では遺伝子検査に保険適用はない．

補記）負荷試験についての注意

糖原病の診断のために，Fernandesが提唱した経口ブドウ糖負荷試験，グルカゴン負荷試験，ガラクトース負荷試験が施行されるが，負荷試験による病型診断は必ずしも真の診断に合致しない．そのためブドウ糖負荷試験の結果，糖原病が疑われる場合，酵素活性測定あるいは遺伝子解析を行うことが推奨される．

5 鑑別診断

糖原病を含む肝腫大，低血糖を示す疾患や肝炎などがあげられる．

糖原病Ⅰ型ではフルクトース-1,6-ビスホスファターゼ欠損（尿中有機酸分析が診断に有用），Fanconi-Bickel症候群との鑑別が必要である．

コントロール不良の糖尿病に出現するglycogenic hepatopathyは肝腫大，肝逸脱酵素の上昇，肝組織のグリコーゲン蓄積が共通するが，糖尿病のコントロールが改善するとそれらの症状は改善する．

---

mini column 1　肝型糖原病の負荷試験

❶経口ブドウ糖負荷試験

1) **実施方法**：早朝空腹時に1.75〜2.0 g/kg（最大50 g）のブドウ糖を経口投与する．水に溶解し10％程度のブドウ糖溶液として経口投与する．経口摂取ができないときには，経鼻胃管から注入する．
2) **採血と測定項目**：負荷前，負荷後30分，60分，90分，120分の血糖，乳酸を測定する．

注意事項：長時間の絶食により重篤な低血糖が生じる危険が高い症例では，必ずしも夕食後から朝まで絶食にする必要はない．重篤な低血糖を引き起こさないように絶食開始後の血糖をモニタリングして試験を行う．

❷グルカゴン負荷試験

1) **実施方法**：
①空腹時グルカゴン負荷試験：早朝空腹時に0.03 mg/kg（最大1 mg）のグルカゴンを筋注する．
②食後グルカゴン負荷試験：食後2時間に0.03 mg/kg（最大1 mg）のグルカゴンを筋注する．
2) **採血と測定項目**：負荷前，負荷後30分，60分，90分，120分の血糖，乳酸を測定する．

注意事項：Ⅰ型ではグルカゴン負荷試験で急激な代謝性アシドーシスをきたした事例があるため，Ⅰ型が疑われる場合にはグルカゴン負荷試験は実施しない．

ブドウ糖負荷試験・グルカゴン負荷試験の反応

負荷試験	項目	正常反応	Ⅰ型	Ⅲ型	Ⅵ型	Ⅸ型
経口ブドウ糖負荷	乳酸	負荷前に比し軽度上昇するが基準値を超えない	負荷前　高値 負荷後　低下	負荷後軽度上昇〜上昇基準値を超え高値となることが多い		
空腹時グルカゴン負荷	血糖	上昇	実施しないことを推奨する	上昇なし	上昇なし	上昇
食後グルカゴン負荷	血糖	上昇		上昇	上昇なし	上昇

6 診断基準

❶ 疑診

(1)「**2 主要症状および臨床所見**」または「**3 参考となる検査所見**」のうち，肝腫大を認め，肝逸脱酵素の上昇，もしくは低血糖のいずれか1つが存在し，グルコース負荷試験で乳酸低下を認めた場合は，糖原病Ⅰ型の疑診例とする．

(2)「**2 主要症状および臨床所見**」または「**3 参考となる検査所見**」のうち，肝腫大を認め，肝逸脱酵素の上昇，もしくは低血糖のいずれか1つが存在し，グルコース負荷試験で乳酸が上昇した場合は，Ⅰ型以外の肝型糖原病（Ⅲ，Ⅵ，Ⅸ型）の疑診例とする．

❷ 確定診断

酵素活性の低下もしくは遺伝子解析で病因となる遺伝子変異を確認したものを確定診断例とする．

a. 糖原病Ⅰ型

治療と管理

1 急性期の治療

急性胃腸炎や発熱時に食事摂取が不良となり重篤な低血糖やケトーシス，代謝性アシドーシスが発生することがある．低血糖やケトーシスに対し，経口摂取が可能な場合にはブドウ糖や炭水化物を経口摂取させる．経口摂取不良時にはブドウ糖の静脈投与を行う **B**．

緊急時のブドウ糖静脈内投与：ただちにブドウ糖の静脈注射（1歳までは0.5 g/kg/dose，1〜6歳では0.4 g/kg/dose）を行い，持続点滴に移行する（持続点滴のブドウ糖投与量は当初12時間は表2の必要量の125〜150%とするが，適宜血糖値をモニタリングして増減する．）**B**[3]．

上記治療により改善されない代謝性アシドーシスは，炭酸水素ナトリウムの投与により補正する **B**．

乳酸フリーの輸液を使用することが望ましいという意見がある **D**．

2 慢性期の管理

❶ 食事療法による低血糖の予防

少量頻回食や夜間持続注入を行う．特殊ミルクとして糖原病用フォーミュラ，非加熱のコーンスターチ（食品として市販されているもの）を投与し，低血糖を予防する **B**[4]．

血糖値を70 mg/dL以上に維持することを目標

表2 ● ブドウ糖必要量

年齢	グルコース必要量 GIR (mg/kg/min)
0〜12か月	7〜9
1〜3歳	6〜8
3〜6歳	6〜7
6〜12歳	5〜6
思春期（青年期）	5
成人	3〜4

〔Kishnani PS, et al. Glycogen storage disease typeⅢ diagnosis and management guidelines. Genet Med. 2010；12：446-463 より〕

にする **B**[5]．自己血糖測定＊＊＊を状況に合わせ適宜行う．

1) 乳児期

(1) 母乳または糖原病用フォーミュラを2〜3時間ごとに与える．3〜4時間以上の睡眠をとるようになった後は，血糖値にあわせ睡眠中でも3〜4時間以内に哺乳を行う．頻回哺乳でも低血糖になる場合は経鼻夜間持続注入を行う．

(2) 人工乳を飲んでいる児は，乳糖フリーの糖原病用フォーミュラに変更するのが望ましい．母乳は乳糖を含むが，利点が多いため中止する必要はない **D**[4,5]．

2) 幼児期以降

(1) 食事回数を7〜8回/dayの少量頻回食とする．

日中は朝，昼，夕食の3回食に加え，空腹時間が3～4時間以内となるように，それぞれの中間に炭水化物主体の補食または糖原病用フォーミュラか糖原病用フォーミュラと非加熱コーンスターチを混合したものを摂取する．就寝前に糖原病用フォーミュラや非加熱コーンスターチの摂取を行う．1～2歳もしくは夜間低血糖がみられる患者では，さらに就寝3～4時間後にも糖原病用フォーミュラとコーンスターチを混合したものを摂取する **B** [4]．

(2) 1～2歳以上では，非加熱コーンスターチを投与し低血糖を予防する **B**．非加熱コーンスターチを開始するときには，少量（0.25～1.0 g/kg）から開始し，日中は血糖を4時間程度保持できる量（1～1.6 g/回程度）までゆっくり増量する **B** [4)6)]．就寝前の非加熱コーンスターチは早朝起床時までの血糖値が保たれる量（ただし，最大2～2.5 g/kg/回程度まで）とする **B**．

(3) 上記の方法で夜間低血糖が出現する場合には，就寝後の糖原病用フォーミュラとコーンスターチの混合の摂取回数を増加させる．もしくは，糖原病用ミルクまたはグルコースポリマー（マルトデキストリン，粉あめ）の夜間持続注入により低血糖を予防する **B** [4)]．

(4) 小児では3～4時間，思春期以降では4～6時間以上の空腹を避ける **B** [4)]．ただし，遺伝子変異が同じであっても個々の患者による血糖維持の状態（fasting period）は大きく異なるため，空腹時間は血糖値にあわせ適宜増減し調整する．

(5) 1日のエネルギー摂取量は理想体重における必要量を基本とする（コーンスターチ，糖原病用ミルクのエネルギーも総エネルギーに含む）**B**．1日のエネルギー摂取における3大栄養素の比率は炭水化物70～75%，タンパク10～13%，脂質15～17% **B** とする [4)6)]．

(6) ショ糖，果糖，乳糖，ガラクトースの摂取を制限する **B** [4)]（1.0 g/kg/回の摂取で乳酸上昇の報告がある [7)]）．

(7) 糖質として，デンプン，麦芽糖，ブドウ糖を摂取させる **B** [3)]．味付けとして人工甘味料も使用できる．

(8) 非加熱コーンスターチの開始時には，腹部膨満，鼓腸，下痢に注意する．これらの症状は2週間程度で改善することが多いが，2歳未満の乳児では膵アミラーゼの活性が不十分であるため，十分な注意の下に使用する **D** [4)6)]．

(9) 非加熱のコーンスターチは1 gに対し2～3 mLの常温の水を加えて混和し飲用する．加熱することにより分解がすすみ血糖維持効果が下がるため，高温のお湯は使用しない [4)5)]．

(10) 夜間持続注入では，注入終了後やポンプトラブル等の中断時に低血糖が出現することがあり，注意を要する．朝食は夜間持続注入終了後できる限り早く（15～30分以内に）摂取させる **C**．

補記） ①特殊ミルク事務局に申請をすることにより，糖原病用フォーミュラが入手可能である．糖原病用フォーミュラは糖質として，乳糖を含まず，グルコースとデキストリンやデンプンを含み，脂肪として植物性脂肪を含んでいる．昼用（明治GSD-D）と夜用（明治GSD-N）があり，夜用の組成は低血糖を防ぐために糖質が主成分である．牛乳アレルギー児のために，大豆タンパク由来のミルク（昼用：明治8007，夜用：明治8009）も選択できる．カルシウムやミネラル，ビタミン類の補充のため，乳幼児だけでなく，非加熱コーンスターチとあわせて学童・成人にも使用する [6)]．

②持続注入は経鼻胃管により注入するが，症例によっては胃瘻造設が考慮される．Ⅰb型では炎症性腸疾患や易感染性の問題があり，胃瘻造設はG-CSF（granulocyte colony stimulating factor，顆粒球コロニー形成刺激因子）使用下に慎重に考慮すべきである **C**．

3 薬物療法

❶ 高尿酸血症の治療

高尿酸血症に対し，アロプリノール＊（10 mg/kg/day 分3），フェブキソスタット＊（腎機能障害のある人にも使用可能）が有効である **B**．

❷ 代謝性アシドーシスの治療

適切な食事療法を行っても静脈血の BE が−5 mmol/L または HCO_3^- が 20 mmol/L 未満のときには補正を行う **C**．クエン酸カリウム（ウラリット＊）を 8〜12 時間ごとに経口投与する **C**．

❸ 慢性腎障害の治療

尿中アルブミン/クレアチニン比上昇（>30 μg/mg Cre）またはタンパク尿（>0.2 mg/mg Cre）に対し，アンジオテンシン変換酵素（ACE）阻害薬＊やアンジオテンシンⅡ受容体拮抗剤（ARB）＊を投与する **C**．

高血圧が持続する場合にはほかの降圧剤の投与を追加する **C**．

❹ ビタミン，ミネラル，鉄欠乏の治療

カルシウムやビタミン D，ビタミン B_1，鉄の不足に注意し，糖原病用フォーミュラや内服薬で適宜補充する **C**．

❺ 脂質異常症の治療

食事療法を行っても高トリグリセリド血症が持続するときには胆石症や膵炎，動脈硬化を予防するために脂質異常症治療薬（スタチン系，フィブラート系）を投与する **D**．腎障害があると副作用発現の危険性が増す脂質異常症治療薬があることに注意を要する．

❻ 好中球減少症，好中球機能障害に対する治療（糖原病Ⅰb型）

感染症重篤化の予防および炎症性腸疾患の治療・予防のため，Ⅰb型の好中球減少症に対し，G-CSF＊投与を行う **B**[4]．糖原病Ⅰb型の好中球減少症は少量の G-CSF に反応するので，隔日投与からはじめることが推奨される．また，G-CSF により，髄外造血が亢進して脾腫が引き起こされることがあるため注意が必要である．

易感染者への抗菌薬の予防投与が考慮される **D**．

4 sick day の対応

「**1** 急性期の治療」（前述）に準ずる．

5 移植医療

肝硬変や肝癌発生のリスクが高い場合，および治療抵抗性の低血糖に対し肝移植が考慮される **C**．Ⅰ型に対する肝移植は低血糖や肝障害を改善するが，腎障害には効果がみられない．Ⅰb型の好中球減少症は肝移植により改善しない場合がある．

腎不全に対し腎移植が考慮される **C**．

6 外科手術の際の管理

可能な限り緊急手術は避ける．外科手術に先行して，出血時間の正常化と血糖のコントロールを行う．出血時間の正常化のために，ブドウ糖の投与を行う．（持続胃管からの投与を1週間，または，ブドウ糖の点滴静注を 24〜48 時間）[4]．周術期の血糖と乳酸のモニタリングを注意深く行う **C**．

7 生活上の一般的注意事項

肝腫大があるときには肝破裂の危険があるため接触するスポーツを避ける **B**．

フォローアップ指針

1 フォロー項目

0〜3歳では1〜2か月，3〜20歳では2〜3か月，成人では3〜6か月間隔程度で定期診察を行う[3)5)]．

❶ 問診

低血糖症状の有無，入院の有無，感染症罹患の有無，鼻出血や下痢の有無，食事療法の確認，精神運動発達の評価．

❷ **身体診察**

身長，体重，肝臓，脾臓，血圧，皮膚所見，関節所見など

❸ **血液検査**

(1) 血糖日内変動の測定
(2) 血算，Cre，BUN，Na，K，Cl，Ca，P，AST，ALT，γGTP，TP，ALB，血糖，尿中または血中ケトン体，乳酸，尿酸，コレステロール，TG，血液ガス分析（静脈血），PT，尿定性・沈渣，尿中ミクロアルブミン/クレアチニン比

❹ **画像検査**

1) 腹部画像検査

肝腫大，肝硬変，肝細胞腫瘍（良性の肝腺腫，まれに肝細胞癌），腎障害などの評価．

腹部超音波検査：18歳未満では初回と12～24か月ごとに行う．

腹部CT・MRI検査：18歳以降もしくはすでに肝腺腫を発症している児では6か月～12か月ごとに行う．腫瘍の検出率を上げるために造影剤の使用が望ましい．

2) 心臓超音波検査

肺高血圧症の評価のため，10歳以降は1～3年毎に行う．

❺ **その他参考となる所見**

血小板凝集能，尿中乳酸排泄（乳酸/Cre），GFR，腫瘍マーカー（10歳ごろから，AFP，CEA），骨密度

補記）上記の検査間隔は所見によってはより頻回に行う必要がある．

2 特殊ミルクの使用

本疾患は生涯にわたる食事療法が必要であるため，特殊ミルクを継続して使用する．

3 その他

Ⅰa型，Ⅰb型は常染色体劣性の遺伝形式であり，必要に応じて遺伝カウンセリングを行う．

成人期の課題

1 食事療法を含めた治療の継続

Ⅰ型は他の肝型糖原病とは異なり，成人後も低血糖は改善されないため，少量頻回食と特殊ミルク，非加熱コーンスターチまたは夜間持続注入による食事療法を生涯継続する．

10歳頃から良性の肝腺腫が出現し，ごくまれに一部は悪性化するため，定期的な画像検査が必要である．

15歳以上の症例ではタンパク尿，血尿，高血圧など腎障害が出現する．血糖コントロールが不良の症例では，慢性腎障害を合併しやすい．

ときに，肺高血圧症，思春期遅発症，膵炎や胆石症を発症することがある．

糖原病Ⅰb型では炎症性腸疾患を合併することがある．糖原病Ⅰb型の77%の患者に炎症性腸疾患がみられたとの報告がある[8]．Ⅰb型では甲状腺自己免疫疾患や甲状腺機能低下症の頻度が上昇する[8]．

2 飲酒

肝臓に負荷がかかるため，推奨しない．

3 運動

肝腫大があるため，接触のあるスポーツは避ける．

4 妊娠・出産

多嚢胞性卵巣，月経不順，月経過多となることもあるが，自然妊娠は可能である．経口避妊薬を処方するときには，エストロゲンは良性および悪性の肝細胞腫瘍に関連するため，可能であればエストロゲンの投与を避ける．薬物療法で用いているACE阻害薬，ARB，高脂血症治療薬，アロプリノールは胎児の催奇形性のため妊娠中は中止する ❸ [4]．

胎児の発育のためには正常血糖を保つことが大切であり，非加熱コーンスターチの摂取の増量が

必要な場合や，経管栄養やグルコースの静脈投与が必要な場合がある．妊娠中はエストロゲンが上昇するため，肝腺腫が大きくなる場合があり，妊娠分娩を通して，腹部超音波検査によりモニタリングする[2]．妊娠により腎障害の悪化がみられることがある．

5 医療費の問題

生涯にわたる治療を必要とし，肝腺腫や腎障害などの合併症は成人後に問題となることが多く，受診や検査も頻回に必要となるため，医療費も増加する．平成27年から指定難病であり，医療費は補助されているが，大量のコーンスターチを連日必要とし，これにかかる支出がある．

6 その他

成人後も少量頻回食と就眠前のコーンスターチを必要とするため，日中は定時に食事休憩を取る必要があり，夜間は5～6時間以上の睡眠がとれない（もしくは経鼻夜間持続注入を行う必要がある）．このような生活上の制限があるため，職種や就労形態が制限される場合がある．

引用文献

1) Maichele AJ, et al. Mutations in the testis/liver isoform of the phosphorylase kinase gamma subunit (PHKG2) cause autosomal liver glycogenosis in the gsd rat and in humans. Nat Genet 1996；14：337-340.
2) Lei K-J, et al. Mutations in the glucose-6-phosphatase gene that cause glycogen storage disease type 1a. Science 1993；262：580-583.
3) Kishnani PS, et al. Glycogen storage disease type III diagnosis and management guidelines. Genet Med 2010；12：446-463
4) Kishnani PS, et al. Diagnosis and management of glycogen storage disease type I：a practice guideline of the American College of Medical Genetics and Genomics. Genet Med 2014；16（11）：e1.
5) Rake JP, et al. Guidelines for management of glycogen storage disease type I-European Study on Glycogen Storage Disease Type I（ESGSD I）. Eur J Pediatr 2002；161 Suppl 1：S112-119.
6) 特殊ミルク共同安全事業安定開発委員会．わかりやすい肝型糖原病食事療法 2013.
7) Fernandes J. The effect of disaccharides on the hyperlactacidaemia of glucose-6-phosphatase-deficient children. Acta Paediatr Scand 1974；63（5）：695-698.
8) Visser G, et al. Consensus guidelines for management of glycogen storage disease type 1b- European Study on Glycogen Storage Disease Type 1. Eur J Pediatr 2002；161 Suppl 1：S120-123.

参考文献

・Yuan-Tsong Chen, et al. Glycogen storage disease. Valle D, et al eds. OMMBID. McGraw Hill：2018（http://www.ommbid.com）

b. 糖原病III型

治療と管理

1 急性期の治療

急性胃腸炎や発熱時に食事摂取が不良となり低血糖やケトーシスが発生することがある．低血糖やケトーシスに対し，経口摂取が可能な場合には糖分を経口摂取し，経口摂取不良時にはグルコースの静脈投与を行う **B**．

2 慢性期の管理

❶ 食事療法

1) 低血糖の予防
（1）特に乳児や小児では，飢餓を避け，少量頻回食を行う **B**．
（2）1日のカロリー摂取量は理想体重における必要量を基本とする **B**．
（3）低血糖がある場合には，就寝前の軽食や非加

熱のコーンスターチ投与，または必要に応じ夜間持続注入により低血糖を予防する❶Ⓐ．
(4) 乳幼児は乳糖・果糖除去低脂肪フォーミュラ昼間用（明治 GSD-D，明治 8007）と夜間用（明治 GSD-N，明治 8009）を中心に，学童はコーンスターチを中心に投与する．
(5) 非加熱のコーンスターチ療法は血糖を 4 時間保持するために 1〜2 g/kg からはじめ，血糖を見ながら回数と量を調整する．
(6) 糖原病Ⅲ型では食事における 3 大栄養素の比率は同年代の健常児と同等とするが，ミオパチーと心筋症に対して下記の高タンパク食やケトン食を考慮するⒸ．
(7) ショ糖，果糖，乳糖を 1 回に大量に与えない．（たとえば 1 g/kg 以上）Ⓑ．
(8) 血糖を 70〜140 mg/dL の範囲に保つことを目標とするⒸ．

2) ミオパチーと心筋症に対する食事療法

低血糖を予防する食事療法により，炭水化物摂取量が増加し，食後の血糖が高値となると，組織への PLD の蓄積が増加し，ⅢaとⅢd 型のミオパチーや心筋症を悪化させる可能性がある．Ⅲa 型のミオパチーや心筋症を呈する患者では，ケトン食や，高タンパク（全カロリーの 25％）低炭水化物（50％ 未満）食が効果を示したという報告があるⓋⒸ．

ケトン食には，ケトンフォーミュラ（明治 817-B）や MCT オイルなどを使用する．低血糖を防止するため，非加熱のコーンスターチや明治GSD-N を併用し，食事療法を行う．脂質異常症，微量元素の不足などに注意して行う．

❷薬物療法

1) 心筋症の治療

肥大型心筋症のために心機能低下が生じる場合には薬物治療Ⓑなどを行う．

心筋症の治療に使用される β 遮断薬は低血糖の症状をマスクする可能性があるので注意して使用することⒷ．

2) 脂質異常症の治療

高コレステロール血症や高 TG 血症に対して，薬物療法（スタチン系，フィブラート系）を行う．スタチン製剤の投与により筋症状が悪化することがあり，注意を要する．

3) 高尿酸血症の治療

高尿酸血症に対し，アロプリノール＊（10 mg/kg/day 分 3），フェブキソスタット＊（腎機能障害のある人にも使用可能）が有効であるⒷ．

❸sick day の対応

急性胃腸炎や発熱時に食事摂取が不良となり低血糖やケトーシスが発生することがある．治療は糖原病Ⅰ型に準じるⒷ．

❹移植医療

成人期の合併症として，肝硬変や肝細胞癌発生のリスクが高い場合，また，治療抵抗性の低血糖に対し肝移植が選択される場合がある．肝移植は低血糖や肝腫瘍，肝硬変に効果的であるが，ミオパチーや心筋症に対する効果は知られていない．

❺外科手術の際の管理

周術期の血糖の管理を注意深く行うⒸ．
麻酔時にサクシニルコリンなど横紋筋融解症を引き起こしうる麻酔薬の使用には注意が必要であるⒸ．

❻生活上の一般的注意事項

肝腫大があるときには肝破裂の危険があるため接触するスポーツを避けるⒷ．

フォローアップ指針

1 フォロー項目

❶問診

低血糖症状の有無，入院の有無，感染症り患の有無，食事療法の確認，運動発達．

❷身体診察

身長，体重，肝臓，血圧，神経学的評価（運動発達，筋力，運動機能）など．

❸ 血液検査

①血糖日内変動の測定，②AST，ALT，PT，TB，TP，ALB，CK，血糖，尿酸，乳酸，尿中ケトン体，コレステロール，TG，血液ガス分析など．

❹ 画像検査

1) 腹部画像検査

肝腫大，肝硬変，肝腺腫などの評価．

腹部超音波検査：小児では初回と12〜24か月ごとに行う．

腹部CT・MRI検査：特に成人では6か月〜1年間隔で行う．

2) 心臓超音波検査

Ⅲa型では12〜24か月間隔に行う．

Ⅲb型では初回の検査を行い，4年毎に反復する．

3) 心電図

不整脈の評価．Ⅲaでは2年毎に行う．症状がある場合には精査をする．

上記の検査間隔は所見によってはより頻回に行う必要がある．

成人期の課題

1 食事療法

成人期には低血糖をきたすリスクが低くなる．Ⅲa型，Ⅲd型では，筋症状として小児期に軽度の運動発達遅滞がみられ，成人期には筋力低下が進行し，歩行不能となる症例がある．また，心筋肥大がみられ，肥大型心筋症や心不全の症状が出現することがある．不整脈にも注意が必要である．

Ⅲa型のミオパチーや心筋症を呈する患者では，高タンパク（全カロリーの25%），低炭水化物（50%未満）食やケトン食が効果を示したという報告があり，行うことを考慮する Ⅴ C ．成人では固形食の食材としてケトンフォーミュラ（明治817-B）を使用することがある．

2 腫瘍等

成人期に，肝に良性の腫瘍（腺腫）や，肝硬変，まれに肝細胞がんが発生することがある．

3 飲酒

飲酒は低血糖を引き起こす可能性があるため，大量の飲酒をさける．

4 運動

ミオパチーに対し，適度の運動や理学療法を行う．

5 妊娠・出産

妊娠可能な女性に対して，エストロゲンは良性および悪性の肝細胞腫瘍に関連するため，経口避妊薬を処方するときには，注意が必要である．糖原病Ⅲ型では，腺腫の危険性があるので，可能であればエストロゲンの投与を避けることが望ましい．糖原病Ⅲ型の女性では若年から多のう胞性卵巣がみられることがあることが知られる．

妊娠中に肝腺腫が大きくなる場合があるため妊娠分娩を通して，肝臓超音波検査などによりモニタリングする必要がある．

正常血糖を保つことが大切である．コーンスターチの摂取の増量が必要な場合や，経管栄養やグルコースの静脈投与が必要な場合がある．

6 医療費の問題

指定難病である．

c. 糖原病Ⅵ型

治療と管理

1 急性期の治療

　急性胃腸炎や発熱時に食事摂取が不良となり低血糖やケトーシスが発生することがある．低血糖やケトーシスに対し，経口摂取が可能な場合には糖分を経口摂取し，経口摂取不良時にはブドウ糖の静脈投与を行う B．

2 慢性期の管理

❶食事療法による低血糖の予防

(1) 飢餓を避け，特に乳児や小児では少量頻回食を行う B．
(2) 1日のカロリー摂取量は理想体重における必要量を基本とする B．
(3) 低血糖がある場合には，就寝前の軽食や非加熱のコーンスターチ投与，または必要に応じ夜間持続注入により低血糖を予防する Ⅰ A．
(4) 乳幼児は乳糖・果糖除去低脂肪フォーミュラ昼間用（明治 GSD-D，明治 8007）と夜間用（明治 GSD-N，明治 8009）を中心に，学童はコーンスターチを中心に投与する．
(5) 非加熱のコーンスターチ療法は血糖を4時間保持するために1〜2 g/kg からはじめ，血糖を見ながら回数と量を調整する．
(6) 糖原病Ⅵ型では食事における3大栄養素の比率は同年代の健常児と同等とする．
(7) ショ糖，果糖，乳糖を1回に大量に与えない．（たとえば1 g/kg 以上）B．

❷薬物療法

1) 脂質異常症の治療

　高コレステロール血症や高 TG 血症に対して，薬物療法（スタチン系，フィブラート系）を行う．

2) 高尿酸血症の治療

　高尿酸血症に対し，アロプリノール＊（10 mg/kg/day 分3），フェブキソスタット＊

❸sick day の対応

　急性胃腸炎や発熱時に食事摂取が不良となり低血糖やケトーシスが発生することがある．治療は糖原病Ⅰ型に準じる B．

❹移植医療

1) 肝合併症の治療

　成人期の合併症として，肝硬変や肝腺腫，肝細胞癌がある．肝硬変や肝細胞癌発生のリスクが高い場合，肝移植が選択される場合がある．

❺外科手術の際の管理

　周術期の血糖の管理を注意深く行う C．

❻生活上の一般的注意事項

　肝腫大があるときには肝破裂の危険があるため接触するスポーツを避ける B．

フォローアップ指針

1 フォロー項目

❶問診

　低血糖症状の有無，入院の有無，感染症り患の有無，食事療法の確認．

❷身体診察

　身長，体重，肝臓，血圧など．

❸血液検査

①血糖日内変動の測定，②AST，ALT，PT，TB，TP，ALB，血糖，尿酸，乳酸，尿中ケトン体，コレステロール，TG，血液ガス分析など．

❹画像検査

1) 腹部画像検査

　肝腫大，肝線維症，肝硬変，肝腺腫，肝細胞癌などの評価．

　腹部超音波検査：小児では初回と12〜24か月毎に行う．

　腹部 CT・MRI 検査：特に成人では6か月〜1

年間隔で行う．

2) 心臓超音波検査

12〜24か月間隔に行う．（心筋症をきたした症例の報告がある）

成人期の課題

成人期に，肝に良性の肝線維症，腫瘍（腺腫）や，肝硬変，まれに肝細胞癌が発生することがある．空腹時低血糖は改善し，多くの症例で，食事療法を行わなくても血糖が保持される．

飲酒は低血糖を引き起こす可能性があるため，大量の飲酒をさける．

1 妊娠・出産

妊娠分娩を通して，注意深いフォローアップが必要である．正常血糖を保つことが大切である．

2 医療費の問題

指定難病である．

d. 糖原病Ⅸ型

治療と管理

1 急性期の治療

急性胃腸炎や発熱時に食事摂取が不良となり低血糖やケトーシスが発生することがある．低血糖やケトーシスに対し，経口摂取が可能な場合には糖分を経口摂取し，経口摂取不良時にはグルコースの静脈投与を行う B．

2 慢性期の管理

❶ 食事療法による低血糖の予防

(1) 飢餓を避け，特に乳児や小児では少量頻回食を行う B．
(2) 1日のカロリー摂取量は理想体重における必要量を基本とする B．
(3) 低血糖がある場合には，就寝前の軽食や非加熱のコーンスターチ投与，または必要に応じ夜間持続注入により低血糖を予防する Ⅰ A．
(4) 乳幼児は糖質・果糖除去低脂肪フォーミュラ昼間用（明治 GSD-D，明治 8007）と夜間用（明治 GSD-N，明治 8009）を中心に，学童はコーンスターチを中心に投与する．
(5) 非加熱のコーンスターチ療法は血糖を4時間保持するために1〜2 g/kgからはじめ，血糖を見ながら回数と量を調整する．
(6) 糖原病Ⅸ型では食事における3大栄養素の比率は同年代の健常児と同等とする．
(7) ショ糖，果糖，乳糖を1回に大量に与えない．（たとえば1 g/kg以上）B．

❷ 薬物療法

1) 脂質異常症の治療

高コレステロール血症や高TG血症に対して，薬物療法（スタチン系，フィブラート系）を行う．

2) 高尿酸血症の治療

高尿酸血症に対し，アロプリノール＊（10 mg/kg/day 分3），フェブキソスタット＊

❸ sick day の対応

急性胃腸炎や発熱時に食事摂取が不良となり低血糖やケトーシスが発生することがある．治療は糖原病Ⅰ型に準じる B．

❹ 移植医療

1) 肝合併症の治療

糖原病Ⅸ型のうち，*PHKA2*の異常によるⅨa型では成人期には肝逸脱酵素が正常化することも多いが，肝腺腫や肝硬変を発症する場合がある．*PHKG2*の異常によるⅨc型では他の型のⅨ型に比し成人期に肝硬変や肝腺腫，肝細胞癌を発症す

るリスクが高い．肝硬や肝細胞癌発生のリスクが高い場合，肝移植が選択される場合がある．

❺外科手術の際の管理
周術期の血糖の管理を注意深く行う **C**．

❻生活上の一般的注意事項
肝腫大があるときには肝破裂の危険があるため接触するスポーツを避ける **B**．

フォローアップ指針

1 フォロー項目

❶問診
低血糖症状の有無，入院の有無，感染症り患の有無，食事療法の確認，精神運動発達の問診を行う．

❷身体診察
身長，体重，肝臓，血圧，筋力など．

❸血液検査
①血糖日内変動の測定：適宜行う．
②AST，ALT，PT，TB，TP，ALB，CK，血糖，尿酸，乳酸，尿中ケトン体，コレステロール，TG，血液ガス分析．

❹画像検査
1) 腹部画像検査
肝腫大，肝硬変，肝腺腫などについて評価する．小児では腹部超音波検査が有用であり，初回および12～24か月ごとに行うべきである．
腹部CTやMRI検査：特に成人では6か月から1年間隔で検査を行う．

2) 心臓超音波検査，心電図
$PHKB$の異常では肥大型心筋症をきたす場合があるため，12～24か月間隔に循環器の評価を行う．

3) 神経学的評価
運動発達，筋力，運動機能の評価を行う．
上記の検査間隔は所見によってはより頻回に行う必要がある．Ⅸa型では，成長に伴い低血糖や肝腫大が改善することが多い．頻度は低いがⅨa型でも肝腺腫や肝硬変を発症した報告がある．

成人期の課題

Ⅸa型では，成長に伴い低血糖や肝腫大が改善することが多い．
成人期に，肝に良性の腫瘍（腺腫）や，肝硬変，まれに肝細胞癌が発生することがある．また肝線維症の発症が多い．
Ⅸb型では肥大型心筋症をきたす場合がある．

1 食事療法を含めた治療の継続
空腹時低血糖は改善し，多くの症例で，食事療法を行わなくても血糖が保持される．

2 妊娠・出産
妊娠分娩を通して，注意深いフォローアップが必要である．正常血糖を保つことが大切である．

3 医療費の問題
指定難病である．

②糖原病Ⅳ型

疾患概要

糖原病Ⅳ型はグリコーゲン分枝鎖酵素欠損症であり，$GBE1$遺伝子の異常により生じる．$α$-1,6部位のグルコースにグルコースポリマーを転移する酵素が欠損するため，組織に分枝鎖の少ないアミロペクチン様グリコーゲンが蓄積し，肝脾腫，筋力低下などをきたす．低血糖は認めない．遺伝形式は常染色体劣性である．

疫学

発症頻度は非常にまれである．

診断の基準

1 臨床病型

(1) 肝型（重症肝硬変型）
(2) 非進行性肝型
(3) 致死新生児神経・筋型
(4) 小児筋・肝型
(5) 成人型（ポリグルコサン小体病）

2 主要症状

❶肝型（重症肝硬変型）

乳児期に進行する肝不全，肝硬変，脾腫，筋緊張低下，心筋症．低血糖は認めない．徐々に肝硬変，門脈圧が亢進する．

❷非進行性肝型

肝機能障害，肝腫大．非進行性で肝硬変を示さない．

❸致死新生児神経・筋型

関節拘縮，胎児水腫，重度の神経症状，心筋症．

❹小児筋・肝型

筋力低下，肝機能異常，心筋障害．

❺成人型（ポリグルコサン小体病）

概ね40歳以降に認知症や神経症状を呈する．

3 参考となる検査所見

(1) 肝逸脱酵素の上昇
(2) 肝組織化学所見

光顕所見で間質の線維化，肝細胞の腫大．細胞質内に好塩基性のジアスターゼ耐性のPAS陽性の封入体を認める．

補記） 肝逸脱酵素や血清CK値の上昇がみられない症例がある．

4 診断の根拠となる特殊検査

(1) 赤血球または肝臓または筋組織におけるグリコーゲン分枝酵素活性の低下．＊＊＊
(2) 遺伝子解析で$GBE1$遺伝子に病因となる遺伝子変異の同定．＊＊＊
(3) 電顕所見で肝あるいは筋組織にアミロペクチン様グリコーゲンの凝集蓄積．＊＊＊

現時点では(1)，(2)の検査に保険適用はない．施行可能な施設に依頼して行う．

5 鑑別診断

(1) 肝硬変を呈する疾患
(2) 致死新生児神経・筋型では他のフロッピーインファントを示す疾患

6 診断基準

❶疑診

主要症状を認め，「**4 診断の根拠となる特殊検査**」のうち，(3)を認めるものを疑診例とする．

❷確定診断

酵素活性の低下もしくは遺伝子解析で$GBE1$遺伝子に病因となる遺伝子変異を確認したものを確定診断例とする．

治療と管理

1 治療

根本的な治療法は現時点では開発されていない．

❶ 重症肝硬変や致死性の型では全身管理を行う C

進行する肝障害に対する唯一効果がある治療は肝移植である．肝移植は進行性の肝障害のみでなく，筋症状にも効果がある可能性がある C．

❷ 心筋症の治療

対症療法を行う．

❸ ミオパチーに対する治療

国外では心臓移植が選択された報告がある．

フォローアップ指針

1 フォロー項目

❶ 定期診察

肝障害や神経所見の評価を行う B．

❷ 検査

1) 血液検査

AST，ALT，PT，ビリルビン，アルブミン，アンモニアなどを測定する．

2) 画像検査

腹部画像検査（腹部超音波検査，腹部CTやMRI検査）により肝硬変などについて評価する B．

成人期の課題

(1) 典型的な糖原病Ⅳ型である重症肝硬変型では，肝硬変が進行し，肝移植を施行しないと，5歳までに死亡する．肝移植を施行された場合，免疫抑制療法など，必要な治療を継続する．
(2) 小児筋・肝型では，進行の経過は様々であるが，進行し死の転帰をたどる．
(3) 成人型（ポリグルコサン小体病）では根本的な治療がないため，対症療法を行う．

1 医療費の問題

指定難病である．

③Fanconi-Bickel 症候群

疾患概要

Fanconi-Bickel 症候群は，グルコーストランスポーター2（GLUT2）の機能異常により引き起こされるまれな疾患である．疾患遺伝子は*SLC2A2*遺伝子であり遺伝形式は常染色体劣性である．

肝細胞，膵β細胞，腎臓尿細管細胞，赤血球における単糖類，おもにD-グルコースとD-ガラクトースの両方向性の転送が障害され，肝，腎へのグリコーゲンの蓄積，グルコースとガラクトースの利用障害，尿細管障害を発症する．肝腫大，空腹時低血糖，食後高血糖，成長障害，Fanconi型尿細管障害，高ガラクトース血症を呈する．

診断の基準

1 主要症状

肝腫大，空腹時の低血糖症状，腹部膨満，成長障害，くる病症状．

補記） 肝腫大の出現時期について：肝腫大は通常，新生児期にはみられず，乳児期に増大する．

2 参考となる検査所見

❶ 空腹時低血糖と食後の高血糖
❷ Fanconi 型近位尿細管障害

尿糖，汎アミノ酸尿，高カルシウム尿，重炭酸イオンの喪失，低リン血症，高リン尿症低ナトリウム血症，低カリウム血症，尿細管性アシドーシス．

❸ 高ガラクトース血症
❹ 高 ALP 血症
❺ 骨 X 線のくる病所見

3 診断の根拠となる特殊検査

❶ 組織所見＊

肝細胞，近位尿細管へのグリコーゲンの蓄積と肝細胞の脂肪変性．

4 鑑別診断

糖原病Ⅰ型，Ⅲ型，Ⅳ型，Ⅵ型，Ⅸ型および高ガラクトース血症を示す疾患（ガラクトース代謝異常症，門脈大循環シャント，シトリン欠損症など）．

5 診断基準

❶ 疑診

主要症状における肝腫大を認め，参考となる検査所見において，空腹時低血糖と食後の高血糖，Fanconi 型尿細管障害，高ガラクトース血症の3つを認めるものを疑診例とする．

❷ 確定診断＊＊

遺伝子解析にて $SLC2A2$ 遺伝子の2つのアレルに病因となる変異が同定されたものを確定診断例とする．

治療と管理

特異的な治療法はない．

❶ 近位尿細管障害の治療 **B**

水分，電解質，ビタミン D，リン，重炭酸イオンの補充を行う．

❷ 血糖コントロール **B**

適切なカロリー摂取量を保ち，頻回に食事摂取を行う．

低血糖に対しては非加熱のコーンスターチ療法が有効である．

❸ ガラクトースの制限 **B**

ガラクトース除去ミルク（明治110）を利用するなど，ガラクトース摂取の制限を行う．

フルクトース制限の必要はない．

フォローアップ指針

1 フォロー項目

❶ 診察

成長，発達評価，腹部所見．

❷ 検査

1) 血液，尿検査

血糖，肝逸脱酵素，尿細管機能，脂質異常症の評価 **C**．

2）画像検査

超音波，CT による肝腫大の評価．骨 X 線でくる病や骨粗しょう症の評価．

3）眼科

白内障の評価．

成人期の課題

生命予後は良好である．

腎尿細管障害は成人まで持続する．糸球体濾過率は正常な例が多く，腎不全に進行する症例の報告はない．

食事療法により成長障害は改善するが，最終身長は多くの例で低身長である．

くる病や骨粗しょう症の所見のある症例が多い．

食事療法により，また年齢があがるにつれて肝腫大は軽減する傾向にあるが消失することはない．肝腫瘍や肝線維症が合併するとの報告はない．

高ガラクトース血症は持続するが，白内障をきたす例の報告は少ない．

妊娠出産の経過が良好な症例が報告されている．

参考文献（❷ 糖原病Ⅲ型〜Fanconi-Bickel 症候群）

- Iyer SG, et al. Long-term results of living donor liver transplantation for glycogen storage disorders in children. 2007；13：848-852.
- 特殊ミルク共同安全事業安定開発委員会．わかりやすい肝型糖原病食事療法．2013.
- Kishmani PS, et al. Glycogen storage disease type Ⅲ disgnosis and management guidelines. Genet Med 2010；446-463.
- Kishmani PS, et al. Glycogen storage disease. In OMMBID (ed by Valle D et al). McGraw Hill. 2009.（http://www.ommbid.com）
- Selby R, et al. Liver transplantation for type IV glycogen storage disease. N Engl J Med 1991；324：39-42.
- Lee PJ, et al. Catch-up growth in Fanconi-Bickel syndrome with uncooked cornstarch. J Inherit Metab Dis 1995；18：153-156.
- Roscher A, et al. The natural history of glycogen storage disease types Ⅵ and Ⅸ：Long-term outcome from the largest metabolic center in Canada. Mol Genet Metab 2014；113：171-176.
- Kishnani MD, et al. Diagnosis and management of glycogen storage disease type Ⅵ and Ⅸ. Genet Med 2019：772-789.

29-2 糖原病と糖新生異常症：筋型糖原病

筋型糖原病

筋型糖原病

疾患概要

糖原病はグリコーゲンの代謝障害により発症する疾患であり，筋症状を呈する糖原病を筋型糖原病と称し，筋型糖原病では骨格筋におけるグリコーゲンの蓄積を特徴とする．

Ⅱ型（Pompe病），Ⅲ型，Ⅳ型，Ⅴ型（McArdle病），Ⅶ型（垂井病），Ⅸd型（ホスホリラーゼキナーゼ欠損症），ホスホグリセリン酸キナーゼ（PGK）欠損症，ホスホグルコムターゼ（PGM）欠損症，乳酸デヒドロゲナーゼAサブユニット（LDH-Aサブユニット）欠損症，アルドラーゼA欠損症，β-エノラーゼ欠損症などがある．運動不耐など運動誘発性の症状を主症状とする疾患と筋力低下など固定性の筋症状を呈する疾患に大別される．

Ⅲ型，Ⅳ型では肝症状を伴う（「29-1 糖原病と糖新生異常症：肝型糖原病」の項p.286参照）．

代表的な疾患の概要を以下に記す．

なお，Ⅱ型はライソゾーム病にも分類されるため，本ガイドラインでは取り扱わない．

1 糖原病Ⅴ型（McArdle病）

糖原病Ⅴ型は*PYGM*遺伝子がコードする筋ホスホリラーゼの欠損により発症する．遺伝形式は常染色体劣性である．運動不耐，労作時に筋痛，有痛性筋けいれん，横紋筋融解症をきたす．運動を続けるうちに，突然筋痛や有痛性筋けいれんが軽快し，再び運動の持続が可能となる"セカンドウィンド現象"を高率に認める．

2 糖原病Ⅶ型（垂井病）

糖原病Ⅶ型は*PYKM*遺伝子がコードする筋ホスホフルクトキナーゼ欠損により発症する．遺伝形式は常染色体劣性遺伝である．運動不耐，労作時に筋痛，有痛性筋けいれん，横紋筋融解症をきたす．溶血亢進を伴う場合がある．

3 ホスホグリセリン酸キナーゼ（PGK）欠損症

PGK欠損症は*PGK1*遺伝子がコードするホスホグリセリン酸キナーゼの欠損により発症する．遺伝形式はX連鎖性遺伝性疾患である．筋型，溶血型，混合型がある．知的障害などの中枢神経症状を伴うことがある．

4 疫学

筋型糖原病の中ではⅡ型（Pompe病），Ⅲ型，Ⅴ型が多い．

診断の基準

1 疾患と疾患のサブタイプ

表1に示す．

筋症状の特徴から，筋型糖原病は「運動誘発性に筋症状を示す筋型糖原病」と「固定性筋症状を示す筋型糖原病」に大別される．

❶ 運動誘発性の筋症状を示す筋型糖原病
(1) 糖原病Ⅴ型（筋ホスホリラーゼ欠損症，McArdle病）
(2) 糖原病Ⅶ型（筋ホスホフルクトキナーゼ欠損症，垂井病）
(3) 糖原病Ⅸd型（ホスホリラーゼキナーゼ欠損

表1 ● 筋型糖原病

型		欠損酵素	遺伝子	遺伝子座	
0b		筋型グリコーゲン合成酵素	GYS1	19q13.33	
Ⅲ	a d	グリコーゲン脱分枝酵素	AGL	1p21.2	Cori 病
Ⅳ		グリコーゲン分枝鎖酵素	GBE1	3p12	Andersen 病
Ⅴ		筋ホスホリラーゼ	PYGM	11q13.1	McArdle 病
Ⅶ		筋ホスホフルクトキナーゼ	PFKM	12q13.3	垂井病
ホスホグリセリン酸キナーゼ欠損症		ホスホグリセリン酸キナーゼ	PGK1	Xq21.1	
Ⅸ	d	ホスホリラーゼキナーゼ	PHKA1	Xq13.1-q13.2	
ホスホグリセリン酸ムターゼ欠損症		ホスホグリセリン酸ムターゼ	PGAM2	7p12-p13	
Ⅺ		乳酸デヒドロゲナーゼ	LDHA	11p15.4	
アルドラーゼ A 欠損症		アルドラーゼ A	ALDOA	16q22-24	

症 d 型）
(4) PGK 欠損症（ホスホグリセリン酸キナーゼ欠損症）
(5) PGM 欠損症（筋ホスホグリセリン酸ムターゼ欠損症）
(6) LDH-A サブユニット欠損症
(7) β-エノラーゼ欠損症

❷ 固定性の筋症状を示す筋型糖原病
(1) 糖原病Ⅲ型（Ⅲa, Ⅲd）（グリコーゲン脱分枝酵素欠損症）
(2) 糖原病Ⅳ型（グリコーゲン分枝鎖酵素欠損症）
(3) アルドラーゼ A 欠損症

2 主要症状および臨床所見

❶「運動誘発性に筋症状を示す筋型糖原病」（上記）に共通する主要症状

運動不耐，運動時有痛性筋けいれん，ミオグロビン尿症．

強い短時間の等尺性運動で運動不耐，筋痛，有痛性筋けいれんが生じる．

❷「固定性筋症状を示す筋型糖原病」（上記）に共通する主要症状

持続または進行する筋力低下．

補記） 筋症状発現時期は症例によって様々である．

3 それぞれの疾患の主要症状および臨床所見

❶ 糖原病Ⅴ型

運動不耐，運動時有痛性筋けいれん，ミオグロビン尿症．

運動を続けるうちに，突然筋痛や有痛性筋けいれんが軽快し再び運動の持続が可能となる"セカンドウインド現象"を高率に認める．

❷ 糖原病Ⅶ型

運動不耐，運動時有痛性筋けいれん，ミオグロビン尿症．

溶血を認めることがある．

❸ ホスホグリセリン酸キナーゼ（PGK）欠損症

運動不耐，運動時有痛性筋けいれん，ミオグロビン尿症．

溶血，精神遅滞を伴う例がある．

❹ アルドラーゼ A 欠損症

運動不耐，運動時有痛性筋けいれん，ミオグロビン尿症．

溶血，精神遅滞を伴う例がある．

4 参考となる検査所見

❶ 血清 CK 高値

通常，常に高値．運動誘発性に筋症状を示す筋型糖原病では運動誘発性筋症状出現時には著明に上昇．

補記） 糖原病Ⅳ型では血清CK正常の場合がある．

❷ **尿中・血中ミオグロビン**

運動誘発性に筋症状を示す筋型糖原病では運動誘発性筋症状出現時に上昇.

❸ **血清 BUN, クレアチニン**

運動誘発性に筋症状を示す筋型糖原病では運動誘発性筋症状出現時に上昇.

❹ **血清尿酸値高値**

❺ **溶血所見**

糖原病Ⅶ型, PGK 欠損症, アルドラーゼ A 欠損症では高ビリルビン血症（間接型）, 網状赤血球の増加などの溶血所見.

5 | 診断の根拠となる特殊検査

❶ **阻血下前腕運動負荷試験または非阻血下前腕運動負荷試験（mini column 2 参照）** *

乳酸およびピルビン酸が上昇しない（前値の 1.5 倍未満の乳酸上昇）.

補記）同時測定のアンモニアが上昇しない場合には, 負荷が十分ではないと判断する必要がある.

糖原病Ⅱ型とホスホリラーゼキナーゼ欠損症では乳酸の反応は正常.

LDH-A サブユニット欠損症ではピルビン酸は著明に上昇するが, 乳酸は上昇しない.

❷ **生検筋組織化学検査** *

筋漿膜下にグリコーゲンの蓄積.

糖原病Ⅲa 型とⅢd 型では多量のホスホリラーゼ限界デキストリン（PLD）が多量に蓄積する.

糖原病Ⅳ型では好塩基性のジアスターゼ耐性の PAS 陽性物質を認める.

糖原病Ⅳ型では電顕所見で肝あるいは筋組織にアミロペクチン様グリコーゲンの凝集蓄積.

糖原病Ⅴ型ではホスホリラーゼ染色が陰性.

6 | 確定診断のための検査

❶ **遺伝子解析** ＊＊＊

病因となる遺伝子変異を同定.

筋型糖原病ではⅤ型において日本人の好発変異を認める.

Ⅴ型の約 50% に *PYGM* 遺伝子の日本人好発変異（c.2128_2130delTTC：p.Phe710del）を認める.

❷ **酵素活性測定** ＊＊＊

生検筋における酵素活性欠損または低下を証明する. PGK 欠損症では赤血球でも測定が可能である.

現時点では❶❷の検査に保険適用はない.

7 | 鑑別診断

脂肪酸代謝異常症, ミトコンドリア病など.

8 | 診断基準

❶ **疑診**

「2 | 主要症状および臨床所見」の項目のうち, 運動不耐または運動時有痛性筋けいれんが存在し, 阻血下（非阻血下）前腕運動負荷試験で乳酸が上昇しない例を運動誘発性の筋症状を示す筋型糖原病の疑診例とする.

❷ **確定診断**

酵素活性の低下または欠損を認めたものまたは遺伝子解析にて病因となる遺伝子変異を確認したものを確定診断例とする.

治療と管理

1 | 急性期の治療

運動誘発性に筋症状を示す筋型糖原病では横紋筋融解症を発症した場合, 急性期の横紋筋融解症, 腎機能障害に対して, 大量輸液, 高カリウム血症対策と尿アルカリ化を行う. 急性腎不全に対しては血液透析などを行う ❸.

2 | 慢性期の管理

❶ **筋症状の出現と筋崩壊の予防**

運動誘発性の筋症状を示す筋型糖原病では, 一般に重量挙げなどの強い等尺性の運動を避ける ❸.

1) McArdle 病

(1) 運動前のショ糖摂取により運動耐性が改善する **B**.
(2) ビタミン B_6 投与が有効であるとの報告がある **C**.
(3) 低用量のクレアニン＊＊＊と ACE 阻害薬の投与が ACE の D/D フェノタイプをもつ患者にわずかな効果がみられている．クレアチン投与には保険適用がなく，倫理的な配慮が必要である **B**.

2) 垂井病

(1) 運動前のショ糖摂取により運動耐性は改善しないので，投与しないことを推奨する **B**.
(2) 高タンパク食が有効である可能性がある **C**.

❷ 心筋症に対する治療

心筋症を合併するⅢa 型では心筋症の薬物療法などを行う **B**.

❸ 理学療法

McArdle 病では少人数のオープン試験により，有酸素運動により副作用なく運動能力を高めることが報告されている **Ⅲ B**.

❹ 中枢神経症状

PGK 欠損症やアルドラーゼ A 欠損症では精神遅滞を伴う例があるため，IQ 評価，集団生活での対応を考慮する．

❺ 高尿酸血症：尿酸合成阻害薬の投与

❻ 溶血：糖原病Ⅶ型，PGK 欠損症，アルドラーゼ A 欠損症の溶血性貧血に対して輸血や摘脾を行う **B**.

❼ その他：スタチン製剤は横紋筋融解症を引き起こすことがあるので，使用を避ける．

サクシニルコリンは横紋筋融解症を引き起こすことがあるので使用を避ける．

フォローアップ指針

1 フォロー項目

(1) 筋力低下，心機能，溶血など病型により検査項目を選択し評価を行う **B**.
(2) 血液検査：血清 CK，血清 BUN，クレアチニン．

糖原病Ⅶ型，PGK 欠損症，アルドラーゼ A 欠損症では溶血評価のため間接型ビリルビン，網状赤血球を定期受診時にチェックする．

---

mini column 2　筋型糖原病の負荷試験

1. 非阻血下前腕運動負荷試験の実施方法
   1. 運動負荷 10 分前に握力計で握力を測定する．
   2. 利き手の正中静脈に採血のためのカテーテルを留置する．
   3. 前値の採血（乳酸，ピルビン酸，アンモニア，CK）を行う．
   4. あらかじめ測定した握力の 70％ の力で 30 秒間等尺性収縮を行わせる．
   5. 等尺性収縮終了後 1 分，2 分，3 分，4 分，6 分，(10) 分後に採血を行う．

注意事項：筋型糖原病の患者では，試験中に筋痛や筋けいれんが生じ苦痛を伴うことがある．

2. 非阻血下前腕運動負荷試験の反応

正常では負荷後に，乳酸は 1～3 分で前値の 3～4 倍に，アンモニアは 3～4 分で前値の 3～5 倍に上昇する．負荷後の乳酸が前値の 1.5～2 倍以下の場合を十分な乳酸上昇なしと判断する．

乳酸が上昇しない場合には嫌気性解糖の異常（筋型糖原病）が示唆される．ただし，Ⅱ型（Pompe 病），Ⅳ型，多くのⅨ型（筋型ホスホリラーゼキナーゼ欠損症）では乳酸は正常反応を示す．LDH 欠損症ではピルビン酸が異常に上昇するにもかかわらず乳酸が上昇しない．

成人期の課題

1 食事療法を含めた治療の継続

肝型糖原病の項に収載したⅢ型糖原病では，心筋の障害により生命予後が左右される．成人期には，低血糖は通常軽快するため，症状により，心筋障害，ミオパチーに効果がある症例が報告されている．ケトン食や高タンパク食を試みる C．

2 飲酒

大量の飲酒を避けることが望ましい．

3 運動

固定性の筋症状を示す筋型糖原病だけでなく，運動誘発性に筋症状を示す筋型糖原病でも，成人期の筋力低下，筋萎縮が進行し，ADL が制限されることがある．McArdle 病では，有酸素運動が運動能力を高めることに有効であると報告されている Ⅲ B．

4 妊娠・出産

妊娠分娩を通して，肝筋型では正常血糖を保つことが大切である．ミオパチー，心筋障害の程度により，分娩様式を選択する．

5 医療費の問題

指定難病である．

参考文献

- Sato S, et al. Confirmation of the efficacy of vitamin B6 supplementation for McArdle disease by follow-up muscle biopsy. Muscle Nerve 2012；45：436-440.
- Quinlivan R, et al. Pharmacological and nutritional treatment for McArdle disease（Glycogen Storage Disease type Ⅴ）. Cochrane Database Syst Rev 2010 Dec 8.
- Haller RG, et al. Aerobic conditioning：an effective therapy in McArdle's disease. Annals of Neurology 2006；59：922-928.
- Quinlivan R, et al. Physical training for McArdle disease. Cochrane Database Syst Rev 2011；7；(12)：CD007931.
- 杉江秀夫，ほか．筋型グリコーゲン代謝異常症　代謝性ミオパチー　診断と治療社．31-83.

29-3 糖原病と糖新生異常症：その他の糖原病

①糖原病 0 型（グリコーゲン合成酵素欠損症）②糖原病 0b 型（筋グリコーゲン合成酵素欠損症）

① 糖原病 0a 型（肝型グリコーゲン合成酵素欠損症）

疾患概念

糖原病 0a 型は *GYS2* 遺伝子がコードする肝型グリコーゲン合成酵素の欠損症で，肝組織のグリコーゲン含量の低下，空腹時低血糖を主病態とする常染色体劣性遺伝性疾患である．グリコーゲン合成酵素は，UDP-グルコースを基質とし，グリコーゲンの α1,4 結合にグリコーゲン分子を付加し，グリコーゲンを伸長する．糖原病 0a 型では肝組織のグリコーゲンは欠損もしくは著しく低下する．

診断の基準

1 主要症状

空腹時の低血糖症状（不機嫌，けいれん，意識障害など）．肝腫大は認めない．

補記） 低血糖の出現時期について：夜間の哺乳を中止する時期から，低血糖が出現する．

2 参考となる検査所見

(1) 食後の高血糖，食後高乳酸血症や高トリグリセリド血症
(2) 空腹時のケトン性低血糖
(3) 空腹時の血中アラニン低値

3 診断の根拠となる特殊検査

❶ 経口グルコース負荷試験＊：高血糖および高乳酸血症を認める．
❷ グルカゴン負荷試験＊：食後 2 時間グルカゴン負荷試験では血糖は正常反応を示すが，空腹時負荷では血糖は上昇しない．
❸ 肝組織病理＊：PAS 染色でグリコーゲンがほとんど染色されない（グリコーゲンの枯渇）．

4 診断基準

❶ 疑診

空腹時ケトン性低血糖を示し，肝生検により生検肝組織のグリコーゲン含量の著明な低下を示す例を疑診例とする．

❷ 確定診断

肝生検により生検肝組織のグリコーゲン含量の著明な低下とグリコーゲン合成酵素活性低下＊＊＊を証明したもの，または *GYS2* 遺伝子の病因となる変異を確認したもの＊＊＊を確定診断例とする．

現時点では酵素測定および遺伝子検査には保険適用はない．

慢性期の管理

1 食事療法

空腹時低血糖や食後の高乳酸血症を予防するために，少量頻回（3～4 時間間隔）の食事摂取や，高タンパク食を行う．血糖コントロール不良例ではコーンスターチ療法を行う ❸．

2 sick day の対応

急性胃腸炎や発熱時に食事摂取が不良となり低血糖が発生し，ブドウ糖の静脈投与が必要となることがある．

フォローアップ指針

1 フォロー項目

❶検査

食前血糖，食後血糖，食後血中乳酸値，トリグリセリド，血中ケトン体，尿中ケトン体などがある．

❷食事療法

空腹時低血糖，食後高乳酸血症をモニタリングし，食事療法の方針を決定する．

❸神経学的評価

発達の評価を行う．

成人期の課題

長期的な予後は良好．重篤な低血糖をきたした例では認知の障害や発達遅滞を認めることがある．

1 食事療法を含めた治療の継続

成長とともに，空腹時低血糖の発症頻度が減じることが多い．空腹時低血糖，食後高乳酸血症をモニタリングし，食事療法の方針を決定する．

2 飲酒

飲酒は低血糖を引き起こす可能性があるため，大量の飲酒をさける．

3 運動

激しい運動の前にコーンスターチの摂取を行うことを考慮する．

4 医療費の問題

指定難病である．

② 糖原病 0b 型（筋グリコーゲン合成酵素欠損症）

疾患概要

糖原病 0b 型は *GYS1* 遺伝子がコードする筋グリコーゲン合成酵素の欠損症で，運動時の失神，運動不耐，不整脈，突然死を引き起こすまれな常染色体劣性遺伝性疾患である．グリコーゲン合成酵素は，UDP-グルコースを基質とし，グリコーゲンの α1,4 結合にグリコーゲン分子を付加し，グリコーゲンを伸長する．糖原病 0b 型では筋組織のグリコーゲンは欠損もしくは著しく低下する．

1 疫学

3家系が報告されている．非常にまれな疾患である．

診断の基準

1 主要症状

運動時の失神，運動不耐，不整脈，突然死などである．

2 参考となる検査所見

- 心臓超音波検査：心筋肥大．
- 心電図：QT 延長など．

3 診断のための特殊検査

(1) 筋組織病理＊
　グリコーゲンの欠乏，ホスホリラーゼ染色陰性
(2) 遺伝子解析にて病因となる変異を同定＊＊＊
(3) 骨格筋の酵素測定にて酵素活性の低下または欠損を証明＊＊＊
(4) イムノブロットでタンパクの欠損を証明する
＊＊＊
　現時点では (2)(3)(4) の検査に保険適用はない．

4 診断基準

❶確定診断

　生検筋組織のグリコーゲン合成酵素の活性低下，またはイムノブロッティングにおいてタンパクの欠損，または $GYS1$ 遺伝子の病因となる変異を同定した症例を確定診断例とする．

慢性期の管理

確立された治療法はない．運動制限の必要性を考慮する Ⓑ．

フォローアップ指針

1 フォロー項目

❶心機能の評価

心臓超音波検査や心電図で異常を認めない症例で突然死に至った症例がある点を留意すべきである．

成人期の課題

報告例の発症時期は，4 歳から 11 歳で，突然死などにより予後不良である．
非常にまれな疾患であり，報告例は少ない．
運動制限の必要性を考慮する．

1 医療費の問題

指定難病である．

📖 参考文献

- Lewis GM, et al. Infantile Hypoglycaemia due to Inherited Deficiency of Glycogen Synthetase in Liver. Arch Dis Child 1963；38：40-48.
- Kollberg G, et al. Cardiomyopathy and exercise intolerance in muscle glycogen storage disease 0. N Engl J Med 2007；357：1507-1514.
- Nuttall FQ, et al. The human liver Glycogen synthase isozyme gene is located on the short arm of chromosome 12. Genomics 1994；19：404-405.
- Orho M, et al. Mutations in the liver glycogen synthase gene in children with hypoglycemia due to glycogen storage disease type 0. J Clin Invest 1998；102：507-515.
- Sukigara S, et al. Muscle glycogen storage disease 0 presenting recurrent syncope with weakness and myalgia. Neuromuscul Disord 2012；22：162-165.

29-4 糖原病と糖新生異常症：糖新生異常症

フルクトース-1,6-ビスホスファターゼ（FBPase）欠損症

フルクトース-1,6-ビスホスファターゼ（FBPase）欠損症

糖新生経路における障害により乳酸アシドーシスと低血糖が引き起こされる．わが国ではⅠ型糖原病やフルクトース-1,6-ビスホスファターゼ欠損症がおもな疾患である．

疾患概要

肝型フルクトース-1,6-ビスホスファターゼ（FBPase）の欠損によりフルクトース 1,6 ビスリン酸からフルクトース-6-リン酸への反応が障害される．糖新生の障害により，低血糖，ケトーシス，乳酸アシドーシスが引き起こされる．常染色体劣性遺伝性疾患で，フルクトース-1,6-ビスホスファターゼをコードする FBP1 遺伝子の異常により生じる[1]．

疫学

1～9人/10万人の発症といわれている．

診断の基準

1 主要症状

飢餓時に急激な低血糖と代謝性アシドーシスをきたす．多呼吸，ケトーシス，昏睡，けいれん，肝腫大などがみられる．フルクトースの大量摂取が急性増悪を惹起こする可能性がある．嘔吐や低血糖症状が発作性に反復して出現する．
補記）主要症状の出現時期について：新生児期から乳児期に発症する症例が多い．

2 参考となる検査所見

(1) 低血糖
(2) 高乳酸・ピルビン酸血症
(3) 低リン血症
(4) 高尿酸血症
(5) 肝逸脱酵素の上昇
(6) 代謝性アシドーシス
(7) 血中アラニン高値症
(8) 血中ケトン体陽性

低血糖時にケトーシスと高乳酸血症がみられる場合は，本疾患を含めた糖新生の異常を疑うべきである．

3 診断の根拠となる特殊検査

❶ 尿中有機酸分析＊＊

グリセリン，グリセリン-3-リン酸の上昇．発作時にのみ上昇する症例もある．また発作時の検体ではケトン体の排泄と乳酸の排泄が同時にみられることがあり，これは糖新生の異常を示唆する所見である．尿中乳酸排泄が多量の場合など，溶媒抽出法ではグリセリン-3-リン酸が検出できない場合があり，ウレアーゼを用いた直接乾燥法で前処置する必要がある[2]．

❷ 負荷試験についての注意

グリセリン負荷試験やフルクトース負荷試験＊では，血糖，リン，pHが低下し，乳酸は上昇し，疾患に特徴的な結果を得るが，危険を伴うため，実施する場合には専門施設で十分な注意のもとに行うことが望ましい．

4 鑑別診断

ピルビン酸カルボキシラーゼ欠損症，ホスホエノールピルビン酸カルボキシラーゼ欠損症，フルクトース不耐症，有機酸代謝異常症，糖原病Ⅰ型[3]．

5 診断基準

❶ 確定診断

主要症状を認め，尿中有機酸分析＊で特異的なグリセリン-3-リン酸の上昇を認めたものを確定診断例とする．特異的な所見が不十分な場合には，白血球や肝組織のフルクトース-1,6-ビスホスファターゼ（FBPase）活性が欠損＊＊＊または低下＊，あるいは病的遺伝子異常が同定されたものを確定診断例とする＊＊＊．

急性発作で発症した場合の診療

1 急性期の治療方針

新生児期または急性胃腸炎罹患や発熱時に食事摂取が不良となり重篤な低血糖やケトーシスが発生することがある．経口摂取が可能な場合には糖分を経口摂取，経口摂取不良時にはブドウ糖の静脈投与を行う **B**．代謝性アシドーシスは重炭酸の投与により補正する **B**．

1）緊急時のグルコース静脈内投与

ただちにブドウ糖の静脈注射を行い，持続点滴に移行する **B**．

輸液製剤は乳酸を含まないものを選択する **B**．グリセロールの使用は禁忌である．

慢性期の管理

1 低血糖の予防

長時間の飢餓を避ける．

血糖コントロール不良例ではコーンスターチ療法を行う **B**．

果糖の摂取は同時にブドウ糖やガラクトースを摂取するとき以外避けるべきである **C**．

フォローアップ指針

本症は急性期に適切に治療が行われなければ，重篤な認知の障害や発達遅滞を発症することがあるが，一般的には神経学的にも予後良好である．

1 フォロー項目

❶ 一般的評価

血糖コントロールの評価，尿中ケトン体，乳酸の測定．

❷ 栄養学的評価

食事療法の調整を行う **B**．

❸ 神経学的評価

発達評価を行う．

成人期の課題

1 食事療法を含めた治療の継続

長時間の飢餓を避けるよう心がける．

2 飲酒

アルコール過剰摂取により低血糖発作が誘発された報告もあり[4]，過剰な摂取はしない．

3 運動

特に制限なし．

4 妊娠・出産

妊娠時には低血糖発作をきたしやすいが，厳重な管理で低血糖発作を起こさず出産に至った例も報告されている[4]．

5 医療費の問題

本疾患は現在のところ指定難病の指定は受けていない．

文献

1) Gitzelmann R, et al. Disorders of fructose metabolism. In：The metabolic and Molecular Bases of Inherited Disease, 8th ed. McGraw-Hill 2000.
2) 重松陽介．フルクトース-1,6-ビスホスファターゼ欠損症　有機酸代謝異常ハンドブック，診断と治療社，124-125，2011．
3) 鴨田知博．フルクトース-1,6-ビスホスファターゼ欠損症　領域別症候群シリーズ 19（part 1）：104-108．2012．
4) Sugie G, et al. Fructose-1,6-bisphosphatase deficiency：a case of a successful pregnancy by closely monitoring metabolic control. JIMD reports 2014；14：115-118.

索 引

和文

あ

足の蒸れた　139
アシルカルニチン分析　193
汗臭い　139
アニオンギャップ（AG）開大性の代謝性アシドーシス　116
アルカリ化剤　8
アルギU　5
アルギニノコハク酸尿症（ASL欠損症）　70, 74
アルギニン　75, 83
アルギニン血症（ARG1欠損症）　70
アルコール　162
アロプリノール負荷試験　71
安息香酸Na　5, 133
アンモニア値の上昇　81

い

異化亢進　183, 192
意識障害　159
イソバレリルカルニチンの上昇　141
イソロイシン代謝　173
遺伝カウンセリング　271
インスリン　76

う・え・お

運動時有痛性筋けいれん　306
運動制限　259
運動不耐　306
栄養管理　7
エチルマロン酸　277
炎症性腸疾患　294
オイルレッド染色　265
横紋筋融解（症）　196, 269
横紋筋融解症に対する治療　223

か

カーバグル®　9
過剰な心理的ストレス負荷　69
髪の毛のよじれ　68, 87
ガラクトース-1-リン酸ウリジルトランスフェラーゼ　101
ガラクトキナーゼ　101
カルグルミン酸　120, 133
カルニチンアシルカルニチントランスロカーゼ（CACT）　263

カルニチン製剤　124, 146, 162
カルニチンパルミトイルトランスフェラーゼⅡ（CPT2）　250
カルニチン分画　193, 231, 253
肝移植　134
肝外門脈-体循環シャント　107
肝型グリコーゲン合成酵素　310
肝型フルクトース-1,6-ビスホスファターゼ　313
肝機能障害　70
肝血管腫　107
肝内門脈-体循環シャント　107
肝肺症候群　108

き・く

基底核病変　178
虐待　182
急性妊娠脂肪肝　260
急性脳症様発作　181
筋グリコーゲン合成酵素　311
グアニジノ酢酸　83
グリシン　145
グルカゴン負荷試験　289, 290
グルコース-6-ホスファターゼ欠損症　287
グルコース-6-リン酸トランスロカーゼ欠損症　287
グルコーストランスポーター2　302
グルタミン　78
グルタミン酸値　78
グルタリル-CoA脱水素酵素　180
グルタル酸　180, 277
グルタル酸血症2型（GA2）　274
グルタル酸尿症2型　274

け

経口ブドウ糖負荷試験　290
経鼻胃管　223
経鼻栄養　280
血液浄化療法　6
血清アシルカルニチン　194
血清アシルカルニチン分析　197, 209, 253, 265, 276
血清総胆汁酸　109
血中ホモシスチンの上昇　45
血中メチオニンの上昇　45
ケトアシドーシス　173
ケトーシス　27
ケトン体高値　2, 6

こ

高CK血症　231, 252, 264
高アンモニア血症　2, 4, 94
高アンモニア血症クライシス　76, 84, 89, 90
高ガラクトース血症　102, 303
好中球減少症　293
行動異常　154
高乳酸血症　2, 5
硬膜下血腫　182
高マンガン血症　107
コーンスターチ　291, 292
呼吸障害　165
極長鎖アシル-CoA脱水素酵素（VLCAD）　195

さ・し

サクシニルアセトンの上昇　51
サプロプテリン　17
三頭酵素（Trifunctional protein：TFP）　207
シアノコバラミン　124
シスタチオニンβ合成酵素　35
持続性高メチオニン血症　43
シトリン欠損症　36
シトルリン　74
シトルリン血症Ⅰ型（ASS欠損症）　69, 73
ジヒドロプテリジン還元酵素（DHPR）欠損症　12
ジヒドロポリアミド脱水素酵素　26
脂肪酸β酸化　250
脂肪酸代謝能検査　221, 266
ジメチルスルフィド　44
シャント血管閉鎖術　110
シャント血管閉塞試験　109
静脈管開存　107
少量頻回食　291
心筋症　128, 296
心室性頻拍　271
新生児肝炎等の肝機能異常　37
新生児期発症型　220
腎の低形成　183

す・せ・そ

錐体外路症状　181, 276
精神発達遅滞　154
セカンドウィンド現象　306
線条体変性　184

先天性門脈-体循環シャント　106
阻血下前腕運動負荷試験　307

た

代謝救急　2
代謝ストレスの重症度　139
代謝性アシドーシス　8
体臭　276
体重増加不良　94
多呼吸　114, 149, 159, 165
炭酸水素ナトリウム　8
タンパク嫌い　68, 94
タンパク除去ミルク　177
タンパク制限　281
タンパク制限治療　86

ち・て

チアミン欠乏　27
チグリルグリシン　174
中鎖アシル-CoA 脱水素酵素（MCAD）　218
チロシン高値　52
低血糖　2, 3, 4, 114
低血糖発作　160
低ケトン性低血糖　264
電子伝達フラビンタンパク（ETF）　275

と

頭囲拡大　185
糖原病 0a 型　310
糖原病 0b 型　311
糖原病Ⅰ型　286, 291
糖原病Ⅲ型　286
糖原病Ⅳ型　301
糖原病Ⅴ型（McArdle 病）　305
糖原病Ⅵ型　286, 298
糖原病Ⅶ型（垂井病）　305
糖原病Ⅸ型　286
糖原病用フォーミュラ　291
突然死　251
トリヘプタノイン　194, 201, 203, 259
努力呼吸　149

に・ね・の

二塩基性アミノ酸　93
二次対象疾患　275
尿ケトン体　177
尿素サイクル異常症患者の出産　82

尿中有機酸分析　159
尿中遊離カルニチン分画排泄率　231
熱不安定性型 SNP　252
脳萎縮様変化　182
脳血栓塞栓症　36

は・ひ

ハサミ脚歩行　89
非（低）ケトン性地カルボン酸尿症　193, 252
非（低）ケトン性低血糖　158, 193, 209, 220, 230, 242
ビオチニダーゼ欠損症　164
ビオチン　127, 148, 167
非加熱コーンスターチ　203, 224, 259, 270
非阻血下前腕運動負荷試験　308
非阻血下前腕運動負荷試験の反応　308
ビタミン・カクテル　9, 224
ビタミン B_6　35
ヒドロキソコバラミン　124
ピリドキシンの大量投与　38

ふ

フェニルケトン尿症（PKU）　11
フェリチン　95
複合アシル CoA 脱水素酵素欠損症　275
腹部画像検査　297
不整脈　252
不整脈　265
ブドウ糖負荷試験　289
ブテリジン分析　13
ブフェニール®　5, 74, 76
プロピオニル CoA　127
プロピオニオニル CoA カルボキシラーゼ　127
プロピオニルカルニチン　128, 130
プロピオニルカルニチンの増加　115
分枝鎖 α ケト酸脱水素酵素複合体　26

へ・ほ

ベザフィブラート　257, 269, 281
ベタイン　39
ボイトラー法　103
ホスホグリセリン酸キナーゼ（PKG）欠損症　305

母性 PKU　20
ボツリヌス毒素　188
ホモシスチン尿症　35, 43
ホモシスチン尿症を伴うメチルマロン酸血症　40
ホモシステイン　35
ポリグルコサミン小体病　301

ま・み

マルファン症候群　36
慢性腎障害　293
ミオグロビン尿症　306
ミオパチー　296
ミトコンドリア・アセトアセチル CoA チオラーゼ（T2）　173
ミトコンドリア機能低下　153

め

メープルシロップ尿症　25
メチオニンアデノシルトランスフェラーゼ（MAT）　36, 45
メチオニン合成酵素欠損症　37, 40
メチオニン除去粉乳　40
メチオニン制限　46
メチルクエン酸　130
メチルコバラミン　113
メチルマロニル CoA ムターゼ　113
メチレンテトラヒドロ葉酸還元酵素（MTHFR）欠損症　37, 40

も

網膜出血　189
門脈欠損症　107
門脈性肺高血圧症　108
門脈体循環性脳症　107
門脈低形成　107

や・ゆ

夜間持続注入　291, 292
遊離カルニチン　244
遊離カルニチン濃度　155
輸液　32

り

リジン　95
リジン/アルギニン比　187
リジン・トリプトファン除去ミルク　187
リボフラビン　281
両側麻痺　68

ろ

ロイシン　144
ロイシン摂取制限　154
ろ紙血　194
ろ紙血アシルカルニチン分析　242

欧文

A

ACADM　220
ACADVL　198
ACAT1　174
AFLP　209
ARG1 欠損症（アルギニン血症）　70
ASL 欠損症（アルギニノコハク酸尿症）　70
ASS 欠損症（シトルリン血症I型）　69

B

BAA 除去ミルク　30, 32
BCKD 複合体　26
BH_4　17, 21
BH_4・1 回負荷試験　13
BH_4 欠損症　12
BH_4 反応性高 Phe 血症　12, 16

C

C14/C3　266
C14：1　196
C5：1　175
C5-DC 高値　183
C5-OH　175
C8/C10 比　220
C8 高値　220
（C16＋C18：1）/C2　266
CPS1 欠損症　69
CPT2 遺伝子　253
critical sample　2

D・E

DHPR 酵素解析　13
DLD　26
ETFA　277
ETFB　277
ETFDH　278
ETF 脱水素酵素（ETFDH）　275

F・G

FAH　50
Fanconi-Bickel 症候群　302
Fanconi 型近位尿細管障害　303
Fanconi 症候群　233
FAODs　191
first line　2
FTTDCD　57
GABA アナログ　188

H・I

HADHA　210
HADHB　210
HCS 欠損症　164
HSD10　175
in vitro プローブアッセイ　199, 210
Isolated LCHAD 欠損症　208

L

LCEH　208
LCHAD　208
LCKAT　208
Leigh 脳症　191
L-アルギニン　97
L-カルニチン　131, 133, 186, 224
L-シスチン補充　38
L-シトルリン　97
L-ドーパ　21

M

MAT　45
MCT オイル　260, 270
MCT ミルク　270
Metabolic Autopsy　10
ML-1　284
MSUD　25
MUT 遺伝子　116

N

N アセチルグルタミン酸　129
NADH　57
NICCD　57
NTBC　54

O・P

OTC 欠損症　69
PAH 欠損症　12, 16
PCCA　130
PCCB　128, 130
Phe 水酸化酵素（PAH）　11
Potter 様顔貌　275

Q・R

QT 延長　129
QT 短縮症候群　230
Reye 様症候群　159, 193, 204, 230, 265

S・T・Y

SCOT 欠損症　175
second line　2, 8
sick day　270
SLC25A20 遺伝子　266
SLC7A7　96
Sylvius 裂　182
THAM（トロメタモール）　8
y^+LAT-1　93

数字

2-メチル-3-ヒドロキシ酪酸　174
2-メチルアセト酢酸　174
3-ヒドロキシイソバレリルカルニチン　149, 158
3-ヒドロキシグルタル酸　180
3-ヒドロキシプロピオン酸　130
5-ヒドロキシトリプトファン（5-HTP）　21
6-ピルボイルテトラヒドロプテリン合成酵素（PTPS）欠損症　12

- **JCOPY** 〈(社)出版者著作権管理機構 委託出版物〉
  本書の無断複写は著作権法上での例外を除き禁じられています．
  複写される場合は，そのつど事前に，(社)出版者著作権管理機構
  （電話 03-5244-5088，FAX03-5244-5089，e-mail：info@jcopy.or.jp）
  の許諾を得てください．

- 本書を無断で複製（複写・スキャン・デジタルデータ化を含みます）する行為は，著作権法上での限られた例外（「私的使用のための複製」など）を除き禁じられています．大学・病院・企業などにおいて内部的に業務上使用する目的で上記行為を行うことも，私的使用には該当せず違法です．また，私的使用のためであっても，代行業者等の第三者に依頼して上記行為を行うことは違法です．

新生児マススクリーニング対象疾患等診療ガイドライン 2019

ISBN978-4-7878-2386-1

2019 年 9 月 20 日　改訂第 2 版（2019 年版）第 1 刷発行

2015 年 11 月 20 日　初版第 1 刷発行

編　　集	日本先天代謝異常学会	
発 行 者	藤実彰一	
発 行 所	株式会社　診断と治療社	
	〒 100-0014　東京都千代田区永田町 2-14-2　山王グランドビル 4 階	
	TEL：03-3580-2750（編集）　03-3580-2770（営業）	
	FAX：03-3580-2776	
	E-mail：hen@shindan.co.jp（編集）	
	eigyobu@shindan.co.jp（営業）	
	URL：http://www.shindan.co.jp/	
表紙デザイン	三報社印刷株式会社	
印刷・製本	三報社印刷株式会社	

© 日本先天代謝異常学会, 2019. Printed in Japan.　　　　　　　　　　　　　　　［検印省略］
乱丁・落丁の場合はお取り替えいたします．